1ST EDITION

ENCEPHALITIS

The textbook of encephalitis

뇌염

대한뇌염/뇌염증학회
Korean Encephalitis and Neuroinflammation Society

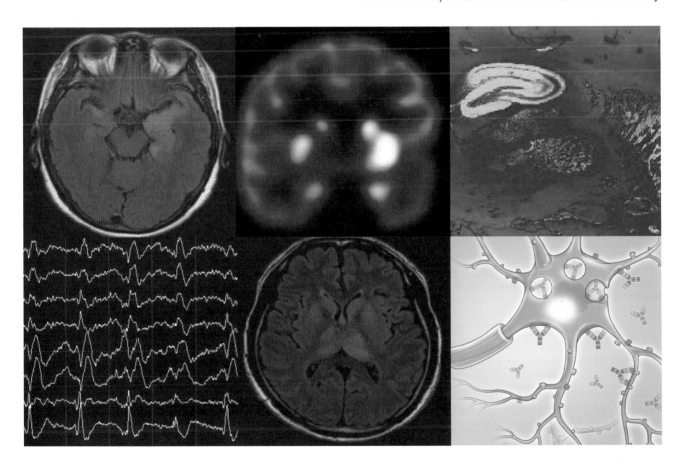

KENS 대한뇌염/뇌염증학회
Korean Encephalitis and Neuroinflammation Society

 군자출판사

뇌염
ENCEPHALITIS

첫째판 1쇄 인쇄   2021년 01월 08일
첫째판 1쇄 발행   2021년 01월 28일

지 은 이   대한뇌염/뇌염증학회
발 행 인   장주연
출 판 기 획   장희성
책 임 편 집   오수진
편집디자인   양란희
표지디자인   양란희
일 러 스 트   유시연
발 행 처   군자출판사
          등록 제 4-139호(1991. 6. 24)
          본사 (10881) 경기도 파주시 회동길 338(서패동 474-1)
          Tel. (031) 943-1888   Fax. (031) 955-9545
          홈페이지 | www.koonja.co.kr

ISBN 979-11-5955-645-6

정가 60,000원

1ST EDITION

ENCEPHALITIS

The textbook of encephalitis

뇌염

편찬위원

위원장

박경일　　서울대학교병원 신경과

간사

이우진　　서울대학교병원 신경과

위원 (가나다순)

김영수　　경상대학교병원 신경과

선우준상　서울대학교병원 신경외과

전대종　　어드밴스드엔티(Advanced Neural Technologies)

전진선　　한림대학교강남성심병원 신경과

집필진

강경욱	전남대학교병원 신경과	손효신	서울대학교병원 신경과
구용서	서울아산병원 신경과	신용원	서울대학교병원 신경외과
김광기	동국대학교 일산병원 신경과	신정원	차의과학대학 분당차병원 신경과
김근태	계명대학교 동산의료원 신경과	신혜림	단국대학교병원 신경과
김동욱	건국대학교병원 신경과	안선재	서울대학교병원 신경과
김민아	서울대학교병원 정신건강의학과	양태원	창원경상대학교병원 신경과
김성민	서울대학교병원 신경과	이상건	서울대학교병원 신경과
김영수	경상대학교병원 신경과	이서영	강원대학교병원 신경과
김은영	세종충남대학교병원 신경과	이순태	서울대학교병원 신경과
김정민	서울대학교병원 신경과	이우진	서울대학교병원 신경과
김태준	아주대학교병원 신경과	이한상	서울대학교병원 신경과
김혜윤	가톨릭관동대학교 국제성모병원 신경과	임병찬	서울대학교병원 소아청소년과
문장섭	서울대학교병원 신경과, 희귀질환센터	임정아	참조은병원 신경과
문혜진	순천향대학교 부천병원 신경과	장윤혁	서울대학교병원 신경과
박경일	서울대학교병원 신경과	장혜연	건양대학교병원 신경과
박진균	서울대학교병원 류마티스내과	전진선	한림대학교강남성심병원 신경과
박희권	인하대학교병원 신경과	정근화	서울대학교병원 신경과
배은기	인하대학교병원 신경과	주건	서울대학교병원 신경과
변정익	강동경희대학교병원 신경과	최승홍	서울대학교병원 영상의학과
선우준상	서울대학교병원 신경외과	황성은	서울대학교병원 신경과

발간사

안녕하십니까?

이번에 여러 분의 노력 끝에 이렇게 뇌염 교과서를 발간할 수 있게 된 것을 무한히 기쁘게 생각합니다. 뇌염과 뇌염증은 우리에게 기초와 임상을 가리지 않고 큰 놀라움을 주는 분야입니다. 여러 가지 원인에 따라 다양한 병의 증상과 경과를 보여주어 뇌에 대한 우리의 이해를 한 단계 높여주기도 합니다. 기존에 알려진 질환을 뛰어 넘어 새로이 발견되기 시작한 많은 종류의 다양한 뇌염 질환들을 통해 우리는 뇌의 면역기능에 대한 새로운 이해를 갖게 될 수 있었고 뇌의 작동기전에 대해서도 더 깊은 지식을 얻을 수 있게 되었습니다. 그리고 지금도 새로운 뇌염 질환들이 속속 발견되고 있습니다. 이 뿐 아니라 뇌 면역기전과 뇌염증은 기존에 우리가 익숙하게 보아 왔던 많은 급 만성 신경계 질환과도 깊은 관계를 갖고 있음이 밝혀지고 있어 이에 대한 연구 분야는 무궁무진 할 것으로 보입니다. 그리고 임상적으로도 깊은 연구가 꼭 필요한 분야입니다. 정밀한 관찰과 정확한 질병의 이해를 통해서만 바람직한 치료 결과를 얻을 수 있기 때문입니다. 즉, 적절한 치료를 적절한 시점에 시작 적용하는 것이 무엇보다도 중요한 질환군입니다. 이미 다양한 치료 방법이 적용되고 있고 그 숫자는 점점 더 늘어나고 있습니다. 앞으로는 전혀 새로운 기전을 갖는 치료 방법도 도입될 것입니다.

교과서는 총 8개의 주제로 나뉘어져 있습니다. 첫 주제는 뇌염증의 기전으로 기본적인 면역체계에 대한 이해를 돕고 중추신경계 면역의 특징을 설명하며 각종 뇌염증 질환의 원인이 되는 자가면역질환에 대한 기전을 알 수 있도록 하였습니다. 2, 3, 4 주제는 뇌염총론과 뇌염의 임상적 접근 및 진단 검사법을 다루어 뇌염의 분류와 임상적 진단이 가능하도록 하였습니다. 5,6 주제는 뇌염의 치료와 예후에 관한 내용으로 다양한 면역치료 방법과 뇌염에 흔히 동반되는 뇌전증, 정신증상 및 기타 합병증에 대한 적절한 치료 법을 설명하고 있으며, 이러한 치료법에 따른 뇌염의 예후를 평가할 수 있도록 평가척도를 제시하고 있습니다. 7주제는 다양한 자가면역뇌염에 대한 자세한 설명으로 개별 뇌염증질환에 대한 이해와 진단이 가능하도록 하였고 마지막 주제는 뇌염의 또 다른 중요한 축인 감염에 의한 뇌염을 다루고 있습니다.

앞으로 이 책이 뇌염증에 관심이 있고 그러한 환자를 접해야 하는 분들에게 도움이 되었으면 하는 바람이며 또 많은 뇌염증 연구의 시발점이 되는 기회가 된다면 더 큰 기쁨이겠습니다. 끝으로 이 책이 발간될 수 있도록 노력을 아끼지 않은 저자 분들과 관계자 분들에게 깊은 감사의 말씀을 전합니다.

2020년 가을
대한뇌염/뇌염증학회 명예회장 이상건

축사

뇌염학회를 만들고 지원해주신 명예 회장님, 그리고 학회의 발전을 위해 수고해주신 여러 선생님들께 회장으로서 먼저 깊은 감사를 드립니다.

그동안 신경과 의사라면 진단이 어려운 희귀한 뇌염환자를 만나, 많이 고민하고 진단에 어려움을 겪었던 시절이 있었습니다.

따라서 적절한 치료방법을 찾지 못해 안타까운 환자분의 생명을 잃거나 후유증이 남는 경우도 대부분이었고, 당시의 의학적인 한계였다고 생각했었습니다.

그러나, 최근 수년간, 그동안 진단되지 않았던 희귀한 질환인 자가면역뇌염의 발견과 함께, 여러가지 진단방법을 학회 또는 학술행사를 통해 알리고, 전국적으로 진단 서비스를 해오면서 점차 소중한 경험이 누적되어 갔습니다.

뇌염에 대한 시각이 과거의 단순 바이러스성 감염질환으로 보는 관점에서 점차 확대되어, 그동안 신경과학 분야에서만 접하였던 여러가지 수용체나 기타 분자 물질들에 대한 항체등이 발견되면서, 치료방법 또한 한 세대를 넘는 도약적인 발전을 이루었다고 감히 말씀드릴 수 있습니다.

이러한 발견, 발전 등으로 수천명의 환자분들이 도움을 얻을 수 있었고, 이러한 업적에는 이 책자의 저자들의 생생한 경험 들이 녹아 있습니다.

연구진들의 경험으로 부터 오는 여러가지 지식을 공유하고, 조금 더 낳은 의학발전을 희망하며 뇌염 교과서를 발간하고자 합니다.

본 책자가 독자분들에게 조금이나마 도움이 되고, 환자분의 생명을 살릴 수 있는 소중한 지식이 되기를 기원합니다.

그리고, 책이 발간되기까지 노력을 해주신 모든 분들께 감사드립니다.

2021년 1월
대한뇌염/뇌염증학회 회장 김만호

머리말

대한뇌염/뇌염증 학회가 만들어지면서, 뇌염에 대한 학문적, 사회적 관심이 매우 늘어나게 되었습니다. 뇌염은 진단과 치료방법의 선택이 어렵고, 예후도 위중한 질환입니다. 하지만, 최근 뇌염에 대한 식견이 점차로 넓어지고 있고, 뇌염증, 뇌면역에 대한 기초 지식이 매우 방대해지고 있습니다. 이에 발맞추어, 그 동안의 뇌염/뇌염증에 대한 학문업적과 경험을 교과서를 통해, 공유하여야 한다는 필요성을 느끼게 되었습니다

이 책은 국내 처음으로 발간되는 뇌염 교과서입니다. 교과서를 만들면서, 뇌면역, 뇌염증에 대한 기초 지식을 폭넓게 설명하려고 애썼고, 뇌염의 임상 지식을 광범위하게 다루어서, 환자를 보는 의사에게 살아있는 최신지식을 전달하는 것을 목표로 많은 노력하였습니다.

뇌염을 진료하는 전문의, 전공의 뿐 아니라, 뇌에서 일어나는 면역반응과 뇌염증을 탐구하는 연구자는 물론, 뇌염증과 뇌염의 기초 공부가 필요한 의과대학생에게도 큰 도움이 될 내용을 담았습니다.

편집/교정 하는 데 있어서, 대표 한글용어의 선정에 매우 신중하였고, 교과서 전반에 걸쳐 통일된 용어 사용에 노력하였습니다. 더불어, 보편적으로 좀더 익숙한 용어를 선택하여 모든 독자들이 책을 읽기 편하도록 만들고자 했습니다. 매우 바쁘신 중에도, 첫 뇌염교과서를 만든다는 무거운 책임감을 가지고 집필해 주신 많은 선생님들께 깊은 감사를 드립니다. 물심양면으로 아낌없는 격려와 조언을 해주신 주건 선생님께 감사드리고, 마지막으로 많은 시간 동안 저와 함께 이 교과서와 씨름한, 이우진 간사에게 특별한 감사의 마음을 전합니다.

2021년 1월
The textbook of encephalitis 편찬위원장 박경일

CONTENTS

4 뇌염의 진단적 접근

CHAPTER

5 뇌염의 치료

CHAPTER

CONTENTS

8 감염성 뇌염

9 기타 특별한 임상 상황

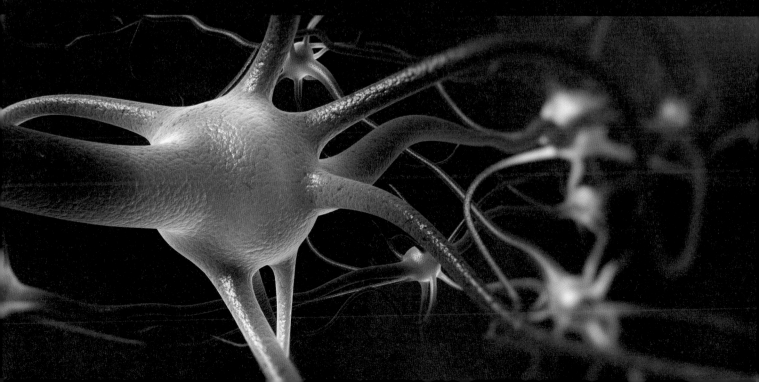

SECTION

1

뇌염증의 기전

ENCEPHALITIS

1

장윤혁

선천면역
(Innate immunity)

1 │ 서론

선천면역(innate immunity)이란 인체에서 발생하는 위험신호에 대해 즉시 대응하는, 진화적으로 가장 오래된 원초적인 면역 시스템이다. 특별한 적응(adaptation) 과정 필요 없이 다양한 위험신호에 대해 수초-수분 내로 반응한다는 점에서 특별하다. 또한, 더 고도화된 면역반응인 적응면역(adaptive immunity)의 활성화를 위한 필수적인 반응이다.

면역반응의 첫 시작은 위험신호를 인지하는 것이다. 위험신호란, 개체의 항상성을 파괴하는 상황 또는 자극을 말한다. 이러한 신호에는 외부에서 침입한 미생물에 의해 발생하는 병원체연관분자유형(pathogen-associated molecular pattern, PAMP)과 개체 내부에서 미생물 감염 없이 손상된 세포에 의해 발생하는 손상연관분자유형(damage-associated molecular patterns, DAMP)이 있다. 선천면역은 가장 먼저 위험신호를 인지하여서 급성 염증반응을 일으키며, 이후 적응면역반응을 활성화시키는 첨병이다.

2 │ 선천면역의 구성

선천면역을 구성하는 것은 크게 세 가지로 나눌 수 있다(그림 1-1). 개체와 외부를 구분 짓는 방어벽(barrier), 위험신호에 대해 반응하는 면역세포(cells)들, 그리고 이를 인지하고 처리하는 혈장단백질(plasma proteins)들이다.

1) 방어벽

개체와 외부를 구분 짓는 방어벽이 존재한다. 이 방어벽은 상피(epithelium)로 구성되어 있다. 개체가 외부와 맞닿는 방법은 접촉하는 것, 숨 쉬는 것, 그리고 먹고 배설하는 것이다. 이렇게 외부와 맞닿아 있는 피부, 폐, 장의 상피는 언제든 외부 미생물들의 침입으로부터 개체를 보호할 준비가 되어있으며 각종 물질을 분비하여 미생물을 파괴한다. 또한, 줄기세포가 활성화되어 있어 손상된 방어벽들은 비교적 쉽게 재생된다.

2) 면역세포

면역세포에는 위험신호를 제일 먼저 인지하는 감시세포(sentinel)와 위험신호를 인지하고 이에 대한 파괴 및 적응면역을 활성화시키는 포식세포(phagocyte)가 있다. 최근 들어 사이토카인(cytokine)을 전문적으로 생성하는 선천림프세포(innate lymphoid cell)의 존재 역시 발견되었다.

(1) 감시세포 - 수지상세포(Dendritic cell)

각 방어벽의 인접한 곳에 감시세포로서 수지상세포가 존재한다. 수지상세포는 위험신호를 가장 먼저 인지하는 톨유사수용체(Toll-like receptor, TLR)를 포함한 다양한 패턴인식수용체(pattern recognition receptor)를 발현하고 있다. 인식한 위험신호를 표면에 표시하

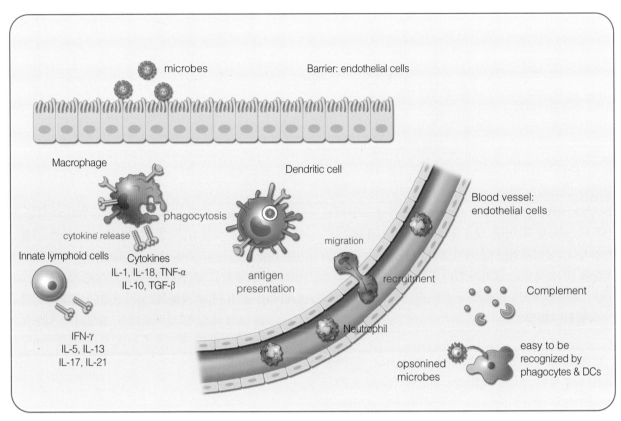

그림 1-1 **선천면역의 구성**

상피조직세포로 구성된 방어벽은 외부로부터 미생물의 침입을 막는다. 만약 미생물이 방어벽을 뚫고 개체 내부로 침입하게 될 경우 감시세포인 수지상세포와 포식세포인 대식세포는 미생물을 위험신호로 인지하고 선천면역반응을 일으킨다. 이렇게 분비된 여러 사이토카인들은 혈관세포를 자극하여 순환 중인 중성구가 해당 지역으로 쉽게 모집될 수 있도록 하며 선천성 림프세포를 자극하여 염증반응을 일으킨다. 동시에 수지상세포와 포식세포는 항원전달세포로서 적응면역반응을 활성화한다. 보체 등으로 대표되는 혈장단백질은 미생물의 특정 패턴에 반응하여 옵소닌화를 일으키고, 옵소닌화 된 미생물은 면역세포에 쉽게 인식되어 처리된다.

는 항원전달세포(antigen presenting cell)로서 선천면역반응과 적응면역반응의 매개체로서 활동한다. 또한 1형인터페론(type I interferon)을 포함한 항바이러스 사이토카인을 분비하여 적응면역반응의 T세포들을 활성화시키는 역할을 한다.

(2) 포식세포 – 대식세포(Macrophage), 중성구 (Neutrophil)

대표적 포식세포인 대식세포는 선천면역반응의 주요한 일차 면역세포로서, 침입한 미생물에 대한 포식작용과 함께 항원전달세포로서 기능을 한다. 또한 인터루킨(interleukin, IL)-1, IL-18, 종양괴사인자-α (tumor necrosis factor-α, TNF-α)와 같은 사이토카인을

분비하여 염증반응 및 항바이러스 반응을 일으키고 적응면역반응을 활성화하는 역할을 수행한다. 대식세포는 IL-10, 형질전환성장인자-β (transforming growth factor-β, TGF-β)를 분비하여 손상된 세포들을 재생시키고 수리하는 항염증반응에도 중요한 역할을 담당하는 상반된 이중역할을 수행한다.

중성구는 포식세포의 일종으로 높은 이동성을 지니고 있으며 염증반응에 가장 빨리 참여하는 세포들 중 하나이다. 혈액을 통해 전신을 순환하며 대식세포나 방어벽, 혈관내피세포 등이 발산하는 사이토카인에 반응하여 모집되고 활성화된다. 활성화된 중성구는 미생물을 섭취하는 포식세포 작용과 함께 과립단백질 형태의 항미생물제를 방출한다. 또한 사이토카인을 분비하여 또 다른 중성구들을 모집하며 염증반응을 증폭시킨

다. 과립단백질 형태의 항미생물제는 미생물뿐만 아니라 주변 개체의 조직도 손상시키기 때문에 염증반응은 적절히 조절되어야 한다.

(3) 선천림프세포

림프구와 같은 사이토카인들을 분비하지만 B세포수용체, T세포수용체가 없는 세포다. 림프구처럼 특정한 항원에 반응하지 않고, 주변환경인 사이토카인에 반응을 한다. 따라서 방어벽 및 다른 선천면역세포가 어떤 스트레스를 받고 어떤 반응을 하느냐에 민감한 것이 특징이다. 알러지질환 및 자가면역질환 등에서 중요한 역할을 하는 것으로 알려져 있다.

3) 혈장단백질

보체(complement), 펜트락신(pentraxin), 콜렉틴(collectin) 등이 혈장단백질로서 선천면역을 구성한다. 위 물질들은 옵소닌(opsonin)으로서 미생물 표면에 부착하여 효과적으로 포식세포들이 대식작용을 할 수 있도록 돕는 역할을 하며 보체의 경우 미생물의 세포막을 직접 파괴하는 역할도 함께 수행한다.

(1) 보체

보체는 외부와 내부의 위험신호에 반응하는 혈장단백질이다. 침입한 미생물의 특정 패턴에 반응하여 단백질 분해의 연쇄작용이 일어나 보체의 활성화 및 증폭이 일어나게 된다. 보체의 패턴 인식 방식에는 면역글로불린G (immunoglobulin G, IgG), IgM의 항체와 결합된 미생물에 반응하는 고전보체경로(classical pathway), 미생물 표면의 지질다당류(lipopolysaccharide, LPS)를 직접 인식하여 촉발되는 대체보체경로(alternative pathway), 미생물 표면의 당단백질(glycoprotein), 당지질(glycolipid)에 부착된 만노스결합렉틴(mannose-binding lectin) 혈장단백질에 반응하는 렉틴경로(lectin pathway)라는 각각의 세가지 경로가 있다. 각각의 경로로 활성화된 보체 단백질은 연쇄작용을 거쳐 수백만 배 증폭되며 미생물의 옵소닌화(opsonization)를 일으킨다. 옵소닌화된 미생물은 면역

세포가 발현한 다양한 보체인식수용체를 통해 인지되며 포식작용 및 염증촉진신호(proinflammatory signal) 연쇄작용을 일으켜 대식세포 및 림프구의 염증반응을 돕는다. 또한, 활성화된 보체는 직접 미생물 세포막에 막공격복합체(membrane attack complex)를 형성하여 세포를 파괴할 수 있다.

(2) 펜트락신

펜트락신 패밀리에 속해있는 단백질이며 미생물 표면 및 사멸한 세포의 특정 인지질을 인식하여 반응한다. 대표적으로 C-reactive protein (CRP)가 있으며 미생물에 부착된 펜트락신은 고전보체경로(classical pathway)를 통해 보체를 활성화시킨다. CRP의 경우 IL-1, IL-6에 반응한 간세포에서 생성되며 임상적으로 급성 염증반응의 정도를 알아보는 생체표지자로서 널리 알려져 있다.

3 │ PAMP와 DAMP신호

1) 개요

위험신호는 크게 미생물 감염 유무에 따라 두 가지 신호로 나눌 수 있다. 미생물의 침입에 의해 발생하는 PAMP와 미생물 감염 없이 손상된 세포에 의해 발생하는 DAMP가 그것이다. 학계에서는 어떻게 면역계가 개체에 해로운 물질을 구분하고 인지하여 반응할 수 있는지가 주된 관심사 중 하나였다. 개체가 해로운 물질을 구분하는 방법으로 1959년 Frank Macfarlane Burnet은 면역계가 자신(self)과 비자신(non-self)을 인지할 수 있다는 개념을 제시하였고, 이는 1989년 Chalres Janeway에 의해 제시된 패턴파악(pattern recognition)으로 자신과 비자신이 구분된다는 가설로 구체화되었다. 패턴파악을 위해 필요한 신호인 PAMP의 개념은 TLRs의 발견으로 뒷받침되었다.

외상이나 괴사 등과 같은 감염과는 별개로, 개체 내 손상에 대해 면역계가 반응하는 현상을 설명하기 위하여 1994년 Polly Matzinger는 DAMP신호 개념을 제시하였는데, 그 개념이 받아들여지기까지 약 20여년

간의 논쟁이 있었다. 추후 염기결합올리고화도메인유사 수용체(nucleotide-binding oligomerization domain (NOD)-like receptors, NLRs), 레티노산유도유전자 1유사수용체(retinoid acid-inducible gene I (RIG-I)-like receptors, RLRs), C형렉틴수용체(C-type lectin receptors, CLRs) 등의 다양한 패턴파악수용체(pattern recognition receptors)들이 발견되면서 최근에는 DAMP의 개념은 널리 받아들여지고 있다.

2) PAMP/DAMP신호의 수용체 유형

현재까지 알려진 위험신호 수용체는 수십 가지가 넘는다(그림 1-2). 바이러스, 박테리아, 진균 등의 각 미생물은 저마다의 PAMP를 가지고 있다. 이를 인지하기 위해 많은 종류의 수용체가 존재하나 다양한 미생물에 비하여 그 수가 한정적이다. 따라서 선천면역의 형태인식수용체들은 각 미생물마다 생명활동에 반드시 필요하여 공통적으로 가지고 있는 물질을 인식하는 방법으로 진화되었으며 이러한 방법을 통해 최대한 많은 종류의 미생물을 인지할 수 있다.

박테리아나 진균의 PAMP신호에는, 세포벽 펩티도글리칸(peptidoglycan), 지질단백질, 다당류가 있다. 이중가닥DNA, 이중가닥RNA, RNA-DNA결합체, 긴 길이의 RNA는 바이러스의 침입을 나타내는 PAMP신호다. 이러한 PAMP신호들은 정상적인 진핵세포에 존재하지 않는 물질이다.

DAMP신호에 의해, 세포가 손상될 때에 정상적인 상태에서 노출되지 않는 여러 물질이 세포질 및 핵으로부터 흘러나온다. 세포질 단백질 및 핵 단백질과 mRNA, rRNA, mtDNA 등이 그것이다. 또한, 세포막이 손상되어 발생하는 이온의 불균형, ATP 생성이 안 될 때 축적되는 ADP, 미토콘드리아가 손상되어 노출되는 ATP 그리고 핵의 분열 및 전사가 원활하지 않을 때 축적되는 요산과 퓨린(purine) 등도 DAMP신호로 작용한다.

이와 같은 신호들을 인지하기 위해 선천면역 세포 내외로 다양한 형태인식수용체들이 존재한다. 대표적으로 네 가지의 주 수용체 그룹, TLRs, CLRs, NLRs, RLRs이 있다.

(1) TLRs (Toll-like receptors)

TLR의 경우 박테리아 세포벽에 특징적으로 존재하는 다양한 지질단백질 및 당을 인식하여 미생물들이 세포 표면에 결합하는 단계를 감시한다. 현재까지 총 13개의 TLR이 발견되었으며 인간에서는 10개의 TLR (TLR1-10)이, 설치류인 쥐에서는 12개의 TLR (TLR1-9, TLR11-13)이 발현되는 것이 확인되었다. 일부 TLR (TLR3, 7, 8, 9, 11, 12, 13)은 세포막이 아닌 세포내 소기관 막에 존재하며 미생물의 이중가닥RNA 및 단일가닥RNA, C (cytosine)와 G (Guanine)가 풍부하게 일렬로 있는(CpG) DNA 등을 인지한다. TLR은 미생물 뿐만 아니라 파괴된 세포에서 흘러나오는 핵산 및 열충격단백질(heat shock protein), HMGB1(high mobility group box 1), 히스톤(histone) 등의 세포내 단백질, 히알루론산(hyaluronic acid), 바이글리칸(biglycan) 등의 세포 외 매트릭스 물질도 인지할 수 있다.

위와 같은 PAMP/DAMP 물질이 TLR에 결합할 경우 수용체의 세포내 신호 도메인(domain)에 어댑터단백질 모집을 일으킨다. 이후 연쇄 활성화 반응이 일어나고, 최종적으로 NF-κB(nuclear factor kappa-light-chain-enhancer of activated B cells) 및 인터페론조절인자(interferon regulatory factors) 전사인자가 활성화된다. 이로 인해 사이토카인 발현, 염증세포의 모집 등 급성염증발현과 적응면역반응의 활성화가 일어난다. 또한 인터페론조절인자는 1형interferon의 생성을 자극하여 항바이러스 반응을 일으킨다.

어댑터단백질로서 MyD88(myeloid differentiation primary response 88)은 TLR3를 제외한 모든 TLR신호 연쇄반응에 주요한 역할을 한다. MyD88에 돌연변이(mutation)가 있는 환자들은 치명적인 화농성 박테리아 감염에 취약해지는 것이 확인됨으로써 선천면역의 중요성이 증명된 바 있다.

(2) CLRs (C-type lectin receptors)

CLR은 진균 세포벽 표면에 존재하는 다당류를 인식하는 위험신호수용체로 알려져 왔다. 진균 세포표면에 발현되는 만노스(mannose), 엔-아세틸글루코잠민(N-acetylglucosamine), 베타글루칸(β-glucans)과 같은

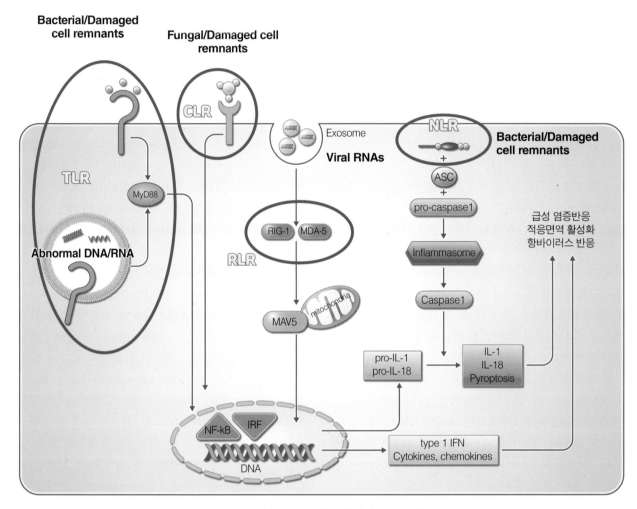

그림 1-2 형태인식수용체를 통한 선천면역 세포의 활성화 기전

미생물을 인지하기 위해 선천면역 세포 내외로 다양한 형태인식수용체들이 존재한다. 대표적으로 TLR, CLR, NLR, RLR이 있다. 위험신호를 인지한 형태인식수용체들은 최종적으로 급성 염증반응, 항바이러스반응 및 적응면역을 활성화한다.

TLR, Toll-like receptor; CLR, C-type lectin receptor; NLR (nucleotide-binding oligomerization domain (NOD)-like receptor; RLR, retinoid acid-inducible gene I (RIG-I)-like receptor.

탄수화물은 진핵세포 표면에 존재하지 않는 물질이다. CLR 중 일부는 괴사된 세포의 잔해인 F-액틴(F-actin), 씬3A연관단백질(Sin3A associated protein, SAP130), 베타글루코실세라마이드(β-glucosylceramide)와 같은 DAMP 신호를 인지할 수 있으며 TLR과 마찬가지로 급성염증반응을 일으킨다.

(3) RLRs (retinoid acid-inducible gene I (RIG-I)-like receptors)

대표적인 세포질 내 수용체인 RLR은 바이러스 침입의 위험신호를 인지하는 수용체다. RLR은 항원전달세포뿐만 아니라 다양한 조직의 세포들에서 발현되어 바이러스 침입에 대항하는 선천면역 기능을 수행한다.

바이러스가 세포 내로 침입할 경우 발현하는 이중가닥RNA 혹은 DNA를 역전사한 RNA-DNA의 복합이중나선을 인식한다. RLRs에는 대표적으로 레티노산유도유전자1(retinoic acid-inducible gene I)과 흑색종분화관련단백질5(melanoma differentiation-associated protein 5)가 있다. 레티노산유도유전자1은 비교적 짧은 길이의 RNA를 인식하며 진핵세포 내 비정상적인 형태를 가진 RNA를 구분한다. 진핵세포의 정상적인 세포질 내 RNA는 5'말단에 7-메틸구아노신캡(7-methylguanosine cap)을 지니고 있거나 첫 번째와 두 번째 뉴클레오티드에 메틸화(2'-O-methylation) 처리가 되어있다. 반면 바이러스의 RNA는 이러한 캡구조가 없이 5'의 이인산(disphosphate) 또는 삼인산(triphosphate) (5'pp 또는 5'ppp)이 그대로 노출되어 있고 이러한 비정상적인 구조는 레티노산유도유전자1에게 인지된다. 흑색종분화관련단백질5는 진핵세포가 생성하지 않을 만큼 긴 길이의 이중나선RNA (1-6 kb)를 인지할 수 있다.

위와 같은 비정상적인 형태의 RNA와 결합하여 활성화된 RLR수용체는 미토콘드리아의 항바이러스신호(mitochondrial antiviral (MAV) signaling)단백질에 결합하고, 추가적인 연쇄반응에 의하여 인터페론조절인자와 NF-κB 전사인자를 활성화 시키며 최종적으로 급성염증반응과 항바이러스 작용을 일으킨다.

(4) NLRs (nucleotide-binding oligomerization domain (NOD)-like receptors)

NLR은 RLR과 함께 대표적인 세포질 내 수용체로서 박테리아의 침입 및 세포 내부 잔해들을 인지한다. 진화적으로 잘 보존되어 여러 다른 동물 종에서도 확인되며 20가지가 넘는 종류가 발견되었다. 크게 NLRA, NLRB, NLRC, NLRP의 4개의 소그룹(subfamily)으로 구분하며 이중 선천면역반응에 관여하는 소그룹은 NLRA를 제외한 NLRB, NLRC, NLRP로 알려져 있다.

NRLC 그룹 중, NOD1과 NOD2가 가장 잘 연구되어 있다. 이들은 림프구, 대식세포, 수지상세포와 같은 포식세포 및 점막상피세포 세포질에서 발현되며, 박테리아 세포벽에 발현되는 펩티도그리칸을 특징적으로 인지할 수 있다. NOD1은 그램 음성 박테리아의 다이아미노피멜산(diaminopimelic acid)을, NOD2는 그램 양성, 그램 음성 박테리아의 뮤라밀펩타이드(muramyl dipeptide)를 각각 인지한다. 활성화된 NOD1, 2는 수용체상호작용세린/쓰레오닌단백질인산화효소2(receptor-interacting serine/threonine-protein kinase 2)를 통해 NF-κB 전사인자를 활성화시켜 급성 염증반응을 일으킨다.

NLRP그룹은 미생물의 PAMP뿐만 아니라 세포 손상에 의해 발생하는 다양한 DAMP신호를 인지하여 반응한다. 특히 NLRP는 IL-1, IL-18 생성 및 급성염증반응을 일으키는 인플라마좀(inflammasome) 신호 전달 복합체를 구성하는 센서로서 가장 잘 알려져 있다.

3) 인플라마좀

인플라마좀은 포식세포 및 항원전달세포의 세포질 내에서 형성되는 다단백복합체(multiprotein complex)이다. 다양한 위험신호에 반응하여 조립되며 최종 단계로 caspase1을 활성화 시켜 급성 염증반응 및 적응면역반응에 필수적인 사이토카인 IL-1, IL-18을 생성한다. NLR그룹인 NLRB, NRLC4, NRLP1-6의 수용체가 PAMP/DAMP신호를 인지하는 센서로 작용하며 그외 NLR 그룹이 아닌 센서로는 세포질 내의 이중나선 DNA를 인지하는 absent in melanoma 2(AIM2), 인터페론-γ-유도단백질16(interferon-γ-inducible protein 16) 등이 있다.

인플라마좀 중 특히 잘 알려진 것은 NLRP3이며 PAMP만 인식하는 다른 센서들과는 다르게 DAMP신호도 폭넓게 인식하여 세포의 괴사 및 손상에 반응한다. 박테리아의 생성물뿐만 아니라 과도한 요산의 축적과 활성산소 생성 그리고 세포막이 손상되어 나트륨-칼륨펌프(Na^+-K^+ pump)가 작동하지 않을 때 발생하는 고농도의 칼륨이온 유입 등 다양한 DAMP신호를 감지하여 어댑터단백질을 모집하고 caspase1을 활성화시킨다. 활성화된 caspase1은 다른 수용체로부터 신호를 받아 사이토카인 전구체 pro-IL-1β 및 pro-IL-18을 최종적으로 활성화시킨다.

또한, 특징적으로 포식세포와 수지상세포 내에서 활성화된 caspase1은 gasdermin D를 활성화시켜 세포막에 구멍(pore)을 만들어 세포자멸사(apoptosis)를 유도한다. 세포자멸사를 일으키는 세포는 세포내 감염에 대한 일종의 방어 작용으로서 미생물과 함께 자폭하며, 세포내에 축적된 IL-1β, IL-18, TNF, IL-6, IL-8 등의 사이토카인을 한꺼번에 분비하여 급성 염증반응을 증폭시킨다.

(1) 자가염증질환(Autoinflammatory disease)

인플라마좀의 조립 과정이 특정한 이유로 과활성화될 경우 IL-1β에 의한 과도한 선천면역성 염증반응이 일어나게 되는데, 이에 의한 질환을 자가염증질환이라고 한다. 대표적으로 인플라마좀 조립 단계의 단백질 중 기능획득돌연변이(gain-of-function mutation)가 발생하여 일어나는 유전성 희귀질환인 가족지중해열(familial Mediterranean fever), 크리오피린관련주기증후군(cryopyrin-associated periodic syndrome) 등이 있다. 그 외에 다인성 원인에 의해 발생하는 제2형당뇨병, 통풍, 전신홍반루푸스(systemic lupus erythematosus), 류마티스관절염, 크론병, 스틸씨병(Still's disease), 슈니츨러증후군(Schnitzler syndrome) 역시 자가염증질환으로 분류하고 있다.

자가염증질환에 대하여 다방면에서 표적치료제를 사용하는 시도가 계속되고 있다. 대표적으로 2001년 미국식품의약처(FDA) 승인을 받은 류마티스관절염 치료제인 IL-1수용체역제제 anakinra가 있는데, 뇌에서 발생하는 자가염증질환에도 anakinra가 효과가 있다는 국내의 증례보고도 있었다. 그 외에 2009년 IL-1β 단일클론항체인 canakinumab이 크리오피린관련주기증후군 및 가족지중해열 등 일부 자가염증질환에서 미국식품의약처 승인되었다.

4 | 중추신경계에서의 선천면역

1) 개요

중추신경계는 이전부터 면역반응이 일어나지 않는 면역학적 특권(immunological privilege) 기관으로 여겨져 왔으나 미세아교세포(microglia)와 림프구들이 실제로 능동적인 감시를 하고 있고, 가설로서 제기되던 수막림프(meningeal lymphatics)의 존재가 실험 기법의 발달로 2015년 입증되어 중추신경계 역시 활발한 면역반응의 참여가 일어난다는 것이 확인되었다.

그렇다면 다른 기관과는 다르게 왜 중추신경계는 진화적으로 전신면역반응으로부터 분리되었을까? 첫째로 중추신경계는 다른 말초기관과는 다르게 재생이 쉽지 않다. 신경세포는 네트워크를 통해 기억을 포함한 각종 정보를 저장하고 처리한다. 따라서 신경세포는 강한 전신면역반응에 의해 영향을 받아 세포가 손상이 된다면 중요한 정보가 손상되기 쉬우며 그 회복이 쉽지 않다. 둘째로 중추신경계의 발달과정은 면역세포들과 신경세포 사이 세밀한 상호작용에 의해 이루어진다. 따라서 중추신경계가 면역반응으로부터 분리되어 있지 않을 경우 전신면역반응에 영향을 받게 된다면 신경세포의 정상적인 발달과 활동이 일어날 수 없다.

감염에 대한 대항뿐만 아니라 발달 과정에 필요한 면역반응에 참여하기 위해 중추신경계는 다른 기관과는 다른 면역학적 구성을 가지고 있다.

2) 선천면역의 중추신경계 구성(그림 1-3)

(1) 방어벽(Barrier) - 수막(Meninges), 혈액뇌장벽 (Blood-brain barrier)

개체와 외부를 구분 짓는 방어벽으로서 중추신경계는 수막(meninges)이 있다. 수막은 총 3층(경질막(dura

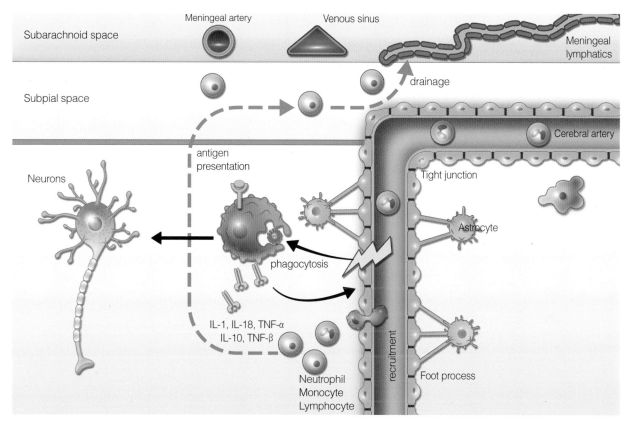

그림 1-3 중추신경계에서 선천면역의 구성

중추신경계의 방어벽은 3층 구조의 수막과 혈액뇌장벽으로 구성되어있다. 만약 미생물이 이러한 방어벽을 뚫고 중주신경계 내부로 침입하게 될 경우, 혹은 뇌졸중, 외상 등에 의해 세포손상이 일어날 경우 미세아교세포는 위험신호를 인지하고 가장 먼저 반응한다. 포식작용 및 사이토카인 분비를 통해 말초순환 중인 다른 면역세포들을 중추신경계 내로 모집하여 선천면역반응을 일으킨다. 또한, 항원전달세포로서 적응면역반응을 활성화한다. 조절되지 않은 염증반응은 신경세포와 그 네트워크를 손상시킬 수 있다.

mater), 지주막(arachnoid mater), 연질막(pia mater))으로 나뉘어 있으며 경질막에는 수막 자체에 혈액을 공급하는 동맥, 뇌실질에서 흘러나오는 정맥이 모이는 정맥동(sinus) 및 중추신경계와 관련된 면역세포들이 통과하는 수막림프가 있다. 지주막과 연질막 사이를 지주막공간(arachnoid space)이라고 하며 뇌척수액(cerebrospinal fluid)이 존재한다. 뇌동맥은 연질막의 표면에서 뇌실질 내부로 혈액을 공급한다.

뇌동맥의 혈관벽은 혈액뇌장벽이 존재하여 세포와 물질을 선택적으로 통과시킨다. 혈관내피세포(endothelial cell) 사이사이는 밀착연접(tight junction)으로 밀접하게 연결되어 있으며 별아교세포(astrocyte)의 발돌기(foot process)가 중추신경계의 안과 밖을 철저하게 구분한다.

(2) 미세아교세포

미세아교세포는 중추신경계 선천면역반응에서 핵심적인 역할을 수행한다. 미세아교세포는 혈액뇌장벽 주변에 존재하여 중추신경계의 포식세포로서 위험신호에 대항하는 첫 번째 역할을 하며 항원전달세포로서 작용하여 적응면역반응을 활성화 시킨다. 또한, 실질 내에서 신경세포의 시냅스형성, 항상성 유지에 관여하는 등, 신경발달에 중요한 역할을 수행한다.

3) 중추신경계 손상에서 미세아교세포의 역할

뇌실질에 감염, 뇌졸중, 외상에 의한 세포손상 등이 발생하는 경우 위험신호에 반응한 미세아교세포는 일차적으로 포식작용을 통해 미생물과 세포잔해들을 제거한다. IL-1β를 분비하여 혈액뇌장벽의 투과성을 변화시켜 말초에서 순환하던 단핵구 및 중성구, 림프구를 중추신경계 내로 모집하며 IL-18, TNF-α도 함께 분비하여 급성 염증반응을 일으킨다. 미세아교세포는 모집된 림프구에 항원전달세포로서 작용하여 적응면역반응을 활성화시키는 한편으로 IL-10, TGF-β를 분비하여 동시에 중추신경계에서 발생한 손상을 수리하는 데 참여한다. 조절되지 않은 염증반응은 신경세포와 그 네트워크를 손상시켜 질병을 악화시키게 된다.

참고문헌

1. Abbas A, Lichtman A, Pillai S (2017). Cellular and Molecular Immunology, 9th Edition. Elsevier.
2. Gong T, Liu L, Jiang W, et al. DAMP-sensing receptors in sterile inflammation and inflammatory diseases. Nat Rev Immunol 2020;20:95-112.
3. Norris GT, Kipnis J. Immune cells and CNS physiology: Microglia and beyond. J Exp Med 2019;216:60-70.

변정익

적응면역(Adaptive immunity): B세포

1 | 서론

면역은 초기 반응을 담당하는 선천면역(innate immunity)과 감염에 특이적이고 효율적으로 대항하는 적응면역(adaptive immunity)으로 이루어진다. 적응면역은 세포외미생물(extracellular microbes)을 제거하는 체액면역(humoral immunity)과 세포내미생물(intracellular microbes)을 제거하는 세포매개면역(cell-mediated immunity)으로 이루어져 있다. 체액면역은 B(골수 유래, bone marrow derived)세포와 B세포가 만드는 항체에 의해 이루어지며, 항체의 생성은 면역반응에서 매우 중요하다. 최근에는 B세포가 체액면역뿐 아니라 세포매개면역에도 중요한 역할을 한다고 알려졌다. 중추신경계에서도 B세포와 항체, 그리고 T세포의 역할에 따라 다양한 염증작용과 염증질병이 발생한다. 이러한 B세포의 분화와 활성화, 항체의 역할 및 중추신경계에서 B세포의 역할에 대하여 논하고자 한다.

2 | B세포의 성숙 및 분화

1) 초기 B세포의 발생

B세포는 대부분 골수에서 성숙(maturation)해서 말초로 나오게 되며 다양한 유전자 재조합 과정을 통하여 항체의 다양성을 획득하게 된다. B세포는 골수의 조혈모세포에서 T세포, 자연살해(natural killer, NK)세포,

B세포로 분화할 수 있는 공통림프구전구체(common lymphoid progenitor)를 거쳐 V(D)J 재조합 및 발현에 따라 B세포 특이적(pro-B세포, pre-B세포 등)으로 성숙하게 된다. 이 과정을 통해 B세포 세포막에 면역글로불린M(immunoglobulin M, IgM) 항원수용체를 가지게 된다. 성숙과정에서 B세포와 골수의 기질(stromal)세포의 상호작용하게 되는데, 이 과정에서 사이토카인(cytokine), 케모카인, 성장인자가 역할을 하게 되며 몇 단계의 체크포인트를 거치면서 유용한 수용체를 가진 것만이 생존하게 된다.

2) 관문 1

공통림프구전구체가 B세포로 발생하는 과정에 무작위로 선택된 유전자 조각이 재조합된다. 먼저 중사슬(heavy chain, H)유전자가 유전자재배열을 하게 되며 다양(diversity, D) 유전자조각과 연결(joining, J) 유전자 조각과 짝을 이루고(DH-JH segment), 이것이 다양한 변이(variable, V) 유전자조각(VH segment) 중 하나와 재조합하여 V-D-J 유전자가 생성된다. 항원 수용체의 다양성은 V-D-J 유전자 조각 간의 조합의 다양성(combinational diversity)과 그 연결 부위에 추가되는 염기서열의 변화(junctional diversity)를 통해 나타나게 된다. 이것은 전사, 번역 후 전B세포수용체(pre-B cell receptor)를 형성한다. 성공적으로 형성된 전B세포수용체는 해당 B세포의 증식을 촉진하는 신호를 전달하지만, 그렇지 못할 경우 세포자멸사(apoptosis) 과정을 거

치게 되며, 새로 형성된 전B세포수용체의 50-70% 가량이 이 과정을 통해 자멸사한다(그림 2-1).

3) 관문 2

전B세포수용체가 형성된 후 경사슬(light chain, (L)) 유전자가 재조합을 시작한다. (L)은 D유전자조각이 없어 V유전자조각과 J유전자조각만으로 재조합 과정을 거친다. 최종적으로 형성된 정상적인(L)은 (H)와 함께 세포막에 IgM 항원수용체를 형성하게 되며 이는 다시 세포의 생존을 촉진하는 신호를 전달하며, 그렇지 못한 세포는 사멸하게 된다. 이렇게 IgM 항원수용체를 발현하는 B세포를 미성숙B세포(immature B cell)라 한다(그림 2-1).

미성숙B세포가 형성된 후에도 B세포 수용체는 골수 내 미세환경(microenvironment)과 상호작용하여 자가항원과 강하게 결합하는 자가수용체를 가지는 경우 클론결손(clonal deletion) 과정을 통해 제거되거나 불활성화된다. 중등도의 결합하는 수용체를 가지는 경우 V-D-J 재조합효소가 다시 활성화되어 추가적인 V-J 재조합 과정을 거치며 새로운(L)을 형성하게 된다. 이 과정을 수용체편집(receptor editing)이라고 하며, 이를 통해 자가면역성을 가지는 세포를 20-50% 정도 없앨 수 있다.

이 과정을 거친 미성숙B세포는 말초로 나와 비장으로 이동해 추가 성숙과정을 거쳐 최종적으로 IgD와 IgM항체를 동시에 발현하는데, 이를 성숙B세포(mature B cell)라고 하며, 이 과정에서 B세포활성인자(B cell activating factor)가 중요한 역할을 한다. 말초로 나온 성숙B세포는 대부분 비장으로 이동하는데, 여기에서 B세포수용체 신호에 따라 후기 B세포 분화가 일어난다.

4) 후기 B 세포 분화

성숙B세포는 단백질 및 비단백질 항원의 자극을 받으면 팽창하면서 항체를 분비하는 형질세포(plasma cell)로 분화하게 된다. 하나의 B세포에서 4,000개 정도의 형질세포가 생성되며, 이러한 형질세포는 10^{12}개의 항체를 생산한다고 알려져 있다.

이러한 B세포는 위치와 반응하는 항원의 종류에 따라서 3가지 아형으로 분류하게 된다: (1) 소포B세포(follicular B cell), (2) 가장자리구역 B세포(marginal-zone (MZ) B cell), (3) B-1세포(B-1 cell). 대부분은 소포B세포로 비장의 소포와 순환하면서 림프조직(림프절, 편도 등)에 존재하며 단백질 항원 또는 분화클러스터4 (cluster of differentiation 4, CD4)를 나타내는 CD4양성(CD4+)도움T세포(T helper)의 신호에 따라 활성화되어 형질세포로 분화하여 IgG항체를 1주일에 걸쳐 생성한다. 반면에 가장자리구역 B세포는 비장의 변연동(marginal sinus)에만 존재하면서 혈액의 지질 및 다당류 항원에 반응하며, B-1세포는 점막조직 또는 복막내 존재하고 비단백질 항원에 대하여 반응하며 유일하게 골수에서 생성되지 않는다. 가장자리구역 B세포와 B-1세포는 T세포와 관계 없이 비단백 항원에 빠르게 반응하여 IgM항체를 1-3일 내 생성한다(그림 2-1).

단순한 가장자리구역 B세포와 B-1세포와는 다르게 소포B세포는 보조T세포와 상호작용하며 단백질 항원에 대하여 항원 특이적인 정교한 항체반응을 한다. 이것은 항체 특이성은 유지하며 IgM 외 서로 다른 작동기능을 매개하는 IgG, IgA, IgE 등으로 변화할 수 있게 하는 중사슬 클래스 전환 재조합(heavy-chain class-switch recombination)과 항원에 대한 친화력이 증가하는 친화력성숙(affinity maturation)을 통해 생성된다.

중사슬 클래스 전환 재조합은 다양한 (H)사슬 동형(isotype)의 항체를 생산하여 체액면역반응의 기능적 능력을 높이기 위한 것으로 CD40L매개신호와 사이토카인에 의해 유도된다. 친화력성숙은 단백질 항원에 반복적으로 노출되면서 그 항원에 대한 항체의 친화력이 증가하는 과정이다. 이러한 유전자 돌연변이 빈도는 일반적인 빈도보다 100만배 정도 높기 때문에 이를 체세포 과돌연변이(somatic hypermutation)라고 한다. 이러한 중사슬 클래스 전환 재조합과 과돌연변이를 통해서 친화력이 높은 기억B세포(memory B cell)가 생성되며 이는 항체를 생성하는 CD38+ 형질모세포(plasmablast) 또는 CD138+골수로 이동하여 장기생존 형질세포(long-lived plasma cell)로 분화하게 된다. 이는 항원이 제거된 후 수년 동안 생존하면서 고 친화력 항체를 지속적으로 생산할 수 있으며, 항원이 다시 들어왔을 때 즉각적인 방어력을 제공한다(그림 2-1).

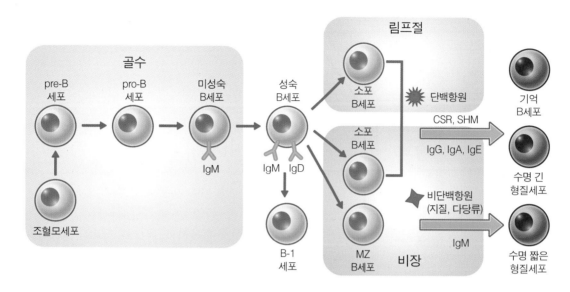

그림 2-1 **B세포의 성숙 및 분화 단계**
CSR, class switch recombination; SHM, somatic hypermutation; MZ, marginal zone.

충분한 IgG항체가 생성되면 체액면역반응이 중단되는데, 기억B세포와 장기생존형질세포를 제외한 대부분의 B세포가 시간이 지남에따라 세포자멸사 과정을 통해 없어지기 때문이다. 또한 항원-항체 결합체가 결합체 특이적인 B세포와 결합하면서 B세포 활성화를 멈추게 되는데, 이를 항체피드백(antibody feedback)이라고 하며 면역글로불린 투여 시 증상이 개선되는 기전 중 하나이다.

3 | B세포의 역할

1) 항체 생성

항체는 B세포만이 생성할 수 있으며 대표적으로 기억B세포와 형질세포가 그 역할을 한다.

항체는 면역글로불린이라고 불리는데, 크게 세포막형 항체와 분비형 항체가 있다. 세포막형 항체는 B세포의 표면에 존재하면서 항원을 인지하여 B세포 신호를 전달하는 역할을 한다. 분비형 항체는 항원을 인지하여 병원성 미생물이 분비하는 독소를 중화시키고 제거하는 역할을 한다. 항체는 단백질뿐 아니라 지질, 다당류, 핵산 및 거대분자의 일부분까지 인지할 수 있는데 이는 위에 설명한 B세포 성숙과정에서 다양한 변이를 통해 각각 항체에 대한 특이 수용체가 나타날 수 있는 B세포 레파토리(repertoire)가 나타나기 때문이다.

항체의 구성은 2개의 중사슬(H)과 2개의 경사슬(L), 총 4개의 폴리펩티드 사슬(polypeptide chain)로 구성되어 있다. 각각은 가변(variable, V)영역과 불변(constant, C)영역을 가지고 있으며 와이(Y)-자 모양을 형성하고 있다. 항체와 항원이 결합하는 부위는 H와 L사슬의 N말단부위로 구성되는(V)영역이며, 이 영역은 3개의 상보성결정부위(complementarity determining region)를 형성하여 항원 특이성을 결정한다. 이 부위를 항원결합단편(antigen-binding fragment, Fab)이라고도 한다. 반대로 C말단부위는 결정화단편(crystalline fragment, Fc)이라고 부르며 H사슬로만 구성되어 있으며 항원과 상관없이 항체의 작용기능과 연관이 있다. 또한 병원체를 없애고 조직에 손상을 주는 역할을 하기도 한다(그림 2-2).

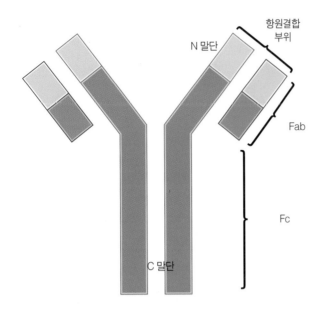

그림 2-2 항체의 구조: 황색이 중사슬, 푸른색이 경사슬, 연한부위가 (V) 영역, 진한 부위가 (C) 영역

항체는 H사슬의 종류에 따라서 IgM, IgD, IgG, IgE, IgA로 명명되며, 서로 다른 물리적, 생물학적 특성을 가지고 있다(표 2-1). IgG는 4가지 아형(IgG1, IgG2, IgG3, IgG4)이 있으며, 그 중 IgG1이 전체의 60-75%를 차지한다. IgG1의 반감기가 3주로 길며 면역글로불린 치료 시기는 이에 따라 결정하게 된다. IgA는 2가지 아형(IgA1, IgA2)이 있다.

항체는 미생물과 이들의 독소와 결합하여 중화하거나 옵소닌화, 포식작용을 통해 파괴한다. 또한 보체계(complement system)를 활성화시켜 미생물을 제거하는 역할을 한다. 항체 종류에 따라 그 역할에 차이가 있다.

2) 항원제시

B세포는 수지상세포(dendritic cell) 보다는 덜 효율적이지만, T세포에 항원을 제시하는 역할도 한다. B세포는 항원을 내재화하며 소화하여 항원의 펩타이드 분절을 CD8+, CD4+ T세포에 주조직적합복합체(major histocompatibility complex, MHC)를 통해 제시한다. 또한 CD80, CD86, 그리고 CD40과 같은 분자를 통하여 염증촉진T세포를 활성화시킨다.

3) 사이토카인 생성

B세포는 또한 자체적으로 사이토카인을 생성하고 분비해 염증을 촉진시키거나 억제하는 역할을 한다. 먼저 B세포는 인터루킨-6(interleukin-6, IL-6), 종양괴사인자(tumor necrosis factor)와 같은 다양한 염증촉진 사이토카인을 분비하게 되고, 이는 인터페론-γ(interferon-γ)를 분비하는 1형도움T세포 또는 IL-17분비하는 17형도움T세포를 분화시킨다. 반면에 조절B세포는 IL-10, IL-35와 같은 항염증(anti-inflammatory) 사이토카인을 분비하게 되는데 염증촉진T세포를 억제하게 된다.

4 │ 뇌에서 B세포의 작용

중추신경계는 전통적으로 면역에 영향을 받지 않는 것으로 알려져 있으나, 건강한 사람과 질병군에서 모두 면역세포가 중추신경계에서 역할을 하는 것으로 알려지고 있다. B세포는 말초혈관에서 혈액뇌장벽을 통

표 2-1 주요 항체의 종류 및 특성

항체 종류	위치	역할	항체결합부위 수 (형체)	혈장내 반감기 (일)
IgG	형질세포에서 혈액내 분비, 가장 많이 존재	이차반응, 항체의존세포매개 세포독성, 항원포식작용, 보체경로활성, 미생물과 독소중화, 신생아 면역(태반 통해 전달), B세포 항체피드백	2(단량체)	23
IgM	B세포 세포막, 또는 혈중	일차 반응, 초기 항체생성, 보체경로활성, 중화	10(오량체)	5
IgA	점막, 침, 눈물, 모유	위장관, 호흡기 점막면역, 미생물과 독소중화	4(이량체)	6
IgD	B세포 세포막	알려지지 않음		
IgE		알레르기반응(비만세포 탈과립), 기생충에 대한 방어	2(단량체)	2

하여 들어오거나 맥락얼기(choroid plexus)를 통해 들어올 수 있고 림프계를 통해 빠져나가며 경부림프절을 거쳐 나가게 된다. 정상적으로 뇌실질내 B세포는 0.1개/cm^2 이하로 존재하지만, 질병에서는 뇌실질과 뇌척수액에서 수십에서 수백 배 이상으로도 관찰될 수 있다. 다양한 신경계 질환에서 중추신경계 B세포는 다르게 작용할 수 있다. 다발경화증(multiple sclerosis), 시신경척수염(neuromyelitis optica), 항N-methyl-D-aspartate (NMDA)수용체뇌염과 같은 자가면역 신경계질환이나 헤르페스바이러스뇌염(herpes simplex encephalitis)과 같은 중추신경계 감염 후 뇌염에서 자가면역성 항체 생성 및 염증 유발에 역할을 한다.

자가면역뇌염 중 항NMDA수용체뇌염에서는 중추신경계 내 많은 수의 B세포와 형질세포가 관찰되며 항체 또한 혈청보다는 뇌척수액 내에서 더 많이 관찰된다. 중추신경계 내 B세포와 형질세포도 NMDA수용체의 GluN1 소단위에 대한 항체를 생성할 수 있다.

참고문헌

1. Abbas AK, Lichtman AH, Pillai S. Cellular and Molecular Immunology, 8th Ed, 2015
2. Cooper MD. The early history of B cells. Nature reviews Immunology 2015;15:191-7.
3. Eibel H, Kraus H, Sic H, et al. B cell biology: an overview. Current allergy and asthma reports 2014;14:434.
4. Hampe CS. B Cell in Autoimmune Diseases. Scientifica 2012;2012:215308.
5. Melchers F. Checkpoints that control B cell development. The Journal of clinical investigation 2015;125:2203-10.
6. Nutt SL, Hodgkin PD, Tarlinton DM, et al. The generation of antibody-secreting plasma cells. Nature reviews Immunology 2015;15:160-71.
7. Sabatino JJ, Jr., Probstel AK, Zamvil SS. B cells in autoimmune and neurodegenerative central nervous system diseases. Nature reviews Neuroscience 2019;20:728-45.
8. Weissert R. Adaptive Immunity Is the Key to the Understanding of Autoimmune and Paraneoplastic Inflammatory Central Nervous System Disorders. Frontiers in immunology 2017;8:336.

 신용원

3 적응면역(Adaptive immunity): T세포

1 서론

T세포는 림프구의 한 종류로 일부 선천면역에도 관여하나 주로 적응면역에서 중요한 역할을 하는 세포이다. 적응면역에서 B세포의 역할에 대해서는 앞서 살펴보았으므로 이 장에서는 적응면역에서 T세포의 역할에 대해 살펴보도록 한다.

2 T세포의 발달

T세포의 발달은 골수에서 유래된 적은 수의 미성숙한 림프구 전구세포(immature lymphocyte precursor)가 혈관을 통해 흉선(thymus)에 도착하면서 시작된다. 처음 흉선에 도착한 이 흉선 전구세포(thymocyte precursor)들은 흉선세포(thymocyte)로 분화 단계를 거치게 되며 이후 양성선택(positive selection) 및 음성선택(negative selection) 등의 선택 단계를 거쳐 T세포로 발달하게 된다.

처음 흉선에 도착한 전구세포는 B세포, 자연살해(natural killer, NK)세포 및 수지상세포(dendritic cell) 등 다른 세포들로도 분화가 가능한 상태이다. 흉선 상피세포 표면에는 노치리간드(Notch ligand)가 풍부하게 분포되어 있으며 이들이 전구세포 표면의 Notch와 상호작용함으로써 T세포로의 분화를 유도한다. 또한 초기 흉선 전구세포는 T세포에서 특징적으로 발현되는 분화클러스터4 (cluster of differentiation4, CD4) 및 CD8

이 발현되지 않은 상태로 이중음성세포(double negative cell)라고도 부르는데, 발달 단계에 따라 이중음성1-4 세포로 세분화될 수 있다. T세포의 항원인식에 핵심이 되는 T세포수용체(T cell receptor, TCR)는 이중음성2에서 이중음성3단계로 넘어가면서 발현되기 시작한다.

우리 몸에서 T세포는 매우 다양한 종류의 TCR을 생성할 수 있는데 이를 통해 다양한 종류의 항원을 인식함으로써 적응면역에서 핵심적인 역할을 한다. TCR은 α사슬(chain)과 β사슬이 만나 형성되는 TCR-αβ와 γ사슬과 δ사슬이 만나 형성되는 TCR-γδ 두 종류가 있으며, 90% 이상에서 TCR-αβ를 가지는 αβ T세포로 분화하여 적응면역에 중요한 역할을 한다. 일부 TCR-γδ를 가지는 T세포로 분화된 세포들은 점막 등 조직의 장벽 내 분포하여 외부 감염으로부터 조직을 보호하는 역할을 한다. 각각의 사슬은 가변영역(variable domain)과 불변영역(constant domain)으로 구성되며, 가변영역은 V부위(segment), D부위, J부위로 구성이 된다. 사람에서 α사슬은 50종의 Vα 유전자부위와 70종의 Jα 유전자부위, 또 β사슬은 57종의 Vβ 유전자부위, 2종의 Dβ 유전자부위 및 13종의 Jβ 유전자부위가 있으며, 앞서 B세포에서 발현되는 B세포수용체(B cell receptor)와 같이 TCR 역시 V(D)J recombination을 거쳐 다양한 V(D)J 조합을 얻을 수 있다(그림 3-1). 이론적으로 가능한 TCR의 조합은 1,014-1,020 정도이나 실제로는 1,013 종의 TCR이 생성되는 것으로 추정되고 있다. 이러한 과정은 이중음성 3-4 단계에서 완료되며, 완성된 TCR과 함께 T세포에서 특징적으로 발현되는 CD4

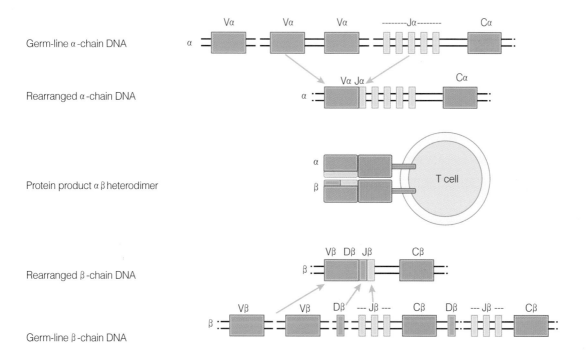

그림 3-1 TCR (T cell receptor) 유전자 재배열

와 CD8이 모두 발현된 이중양성(double positive) 흉선세포가 된다.

흉선 전구세포가 이중양성 흉선세포 단계에 이르게 되면 T세포 발달의 두 번째 단계인 흉선 선택이 시작된다. TCR은 항원제시세포(antigen presenting cell) 표면에 발현된 주조직적합복합체(major histocompatibility complex, MHC)에 결합된 항원을 인식하게 된다. 흉선 선택이 필요한 이유는 형성된 TCR이 항원이 자기자신의 MHC (self-MHC)에 결합된 형태에서만 인식이 가능하여야 하며(MHC restriction) 또한 자기자신의 단백질에서 유래된 항원(self-antigen)에는 반응하지 않아야 하기 때문이다(self-tolerance). 양성선택은 이중 자신의 MHC를 인식하고 이에 대한 적정 수준의 결합능(low-intermediate affinity)을 보이는 T세포를 선택하는 과정이다. 너무 낮은 결합을 보이는 경우 세포자멸사가 일어난다. 또한 음성선택은 자신의 MHC나 자신의 MHC/자신의 펩타이드 복합체에 대해 강한 결합을 보이는 경우 세포자멸사를 통해 제거하는 과정을 의미한다. 양성선택은 흉선의 피질에서 일어나며 음성선택은

피질 및 수질 모두에서 여러 단계에 걸쳐 일어난다. 흉선 내에서 음성선택이 제대로 이루어지기 위해서는 몸에서 발현되는 모든 종류의 단백질이 적절히 발현되어 제시되어야 하는데 자가면역조절자단백질이 이 과정에서 중요한 역할을 한다. 약 95%의 이중양성 흉선세포가 자신의 MHC을 인식하지 못하여 세포자멸사하게 되며(death by neglect) 2-5%의 세포는 음성 선택에 의해 제거된다(그림 3-2). 따라서 이 두 번째 단계에서 대부분의 이중양성 흉선세포는 살아남지 못하고 2-5% 정도만이 살아남아 성숙T세포가 될 수 있다. 이러한 모델을 선택결합능모델(affinity model of selection)이라고 하며 흉선 선택 과정을 전부 설명하지는 못하나 현재까지 흉선 선택의 기본 모델로 이해되고 있다.

양성선택이 일어난 뒤 이중양성 흉선세포는 도움T세포(CD4+ helper T cell) 또는 세포독성T세포(cytotoxic CD8+ T cell) 중 한 종류로 계통 분화가 일어난다. 이중양성 흉선세포가 이렇게 분화되기까지는 3일 정도가 소요되며, 흉선 수질에서 4-12일간 더 머물면서 최종 선택된 후 흉선을 떠나 체내 순환하게 된다.

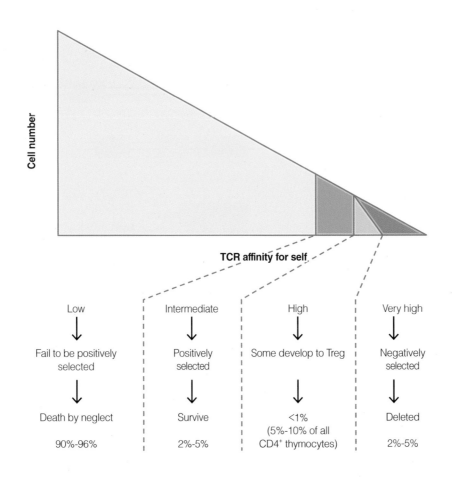

그림 3-2 **TCR (T cell receptor) 결합능과 흉선 선택**
(Punt, Kuby Immunology, 8e, copyright at 2018 W. H. Freeman and Company)

강한 결합능을 보이는 1% 이내의 세포는 음성 선택 되지 않는데, 이 세포들은 조절T세포(regulatory T cell, Treg cell)라고 한다. 음성선택의 과정을 중심세포관용 (central tolerance)이라고도 표현하는데, 흉선내에서 음 성선택되지 않고 살아남아 체내를 순환하면서 자가항 원을 인식하는 T세포들이 있으면 이들의 면역작용을 억제하고 세포자멸사를 유도한다(peripheral tolerance).

3 | T세포의 활성화

처음 흉선을 떠난 CD4$^+$ 및 CD8$^+$ T세포를 미접촉 T세포(naïve T cell)라고 한다. 항원에 접촉을 하지 않 아 아직 활성화되지 않은 세포이며 105개의 미접촉T 세포 당 약 1개의 세포만이 특정 항원에 반응하기 때 문에 항원과의 접촉 가능성을 늘리기 위해 12-24시

간을 주기로 혈액과 림프절 사이를 순환하는 것으 로 알려져 있다. 미접촉T세포를 활성화시키기 위해 서는 세 개의 시그널이 필요한데(그림 3-3), 첫 번째는 TCR이 항원제시세포 표면의 MHC-펩타이드복합체 를 인식하는 것이고(TCR signaling), 두 번째는 CD28 과 같은 공동자극 분자(costimulatory molecule)의 상호 작용 시그널(costimulatory interaction), 그리고 마지막 으로 국소적 사이토카인에 의한 시그널이다(cytokine signaling). TCR signaling은 두 개의 타이로신인산화효 소(tyrosine kinase)인 림프구특이단백질타이로신인산화 효소(lymphocyte-specific protein tyrosine kinase) 및 제 타사슬연관단백질인산화효소70(zeta-chain-associated protein kinase 70)을 통해 시작되며, 이후 세포 내 신 호 전달경로를 통해 T세포의 생존과 증식 및 효과T 세포(effector T cell)로의 분화와 관련된 유전자의 발 현을 유도한다. T세포의 활성화를 위해 필요한 두 번

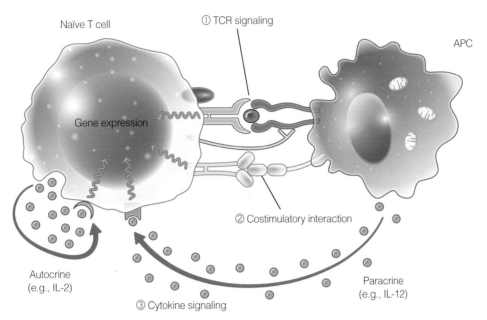

Naïve T cell

① TCR signaling

APC

Gene expression

② Costimulatory interaction

Autocrine
(e.g., IL-2)

③ Cytokine signaling

Paracrine
(e.g., IL-12)

그림 3-3 미접촉T세포 활성화에 필요한 세 가지 시그널
TCR, T-cell receptor; APC, antigen presenting cell

째 시그널인 공동자극 시그널 전달을 위해 미접촉T세포 표면에는 CD28, 유도성 공동자극자(inducible costimulatory, ICOS) 등의 수용체가 있으며, 항원제시세포 표면에는 CD80/86 또는 유도성 공동자극리간드(inducible costimulator ligand) 등이 발현되어 있다. 미접촉T세포가 TCR 자극을 받았다 하더라도 적절한 공동자극 시그널을 받지 못하는 경우에는 무반응상태(anergy)에 빠지게 되는데, 이는 자가항원에 반응하여 T세포가 활성화되는 것을 막는 안전장치로써의 역할을 한다. 흥미롭게도 무반응상태에 빠진 T세포의 일부는 조절T세포로 분화하여 면역관용을 유지하는 역할을 담당하는 것으로 알려져 있다. 공동자극 상호작용에 관여하는 수용체 및 리간드의 종류는 다양한데, 이 중에는 자극이 아닌 억제 역할을 하는 수용체-리간드 상호작용도 있다. 세포독성T림프구단백질4(cytotoxic T-lymphocyte-associated protein 4)가 대표적으로 TCR 자극 후 24시간 뒤 발현되기 시작하여 2-3일 내 발현량이 최고치에 달하며, T세포의 활성화에 제동을 걸어 T세포 증식을 적절히 조절하는 역할을 한다. 세포예정사단백질-1(programmed cell death protein-1)역시 억제 역할을 하는 수용체이며 세포독성T림프구단백질4와 함께 최근 암에서 새로운 면역치료제인 관문억제제

(checkpoint inhibitor)들의 타깃으로 각광받고 있다. 마지막으로 세 번째 시그널인 사이토카인은 T세포 및 항원제시세포 모두에서 분비되며 T세포가 지속적으로 증식할 수 있는 환경을 조성하게 된다.

4 │ T세포의 종류

활성화된 T세포는 기억T세포 또는 효과T세포로 분화된다. 미접촉T세포는 수개월간 살아있을 수 있으나 효과T세포의 경우 수명이 짧아 수일에서 수주간 생존하여, 수개월에서 수년간 생존이 가능한 기억T세포로의 분화가 같이 필요하다. $CD8^+$ T세포는 MHC I형(MHC I)에 결합된 항원을 인식하여 세포독성T세포로 활성화되며, 퍼포린-그랜자임(perforin-granzyme) 경로 또는 파스-파스리간드(Fas-FasL) 경로를 통해 타깃세포의 사멸을 유도한다. $CD4^+$ T세포는 MHC II에 결합된 항원을 인식하여 도움T세포로 분화되며 세포독성T세포, 항원제시세포, B세포 등 다른 면역 세포들의 활성과 증식을 유도할 수 있다. 도움T세포의 종류는 1, 2, 9, 17형도움T세포, 조절T세포, 여포(follicular)도움T세포 등 다양한데 병원체의 종류 및 항원제시세포의

종류에 의해 다르게 분비되는 사이토카인의 종류에 따라 도움T세포의 극성화(polarization) 방향이 결정된다. 이렇게 분화된 도움T세포 역시 각 종류마다 특징적인 사이토카인을 분비하게되어 서로 다른 역할을 하게 된다. 도움T세포는 병원체 별로 맞춤화된 면역반응에 중요한 역할을 맡고 있으나, 잘못 작용하는 경우 염증질환의 악화에 기여하거나 자가면역질환 및 알레르기를 일으키는데도 기여할 수 있다.

항원에 대한 도움T세포의 반응은 크게 두 가지로 나뉘는데, 1형의 경우 주로 바이러스나 박테리아에 의한 반응으로 CD4$^+$ T세포를 1형도움T세포 또는 17형도움T세포 세포로 분화시키고 다른 면역세포들과 함께 대식세포나 CD8$^+$ T세포의 독성 반응을 유도한다. 1형도움T세포의 경우 주로 세포 내 박테리아나 바이러스성 병원체에 대한 면역조절을 담당하며, 17형도움T세포의 경우 세포 외 박테리아와 진균에 대한 면역작용을 조절한다. 2형의 경우 기생충이나 알러젠에 대한 반응으로 CD4$^+$ T세포를 2형도움T세포 또는 9형도움T세포 세포로 분화시켜 B세포로 하여금 면역글로불린 E (immunoglobulin E, IgE) 항체를 생성하도록 돕는다. 여포도움T세포는 림프절 내 종자중심을 형성하고 B세포의 활성과 분화, 면역글로불린의 종류 변환 등 체액면역반응을 유도하는데 중요한 역할을 한다. 조절T세포는 앞서 기술한 바와 같이 자가항원에 반응하는 T세포를 억제하는 역할을 한다. 1형도움T세포와 2형도움T세포는 서로의 활성과 분화를 억제하는 상호 조절작용이 있으며, 이와 비슷하게 17형도움T세포 및 조절T세포 역시 비슷한 상호 조절효과가 있음이 알려져 있

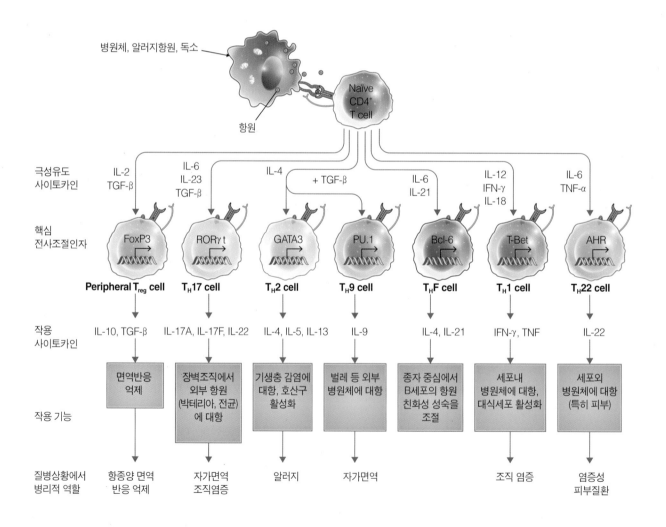

그림 3-4 도움T세포의 분화 및 역할

다. 다양한 도움T세포로의 분화와 각각에 작용하는 사이토카인 및 도움T세포 별 기능에 대해서는 **그림 3-4**를 참조하기 바란다.

건강한 젊은 성인에서 기억T세포는 체내 순환하는 전체 T세포의 약 35%를 차지하며 노인에서는 그 비율이 70%까지 올라간다. 미접촉T세포의 경우 수지상세포에 반응하여 활성화되는 반면 기억T세포의 경우 대식세포, 수지상세포, 및 B세포 등 광범위한 항원제시세포에 대부분 반응하여 활성화 되며, 자극에 더욱 예민하고 빠르게 반응하는 특성이 있다. 기억T세포는 줄기세포기억T세포(stem cell memory T cell, TSCM), 중심기억T세포(central memory T cell, TCM), 효과기억T세포(effector memory T cell, TEM) 및 거주기억T세포(resident memory T cell, TRM)의 네 가지 형으로 크게 나뉘어진다. 효과기억T세포는 말초 조직을 순환하며 항원을 만날 경우 빠르게 반응하여 재감염 초기에 중요한 역할을 담당한다. 거주기억T세포의 경우 피부, 점막, 뇌 등 특정 조직에 영구적으로 거주하는 세포로 특정 항원이 조직에 침투한 경우 즉각적인 반응이 가능하다. 중심기억T세포는 이차림프기관을 순환하는 기억T세포로 항원이 다시 침투하는 경우 다양한 효과T세포로 빠르게 분화하여 작용을 한다. 줄기세포기억T세포 역시 이차림프기관에 존재하는 기억T세포로 모든 종류의 기억T세포로 분화가 가능하다. 미접촉T세포의 일부에서 기억T세포로의 분화가 일어나는데 줄기세포기억T세포 > 중심기억T세포 > 효과기억T세포 > 거주기억T세포 순으로 생성되는 것으로 생각되고 있다. CD4[+] 기억 T세포 보다는 CD8[+] 기억T세포가 풍부한데 이는 CD8[+] 세포의 증식이 더 잘 일어나고 수명이 더 길기 때문인 것으로 생각된다. 또한 CD8[+] 기억T세포는 피부 표피층이나 점막의 상피세포층에 주로 분포하며, CD4[+] 기억T세포는 이보다 좀 더 깊은 층에 분포하는 경향을 보인다.

참고문헌

1. Anderson MS, Su MA. AIRE expands: new roles in immune tolerance and beyond. Nat Rev Immunol 2016;16:247-58.

2. Chen L, Flies DB. Molecular mechanisms of T cell co-stimulation and co-inhibition. Nat Rev Immunol 2013;13:227.

3. Craft JE. Follicular helper T cells in immunity and systemic autoimmunity. Nat Rev Rheumatol 2012;8:337-47.

4. Farber DL, Yudanin NA, Restifo NP. Human memory T cells: generation, compartmentalization and homeostasis. Nat Rev Immunol 2014;14:24-35.

5. Hoyer KK, Kuswanto WF, Gallo E, et al. Distinct roles of helper T-cell subsets in systemic autoimmune disease. Blood 2009;113:389-95.

6. Klein L, Kyewski B, Allen PM, et al. Positive and negative selection of the T cell repertoire: what thymocytes see (and don't see). Nat Rev Immunol 2014;14:377-91.

7. Leach DR, Krummel MF, Allison JP. Enhancement of antitumor immunity by CTLA-4 blockade. Science 196;271:1734-6.

8. O'Shea, JJ, Paul WE. Mechanisms underlying lineage commitment and plasticity of helper CD4 T cells. Science 2010;327:1098-102.

9. Punt J, Stranford S, Jones P, et al. Kuby immunology. 8th ed. New York: W. H. Freeman and company. p. 293-390, 2018.

10. The HS, Kisielow P, Scott B, et al. Thymic major histocompatibility complex antigens and the αβ T-cell receptor determine the CD4/CD8 phenotype of T cells. Nature 1988;335:229-33.

11. Thompson CB, Lindsten T, Ledbetter JA, et al. CD28 activation pathway regulates the production of multiple T-cell-derived lymphokines/cytokines. Proc Natl Acad Sci U S A 1989;86:1333-7.

12. von Boehmer H, Kisielow P. Self-nonself discrimination by T cells. Science 1990;248:1369-73.

문장섭

4 사이토카인(Cytokine)

1 │ 서론

신경염증(neuroinflammation)은 뇌염(감염 혹은 자가면역)뿐만 아니라, 탈수초질환, 면역매개 이상운동 질환, 유전성 자가염증질환(autoinflammatory disease), 혈관염 등 다양한 신경계 질환에서 발생한다.

현재까지 알려져 있는 사이토카인의 종류는 300개가 넘으며, 케모카인(chemokine), 림포카인(lymphokine), 인터페론(interferon, IFN), 그리고 성장인자(growth factor)도 사이토카인에 포함된다. 사이토카인은 다양한 형태의 작용을 하는 특성을 가지고 있는데, 하나의 사이토카인이 특정세포들을 증식시키는 작용을 하는 반면, 동시에 다른 세포들은 성장을 중지시키는 작용을 하기도 한다. 또한, 사이토카인은 다른 신호물질들과 상호작용을 일으키기 때문에 사이토카인 작용은 더욱 복잡한 형태를 띠게 된다.

중추신경계에서는 혈액뇌장벽으로인해 백혈구가 중추신경계 내로 이동하는 것이 제한되어 있기 때문에 백혈구 상호전달(leukocyte trafficking)이 정상적으로는 잘 일어나지 않는 공간이다. 또한, 중추신경계는 재생 용량(regeneration capacity)이 거의 없기 때문에, 국소적인 부위의 작은 손상으로도 매우 치명적인 결과를 일으킬 수 있다. 또, 동일한 사이토카인일지라도 중추신경계의 부위에 따라 다르게 반응하는 것으로 알려져 있다.

사이토카인은 중추신경계 조직의 항상성(homeostasis) 유지, 신경염증, 그리고 감염 혹은 암에서 발생하는 숙주 반응(host response) 등에 관여한다. 본 장에서는 이들 중 뇌염과 관련이 있는, 조직의 항상성 유지, 신경염증, 감염 후 숙주 반응에 관여하는 사이토카인의 역할에 대해 알아보고자 한다.

2 │ 사이토카인과 중추신경계 조직의 항상성

인터루킨-34(interleukin-34, IL-34)는 정상세포의 항상성 유지과정에서 중추신경계에 상주하는(CNS-resident) 미세아교세포(microglia)의 성장을 조절한다. 중추신경계 내에서 IL-34는 주로 대뇌피질의 신경세포, 전후각핵(anterior olfactory nucleus) 및 해마(hippocampus)에 발현되어 있다. 기존 연구에 따르면, IL-34가 결핍된 마우스에서는 미세아교세포의 수가 줄어들어 있다고 한다. 한편, IL-34는 밀착연접단백질(tight junction protein)의 발현을 증가시켜 혈액뇌장벽의 손상된 부분을 회복시키는 기능을 담당한다고 알려져 있다.

3 │ 사이토카인과 신경염증

신경염증은 매우 다양한 병리현상을 설명하는데 흔히 언급되는 용어이다. 신경염증은 아교세포들의 작용에 의한 경우부터, 혈액내 백혈구에 의한 조직 침투 및 파괴까지 다양한 개념을 포함한다.

따라서, 중추신경계에 상주하는 세포들에 의해 사이토카인이 생산되는 질환(예: 신경퇴행질환)과, 외부에서 중추신경계로 침입한 백혈구들에 의해 사이토카인이 분비되는 질환(예: 뇌염, 탈수초질환)은 구분하여 생각해야 한다(그림 4-1). 이들 질환에서 사이토카인 연결망의 교란이 병리기전에 어떤 역할을 담당하는지 살펴보고자 한다.

1) 중추신경계 상주 세포들에 의해 유발되는 뇌염증 반응

비정상 단백질 응집(protein aggregate)은 조직 항상성을 깨뜨려 염증반응을 일으키고, 외상/허혈성 뇌손상도 조직반응을 일으켜 신경염증을 유발한다. 이들 과정 중에 중추신경계에 상주하는 세포들인 별아교세포(astrocyte) 및 미세아교세포가 활성화되고 다양한 사이토카인이 분비되게 된다. 이들 사이토카인이 중추신경계 조직 손상을 악화시키는 역할을 하는지 혹은 완화시키는 역할을 하는지는 아직 정확히 알려져 있지 않다.

별아교세포는 IFN-γ, IL-17, IL-1β 등의 사이토카인과 CC-케모카인 리간드-2 (CC-chemokine ligand 2, CCL2) 같은 케모카인으로부터 발생하는 다양한 신호들을 종합하는 역할을 한다. 별아교세포는 대사 과정 및 산화 환원 항상성에도 관여하며, 중추신경계 손상 이후 반흔 조직(scar tissue) 형성에도 관여하는 것으로 알려져 있다.

미세아교세포는 중추신경계에 상주하는 골수세포 중 가장 많이 존재하는 것으로 알려져 있으며, 표면에 CX3C-케모카인수용체1(CX3C-chemokine receptor 1)을 발현하여 신경계 케모카인인 플랙탈킨(fractalkine)이 결합한다. 미세아교세포는 신경퇴행질환 발생기전에 관여하는 것으로 알려져 있으며, 만성 뇌염증 발생시 담당하는 역할에 대해서는 아직 논쟁의 여지가 있다.

희소돌기아교세포(oligodendrocyte)는 축삭(axon)을 감싸는 수초를 형성하는데, 다발경화증에서 면역반응이 발생하는 기전에 관여하는 것으로 알려져 있다.

중추신경계 손상이 일어나면 아교세포들이 위험 신호를 감지하고 신경염증을 유발하는 사이토카인들을 분비하게 된다. 예를 들어, 알츠하이머병(Alzheimer's disease)에서 중추신경계에 아밀로이드 베타(amyloid-β, Aβ) 혹은 타우(tau) 단백질이 축적되면 중추신경계에 존재하는 미세아교세포가 청소제수용체(scavenger receptor), Fc수용체, 톨유사수용체(toll-like receptor)를 통해 Aβ와 결합하여 다양한 사이토카인을 분비한다. IL-1β, IL-6, IL-12, IL-23, 종양괴사인자(tumor necrosis factor, TNF) 등 신경퇴행(neurodegeneration)에 관여하는 사이토카인들은 신경염증 과정에도 중요한 역할을 하는 것으로 알려져 있다. IL-1β, IL-6, 그리고 TNF는 미세아교세포에 의한 Aβ 제거(clearance)를 유발한다. 이러한 반응은 초기에는 비정상 단백질 응집 및 세포 잔해들을 제거하고 신경손상을 수선하는 역할을 수행한다. 그러나, 이러한 사이토카인들에 장기간 노출되면 신경퇴행과정을 촉진, 악화시키게 된다.

2) 중추신경계로 침투하는 백혈구에 의해 유발되는 뇌염증 반응

뇌염 혹은 만성 탈수초질환에서는 백혈구가 중추신경계 내로 침투하여 염증반응을 일으키는 여러 사이토카인을 분비하게 한다. 이 경우, 항상성 손상에 의한 반응보다 더욱 신속하고 극적인 조직손상이 일어난다. 중추신경계로 침투하는 세포들에 의해 유입되는 염증촉진(proinflammatory) 사이토카인이 조직 손상에 기여한다는 사실이 명확히 밝혀져 있다.

뇌염이나 탈수초성질환에서도 중추신경계에 상주하는 세포들이 분비하는 사이토카인과 동일한 사이토카인(예: IL-1, IL-6, IL-23, TNF)이 분비되지만, 중추신경계로 침투한 백혈구들은 더욱 강력한 염증 연쇄반응을 일으키는 사이토카인들을 분비한다. 백혈구에서 생성된 사이토카인들은 중추신경계에 상주하는 세포들에 작용하여 더욱 다양한 사이토카인이 분비되게 한다. 그 결과, 더 많은 백혈구들이 모여들게 되고, 조직에 침투하는 세포들 자체도 변하게 된다.

T세포에서 분비되는 사이토카인과 골수계 세포들이 분비하는 사이토카인은 분리해서 생각해야 한다. 골수계 세포들은 매우 다양한 세포들을 포함하는데, 수지상세포(dendritic cell), 대식세포(macrophage), 그리고 단핵구세포(monocyte)들을 묶어서 단핵포식세포계(mononuclear phagocyte system)라 한다. 이들 골수계

세포들은 T세포의 기능을 결정하는데 작용하는 사이토카인을 분비하는 핵심 역할을 한다.

미세아교세포는 중추신경계 실질에 상재하는 대식세포이다. 기존에는 수지상세포나 대식세포들이 특정 항원을 도움T세포(helper T cell)에 제시(presentation)하는 것으로 알려졌으나, 최근 들어 일부 신경퇴행성질환에서 미세아교세포도 항원제시(antigen presentation)에 관여한다는 사실이 알려졌다. 미세아교세포는 현재까지는 조직의 항상성 유지 및 중추신경계의 정상기능을 유지하는 데 중요한 역할을 하는 것으로 알려져 있다. 그러나, 위치상 중추신경계 조직에 상재하고 있다는 점 때문에 미세아교세포가 신경염증에 중요한 역할을 담당할 가능성도 제시되고 있다(그림 4-2).

(1) 인터루킨

IL-1와 IL-6은 말초에서 도움T세포들이 병원성 기능(pathogenic function)을 띠게 하여 신경염증을 유발하는 역할을 한다. IL-6는 분화 중인 도움T세포에서 forkhead box P3 (FoxP3) 발현을 억제함으로써 조절 기능보다는 염증촉진 기능들이 활성화되도록 한다. IL-6는 T세포내의 IL-1수용체 발현을 촉진하여, 중추신경계로 침투한 T세포들이 IL-1을 잘 인지하도록 한다. IL-1은 혈액내 순환하는 백혈구를 불러 모으는(recruit) 역할을 함으로써 염증반응을 유발한다. 또한 IL-1은 염증이 일어난 중추신경계에서 T세포가 분극(polarization)되어 안정적으로 작용할 수 있게 한다.

IL-23은 중추신경계 내에 상주하는 세포들과 중추신경계로 침범하는 골수계 세포들 모두에서 생성된다. IL-23은 도움T세포가 중추신경계에 들어가기 전에 뇌염을 유발하는 성질을 띠게 하는데 중요하다. 병원성(pathogenic) 도움T세포가 중추신경계 내로 들어가서 뇌염증을 일어나게 하면, 중추신경계 내에 존재하고 있던 미세아교세포에서도 IL-23을 생성한다. 그리고 IL-23은 도움T세포로 하여금 IL-17, IL-22, 과립구-대식세포 집락자극인자(granulocyte-macrophage colony-stimulating factor, GM-CSF)와 같은 사이토카인들을 분비하게 한다.

IL-17은 혈액뇌장벽의 견고성을 깨뜨림으로써 뇌염증이 일어나는데 기여하는 것뿐만 아니라, 뇌 내의 별아교세포가 중성구유치케모카인(neutrophil-attracting chemokine)을 생산하도록 한다. 중성구가 뇌염증 병리기전에 관여한다는 사실은 잘 알려져 있으므로, IL-17은 뇌염증을 촉진하는 것으로 이해되고 있다.

IL-22는 중추신경계 염증반응을 조절하는 역할을 담당하는 아릴탄화수소수용체(aryl hydrocarbon receptor)와 밀접한 관련이 있는 것으로 알려져 있다. 그러나, 뇌염증 반응에서 IL-22가 구체적으로 어떤 역할을 담당하는지는 아직 잘 알려져 있지 않다. T세포가 생성하는 사이토카인인 IL-17, IL-22는 중추신경계 내 상주하는 사이토카인들에 비해 뇌염증에 기여하는 정도가 미미한 것으로 생각된다.

(2) 인터페론감마(IFN-γ)

IFN-γ는 중추신경계 자가면역질환 발생기전에 밀접하게 연관되어 있는 것으로 알려져 있다. 그러나, 염증촉진 특성과 항염증 특성을 모두 가지고 있기 때문에, 특정 상황에서 IFN-γ의 작용을 명확히 이해하는 것은 매우 까다롭다. 예를 들면, 중추신경계 내로 IFN-γ를 주입하면 뇌염증이 심해지지만, 자가면역뇌척수염모델(experimental autoimmune encephalomyelitis, EAE)에서 IFN-γ을 막는 물질을 주면 증상이 악화된다. 또한, IFN-γ 혹은 IFN-γ수용체 유전자가 결핍된 자가면역뇌척수염모델에서는 증상이 더 심하게 나타난다고 알려져 있다.

IFN-γ가 질병의 경과 중 어느 시점에 주입이 되었는지에 따라 뇌염증에 미치는 영향은 달라질 수 있다. 자가면역뇌척수염모델에서도 병의 초기에 IFN-γ를 주면 증상이 악화되지만, 병의 후기에 IFN-γ를 주면 증상이 완화되는 것으로 알려져 있다. IFN-γ는 도움T세포가 IL-17 분비하는 것을 억제함으로써 뇌염증을 억제하는 것으로 생각된다. 또한, IFN-γ는 조절T세포를 유도하거나 T 세포 자멸사(apoptosis)를 유발하는 방식으로 뇌염증을 억제하기도 한다. IFN-γ는 내피세포 내의 밀착연접 단백질들의 발현을 활성화해서 혈액뇌장벽 견고성을 향상시킴으로써 뇌염증으로부터 보호하는 기능도 한다.

IFN-γ가 중추신경계 내에 존재하는 별아교세포에 작용하면 여러 케모카인을 생성하도록 유도하여 뇌염증을 촉진시키는 것으로 자가면역뇌척수염모델에서 보고된 바 있다. 반면, IFN-γ가 중추신경계 내의 미세아교세포에 작용 시 미세아교세포의 세포주기의 정지(cell cycle arrest)를 유도하여 분열증식(proliferation)을 억제하고, 뇌염증을 완화시키는 것으로 보고된 바 있다.

한편, 연구결과에 따르면 IFN-γ가 뇌와 척수에서 각각 다른 역할을 담당하는 것으로 알려져 있다. IFN-γ 유전자가 결핍된 자가면역뇌척수염모델에서 염증이 척수가 아닌 뇌에서만 활성화가 된다는 사실이 여러 연구들에 의해 확인되었다. 즉, IFN-γ는 뇌에서 항염증 작용을 하는 것으로 생각된다.

이와 같이, IFN-γ는 신경염증에서 매우 복잡하고 다양한 역할을 담당하는 것으로 알려져 있다. 다양한 세포에 작용을 하며, 작용 시점 및 작용 부위에 따라 때로는 반대의 역할을 담당한다.

(3) 종양괴사인자(TNF)

TNF도 염증촉진 특성과 항염증 특성을 모두 가지고 있는 사이토카인이다. IFN-γ가 림프구에 의해서만 분비되는 것과 달리 TNF는 대부분의 세포에서 생성된다. TNF는 희소돌기아교세포가 자멸사를 일으키게 하고, 내피세포와 별아교세포의 접합분자(adhesion molecule) 발현을 증가시킴으로써 T세포가 혈액뇌장벽을 통과하여 뇌실질 내로 잘 들어 갈 수 있게 한다. 또, TNF는 IFN-γ와의 상승작용으로 별아교세포 및 희소돌기아교세포 의 주조직적합복합체(major histocompatibility complex class, MHC) 분자 발현을 증가시키고 이를 통해 분화클러스터(cluster of differentiation, CD)8을 발현하는 T세포(CD8$^+$ T cell)의 세포 독성을 증가시킨다.

그러나, 다발경화증 환자에서 TNF 중화제를 투여한 경우 증상이 오히려 악화된다는 사실이 보고되었다. 이에 TNF가 뇌염증을 억제하는 기능도 담당하는 것으로 생각되나, 그 정확한 기전은 아직 밝혀지지 않은 상태이다.

(4) 과립구-대식세포 집락자극인자(GM-CSF): 도움T 세포와 골수계 세포 사이의 통신 전달자

GM-CSF는 병원성T세포가 IL-23 신호를 받아서 생성하는 사이토카인이며, 뇌염증을 촉진시키는 역할을 하는 것으로 알려져 있다. 골수계 세포에서 생성된 IL-1β는 활성화된 T세포에서 GM-CSF를 분비하게 한다. GM-CSF는 단핵구유래세포(monocyte-derived cell)에 작용하여 조직 염증을 유발하는 역할을 한다.

(5) 2형CC-케모카인수용체(CC-chemokine receptor type 2, CCR2)

중추신경계를 침범하는 단핵구는 대부분 CCR2를 발현하는데, 중추신경계 내에 존재하는 CCR2에 의한 단핵구화학유인(monocyte chemoattraction)이 뇌염증 발생에 중요한 역할을 담당하는 것으로 알려져 있다. 중추신경계 내로 유입된 단핵구는 염증성 대식세포 혹은 수지상세포로 탈바꿈된다.

4 │ 결론

지난 20여년간 다양한 연구들이 중추신경계 신경염증에서 사이토카인의 역할에 대해 탐구하였다. 이 내용을 정확하게 모두 요약하는 것은 어렵지만, 종합적으로 신경염증 및 신경퇴행에 공통된 사이토카인 및 전달경로(pathway)가 관여하는 것으로 알려져 있다. 신경퇴행은 중추신경계 내에서 고유하게 나타나는 현상이라면, 뇌염이나 다발경화증 같은 신경염증과정에는 중추신경계로 유입된 백혈구에 의해 분비되는 사이토카인이 중요한 역할을 하는 것으로 알려져 있다. 각각의 사이토카인의 역할에 대해서는 아직도 지속적으로 새로운 사실이 밝혀지고 있으며, 향후 많은 연구가 필요할 것이다.

A. 퇴행성 신경계 질환에서의 염증반응

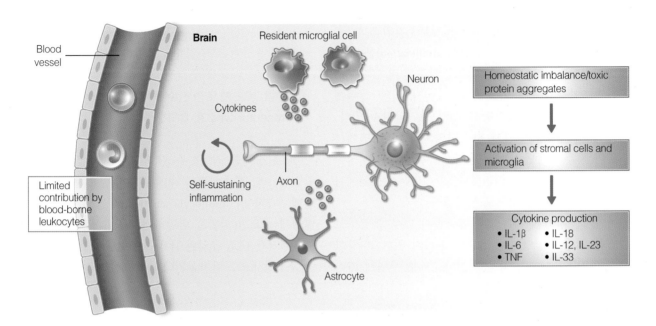

B. 탈수초 질환과 중추신경계 감염에서의 염증반응

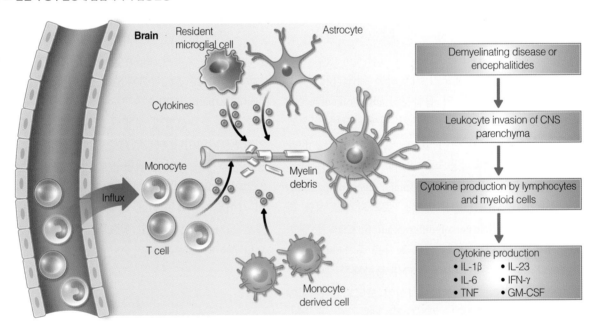

그림 4-1 **중추신경계 내부에서 생성되는 사이토카인 (A) 및 외부에서 침투한 세포에 의한 발현되는 사이토카인 (B)에 의한 신경염증의 발현 기전**

(A) 퇴행성 신경계 질환에서는 많은 염증성 신호물질이 관여하지만, 혈액에서 침투한 백혈구에 의한 역할은 미미하다. 비정상적인 단백질 응집 등으로 중추신경계 항상성에 변화가 생기면, 중추신경계 내에 존재하는 미세아교세포나 별아교세포에 의해 사이토카인이 분비되게 된다. 초기 분비되는 사이토카인들은 항상성의 불균형을 회복시키려는 역할을 한다고 알려져 있고, 만성적으로 분비되는 사이토카인들은 광범위한 세포의 영양실조(dystrophy) 혹은 정상기능 소실에 관여한다고 알려져 있다. (B) 탈수초질환 혹은 중추신경계 감염 시에는, 혈액뇌장벽이 손상되고 백혈구들이 중추신경계 실질로 침투하면서 염증성 반응이 발생하게 된다. 림프구와 골수세포(myeloid cell)들이 조직 손상의 주요 매개체 역할을 담당하며, 다양한 사이토카인을 뇌조직에 전달함으로써 염증성 연쇄반응을 일어나게 한다. IL-1β와 IL-6이 염증성 반응의 핵심 역할을 담당하는 사이토카인이며, 염증 상태에 있는 중추신경계 모든 세포에서 검출이 된다. IL-23은 T세포의 조절에 관여하고, 과립구-대식세포 집락자극인자(GM-CSF)는 단핵백혈구 기원 세포들이 조직손상을 일으키도록 하는데 관여한다.

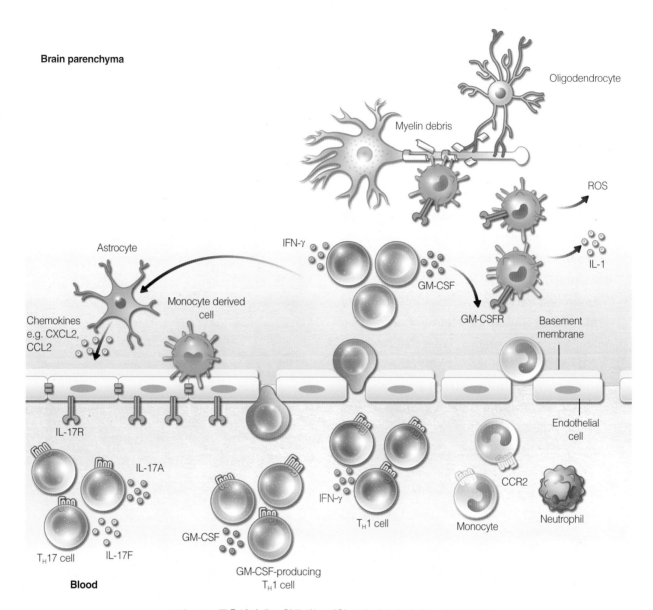

그림 4-2 중추신경계로 침투하는 백혈구에 의해 유발되는 뇌염증 반응

활성화된 중추신경계 도움T세포들은 중추신경계 혈관을 통해 들어오는 항원제시(antigen-presenting) 세포들로부터 표적 항원을 인지한다. 이후 이들 도움T세포들은 사이토카인을 생성하게 된다. 대표적으로 IL-17과 IFN-γ는 혈액뇌장벽 견고성에 영향을 미치고, 별아교세포같은 세포에 작용하여 케모카인들을 분비하게 한다. 병원성도움T세포들과 새로 동원된 백혈구들에 의해 혈액뇌장벽 붕괴가 완료되면, 병원성 도움T세포이 과립구-대식세포 집락자극인자를 분비하여 단핵구들이 염증촉진의 강한 포식작용을 하는 세포로 변화하게 한다. 이들 세포들도 활성산소(reactive oxygen species, ROS) 및 IL-1과 같은 사이토카인을 생성하여, 지속적인 신경염증 및 조직 손상이 일어나게 하는데 기여한다.

참고문헌

1. Becher B, Spath S, Goverman J. Cytokine networks in neuroinflammation. Nat Rev Immunol 2017;17:49-59.
2. Chen Z, Zhong D, Li G. The role of microglia in viral encephalitis: a review. J Neuroinflammation 2019;16:76.
3. Ding X, Yan Y, Li X, et al. Silencing IFN-γ binding/signaling in astrocytes versus microglia leads to opposite effects on central nervous system autoimmunity. J Immunol 2015;194:4251-64.
4. Kempuraj D, Thangavel R, Selvakumar GP, et al. Brain and Peripheral Atypical Inflammatory Mediators Potentiate Neuroinflammation and Neurodegeneration. Front Cell Neurosci 2017;11:216.
5. Kothur K, Wienholt L, Brilot F, et al. CSF cytokines/chemokines as biomarkers in neuroinflammatory CNS disorders: A systematic review. Cytokine 2016;77:227-37.
6. Skaper SD, Facci L, Zusso M, et al. An Inflammation-Centric View of Neurological Disease: Beyond the Neuron. Front Cell Neurosci 2018;12:72.

 이순태

5 자가면역(Autoimmunity)

1 | 서론

신경계 자가면역질환은 B세포와 T세포가 관여하여 적응면역(adaptive immunity)의 공격으로 유발되는 경우가 대부분이다. 대부분 자가면역질환에는 B세포와 T세포가 서로 상호작용하고 있기 때문에, 작용세포를 한 종류의 세포로 한정하기 어려운 경우가 많다. 다만 진단과 치료의 특수성 때문에 항체매개질환(antibody mediated disorder)을 구분할 필요가 있다.

항체매개질환에서 항체가 세포내 항원을 공격하는 경우 세포사멸과 T림프구나 보체(complement)의 이차 공격을 유발하기 때문에 면역치료에 대한 반응이 좋지 않다. 그러나 세포막 단백질에 대한 항원을 공격하는 경우에는 항원 자체가 단백질 발현양을 감소시키거나 기능을 방해하여 질병이 유발된다. 이때는 세포사멸을 유발하지 않는 경우가 많아서 면역치료에 대한 반응이 좋다. 항체매개질환으로 알려진 경우에도 실제 항체가 직접 작용하기 보다는 T세포의 공격을 유도하여 질병을 유발하는 경우가 있고, 반대로 원인 항체가 알려지지 않은 경우에도 나중에 새로운 항체가 발견되는 경우가 있다.

2 | 자가면역뇌염의 발병기전

과거에는 중추신경계는 면역세포가 없는 곳으로 생각하였으나, 현재는 이에 대한 개념이 바뀌었다. 뇌 안에 늘 T세포의 면역 감시가 있으며, 뇌에서 유래된 항원은 경부림프절로 내려와 항원제시(antigen presenting) 과정을 거칠 수 있다.

그림 5-1은 중추신경계 자가면역질환의 발병과정을 보여준다. 면역반응의 초기 자극으로 암, 바이러스, 세균 등 원인 항원에 노출되면 수지상세포(dendritic cell)를 거쳐 혈액을 통해 림프절과 비장으로 이동하고, 항원제시와 면역세포 활성화를 유발한다. 이때 새로 생긴 미접촉B세포들 중에서 항원에 반응하는 B세포가 선택되고 활성화를 거쳐 증식한 다음 형질세포(plasma cell)로 분화하면서 항체를 생산한다. 일부 B세포는 기억B세포(memory B cell)가 되어 골수로 이동하고, 다음에 같은 항원이 몸에 들어왔을 때 빠르게 항체를 만들 수 있도록 대비한다. 골수에 남아 있는 기억B세포는 항체매개 자가면역질환의 재발에 기여한다. 형질세포도 주로 골수에 가서 생존하지만, 조직에 직접 침투할 수도 있다. 따라서 항체가 뇌를 공격하는 방법은 항체가 혈액뇌장벽을 투과하여 뇌의 항원에 붙는 방법과, 형질세포가 혈액뇌장벽을 통과하여 뇌 안에 서식하면서 항체를 생산하는 방법이 있다. 후자의 경우 뇌척수강내에서 항체가 생성되는데(intrathecal synthesis), 다양한 항체매개 신경면역질환의 경우에 따라 뇌척수강내에서 항체가 생성되는 질환이 있고 그렇지 않은 질환이 있다. 뇌척수강내에서 항체가 생성될 경우 해당 항체 수치에 대한 면역글로불린G (immunoglobulin G, IgG) 수치(index)가 상승하게 된다.

형질세포는 생존기간이 수개월 이내로 짧은 단기생존형질세포(short-lived plasma cell)와, 생존기간이 수개월 이상인 장기생존형질세포(long-lived plasma cell)가 존재한다. 이 중 장기생존형질세포가 뇌 안으로 침투할 경우 증식하지 않고 오랫동안 항체를 생산하게 된다. 이 경우 혈액뇌장벽 투과율이 낮은 면역글로불린정맥주사(intravenous immunoglobulin, IVIg)는 효과가 약하고, rituximab은 분화클러스터20(cluster of differentiation 20, CD20)이 없는 형질세포를 공격하지 못하며, cyclophosphamide도 혈액뇌장벽 투과율이 낮고(-10% 이내), 형질세포가 분열하지 않기 때문에, 여러 약제에 내성을 보이는 상태가 된다. 이 경우에는 뇌에 침투한 장기생존형질세포가 수명을 다하고 사멸하는 시점에야 증상이 회복된다. 대표적인 예가 중증의 항N-methyl-D-aspartate (NMDA)수용체뇌염이다. 따라서 초기에 형질세포의 침투를 차단할 수 있도록, 세포공격 치료제(예: rituximab, cyclophosphamide)를 조기에 사용하여 말초의 B세포 증식을 억제하는 것이, 나중의 회복속도를 빠르게 하는데 중요할 수 있다.

항원제시와 함께 새로 만들어진 다양한 미접촉T세포 중에서 항원에 반응하는 T세포가 선택되고 활성화되어 작동을 시작한다. 세포독성T세포(CD8$^+$)은 뇌로 침투하여 세포독성을 주도한다. 도움T세포(helper T cell)는 사이토카인(cytokine) 분비를 통해 B세포와 세포독성T세포의 활성을 돕는다. 특히 도움T세포는 몇 가지로 분류할 수 있는데, 크게는 1형도움T세포, 2형도움T세포, 17형도움T세포로 분류한다. 1형도움T세포는 세포 내 병인에 대한 공격을 주도하는데, 감마인터페론(interferon-γ, IFN-γ)을 분비하여 대식세포를 활성화하는 것이 주된 임무이다. 2형도움T세포는 주로 알레르기에 관여하고, 인터루킨-4(interleukin-4, IL-4)를 분비하여 호산구를 활성화하고 기생충을 공격하는 것이 주된 임무이다. 17형도움T세포는 세포외 병인에 대한 공격을 주도하며 IL-17을 분비하여 중성구를 활성화한다. 전신홍반루푸스(systemic lupus erythematosus)나 류마티스관절염의 병리기전에는 17형도움T세포의 활성화가 중요한 역할을 하고 있고, 다발경화증의 연구에서도 17형도움T세포의 역할이 중요한 것으로 알려져 있다. 자가면역뇌염서도 17형도움T세포의 역할이 핵심적

일 것으로 의심되나 연구가 필요하다.

발병과정에 T세포와 B세포는 서로 사이토카인을 통해 상호작용하고 있기 때문에 어느 한 종류의 세포로 모든 병리기전을 설명할 수는 없다. 특히 rituximab과 같이 B세포를 제거하는 치료가 T세포가 중심을 이루는 전신홍반루푸스나 다발경화증에도 효과가 있듯이, 병리와 치료를 해석하는 데는 종합적인 고려가 필요하다.

3 │ 면역항암제 사용에 따른 자가면역뇌염

면역관문조절 항암제(immune checkpoint inhibitor)를 사용한 환자에서 다양한 신경계 독성이 발생할 수 있다. 경증의 부작용은 보고가 안 된 경우가 많아, 임상시험 결과를 살펴보아도 신경계 자가면역부작용의 발생 빈도는 정확히 추산하기가 어렵고, 보고마다 그 빈도가 다르다. 그러나 뇌하수체염(hypophysitis)를 제외한 신경계 자가면역독성만을 놓고 보면, 세포독성T림프구단백질-4 억제제(cytotoxic T-lymphocyte-associated protein-4 inhibitor)(예: ipilimumab 등)의 경우 약 1-4%, 세포예정사단백질-1억제제(programmed cell death protein-1, PD-1 inhibitor)(예: nivolumab, pembrolizumab 등)의 경우 그보다 낮은 1% 미만의 부작용이 발생하며, 두 기전의 약을 복합적으로 사용했을 경우에는 그 빈도는 증가하는 것으로 생각된다. 대표적인 신경계 자가면역질환으로는 길랭-바레증후군(Guillain-Barré syndrome), 중증근무력증(myasthenia gravis), 수막뇌염(meningoencephalitis)이 있고 드물게는 횡단척수염과 자가면역뇌염이 발생할 수 있다. 약물의 기전을 바탕으로 이러한 부작용의 기전을 추측해보면, 면역관문조절 항암제 자체가, T세포 및 관련된 B세포 자가면역성을 유발시켜 항암효과를 내는 과정에서, 자가면역질환을 유발하는 것으로 생각할 수 있다.

Nivolumab과 pembrolizumab의 복합치료 4일 뒤 자가면역뇌염이 발생하여 스테로이드 치료하였으나 사망한 예를 포함하여, 면역관문조절제 사용 후 여러 건의 자가면역뇌염 발생 예가 보고된 바 있다. 신경독성은 처음에는 경미하다가도 갑자기 진행할 수 있고, 손상된 신경계는 회복이 쉽지 않으므로, 신경독성이 의심되면 사용하던 면역관문조

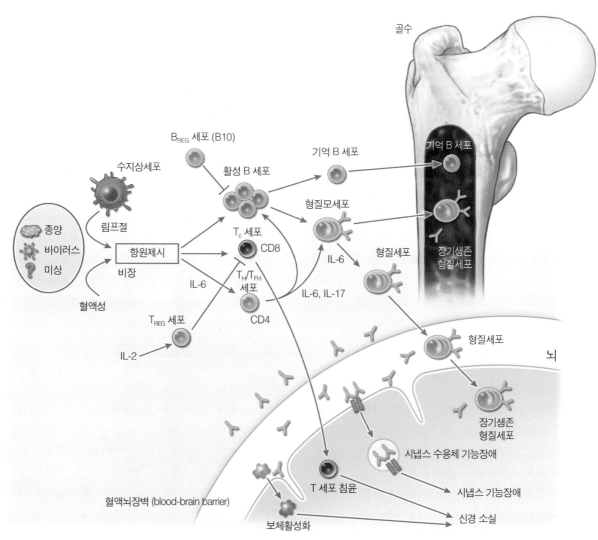

골수

B_REG 세포 (B10)

수지상세포

기억 B 세포

활성 B 세포

기억 B 세포

형질모세포

종양
바이러스
미상

림프절

항원제시

T_c 세포

CD8

장기생존
형질세포

비장

IL-6

형질세포

혈액성

T_H/T_FH
세포

IL-6

T_REG 세포

CD4

IL-6, IL-17

IL-2

형질세포

뇌

장기생존
형질세포

시냅스 수용체 기능장애

혈액뇌장벽 (blood-brain barrier)

T 세포 침윤

시냅스 기능장애

신경 소실

보체활성화

그림 5-1 **자가면역뇌염의 발병기전 모식도**
Figure by S.T. LEE, MD, PhD

절제는 일단 중단하는 것이 권장된다. 그러고 나서 면역반응에 의한 부작용인지 다른 원인에 의한 신경계 질환인지 감별을 위한 광범위한 검사가 필요하다. 치료는 스테로이드와 면역글로불린정맥주사를 포함하여 기존의 자가면역뇌염의 치료에 준하여 치료한다.

참고문헌

1. Darnell RB, Posner J. Paraneoplastic syndromes. In: Contemporary Neurology Series. Oxford University Press, New York, NY, USA, 2011.

2. Lancaster E. Paraneoplastic disorders. Continuum (Minneap Minn). 2015 Apr;21(Neuro-oncology):452-475.

3. Pittock SJ, Vincent A. Autoimmune Neurology. In: Handbook of clinical neurology. Elsevier. Cambridge, MA, USA, 2016.

4. Rosenfeld MR, Dalmau JO. Paraneoplastic disorders of the CNS and autoimmune synaptic encephalitis. Continuum (Minneap

Minn). 2012 Apr;18(2):366-383.

5. Abdallah AO, Herlopian A, Ravilla R, et al. Ipilimumab-induced necrotic myelopathy in a patient with metastatic melanoma: A case report and review of literature. J Oncol Pharm Pract 2016;22:537-42.

6. Bot I, Blank CU, Boogerd W, et al. Neurological immune-related adverse events of ipilimumab. Pract Neurol 2013;13:278-80.

7. Carl D, Grüllich C, Hering S, et al. Steroid responsive encephalopathy associated with autoimmune thyroiditis following ipilimumab therapy: a case report. BMC Res Notes 2015;8:316.

8. de Maleissye MF, Nicolas G, Saiag P. Pembrolizumab-Induced Demyelinating Polyradiculoneuropathy. N Engl J Med 2016;375:296-7.

9. Kao JC, Liao B, Markovic SN, et al. Neurological Complications Associated With Anti-Programmed Death 1 (PD-1) Antibodies. JAMA Neurol 2017;74:1216-22.

10. Khoja L, Maurice C, Chappell M, et al. Eosinophilic Fasciitis and Acute Encephalopathy Toxicity from Pembrolizumab Treatment of a Patient with Metastatic Melanoma. Cancer Immunol Res 2016;4:175-8.

11. Liao B, Shroff S, Kamiya-Matsuoka C, et al. Atypical neurological complications of ipilimumab therapy in patients with metastatic melanoma. Neuro Oncol 2014;16:589-93.

12. Loochtan AI, Nickolich MS, Hobson-Webb LD. Myasthenia gravis associated with ipilimumab and nivolumab in the treatment of small cell lung cancer. Muscle Nerve 2015;52:307-8.

13. Mandel JJ, Olar A, Aldape KD, et al. Lambrolizumab induced central nervous system (CNS) toxicity. J Neurol Sci 2014;344:229-31.

14. Maurice C, Schneider R, Kiehl TR, et al. Subacute CNS Demyelination after Treatment with Nivolumab for Melanoma. Cancer Immunol Res 2015;3:1299-302.

15. Salam S, Lavin T, Turan A. Limbic encephalitis following immunotherapy against metastatic malignant melanoma. BMJ Case Rep 2016;23:2016.

16. Shirai T, Sano T, Kamijo F, et al. Acetylcholine receptor binding antibody-associated myasthenia gravis and rhabdomyolysis induced by nivolumab in a patient with melanoma. Jpn J Clin Oncol 2016;46:86-8.

17. Spain L, Walls G, Julve M, et al. Neurotoxicity from immune-checkpoint inhibition in the treatment of melanoma: a single centre experience and review of the literature. Ann Oncol 2017;28:377-85.

18. Spain L, Walls G, Julve M, et al. Neurotoxicity from immune-checkpoint inhibition in the treatment of melanoma: a single centre experience and review of the literature. Ann Oncol 2017;28:377-85.

19. Stein MK, Summers BB, Wong CA, et al. Meningoencephalitis Following Ipilimumab Administration in Metastatic Melanoma. Am J Med Sci 2015;350:512-3.

20. Wilgenhof S, Neyns B. Anti-CTLA-4 antibody-induced Guillain-Barré syndrome in a melanoma patient. Ann Oncol 2011;22:991-3.

정근화

6

혈액뇌장벽 관련 중추신경계 면역
Blood-brain barrier related CNS immunity

1 | 중추신경계 면역 통로

중추신경계는 혈액뇌장벽에 의한 외부 세포 및 물질의 차단, 항원제시세포(antigen-presenting cell)의 부재, 세포표면의 주조직적합복합체 I형(major histocompatibility complex class I, MHC I), MHC II형의 낮은 발현, 림프순환계의 취약으로 말초면역체계의 관여가 제한적인 부위이다. 중추신경계로 말초면역체계의 선택적 이동은 혈액뇌장벽과 뇌림프순환계의 특수한 구조와 기능에 의해 이루어진다.

1) 혈액뇌장벽

(1) 구조

혈액뇌장벽은 뇌모세혈관을 구성하고 있는 혈관내피세포(endothelial cell), 별아교세포(astrocyte), 혈관주위세포(pericyte), 미세아교세포(microglia)에 의해서 형성되는 특수한 구조의 장벽을 의미한다. 구조는 크게 밀착연접(tight junction), 접착연접(adherens junction)의 물리적 장벽, 세포막에 있는 특이적 수송체계에 의한 장벽, 세포막 내 효소에 의해서 침투가 억제되는 대사적 장벽의 개념을 가진다(그림 6-1A). 밀착연접은 혈관내피세포의 가장 상부에 존재하는 세포간 이음새로, 이를 구성하는 단백질은 클라우딘(claudin), 오클루딘(occludin), 접합분자 등의 세포막간(transmembrane) 단백질과 조눌라오클루덴스(zonula occludens)라는 세

질(cytoplasmic) 단백질이 있다. 접착연접은 밀착연접 바로 하부에 존재하며 카데린(cadherin), 넥틴(nectin), β-카테닌(β-catenin), 아파딘(afadin) 조합으로 구성된다. 혈관내피세포의 내강 측과 반대 측에는 세포막간 수송체들(예: major facilitator superfamily domain containing 2a)이 존재하는데 말초혈관에 비해서 70배나 많은 양의 수송체가 존재하여 선택적 물질 이동에 관여하는 것으로 알려져 있다. 혈관내피세포 주변으로는 별아교세포, 혈관주위세포, 미세아교세포가 있어서 혈액뇌장벽을 지원한다. 별아교세포는 혈관주위에 종말발(endfeet)을 형성하여 물리적 장벽을 더 견고하게 지지하며 P-당단백질(P-glycoprotein), 포도당수송체1(glucose transporter 1) 등의 수송체와 세포막 효소를 가지고 있어서 그 기능을 강화한다. 또한, 형질전환성장인자-β (transforming growth factor-β, TGF-β), 아교세포유래신경영양인자(glial-derived neurotrophic factor), 섬유아세포성장인자(basic fibroblast growth factor, bFGF), 안지오포이에틴-1 (angiopoetin 1)을 분비하여 인접 신경세포(<10 μm)와 혈관내피세포 간의 소통을 지원한다. 혈관주위세포는 α-평활근미세섬유(α-smooth muscle actin), 비멘틴(vimentin), 데스민(desmin), 마이오신(myosin) 등의 수축성의 세포골격 단백질을 가지고 있어서 수축, 이동, 확장의 물리적 변형이 용이하며 이를 통해서 혈류조절, 혈액세포 감시, 염증반응 유도, 혈관재생 기능을 한다. 혈관주위세포는 막관통콘드로이튼황산염당단백질(transmembrane chondroitin sulfate proteoglycan), 신경/아교항원2 (neural/glial antigen 2,

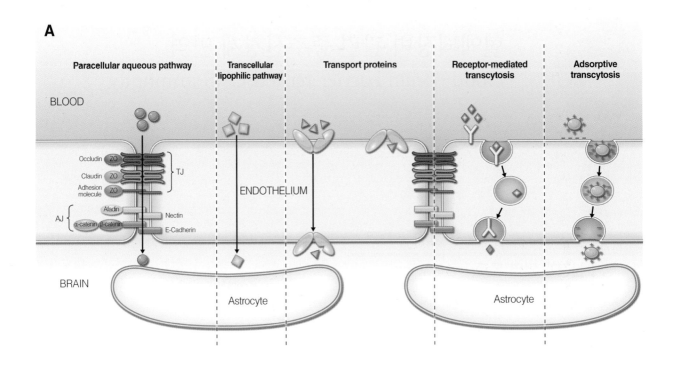

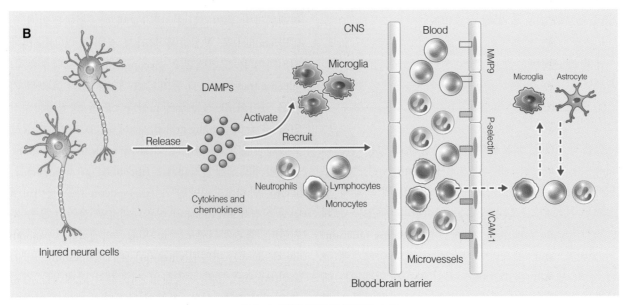

그림 6-1 혈액뇌장벽의 구조와 손상

(A) 정상 혈액뇌장벽의 구조 (B) 혈액뇌장벽의 손상

AJ, adherens junction; TJ, tight junction; ZO, zona occludens; DAMP, damage–associated molecular patterns; MMP9, matrix metallopeptidase9; VCAM–1, vascular cell adhesion molecule–1

NG2), 혈소판유래성장인자수용체-β (platelet-derived growth factor receptor-β), 아미노펩티드분해효소 (aminopeptidases) A, 아미노펩티드분해효소 N (cluster of differentiation13, CD13), G-단백질신호전달조절자-5 (regulator of G-protein signaling-5), 세포표면당단백질 MUC18 (cell surface glycoprotein MUC18 혹은 CD146)의 표면항원으로 다른 세포와 구별된다. 미세아교세포는 포식작용을 통해서 세포노폐물을 제거하고, 염증반응을 지원한다.

(2) 기능

혈액뇌장벽을 구성하고 있는 세포들은 구조적, 기능적으로 연결되어 있고, 체계적 소통을 통해서 그 기능을 유지한다. 중추신경계에서 물질 이동은 농도경사에 따라서 이동하는 단순확산(예: 알코올), 운반체를 매개로 하는 촉진확산(예: 포도당수송체1에 의한 포도당 이동), 수성통로를 통한 단순확산, ATP와 단백질 운반체를 이용한 능동수송(예: P-glycoprotein), 세포주위확산(paracellular diffusion)의 방법을 통해서 이루어진다. 말초혈액으로부터 세포들과 분자들의 이동은 혈액뇌장벽에 의해서 엄격히 조절된다. 정상적인 중추신경계 환경에서 혈액뇌장벽은 신경계에 필수영양분을 공급하고 폐기물을 배출하며, 신경기능에 필요한 세포사이질액(interstitial fluid) 조성을 조절하고, 신경전달물질의 적절한 이동을 돕는다. 혈액뇌장벽은 신경혈관단위(neurovascular unit)의 구성 요소로서 신경세포의 생존과 기능을 유지하고 지지하는 기능도 담당한다. 노화나 각종 중추신경계 질환에 따라서 혈액뇌장벽의 구성 요소들이 구조적 변화와 분자생물학적 수준의 변화를 겪으면서 각종 이음새 구조물과 세포막수송체, 기저판, 세포외기질의 생산 및 기능저하를 통해 장벽이 약화된다. 이에 따라 혈액 성분이 신경계로 비특이적으로 투과되어 구조적 손상과 기능저하가 유발될 수 있다. 혈관내피세포는 중추신경계의 염증신호 발생 시 다양한 부착단백질, 세포표면항원을 발현함으로써 면역세포의 이동과 침윤을 유발한다(그림 6-1B). 다양한 중추신경계 질병은 혈관내피세포의 활성화와 혈관염증을 동반하는데, 활성화된 혈관내피세포는 염증촉진인자와 혈관세포접착분자-1(vascular cell adhesion molecule-1), 기질금속함유단백분해효소 (matrix metalloproteinase, MMP)-9을 분비하고 혈액 내 백혈구의 이동과 부착을 돕는다. 침윤된 면역세포는 다양한 사이토카인을 분비함으로써 혈관내피세포 간에 밀착연접을 손상시키고 혈액뇌장벽의 투과성을 증가시켜서 추가적인 염증세포의 이동을 돕는다. 대식세포(macrophage)와 중성구의 침윤에 이어서 림프구들도 중추신경계로 이동한다. 정상적 환경에서 비접촉T세포는 혈액뇌장벽을 통해서 중추신경계로 들어갈 수 없다. 그러나, 뇌손상 이후 활성화된 T세포는 항원과 MHC 결합 방식에 의해서 중추신경계로 들어간다. 또한, 맥락얼기 안에 중추신경계에 특이적인 T세포가 존재하는데 각종 사이토카인 분비를 통해서 말초면역세포의 이동에 관여한다.

2) 림프순환계

(1) 구조

중추신경계의 면역세포 이동 통로로 최근에 글림프경로와 뇌수막주위 림프관의 존재가 알려졌다. 글림프경로는 아교세포(glia)와 림프순환체계(lymphatics)의 합성어로 뇌척수액이 혈관주위공간으로 이동하여 세포사이질액과 교환되는 경로를 말한다. 이러한 경로를 통해서 뇌의 영양과 노폐물이 교환되고, 염증세포가 이동할 수 있다. 소혈관의 탄성과 박동이 글림프경로의 동력으로 알려져 있다. 글림프경로는 뇌실과 지주막하공간을 경유하여 림프순환계와 연결된다. 림프순환계는 림프모세관(lymphatic capillary), 림프관(lymphatic vessel), 림프절(lymph node), 가슴관(thoracic duct)으로 이루어진다. 중추신경계에서 림프순환의 시작은 뇌기저부의 벌집체판(cribriform plate)-코점막의 림프모세관과 뇌척수액-뇌수막주위 림프관을 통해서 이루어지는 것으로 알려져 있다. 이렇게 모아진 림프액은 들림프관(afferent lymphatics)을 따라 심경부림프절(deep cervical lymph node)로 이동하고, 림프절에서는 일차종자결절(primary germinal nodule)과 큰동굴그물을 거치면서 다양한 면역작용에 노출되어 활성화된다. 활성화된 면역세포는 날림프관(efferent lymphatics)을 통해 나가고 결국은 우측 림프관(lymphatic duct) 및 가슴관(thoracic duct)을 통해 속동맥정맥과 만나 심장으로 이동하고 전신순환계로 연결된다. 림프순환은 림프관 내 평활근의 수축, 주변 혈관의 박동, 골격근 수축의 간접적인 영향, 호흡 시 흉곽의 운동에 의해서 이루어진다.

(2) 기능

림프순환계는 혈관에서 새어 나오는 각종 혈액 성분과 세포 활동에 의해서 생성된 세포사이질액인 림프액의 순환에 관여하며 세포에 영양을 공급하고 대사작용을 지원하며, 배출된 노폐물을 흡수하여 다시 전신순환계로 보내는 역할을 한다. 또한, 중추신경계는 면역세포 이동이 엄격하게 조절되는 장기로 글림프경로와 림프순환계는 혈액뇌장벽, 맥락얼기와 더불어 면역세포 이동에 관여하는데 림프액에는 림프구와 단핵구가 많고, 지방 성분을 많이 포함한다. 뇌수막림프관은 항원제시세포 이동의 주요 통로이며, 외부인자의 침입을 감지하여 이를 말초면역체계에 노출시킴으로써 방어면역체계에 시동을 거는 역할을 한다. 중추신경계 손상 후 수초기초단백질(myelin basic protein), 미소관연관단백질-2(microtubule-associated protein-2), NMDA 수용체소단위2A (N-methyl-D-aspartate receptor subunit, NR2A)와 같은 특이 항원이 중추신경계 림프순환계를 통해서 편도나 경부림프절, 비장으로 이동해서 다양한 말초면역체계에 노출함으로써 1형도움T세포를 포함한 말초면역체계 활성화를 일으킨다.

2 | 중추신경계 면역 체계

중추신경계 질병은 일차적인 손상 신호가 다를 수 있지만, 신경손상 후 발생하는 손상연관분자유형(damage-associated molecular patterns, DAMP)은 공통적으로 선천면역과 적응면역체계를 활성화시킨다. DAMP는 아데노신(adenosine), 열충격단백질(heat shock proteins), HMGB1 (high mobility group box 1)를 포함하며, 면역세포에 존재하는 유형인식(pattern recognition) 수용체와 결합한다. 활성화된 면역세포는 다양한 분비물질을 통해서 단계적으로 선천면역과 적응면역을 유도한다. 중추신경계 손상 신호에 따라서 가장 처음에 신속하게 반응하는 염증세포는 미세아교세포와 별아교세포이다. 미세아교세포의 활성화는 혈액 내 순환 중인 단핵구(monoctye), 대식세포, T림프구(T lymphocyte) 등 다양한 말초면역세포들의 중추신경계 내 침윤을 유도한다. 중추신경계 내로 유도된 염증세포들은 사이토카인과 케모카인, 자유산화기, 기타 독성 화학물질들을 방출하는데 이러한 반응은 NF-κB (nuclear factor kappa B)라는 전사신호에 의해서 조절된다. NF-κB는 각종 염증물질 분비 외에도 혈액뇌장벽에서 다양한 접착 단백질과 세포표면수용체의 발현을 증가시킴으로써 염증 반응을 강화시킨다. 초기 면역반응에 의해서 손상 받은 세포는 다양한 세포손상 물질을 분비하여 염증세포의 활성화를 유지하는 작용을 한다. 중추신경계 염증반응은 손상신호의 종류에 따라서 관여하는 면역 체계의 종류와 정도에는 차이가 있을 수 있지만 일반적으로 손상신호 발생 즉시 활성화되는 선천면역(innate immunity)과 나중에 활성화되지만 특이적이고 강력한 적응면역(adaptive immunity)의 통합 운영에 의해서 이루어지며, 세포손상을 가속화시키는 염증촉진(pro-inflammatory) 기능과 부산물 처리 및 세포보호를 유도하는 항염증(anti-inflammatory)기능을 동시에 담당한다.

1) 선천면역

(1) 미세아교세포

미세아교세포는 안정상태에서 중추신경계의 다양한 질병 신호를 모니터링 하다가 중추신경계 손상신호가 오면 가장 처음으로 반응하는 세포로 수분 내에 활성화된다. 미세아교세포는 중추신경계에 내재적으로 존재하는 대식세포이며 중추신경계의 발달과 항상성을 유지하는 주요 세포 중 하나로 전체 아교세포 중 약 10-20%를 차지한다. 안정상태의 미세아교세포는 혈관 생성과 혈액뇌장벽의 생성에 중요한 역할을 하기도 한다. 미세아교세포는 퓨린계수용체-12(purinergic receptor P2Y12) 수용체, 톨유사수용체(Toll-like receptor)를 가지고 있어서 세포 손상 때 발생하는 DAMP와 결합하여 수분 내에 빠르게 활성화되고, NF-κB를 증가시킴으로 하위에 있는 다양한 염증촉진매개인자를 생산한다. 이러한 수용체는 안정 시에는 매우 낮은 상태로 유

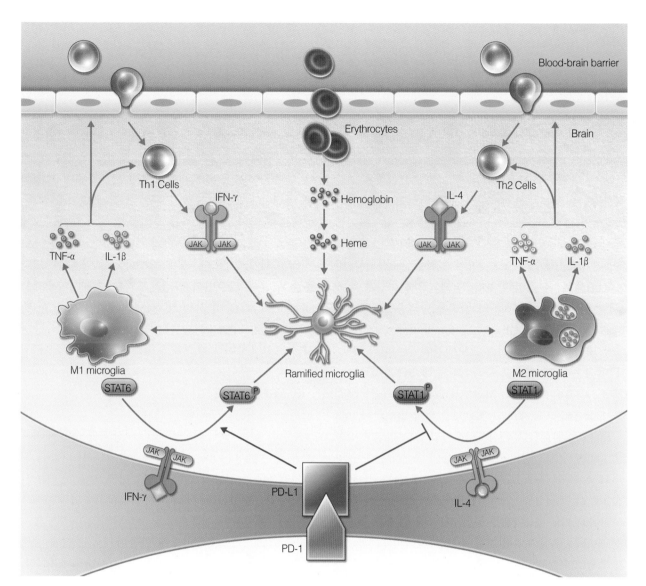

그림 6-2 **중추신경계 선천면역반응**

(좌) 침윤한 Th1 세포에서 분비되는 IFN-γ 에 의해서 JAK/STAT1 경로가 활성화되고, 이에 의해 ramified microglia가 M1 미세아교세포로 변환되어서 TNF-α, IL-1β를 분비하며, 이를 통해 혈관뇌장벽을 손상시킨다. (우) 침윤한 Th2 세포에서 분비되는 IL-4 에 의해서 JAK/STAT6 경로가 활성화되고, 이에 의해 ramified microglia가 M2 미세아교세포로 변환되어 TGF-β, IL-10 를 분비함으로써 포식, 신경보호, 신경 및 혈관재생, 시냅스 리모델링에 관여한다.

지되다가 활성화되면 급속도로 발현이 증가한다. 활성화 미세아교세포는 침윤된 대식세포와 비슷한 성상으로 세포돌기를 길게 뻗으면서 병변주변으로 모이고 증식하며 포식 작용을 한다. 미세아교세포는 M1, M2의 두 개의 아형을 가지고 있는데, 야누스인산화효소(Janus kinase, JAK)-신호전달전사활성(Signal transducer and activator of transcription, STAT)라는 전사인자에 의해서 두 가지 아형으로 분극화된다(그림 6-2). M1아형은 염증촉진세포로 인터루킨-1β (interleukin-1β, IL-1β), 종양괴사인자-α (tumor necrosis factor-α, TNF-α), 산화질소(nitric oxide), 세포외기질금속함유단백분해효소, 콜라겐분해효소(collagenase), 그리고 활성산소를 분비하여 신경세포손상을 유발하며, 혈액뇌장벽 손상을 통해 부종을 유발한다. 반대로 M2아형은 항염증세포로 IL-4, IL-10, IL-13, TGF-β를 분비하며 포식, 신경보호, 신경 및 혈관재생, 시냅스 리모델링에 관여한다. M1, M2아형은 표면 항원으로 구별되는데 M1은 CD11b, CD86, CD16, MHC II, M2는 CD206, 아르기닌분해효소-1 (arginase-1), Ym-1, CD36을 각각 발현한다. M1은 MHC II 발현을 통해서 T세포와 소통하여 염증 반응을 강화시키기도 한다. M2는 기능과 표면항원에 따라서 M2a, M2b, M2c로 분류될 수 있다. M2a는 CD36을 매개로 한 포식작용, 아르기닌분해효소-1 발현을 통한 조직재생, NF-κB 억제를 통한 M1아형 억제를 유도한다. M2b는 손상의 후반기에 주로 나타나며 M1과 M2의 특성을 부분적으로 공유하여 염증촉진 및 항염증 양방향을 모두 돕는다. M2c는 IL-10, TGF-β에 의해서 활성화되며 시냅스 리모델링에 관여한다. 일반적으로 M1, M2는 공존하면서 일시적인 아형 전환을 도모하지만, 질병의 급성기에는 주로 M1아형 우세를 보이며 아급성기로 가면서 M2아형의 기능을 획득한다. 최근에 염증치료를 위해서 M1를 억제하고 M2를 활성화시키는 전략으로 과산화소체증식제활성수용체-γ (peroxisome proliferator-activated receptor-γ) 항진제, 미노사이클린 (minocycline) 등이 시도되고 있다.

(2) 별아교세포

별아교세포는 미세아교세포와 더불어 중추신경계에 풍부히 존재하면서 신경세포생존 지원, 시냅스 발달 및 리모델링 지원, 혈액뇌장벽 형성, 신속한 염증반응을 유도하는 기능을 한다. 염증반응 유도는 미세아교세포와의 상호작용과 말초면역세포의 이동을 유도하는 방법을 통해서 이루어지며, 세포외기질금속함유단백분해효소-9 분비를 통해서 혈액뇌장벽의 손상에 관여하여 추가 뇌손상을 일으킬 수 있다. 염증반응 후반기에는 손상받은 신경세포의 생존을 돕는 지지자 역할을 하기도 한다. 별아교세포는 주변의 활성화된 미세아교세포를 통해서 기능 조절을 받기도 하며, 반대로 다양한 사이토카인 분비를 통해서 미세아교세포의 기능을 조절하기도 한다. A1 별아교세포는 M1아형 미세아교세포에 의해 활성화되어 염증촉진인자들을 생산하여 주변의 신경세포와 희소돌기아교세포(oligodendrocyte)의 사멸 및 시냅스 손상을 유도한다. A2별아교세포는 다양한 신경영양인자의 발현을 증가시켜서 신경세포의 생존과 시냅스 보존에 기여한다.

(3) 말초면역세포

중추신경계 내에 염증반응이 시작되면 혈관내피세포의 활성화와 손상된 혈액뇌장벽을 통해서 다양한 말초혈액세포의 이동과 침윤이 일어나며 이들 세포는 사이토카인, 활성산소, 세포외기질금속함유단백분해효소 등을 분비하여 세포손상을 유도한다(그림 6-3). 중성구(neutrophils)는 손상신호에 반응하여 급성기에 중추신경계로 진입하는 대표적인 말초 선천면역세포이다. 염증반응 초기에 미세혈관에서 많은 중성구를 발견할 수 있는데 중성구는 수명이 짧은 세포이지만 다양한 종류의 단백분해효소 과립을 포함하고 있고, 집단적으로 이를 분비함으로써 강력한 세포손상효과를 낼 수 있다. 말초면역세포는 활성화된 혈관내피세포에 부착하고 응집됨으로써 혈류장애를 유발할 수 있고, 다양한 효소분비를 통해서 혈액뇌장벽을 손상시켜서 이차적 뇌손상을 유도하기도 한다. 중성구와 더불어 단핵구/대식세포가 급성 손상영역으로 이동, 침윤되면서 신경계에 거주하고 있는 활성화 미세아교세포와 같은 방식으로 선천면역반응을 돕게 된다.

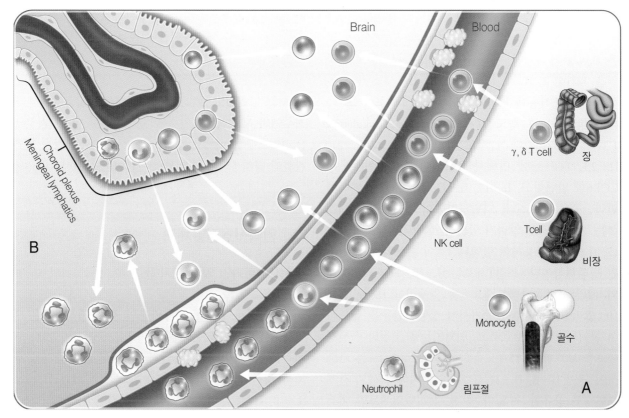

그림 6-3 말초면역세포의 이동과 침윤

Neutrophil, monocyte, T cell, B cell, NK cell, γ, δ T cell 등 말초면역세포가 조직(림프절, 골수, 비장, 장)에서 기원하여 혈관 내로 들어가서 순환하면서 혈액뇌장벽이 손상된 영역에서 뇌로 침윤하는 경로(A)와, 뇌수막림프관(meningeal lymphatics)과 맥락얼기(choroid plexus)를 통해서 뇌로 침윤하는 경로(B)가 있다.

2) 적응면역

(1) T림프구

T림프구는 T세포라고도 불리며 정상 중추신경계에서는 매우 드물게 존재하는데, 주된 왕래 통로는 맥락얼기정맥 또는 뇌막림프관이다. 중추신경계에 손상신호가 오면 거주T세포는 국소염증반응을 보이기도 하지만 주로는 림프기관으로 항원정보를 보내어 적응면역체계를 활성화시킨다. 림프기관에서 중추신경계 항원에 의해서 활성화된 T세포는 혈액뇌장벽을 통해서도 중추신경계에 들어온다. T세포는 다양한 형태와 기능을 가지는데 CD4$^+$ T세포는 도움T (T helper)세포라고도 불리며 CD8$^+$ T세포를 자극하거나 B세포 항체생성을 매개로 간접적인 면역반응을 일으키며 CD8$^+$ T세포는 세포독성을 가지고 직접 면역반응을 일으킨다. 따라서, CD8$^+$ T세포는 질병신호 후 중추신경계 내에서 빠르게 이주하여 기능하는 반면에, CD4$^+$ T세포는 수일에 걸쳐 동원되고 기능하게 된다. CD8$^+$ T세포는 세포막 손상을 유도하는 단백질인 퍼포린(perforin)을 분비하고, 그랜자임(granzyme)을 매개로 caspase 활성화 및 파스리간드(Fas ligand) 활성화를 통해 신경세포고사를 일으킨다. 도움T세포는 1형도움T세포와 2형도움T세포로 나눌 수 있는데 다른 종류의 사이토카인 분비를 통해서 다른 염증반응을 매개하는 것으로 알려져 있다. 1형도움T세포는 IL-12, 인터페론-γ (interferon-γ, IFN-γ) 존재 하에 케모카인수용체CCR5 (C–C chemokine receptor-5), 케모카인수용체CXCR3와 같은 표현형을 발현하며, CD8$^+$ T세포 혹은 자연살해(natural killer, NK)세포 등을 자극하여 세포 내 항

원을 제거한다. 2형도움T세포는 IL-2, IL-4 자극으로 케모카인수용체CCR3, 케모카인수용체CCR4와 같은 표현형을 가지며, 체액면역반응을 통해 세포 외 항원을 제거하고, IL-4, IL-5, IL-10, IL-13 분비를 통해서 항염증작용을 매개하기도 한다. T세포의 또 다른 아형으로는 17형도움T세포, 조절T세포(regulatory T cell, Treg)가 있다. 17형도움T세포는 IL-6, IL-21, IL-23, TGF-β에 의해서 유도되면 케모카인수용체 CCR6를 발현하고, IL-17, IL-21, IL-23을 분비하여 면역반응을 일으킨다. 다발경화증의 병태생리를 매개하는 주요 세포로 알려져 있는데, 혈관내피세포가 IL-17, IL-23와 반응하여 혈액뇌장벽이 손상되는 것이 주된 병리현상이다. 조절T세포는 IL-1β, TNF-α, 세포외기질금속함유단백분해효소를 억제하고 IL-4, IL-10, 그리고 TGF-β를 증가시켜 항염증반응을 유도하여 혈액뇌장벽을 보호하고, 면역기능을 조절하여 신경세포를 보호한다. 17형도움T세포와 조절T세포는 가소성이 커서 IL-6, IL-21, TGF-β에 의해서 서로 간에 표현형을 공유할 수 있다. 한편, 선천면역세포인 미세아교세포와 적응면역세포인 T세포는 상호 신호교환을 통해 증식과 기능을 조절한다. M1세포는 IL-6, IL-12, TNF-α를 통해서 1형도움T, 17형도움T세포의 분화를 유도하고, 1형도움T세포에서 분비되는 IFN-γ과 17형도움T세포에서 분비되는 IL-17은 M1세포에 의한 염증반응을 가속화시킨다. M2세포는 IL-10, TGF-β를 통해서 2형도움T세포, 조절T세포를 활성화시키고, 2형도움T세포에서 분비되는 IL-4, IL-10과 조절T세포에서 분비되는 IL-10, TGF-β에 의해서 M2세포 기능이 유도된다. 조절T세포의 항염증기능은 다양한 중추신경계 염증성질환에서 조절T세포 활성화라는 치료전략으로 개발될 수 있다.

(2) B림프구

B림프구를 매개로 한 체액면역은 적응면역체계에서 중요한 영역이다. 그러나, 중추신경계 면역반응에서 이들 세포의 침윤은 매우 제한적으로 관찰되고, 기능에 대해서도 아직까지 알려진 바가 많지 않다. 2형도움T세포는 IL-4, IL-5, IL-9, IL-10, IL-13을 분비하고, B세포의 이동과 활성화를 통해 체액면역반응을 일으킨다. 뇌졸중과 같은 국소적 중추신경계 질환에서 B림프구를 매개로 한 체액면역은 영향이 매우 작으나, 감염성질환이나 자가면역질환, 다발경화증과 같은 염증성 질환의 병태생리에서는 매우 중요한 역할을 하는 것으로 최근 알려지고 있다. 특히, 특수 염증성질환에서 뇌척수액과 뇌영역에서의 면역글로불린의 형성 및 축적은 B림프구를 매개로 한 체액면역이 중추신경계 면역질환의 병태생리에 부분적으로 관여함을 시사한다.

3 | 면역신호전달체계

1) 사이토카인 및 케모카인

중추신경계 질환의 염증반응의 주요 매개물질은 면역세포에서 분비되는 사이토카인, 케모카인, 기타 단백질분해효소이다. 전사인자 NF-κB p65 증가를 통해서 생산과 분비가 촉진되며, 그 종류에는 IL-1α, IL-1β, IFN-γ, IL-6, TNF-α와 같은 염증촉진 사이토카인과 IL-10, TGF-β와 같은 항염증성 사이토카인, 대식세포염증단백질-2(macrophage inflammatory protein-2)와 같은 케모카인, MMP-9, 유발산화질소합성효소(inducible nitric oxide synthase (iNOS)), cyclooxygenase-2, 인지질가수분해효소(phospholipase A2)와 같은 단백질분해효소 등이 있다. 이러한 물질은 직접적으로 세포손상에 관여하기도 하고, 면역세포 활성화를 매개하여 간접적으로 작용하기도 한다. 이들 염증매개물질은 위험신호 발생 시 뇌척수액에서 빠르게 증가하여 세포외액의 이동에 따라서 빠르게 신경계 전체로 확산된다. 대개 급성기에 빠르게 증가하고, 질병 안정화에 따라서 신경계 내 농도가 감소하나, 일부 물질은 만성적으로 높게 유지되면서 지속적으로 뇌손상에 관여하기도 한다.

2) 세포예정사단백질-1(Programmed cell death protein-1, PD-1) 경로

세포예정사단백질-1은 T세포 표면에 있는 CD28항원의 종류로 T세포의 증식과 기능에 관여하는 단백질이다. 세포예정사단백질-1 경로는 T세포 면역반응에 대한 길항작용을 통해서 면역내성을 유도하고, 자가면역반응을 줄이고 T세포 항상성을 보존하는데 중요한 역할을 한다. 따라서, 세포예정사단백질-1 결핍 혹은 세포예정사단백질-1억제제는 중추신경계 염증성 질환 및 자가면역질환을 악화시킬 수 있다. 세포예정사단백질-1은 안정기 T세포에서는 낮게 발현되나, 활성화 상태에서는 그 발현이 증가한다. 세포예정사단백질-1 경로의 활성화는 세포예정사단백질-L1 및 세포예정사단백질-L2와 결합하여 이루어지는데 세포예정사단백질-L1, 2는 T세포, B세포, 수지상세포, 자연살해세포, 대식세포, 단핵세포에서 발현된다. 세포예정사단백질-L1 발현은 다양한 사이토카인의 영향을 받아서 증가하는데 특히 IFN-γ에 의한 반응이 큰 것으로 알려져 있다. 세포예정사단백질-1 경로로 유도되는 면역체계의 변화는 T세포의 기능억제, T세포의 증식억제, T세포사멸, IL-2분비, 조절T세포증식 및 활성화를 포함한다. 특히, forkhead box P3 전사인자 발현과 TGF-β 분비를 통해 1형도움세포T, 17형도움T세포를 억제하고 2형도움T세포, 조절T세포의 상대적인 비율을 증가시킴으로써 염증반응을 줄이는 방향으로 작용하는 것이 특징적이다. 림프구 조절 기능 외에도 세포예정사단백질-1 경로는 대식세포의 기능을 조절하여 IL-6을 억제하고 IL-10 분비를 증가시킨다. 중추신경계의 염증매개질환에서 이러한 세포예정사단백질-1 경로를 치료적 타겟으로 하는 많은 연구가 진행 중이다. 그러나, 이러한 경로는 역설적으로 T억제세포의 이주를 방해하고, 기능을 억제함으로써 오히려 염증반응이 증가되는 결과를 유발할 수도 있어서 접근에 주의를 요한다.

3) 스핑고신-1-인산수용체(Sphingosine-1-phosphate receptor, S1PR) 조절

인산화된 스핑고신과 그 수용체인 스핑고신-1-인산수용체의 결합은 면역반응조절에 매우 중요한 역할을 한다. 생체 내에서 스핑고신은 스핑고신 인산화 1/2 효소에 의해서 스핑고신1P로 인산화되고 이는 G단백질수용체의 일종인 스핑고신-1-인산수용체와 결합하여 말초면역세포의 순환, 세포 증식 및 분화, 성상, 운동성에 영향을 준다. 스핑고신-1-인산수용체에는 5가지의 아형이 있는데 스핑고신-1-인산수용체1/2/3은 면역, 혈관, 신경조직에 고루 분포하고 있고, 스핑고신-1-인산수용체4는 혈액 및 림프조직에서 발현되며, 스핑고신-1-인산수용체5는 뇌백색질에 주로 분포한다. 스핑고신1P와 스핑고신-1-인산수용체경로는 림프절에서 T세포 보유에 중요한 역할을 한다. 미접촉T세포에서 발현되는 스핑고신-1-인산수용체1은 림프절 출구에서 스핑고신1P의 농도가 높아질 때 T세포를 탈출시키는 유도체로 기능한다. T세포가 활성화되면 스핑고신-1-인산수용체1발현은 일시적으로 줄어들어 림프절에서의 탈출을 억제시키고 림프절 내에서 증식, 분화, 성숙의 과정을 유도한다. 이후 스핑고신-1-인산수용체1이 재발현되는데 활성화된 T세포는 림프질을 떠나서 병소로 이동하게 된다. 또한 스핑고신1P는 조절T세포의 분화를 억제하고 면역억제기능을 감소시켜서 결과적으로 염증반응을 증강시키게 된다. 면역조절약물인 fingolimod는 스핑고신1P의 유사체로서 다발경화증 면역조절약물로 승인된 약물이다. 스핑고신-1-인산수용체1, 3, 4의 기능적 길항제로서 작용해서 수용체의 발현 감소를 유도하고, 스핑고신1P농도경사를 줄여서 림프절에서의 T세포 탈출을 억제한다. 결국 T세포의 중추신경계로의 이동을 억제함으로써 염증반응을 감소시킨다. 또한, 중추신경계에서 스핑고신-1-인산수용체이 높게 발현되고 있는데, fingolimod는 혈액뇌장벽을 쉽게 통과할 수 있으므로 이러한 수용체를 매개로 아교세포화와 탈수초화를 직접적으로 막는 기능도 가지고 있다. 특히, 미세아교세포는 스핑고신-1-인산수용체1, 2, 3를 발현하는데 스핑고신1P와 결합하여 다양한 사이토카인들의 분비를 자극함으로써 염증반응을 강화시키는데, fingolimod는 이러한 염증촉진 반응을 줄이고 신경영양인자 분비를 자극한다. 또한, JAK/STAT1경로를 억제하고 JAK/STAT3경로를 활성화시킴으로써 M1세포 활성화의 억제, M2세포로의 분화를 유도한다.

4) 비장과 중추신경계면역

비장은 면역체계를 감시, 조절하고, 말초면역세포를 저장, 제거하는 기능을 한다. 비장 기능이 활성화되면 말초면역세포의 유동성, 배출을 유도하게 되어서 전체적인 크기는 줄게 된다. 이러한 과정은 전신 및 중추신경계 면역 조절 장애, 신경계 염증 악화, 감염위험도 증가를 유도할 수 있다. 허혈뇌졸중같은 급성 중추신경계 질환 발생시 비장이 수축하고, 말초면역세포의 분율 변화가 나타나면서 염증반응과 신경손상이 악화된다. 비장이 활성화되면 비장에서 기원하는 단핵구의 전체 수는 감소하나 친염증 대 항염증 단핵구의 비율이 증가되어서 전체적으로 염증반응을 악화시키게 된다. 최근 연구결과에서는 비장 기능을 억제하거나 제거하는 방법을 통해서 단핵구/대식세포의 뇌 내 침윤을 막고, 급성 중추신경계 염증반응을 줄일 수 있었으며 아급성기, 만성기에는 비장에서 기원하는 T세포, B세포를 포함한 면역세포가 고갈되고, 증식이 억제되며, IL-10과 같은 항염증인자 발현을 통해 조절T세포의 수가 증가된다. 이는 오히려 면역억제 상태를 유도하게 되어서 감염 위험도를 증가시키는데 기여하게 된다.

참고문헌

1. Aronowski J, Zhao X. Molecular pathophysiology of cerebral hemorrhage: secondary brain injury. Stroke 2011;42:1781-6.

2. Baeyens A, Fang V, Chen C, Schwab SR. Exit Strategies: S1P Signaling and T Cell Migration. Trends immunol 2015;36:778-87.

3. Boche D, Perry VH, Nicoll JA. Review: activation patterns of microglia and their identification in the human brain. Neuropathol Appl Neurobiol 2013;39:3-18.

4. Chhor V, Le Charpentier T, Lebon S, et al. Characterization of phenotype markers and neuronotoxic potential of polarised primary microglia in vitro. Brain Behav Immun 2013;32:70-85.

5. Doyle KP, Buckwalter MS. Does B lymphocyte-mediated autoimmunity contribute to post-stroke dementia? Brain Behav Immun 2017;64:1-8.

6. Erdo F, Denes L, de Lange E. Age-associated physiological and pathological changes at the blood-brain barrier: A review. J Cereb Blood Flow Metab 2017;37:4-24.

7. Franco R, Fernandez-Suarez D. Alternatively activated microglia and macrophages in the central nervous system. Prog Neurobiol 2015;131:65-86.

8. Filiano AJ, Gadani SP, Kipnis J. How and why do T cells and their derived cytokines affect the injured and healthy brain? Nat Rev Neurosci 2017;18:375-84.

9. Gadani SP, Walsh JT, Lukens JR, Kipnis J. Dealing with Danger in the CNS: The Response of the Immune System to Injury. Neuron 2015;87:47-62.

10. Garris CS, Blaho VA, Hla T, Han MH. Sphingosine-1-phosphate receptor 1 signalling in T cells: trafficking and beyond. Immunology 2014;142:347-53.

11. Hendrix S, Nitsch R. The role of T helper cells in neuroprotection and regeneration. J Neuroimmunol 2007;184:100-12.

12. Iliff JJ, Goldman SA, Nedergaard M. Implications of the discovery of brain lymphatic pathways. The Lancet Neurol 2015;14:977-9.

13. Kivisakk P, Mahad DJ, Callahan MK, et al. Human cerebrospinal fluid central memory CD4+ T cells: evidence for trafficking through choroid plexus and meninges via P-selectin. Proc Natl Acad Sci U S A 2003;100:8389-94.

14. Kleinewietfeld M, Hafler DA. The plasticity of human Treg and Th17 cells and its role in autoimmunity. Semin Immunol 2013;25:305-12.

15. Kobayashi K, Imagama S, Ohgomori T, et al. Minocycline selectively inhibits M1 polarization of microglia. Cell Death Dis 2013;4:e525.

16. Kress BT, Iliff JJ, Xia M, et al. Impairment of paravascular clearance pathways in the aging

brain. Ann Neurol 2014;76:845-61.

17. Liddelow SA, Guttenplan KA, Clarke LE, et al. Neurotoxic reactive astrocytes are induced by activated microglia. Nature 2017;541:481-7.

18. Li P, Gan Y, Sun BL, et al. Adoptive regulatory T-cell therapy protects against cerebral ischemia. Ann Neurol 2013;74:458-71.

19. Louveau A, Smirnov I, Keyes TJ, et al. Structural and functional features of central nervous system lymphatic vessels. Nature 2015;523:337-41.

20. Mebius RE, Kraal G. Structure and function of the spleen. Nat Rev Immunol 2005;5:606-16.

21. Neumann J, Riek-Burchardt M, Herz J, et al. Very-late-antigen-4 (VLA-4)-mediated brain invasion by neutrophils leads to interactions with microglia, increased ischemic injury and impaired behavior in experimental stroke. Acta Neuropathol 2015;129:259-77.

22. Noda H, Takeuchi H, Mizuno T, Suzumura A. Fingolimod phosphate promotes the neuroprotective effects of microglia. J Neuroimmunol 2013;256:13-8.

23. Offner H, Subramanian S, Parker SM, et al. Splenic atrophy in experimental stroke is accompanied by increased regulatory T cells and circulating macrophages J Immunol (Baltimore, Md : 1950) 2006;176:6523-31.

24. Okazaki T, Chikuma S, Iwai Y, Fagarasan S, Honjo T. A rheostat for immune responses: the unique properties of PD-1 and their advantages for clinical application. Nat Immunol 2013;14:1212-18.

25. Rasmussen MK, Mestre H, Nedergaard M. The glymphatic pathway in neurological disorders. The Lancet Neurol 2018;17:1016-24.

26. Rosen H, Stevens RC, Hanson M, Roberts E, Oldstone MB. Sphingosine-1-phosphate and its receptors: structure, signaling, and influence. Annu Rev Biochem 2013;82:637-62.

27. Salter MW, Beggs S. Sublime microglia: expanding roles for the guardians of the CNS. Cell 2014;158:15-24.

28. Schwartz M, Kipnis J, Rivest S, Prat A. How do immune cells support and shape the brain in health, disease, and aging? J Neurosci 2013;33:17587-96.

29. Shi K, Tian DC, Li ZG, Ducruet AF, Lawton MT, Shi FD. Global brain inflammation in stroke. The Lancet Neurol 2019;18:1058-66.

30. Shichita T, Sugiyama Y, Ooboshi H, et al. Pivotal role of cerebral interleukin-17-producing gammadeltaT cells in the delayed phase of ischemic brain injury. Nat med 2009;15:946-50.

31. Sweeney MD, Ayyadurai S, Zlokovic BV. Pericytes of the neurovascular unit: key functions and signaling pathways. Nat Neurosci 2016;19:771-83.

32. Walker JA, McKenzie ANJ. TH2 cell development and function. Nat Rev Immuno 2018;18:121-33.

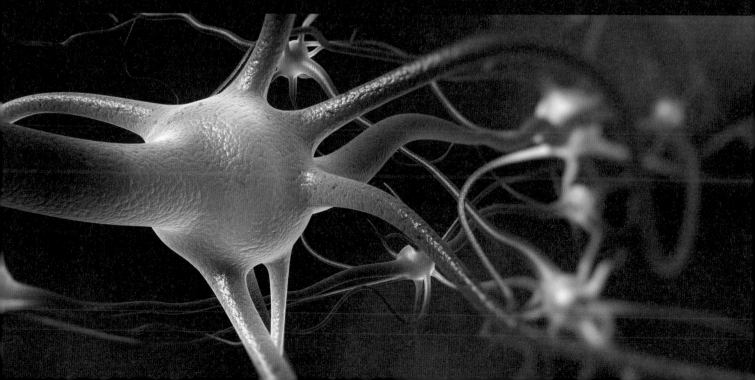

SECTION

2

뇌염의 원인 및 분류

ENCEPHALITIS

1

김은영

뇌염의 원인

1 | 서론

뇌염의 원인은 매우 다양하다. 이는 뇌염의 정의가 매우 넓으며, 광의적 개념으로 신경학적인 기능장애를 동반하는 뇌 실질을 침범하는 모든 염증 질환을 포함하기 때문이다. 염증을 유발하는 다양한 질환들이 모두 뇌염의 큰 정의에 속할 수 있다. 그러나 보통은 감염에 의한 뇌 실질의 염증이 대부분의 경우이기에 이들을 뇌염이라고 칭하는 경우가 많으며 이 외에도 비감염원인으로, 자가면역뇌염, 종양뇌염, 화학뇌염, 특발뇌염 등이 있을 수 있다.

뇌염의 원인은 다양한 것으로 알려져 있으나, 절반 이상의 경우 그 원인에 대해서 밝히지 못하는 경우가 많다. 이는 표준적 진단을 위한 병리적 접근이 어려운 경우가 많을 뿐 아니라, 아직 밝혀내지 못한 원인이 많기 때문이다. 뇌염은 대개 그 임상 양상에 따라 분류하며, 감염뇌염의 경우 그 원인 병원체에 따라, 자가면역뇌염의 경우 발견되는 원인 자가항체를 그 원인으로 보게 된다.

2 | 원인별 분류

뇌염의 원인으로 분류하면, 감염뇌염과 비감염뇌염으로 나누는 것이 일반적이지만, 일부 비감염뇌염의 경우에도 감염에 대한 면역반응으로 유발된 뇌염 혹은 감염에 대해 지연성으로 발생한 뇌염이 있을 수 있다.

감염뇌병증의 경우에는 그 감염의 기전에 따라 염증이 발생하지 않을 경우 뇌염은 발생하지 않을 수도 있다. 감염뇌염 및 비감염뇌염의 경우 그 치료의 방향이 다르며, 뇌염은 그 치료 시기에 따라 예후가 결정될 수 있는 경우가 많다. 또한 감염뇌염의 경우 그 원인을 파악함에 있어서 환경적 요인 및 환자 내적인 요인을 모두 종합하여 고려해야 한다.

1) 감염뇌염의 원인

뇌염의 감염원인은 그 병원체에 따라 분류할 수 있다. 가장 흔하게 바이러스뇌염이 있으며, 세균뇌염, 그 외에도 진균(fungus), 원충(plasmodium), 연충(helminth), 리케차(rickettsia) 등의 중추신경계 감염으로 뇌염이 발생할 수 있다. 감염뇌염의 경우 그 위험 요소에 따라 원인 균을 추정해야 하며 환자의 나이, 면역력, 지역, 기후 등을 모두 고려하여 그 원인 병원체를 파악해야 한다.

(1) 바이러스뇌염

바이러스뇌염은 그 임상 양상에 따라 병원체를 유추해볼 수 있는 경우가 있으며, 임상적으로 유추된 병원체에 따라 선제적으로 치료한다. 바이러스뇌염을 유발할 수 있는 병원체는 다음과 같다.

① 단순헤르페스뇌염(herpes simplex encephalitis)

감염뇌염 중 가장 흔한 뇌염이며, 단순헤르페스바이러스(herpes simplex virus, HSV), 수두대상포진바이러스(varicella zoster virus, VZV), 엡스타인−바바이러스(Epstein−Barr virus, EBV), 거대세포바이러스(cytomegalovirus, CMV), 그리고 사람헤르페스바이러스6,7,8(human herpesvirus, HHV6,7,8),등이 있다. HSV뇌염은 특징적인 임상 양상을 가지는 뇌염 중 하나로 중합효소연쇄반응(polymerase chain reaction, PCR)을 통하여 진단하지만, 소아 환자 혹은 질병 초기의 경우 위음성의 확률이 있기 때문에 질병 초기 검사에서 음성이 나오더라도 임상적으로 의심이 될 경우 짧게는 24시간, 길게는 7일 이내에 재검이 필요하다. HSV뇌염의 특징적인 임상 양상으로 성격변화, 의식저하 등이 있을 수 있다. 영상의학적인 소견으로 내측두엽(medial temporal lobe)의 뇌 실질에 침범된 병변을 확인할 수 있다. HSV뇌염의 경우 중추신경계의 혈관병증을 일으킬 수 있으며 피부병변 없이도 뇌염이 활성화될 수 있고 뇌척수액에서 발견되는 바이러스 PCR이 진단에 민감하다. EBV뇌염은 소아에서 중요한 뇌염 원인 중 하나이며, PCR 검사의 위양성률이 높기 때문에 다른 혈청학적 검사도 함께 시행해야 한다.

② 엔테로바이러스(enterovirus)뇌염

엔테로바이러스뇌염은 뇌척수액(cerebrospinal fluid)의 PCR결과가 진단에 민감하지 않아 뇌척수액 이외의 검체도 함께 검사하여야 한다. 폴리오바이러스(poliovirus)는 뇌간뇌염(brainstem encephalitis)을 잘 일으키는 특징을 보이지만 백신으로 예방 가능하여, 국내에서는 1983년 이후로는 환자가 발생하지 않았다. 콕삭키바이러스(coxsackievirus)는 흔히 소아에서 수족구를 일으키는 바이러스로 알려져 있으며 대다수의 경우 무증상 혹은 중추신경계에 무균수막염(aseptic meningitis)의 형태로 나타나지만, 뇌염의 형태로도 나타날 수 있다.

③ 플라비바이러스(flavivirus)

절지동물에 의해 전염되는 바이러스 감염이며, 국내에서 발생하는 뇌염 중에는 일본뇌염(Japanese encephalitis)과 진드기매개뇌염바이러스가 있다. 국내에는 일본뇌염이 국가 필수 예방 접종 중 하나임에

도 여전히 연간 20건 이상 발생하고 있으며 2010년 이후로도 증가 추세이다. 웨스트나일바이러스(West Nile virus)뇌염 같은 경우, 2012년 국내 첫 환자가 발생한 것으로 보고되었으며 임산부의 태아에게서 소두증을 일으키는 것으로 알려진 지카바이러스(Zika virus)도 뇌염을 일으킬 수 있는 것으로 알려져 있다.

④ 파라믹소바이러스(paramixovirus)의 홍역 바이러스 (measle virus)

홍역 바이러스는 홍역 발병 후 발생하는 급성뇌염, 홍역봉입체뇌염(measles inclusion−body encephalitis) 뿐만 아니라 홍역 발병 2−10여 년 이후 아급성경화범뇌염(subacute sclerosing panencephalitis, SSPE)을 유발할 수 있는 것으로 알려져 있다. 볼거리바이러스(mumps virus) 감염 또한 뇌염을 일으킬 수 있는 것으로 알려져 있다.

⑤ 토가바이러스(togavirus)의 풍진바이러스(rubella virus)

주로 선천적으로 감염된 소아에게서 진행풍진범뇌염(progressive rubella panencephalitis)의 형태로 나타날 수 있다.

⑥ 아데노바이러스(adenovirus)와 인플루엔자바이러스 (influenza virus)

소아에서 흔한 바이러스 감염 병원체이며 다양한 임상 양상을 보일 수 있으며 그 다양한 임상 양상 중 드물지만 중추신경계 감염을 일으킬 수도 있는 것으로 알려져 있다.

⑦ 기타

리사바이러스(lyssavirus)의 광견병(rabies), 박쥐매개뇌염, 분야바이러스(bunya virus)의 한타바이러스(hantavirus) 또한 뇌염을 일으킬 수 있는 것으로 알려져 있다.

(2) 세균뇌염

세균뇌염은 그 진행 속도가 빠르며 예후가 좋지 않을 경우가 많기에, 예상 되는 원인균에 따라 경험적 항생제 치료를 시작한다. 항생제 치료 시기에 따라 예후가 달라질 수 있기에 빠른 치료를 요한다. 4−6주의 영아의 경우 B형사슬알균(예: *Streptococcus agalactiae*), 대

장균(*Escherichia coli*), 장내세균(*Enterobacteriaceae*), 리스테리아모노사이토제네스(*Listeria monocytogenes*)균의 감염을 우선적으로 고려한다. 50세 혹은 60세 이하의 성인까지는 폐렴사슬알균(*Streptococcus pneumoniae*), 수막알균(*Neisseria meningitidis*), 헤모필루스인플루엔자균(*Haemophilus influenzae*) 감염을, 노년층 혹은 면역 저하자에 대해서는 리스테리아모노사이토제네스를 고려하여 경험적 항생제를 투약한다.

수막염(meningitis)에 비하여 드물지만, 세균에 의한 수막염이 수막뇌염(meningoencephalitis)이나 뇌염(encephalitis)으로 진행할 수도 있다. 세균으로 인한 뇌염의 경우, 세균의 직접 침범때문인지 이차 면역반응에 의한 염증인지 명확하지 않을 수 있다. 세균 감염일 경우 그 진행 속도가 빠르기에 병원체 별 특이적인 임상양상을 보이지 않는 경우가 많다. 우리나라의 경우 임상 양상이 모호하게 나타날 경우 결핵뇌염을 항상 의심하여야 한다.

그 외 폐렴미코플라스마(*Mycoplasma pneumoniae*), 결핵균(*Mycobacterium tuberculosis*), 보렐리아부르그도르페리(*Borrelia burgdorferi*), 렙토스피라증(leptospirosis), 브루셀라증(Brucellosis), 매독균 (*Treponema pallidum*), 노카르디아방선균(*Nocardia actinomyces*), 장티푸스균(*Salmonella typhi*), 트로페리마위플레(*Tropheryma whipplei*) 등도 원인 세균으로 알려져 있다.

(3) 그 외의 감염뇌염

바이러스 및 세균 뇌염 이외에도 다양한 감염으로 인한 뇌염이 발생할 수 있다. 진균, 리케챠, 원충, 및 연충감염이 이에 해당한다. 국내에서는 리케챠 감염 중 쯔쯔가무시(*Orientia tsutsugamushi*) 감염이 많고, 이에 의한 중추신경계 감염도 보고된 바 있다. 진균에 의한 감염(예: 크립토콕쿠스증(cryptococcosis), 아스페르길루스증(aspergillosis), 칸디다증(candidiasis), 콕시디오이도마이코시스증(coccidiomycosis), 히스토플라스마증(histoplasmosis))은 주로 면역 저하자에게서 나타나는 경우가 많으며 예후가 좋지 않은 경우가 많다.

이외에도 원충(예: 톡소포자충, 아메바, 말라리아, 파동편모충)에 의한 감염과 연충(예: 신경낭미충증, 뇌스파르가눔증, 뇌폐흡충증) 등에 의한 감염이 있을 수 있으며

이들은 간혹 그 병원체에 따라 특징적인 고리 혹은 결절이 영상에서 보일 때가 있어 진단에 도움이 될 수는 있다. 예후는 좋지 않은 경우가 많다.

(4) 기회감염뇌염

최근 후천면역결핍증 환자뿐 아니라, 자가면역질환자가 증가함에 따라 면역억제치료를 받는 환자가 증가하고 있다. 일부 뇌염의 원인 병원체는 정상인보다 이와 같은 면역저하자에게서 잘 나타난다. 결핵, 크립토콕쿠스수막염, 톡소포자충(toxoplasma), 거대세포바이러스 등에 의한 뇌염이 이에 해당되며, 뇌염 이외에도 다른 감염에 의한 뇌병증을 일으키는 경우도 많다.

2) 비감염뇌염의 원인

뇌염의 비감염 원인으로 자가면역뇌염이 급 부상하고 있다. 2000년대 중반에 이르러 자가면역항체가 발견되기 시작하였고 이후 임상의들의 관심과 함께 진단이 빠르게 증가하고 있다.

종양의 원격 효과에 따라 발생하는 경우가 많으며 이러한 경우 '신생물딸림뇌염(paraneoplastic encephalitis)'이라고 한다. 이는 종양세포가 가지고 있는 신경계 작용 항원이 체내의 면역체계(예: 수지상세포(dendritic cell))에 인지되고 이에 대한 특이 항체가 만들어져서 뇌염이 발생하게 된다. 신생물딸림뇌염 이외에도 감염이나 예방 접종 후에 만들어진 항체에 의한 뇌염도 자가면역뇌염이라고 정의할 수 있다.

자가면역뇌염은 항체가 발견될 경우 항체에 따라 분류한다. 항체가 발견되지 않을 경우 임상 양상에 따라 분류하는 경우가 많다. 임상양상 및 그 병변에 따라 변연뇌염(limbic encephalitis), 뇌간뇌염(brainstem encephalitis), 그리고 뇌척수염(encephalomyelitis)으로 분류한다. 항체가 발견되지 않는 경우에도 2016년 발표된 자가면역뇌염 의증 진단기준에 합당할 경우 이에 대한 면역치료를 시행하는 것이 좋은 예후에 도움이 되는 것으로 알려져 있다.

(1) 항체가 발견되는 뇌염

현재까지 알려진 자가면역항체 중 뇌염을 일으키는 것으로 보고된 항체로는 leucine-rich glioma inactivated 1(LGI1), contactin-associated protein-like 2(CASPR2) 등 전압작동칼륨통로복합체에 대한 항체, 항N-methyl D-aspartate (NMDA)수용체항체, 항콜랩신반응매개단백질-5(collapsin response-mediator protein-5, CRMP-5)/CV2항체, 항신경핵항체-1(antineuronal nuclear antibody-1, ANNA-1 또는 anti-Hu), 항P/Q형- 혹은 항N형- 전압작동칼슘통로(P/Q type 또는 N type voltage-gated calcium channel)항체, 항gamma-aminobutyric acid (GABA)-A/B receptor (GABAAR/GABABR)항체, 항Ma2항체, 항glia nuclear (AGNA 또는 SOX1)항체, 항α-amino-3-hydroxy-5-methyl-4-isoxazolepropionic acid (AMPA)수용체항체, 항암피피신(amphiphysin)항체, 항아쿠아포린4(aquaporin-4, AQP4)항체 등이 있다. 이들 항체는 그 항체의 대상의 위치에 따라 나뉘기도 한다. 이는 항체의 확인 및 치료 효과에도 영향을 미치기도 하는데, 신경세포 표면항원이나 시냅스 항원을 대상으로 하는 항체의 자가면역뇌염은 신경세포 내 항원을 가치는 자가면역뇌염에 비하여 더 좋은 치료 효과를 보이는 것으로 알려져 있다.

① 항NMDA수용체뇌염

현재까지 알려진 가장 흔한 항체의 자가면역뇌염으로, 난소기형종(ovarian teratoma)이 발견되는 경우가 있으나, 발견되지 않는 여성도 있으며 남성에서도 발병하는 것으로 알려져 있다. 특이적인 정신이상증상 때문에 정신건강의학과적인 질환으로 오인 받는 경우가 흔하다. 예후는 우수한 편이나, 장기적인 치료를 요하는 경우가 있다. 자세한 내용은 각론을 참고하기를 바란다.

② 항LGI1뇌염

기억력 감소 및 뇌전증 발작을 주 증상으로 나타나는 자가면역뇌염으로 치매로 오인 받는 경우가 흔하다. 예후는 우수한 편이다. 자세한 내용은 각론을 참고하기를 바란다.

(2) 항체가 발견되지 않는 뇌염

약 절반 정도의 자가면역뇌염 환자의 경우는 자가항체가 발견되지 않는 것으로 알려져 있다. 이를 '항체음성자가면역뇌염(seronegative autoimmune encephalitis)이라고 정의한다. 이들은 자가항체는 발견되지 않지만 자가면역뇌염의 정의에 합당하며, 전반적인 면역치료에 대한 반응을 보이는 경우가 많아 자가면역의 원인을 가지는 것으로 유추한다.

3 | 결론

뇌염은 여러 가지 원인이 있고, 또한 한 가지 원인에서도 다양한 증상을 보일 수 있는 경우가 있다. 또한 뇌염은 그 원인에 따라 기질적인 치료 방침이 달라지며 치료 시기에 따라 예후가 달라지는 경우가 많다. 임상의는 다양한 뇌염의 원인에 대하여 항상 의심하여야 한다.

참고문헌

1. D.L. Fisher, S. Defres, T. Solomon, Measles-induced encephalitis, QJM. 2015;108:177-82.
2. Graus F, Titulaer MJ, Balu R, et al. A clinical approach to diagnosis of autoimmune encephalitis. Lancet Neurol 2016;15:391-404.
3. Hwang J, Ryu HS, Kim H, et al. The first reported case of West Nile encephalitis in Korea. J Korean Med Sci 2015;30:343-5.
4. Granerod J, Ambrose HE, Davies NW, et al, Causes of encephalitis and differences in their clinical presentations in England: a multicentre, population-based prospective study. The Lancet Infect Dis 2010;10;835-44.
5. KCDC. Korea Centers for Disease Control and Prevention. Infectious Diseases Surveillance Yearbook 2016. Cheongju, Korea: Korea Centers for Disease Control and Prevention; 2017

6. Kennedy PG. Viral encephalitis: causes, differential diagnosis, and management. J Neurol Neurosurg Psychiatry 2004;75 Suppl 1:i10-5.

7. Rodrigo Hasbun. Meningitis and Encephalitis: Springer. 1-4. 2018

8. Sean J. Pittock, Jacqueline Palace. Handbook of Clinical neurology: Paraneoplastic and idiopathic autoimmune neurologic disorders: approach to diagnosis and treatment. Elsevier; 133:165-83. 2016

9. Venkatesan A, Tunkel AR, Bloch KC, et al. Case definitions, diagnostic algorithms, and priorities in encephalitis: consensus statement of the international encephalitis consortium. Clin Infect Dis 2013;57:1114–28.

10. Venkatesan A, Geocadin RG. Diagnosis and management of acute encephalitis: A practical approach. Neurol Clin Pract 2014;4:206-15.

11. Williamson EM, Berger JR. Continuum. Central nervous system infections with immunomodulatory therapies. Mineapp Minn.:ANA publications. 1577-98. 2015

12. 대한신경과학회. 신경학. 3판. 서울:범문에듀케이션. 699–740. 2017

이한상

뇌염의 분류(Classification of encephalitis)

1 | 감염뇌염

뇌는 신체의 다른 부위와 마찬가지로 세균, 바이러스, 기생충, 진균, 프리온(prion) 등 다양한 종류의 병원체에 의해 감염될 수 있다. 중추신경계에 흔한 감염성 질환의 진단 및 치료법은 아래와 같다.

1) 세균감염

(1) 알균(Cocci) 및 막대균(Bacilli)에 의한 감염

알균 및 막대균에 의한 주요 신경계 질환으로는 세균수막염(bacterial meningitis), 뇌농양(brain abscess) 및 경막외농양(epidural abscess)이 있다. 세균은 혈류를 통해 신경계에 침범하는 경우가 흔하며, 호흡기관이나 심장판막(심내막염) 등 신체 다른 부위의 감염에서 기인하는 경우가 잦다. 이 외에도 구비강을 통해 세균이 바로 침범하거나 외상이나 수술에 의해 세균이 유입될 수도 있다.

감염수막염(infectious meningitis)은 지주막하의 뇌척수액 공간이 세균, 바이러스, 진균 혹은 기생충 등에 의해 감염된 경우를 말한다. 노인, 영유아, 또는 면역 저하 환자를 제외하면 감염수막염은 수막 자극(meningeal irritation, meningismus)을 동반한다. 이러한 수막자극징후(memingeal irritation sign)는 지주막하출혈, 암종수막염(carcinomatous meningitis), 화학수막염(chemical meningitis) 등에서도 나타난다. 수막자극의 대표적인 소견으로는 두통, 졸음증, 광선공포증(photophobia), 소리공포증(phonophobia), 발열, 경부경직(neck stiffness)이 있다. 경부경직이란 비자발적인 경부 근육의 수축으로 인해 자발적 혹은 수동적인 목 움직임이 제한되고 경부통증이 동반되는 것을 말하며, 신경학적 검진 소견으로는 케르니그징후(Kernig's sign)와 브루진스키징후(Brudzinski's sign)가 있다. 고관절을 굽힌 상태에서 슬관절을 폈을 때 넙다리뒤근육(hamstring)의 통증이 유발되면 케르니그징후 양성이며, 목을 앞으로 숙이는 운동이 고관절의 굽힘을 유발하면 브루진스키징후 양성이다.

수막자극의 원인에 따라 증상의 발현 속도에 차이가 있을 수 있다. 진균 혹은 기생충에 의한 감염에서는 수주나 수개월에 걸친 점진적인 악화가 나타나며, 대부분의 세균 감염에서는 수시간 안에 증상이 급격히 진행한다. 진단은 임상 양상과 요추천자를 통한 뇌척수액 검사로 이루어진다(표 2-1). 뇌종양 등 뇌척수액 공간을 누르는 병변이 두개 내에 있을 경우 요추천자가 뇌탈출(cerebral herniation)을 일으킬 수 있기 때문에 요추천자를 하기 전에는 반드시 뇌 영상을 확인해야 한다. 세균수막염(bacterial meningitis)은 적절한 치료를 하지 않는 경우 수시간 안에 급격히 진행할 수 있으며 생명을 위협할 수 있기 때문에 뇌 영상과 뇌척수액검사를 빠른 시간 안에 확인할 수 없는 환경이라면 검사 이전에 항생제 치료를 신속히 시작해야 한다. 다만, 뇌척수액검사 이전에 항생제를 투약하면 세균 배양을 통한 미생물학적 진단의 확률을 낮출 수 있다.

표 2-1 진단에 따른 뇌척수액검사 소견

진단	백혈구 (개/mm³)	단백질 (mg/dL)	당 (mg/dL)	기타
정상	⟨5-10, 림프구	15-45	50-100	외상천자(traumatic tap)에서는 700개의 RBC 당 WBC 1개를 뺀다.
세균수막염	100-500, 중성구	100-1000	감소, ⟨10	혈당이 높은 환자에서는 뇌척수액의 포도당 농도가 혈액의 ⟨50%면 비정상으로 간주한다.
바이러스수막염	10-300, 림프구	50-100	정상 혹은 감소	
단순헤르페스수막염	0-500, 림프구	50-100	정상 혹은 감소	적혈구나 황색변색(xanthochromia)이 보일 수 있다.
결핵수막염 혹은 크립토콕쿠스수막염	10-200 림프구	100-200	감소, ⟨50	

표 2-2 연령에 따른 흔한 세균수막염의 원인균

	생후 1개월 이전	생후 1-3개월	생후 3개월-7세	7세-성인
대장균(Escheria coli)				
그룹 B, D 사슬알균(group B, D Streptococcus)				
리스테리아(Listeria)				
헤모필루스인플루엔자균(Haemophilus influenzae)				
수막구균(Neisseria meningitides)				
폐렴사슬알균(Streptococcus pneumoniae)				

세균수막염에서는 뇌척수액검사 상 다형핵백혈구(polymorphonuclear leukocyte)로 이루어진 높은 백혈구 수치, 높은 단백질 농도, 낮은 포도당농도를 보인다. 미생물학적 진단은 그람염색(gram stain), 세균 배양, 세균항원검사, 중합효소연쇄반응(polymerase chain reaction, PCR)을 통해 이루어진다. 환자의 연령에 따른 가장 흔한 세균수막염의 원인은 표 2-2와 같으며 이러한 이유로 경험적 항생제 또한 연령에 따라 다르다. 세균수막염은 급격히 진행할 수 있기 때문에 환자의 이송이나 검사 결과를 기다리기 위해 항생제 치료를 늦추어서는 안 된다. 세균수막염의 합병증으로는 경련, 뇌신경병증, 뇌부종, 수두증, 뇌탈출, 뇌경색 등이 발생할 수 있다. 소아가 세균수막염을 앓고 치료되었다면 청력 소실 여부를 평가하고 필요시 인공와우이식을 하는 것이 언어발달장애를 예방할 수 있다.

뇌농양(brain abscess) 또한 세균에 의해 발생하며, 뇌종양처럼 두개내 덩어리를 형성하지만 뇌종양보다는 일반적으로 빠르게 진행한다는 차이가 있다. 초기 증상으로는 흔하게 두통, 졸음증, 발열, 경부경직, 구역, 구토, 경련이 있으며 농양의 위치에 따라 국소신경학적 장애를 보일 수 있다. 약 40%에서는 발열이 없어서 감염 질환의 진단에 어려움을 줄 수 있다. 흔한 원인균으로는 사슬알균(streptococci), 박테로이데스(bacteroides), 장내세균(enterobacteriaceae), 황색포도알균(Staphylococcus aureus)이 있으며, 두 종류 이상의 균이 존재하는 경우도 흔하다. 면역억제 환자에서는 톡소포자충(Toxoplasma gondii)에 의한 감염도 의심해야 한다. 농양의 지름이 2.5 cm 이하로 작고 임상적으로 안정적이며 원인균이 신체의 다른 부위에서 확인되었을 때는 항생제 치료를 하며 조심스레 경과를 관찰할 수 있으나, 농양의 크기가 크거나 임상적으로 악화되고 있으면 수술이나 시술을 통해 제거해야 한다.

결핵수막염에서는 두통, 졸음증, 수막징후가 수주에 걸쳐 진행한다. 뇌바닥수조(basal cistern)에 염증 반응이 동반되는 경우가 있으며, 이는 윌리스환(circle of Willis) 혈관의 염증을 일으켜 뇌경색으로 이어질 수 있다. 수막 침범은 과거에 감염되었던 결핵이 재활성화되어 발생할 수 있기 때문에 폐결핵의 증상이나 징후가 없을 수 있다. 뇌척수액검사 상 주로 림프구로 이루어진 백혈구 수치와 단백질은 증가되어 있고 당은 감소되어 있다. 발병 초기에는 중성구가 우세할 수 있다. 결핵균은 AFB염색, 배양, PCR 등으로 확인할 수 있다.

(2) 신경매독(Neurosyphilis)

전 세계적으로 신경계를 침범하는 스피로헤타(spirochetes)로는 신경매독과 라임병이 가장 잘 알려져 있으며, 대한민국에는 라임병이 서구권보다 훨씬 적은 것으로 알려져 있다. Penicillin이 보급된 이후 신경매독 환자의 수가 줄었다가 최근 증가하는 추세인데 이는 사람면역결핍바이러스(human immunodeficiency virus, HIV) 감염자의 증가와 관련 있을 것으로 추정하고 있다. 매독은 매독균(Treponema pallidum)에 의해 발병하며 성관계에 의해 전염된다. 신경계 침범은 3기 매독에서 흔하다. 수막이 침범되면 무균수막염(aseptic meningitis)을 일으킬 수 있으며 간혹 뇌신경마비가 동반될 수 있다. 초기 신경계 침범으로부터 약 4-15년이 경과하면 후기신경매독이 발생하며, 이는 수막혈관신경매독(meningovascular syphilis), 진행마비(general paresis), 척수매독(tabes dorsalis)으로 나뉜다. 수막혈관신경매독에서는 만성수막침범으로 인해 중간 크기 혈관을 위주로 침범하는 혈관염이 발생하며 이로 인한 뇌백색질의 미만성 경색이 일어난다. 적절한 치료가 이루어지지 않으면 진행 마비가 발생하며 치매, 이상 행동, 망상, 정신이상, 위운동신경세포 침범 양상의 위약감이 나타날 수 있다. 또한, 척수매독이 발생하여 허리엉치 배측 척수신경근(lumbosacral dorsal nerve root)이 침범되어 배척주(dorsal column)의 위축이 발생할 수 있다. 따라서 척수매독이 발생한 경우 하지의 감각 저하, 발처짐걸음(high steppage gait)을 동반한 감각 실조, 실금이 발생한다. 이외에도 아가일로버트슨동공(Argyll-Robertson pupil)과 시신경 위축도 동반된다.

2) 바이러스감염

바이러스수막염(viral meningitis)은 일반적으로 세균수막염에 비해 증상이 가벼우며, 대개 1-2주 안에 회복된다. 두통, 발열, 졸림증, 경부 경직 등을 포함한 수막자극징후가 나타날 수 있다. 흔한 원인으로는 에코바이러스(echovirus), 콕삭키바이러스(coxsackievirus),

볼거리바이러스(mumps virus) 등을 포함한 엔테로바이러스(enterovirus)가 있으나, 원인 바이러스가 규명되지 않는 경우도 흔하다. 단순헤르페스바이러스(herpes simplex virus, HSV)와 HIV를 제외하고는 바이러스에 대한 특별한 치료제가 존재하지 않는다.

뇌척수액검사에서 림프구가 우세한 백혈구 수 증가를 보이며, 단백질은 정상이거나 약간 상승하고, 당은 정상 수치를 보인다. 질병 발생 초기에는 다형핵백혈구가 우세하게 측정될 수 있다. 림프구가 우세한 뇌척수액은 바이러스수막염 외에도 자가면역뇌염, 부분적으로 치료된 세균수막염, 결핵수막염, 진균수막염, 경막외농양, 감염후뇌척수염, 척수염, 신경매독, 라임병, 기생충 감염, 수막암종증(leptomenigeal carcinomatosis), 중추신경계 혈관염, 사르코이드증, 경막정맥동혈전증, 지주막하출혈, 약물 작용 등 다양한 질환에서 볼 수 있다. 바이러스수막염을 포함 한 림프구-우세 뇌척수액 소견을 보이는 다양한 수막염을 무균수막염이라 부르기도 한다.

바이러스가 뇌실질을 침범하면 바이러스뇌염(viral encephalitis)이라고 부르며, 수막도 함께 침범되어 있을 경우 바이러스수막뇌염(viral meningoencephalitis)이라 한다. 바이러스수막염과는 달리 바이러스뇌염 및 수막뇌염은 중증도가 높다. 가장 흔한 원인은 제1형 단순헤르페스바이러스(herpes simplex virus type 1, HSV1)로 알려져 있다. HSV1은 변연계(limbic system)에 대한 친화성(tropism)이 있기 때문에 환자들은 정신이상, 혼돈, 졸림증, 두통, 발열, 뇌막자극징후, 경련 등의 증상을 보인다. 이 외에도 후각 이상, 반신마비, 기억 상실, 실어증 등의 국소신경학적 징후를 보일 수도 있다. 1형단순헤르페스뇌염은 측두엽이나 전두엽에 괴사 병변을 일으킬 수 있다고 알려져 있다. 수두대상포진바이러스(varicella zoster virus, VZV)에 의한 바이러스 역시 바이러스뇌염의 흔한 원인이다. 치료는 acyclovir 정맥주사로 하며, 적절한 치료가 이루어지지 않을 경우 예후는 매우 불량하다.

바이러스뇌염 환자의 뇌파 소견으로 주기예파(periodic sharp wave)가 편측 혹은 양측 측두부에서 보일 수 있다. 뇌척수액 검사에서 림프구 우세 백혈구 증가를 보일 수 있으며 림프구와 다형핵백혈구가 함께 증가되어 있는 경우도 있다. 뇌척수액 단백질은 상승되어 있으며 당은 정상인 경우가 흔하다. 뇌염에 의한 세포 괴사가 있으면 뇌척수액검사에서 적혈구가 증가될 수 있으며 당이 감소할 수 있다. 바이러스는 PCR을 통해 확인할 수 있다.

바이러스뇌염의 원인으로 HSV 외에 다양한 바이러스가 존재하지만 그런 바이러스에 대한 치료법이 특별히 존재하지 않으며, 대증치료만 할 수 있는 경우가 많다. 감염후뇌염이 바이러스 감염 수일 후에 발생하는 경우도 있으며 이러한 경우에는 중추신경계의 광범위한 탈수초병변을 관찰할 수 있다. 홍역 바이러스에 의한 뇌염은 감염 이후에 발생하며 천천히 증상이 악화되는 아급성경화범뇌염(subacute sclerosing panencephalitis)으로 발현할 수 있으나, 이 질환의 발생률은 홍역백신 도입 이후에 급격히 감소하여 현재는 보기가 드물다.

바이러스감염은 횡단척수염(transverse myelitis)의 흔한 원인이기도 하다. 대표적으로는 엔테로바이러스(예: 콕삭키바이러스, 폴리오바이러스 등), VZV, HIV 등이 있으며, 이외에도 엡스타인-바바이러스(Epstein-Barr virus, EBV), 거대세포바이러스(cytomegalovirus, CMV), HSV, 광견병바이러스(rabies virus), 일본뇌염바이러스 (Japanese encephalitis virus) 등이 있다. 사람T림프구친화바이러스(human T-cell lymphotropic virus, HTLV)는 만성척수질환(chronic myelopathy)을 일으킨다.

3) HIV 관련 신경계 질환

HIV는 바이러스, 세균, 진균, 기생충 등 다양한 병원체에 대한 감염을 증가시킬 수 있다. HIV 자체로도 무균수막염이 발생할 수 있으며, 때로는 뇌신경(특히 얼굴신경)을 침범하는 뇌신경병증을 일으킬 수 있다. HIV관련인지기능 장애(HIV-associated neurocognitive disorder)도 발생 가능하며, 특히 면역결핍증이 진행되었을 때 자주 발생한다. HIV에 대한 치료가 후천면역결핍증후군 (AIDS)와 연관된 치매 증상을 회복시킬 수 있다.

HIV는 뇌뿐만 아니라 척수, 말초신경, 근육의 문제도 일으킬 수 있다. HIV로 인해 HSV, VZV, CMV 감염이 발생하여 이로 인한 뇌염이 발생할 수 있으며, 특히 CMV는 망막염과 말총(cauda equina)을 침범하는 다발신경근염(polyradiculitis)을 일으킨다. CMV치료에는 ganciclovir를 쓴다. AIDS등으로 인한 면역결핍상

태에 파포바바이러스(papovavirus)의 일종인 JC바이러스로 인해 진행다초점백질뇌병증(progressive multifocal leukoencephalopathy)이 발생할 수 있으며 예후는 불량하여 3-6개월 사이에 사망하지만 HIV치료를 통해 약 11개월로 연장할 수 있다. 뇌 자기공명영상(Magnetic resonance image, MRI)상에서는 주로 뇌의 뒷부분을 침범하는 T2 고강도신호를 보인다. JC바이러스는 소뇌위축도 일으키는 것으로 알려져 있다.

AIDS 환자에서 발생할 수 있는 주요 세균성 신경계 감염으로는 결핵수막염과 신경매독을 꼽을 수 있다. AIDS 환자에서는 신경매독이 다른 사람보다 빠르게 진행한다고 알려져 있다. 진균 감염 중에서는 크립토콕쿠스(cryptococcus)에 의한 수막염이 흔하며 HIV 양성 환자가 두통을 호소할 때 반드시 의심해 보아야 한다. 뇌척수액에서는 림프구 우세 백혈구 증가를 보일 수 있으나, 정상소견을 보이는 경우도 흔하기 때문에 크립토콕쿠스 항원을 뇌척수액에서 검사해야 한다. 크립토콕쿠스는 India ink 염색으로 확인할 수도 있다. 크립토콕쿠스수막염(cryptococcus meningitis)은 amphotericin B 정맥주사로 치료하며, 이후에는 경구 fluconazole을 복용하도록 한다. 감염증이 가벼운 경우에는 fluconazole만 사용할 수도 있다.

HIV감염 시 흔히 일어날 수 있는 신경계 기생충 감염증으로는 톡소포자충증(toxoplasmosis)가 있다. 중추신경계의 톡소포자충증은 톡소포자충의 재활성화로 일어난다. 고양이의 대변이나 충분히 굽지 않은 고기에서 톡소포자충낭에 노출되면 이에 감염되어도 무증상으로 지내나, AIDS 등 면역결핍 상태에 놓이게 되면 톡소포자충이 재활성화되어 중추신경계 감염을 일으켜 뇌농양이 발생한다. 이는 뇌 MRI에서 환상조영증강병변(ring-enhancing lesion)으로 보인다. 농양 주위의 부종으로 인해 뇌조직이 압박되어 증상이 발생하기도 한다. 초기 증상으로는 경련, 두통, 발열, 림프구우세수막염, 국소신경학적징후 등이 있다. 전체 인구의 많은 수가 무증상 톡소포자충 감염되기 때문에 이에 대한 혈청학적 진단은 도움되지 않으며, 뇌척수액 내 톡소포자충에 대한 PCR이 약 50%의 민감도를 가진다고 알려져 있다. 톡소포자충증은 HIV 감염 환자의 두개내 덩이병터(mass lesion)의 가장 흔한 원인이다. 따라서 MRI에서 특징적인 소견을 보이고 있을 때에는

경험적으로 pyrimethamine과 sulfadiazine을 2주간 투약하고 MRI를 다시 촬영하여 변화를 관찰하며, MRI 상 병변의 호전이 있으면 치료를 지속하게 된다. MRI 소견에 변화가 없으면 조직검사 등 다른 진단방법을 강구해야 한다.

AIDS 환자는 원발중추신경계림프종(primary central nervous system lymphoma) 발생률이 일반인구보다 높다. 원발중추신경계림프종은 MRI상에서 톡소포자충증과 유사하게 보일 수 있으며, AIDS 환자의 두개 내 덩이병터의 두 번째로 흔한 원인이다. 스테로이드와 방사선치료로 임상적 호전을 기대할 수 있으나, HIV 감염이 없는 환자의 원발중추신경계림프종보다는 예후가 안 좋은 것으로 알려져 있다. 카포시육종(Kaposi's sarcoma)의 중추신경계 전이는 매우 드물게 보고되어 있다.

4) 기생충 감염

중추신경계 기생충 감염으로는 낭미충증(cysticercosis), 톡소포자충증, 말라리아, 아프리카수면병(African trypanosomiasis), 아메바증(amebiasis), 리케차(rickettsia) 등이 있다. 낭미충증은 돼지고기로 갈고리촌충(*Taenia solium*) 알을 섭취함으로써 감염된 후 병원체가 혈행성으로 근육, 안구, 중추신경계로 퍼지고 낭을 형성하며 발생한다. 경련이 흔히 발생하며 이외에도 두통, 오심, 구토, 림프구우세 수막염(lymphodominant meningitis), 국소신경학적 증상 등도 발생 가능하다. 척수에도 낭미충증이 발생할 수 있다. 낭으로 인해 뇌척수액 공간이 막히면 수두증도 발생할 수 있다. 영상학적 소견으로는 뇌실질에 존재하는 1-2 cm 가량의 다발성 낭과 그 주변으로 발생한 부종이 특징적이며, 만성적인 경우에는 병원체가 소멸하면서 발생한 석회화 병변을 관찰할 수 있다. 치료는 albendazole을 이용한다.

5) 진균 감염

중추신경계 진균 감염은 면역력이 정상인 환자에서는 드물게 발생한다. 아스페르길루스증(apergillosis)와 칸디다증(candidiasis)은 뇌실질을 침범하며 강한 염증 반응을 동반한다. 이외에도 히스토플라스마(Histoplasma), 콕시디오이데스(Coccidioides),

Blastomyces 등에 의한 진균 감염도 가능하다. 비대뇌성 털곰팡이증(rhinocerebral mucormycosis)은 당뇨환자에서 주로 발생하며 눈 근육 마비, 안면 감각저하, 시력 상실, 안면 근육 마비 등을 일으킬 수 있다. 대부분의 진균 감염증은 조직 검사를 통해서만 진단할 수 있기 때문에 신속한 조직 검사와 amphotericin B 투약이 필요하다. 스테로이드는 진균 감염증을 악화시킬 수 있기 때문에 피해야 한다.

2 | 자가면역뇌염(Autoimmune encephalitis)

감염뇌염은 증상이 급성으로 발현하는 것에 반해 자가면역뇌염은 일반적으로 아급성의 발현을 보이는 것이 일반적이다. 환자들은 망상, 환각, 기억력장애 등 다양한 정신증상을 보일 수 있다. 뇌척수액 검사에서 백혈구의 증가를 보이는 것이 일반적이지만 뇌척수액 결과가 정상이라고 하여 자가면역질환을 배제할 수는 없다. 자가면역질환이나 암의 기왕력이나 가족력이 있는 경우에는 자가면역뇌염을 더욱 의심해보아야 한다. 자가면역뇌염이 의심되면 관련된 자가항체 검사를 확인할 필요가 있다. 신경계특이자가항체(neural-specific antibody)의 표적은 세포내 항원과 세포외 항원으로 나뉜다(표 2-3). 세포내 항원에 대한 자가항체는 그 자체로 신경계의 손상을 일으키지는 않지만, T세포나 아직 발견되지 않은 항체를 통한 신경계 손상이 발생하는 것으로 생각하고 있다. 세포외항원에 대한 항체는 신경세포를 직접 공격하거나 세포외에 존재하는 수용체의 신호 전달을 방해하면서 신경계에 직접적인 손상을 일으킨다(표 2-4). 항gamma-aminobutyric acid (GABA)-B (GABA$_B$)수용체항체는 GABA$_B$수용체에 경쟁적으로 붙음으로써 수용체의 신호 전달을 막으며, 항N-methyl D-aspartate (NMDA)수용체항체와 항α-Amino-3-hydroxy-5-methyl-4-isoxazolepropionic acid (AMPA)수용체항체는 수용체에 붙음으로써 수용체를 내재화(internalization)하고 수용체 발현을 줄임으로써 기능을 저해한다. 시신경척수염(neuromyelitis optica)의 원인인 항아쿠아포린-4 (anti-aquaporin-4)항체는 아쿠아포린-4에 결합하여 세포내 이입(endocytosis), 분해(degradation), 용해보체

표 2-3 세포내항원에 대한 자가항체와 그 증후군

항체	항원	암 연관성	신경학적 증상
ANNA-1 (Hu)	ELAVL (Hu)	소세포폐암, 흉선종 소아: 신경모세포종	신경병증(감각신경 및 자율신경), 위장관운동장애, 변연뇌염, 아급성 소뇌위축, 척수병증, 신경근병증
ANNA-2 (Ri)	NOVA 1, 2 (Ri)	폐암, 유방암	뇌간 증후군[안구간대경련- 근간대경련(opsoclonus-myoclonus)], 뇌신경마비, 성문연축, 입벌림 장애, 소뇌증후군, 척수병증, 신경병증, 운동장애, 뇌병증, 경련
ANNA-3	미상	소세포폐암	감각신경장애, 감각-운동신경장애, 소뇌실조, 척수병증, 뇌간증후군, 변연뇌염
Zic4	Zic4	소세포폐암	소뇌 증후군
Anti-Ma	PNMA1, PNMA2	유방암, 폐암, 위장관암, 생식세포암, 신장암, 비호지킨림프종	소뇌/뇌간증후군, 변연뇌염, 다발신경병증, 척추외로장애, 척수병증
Anti-Ta	PNMA2	생식세포암, 유방암, 폐암, 난소암, 비호지킨림프종	변연뇌염, 소뇌/뇌간 증후군, 척추외로장애, 기면증, 허탈발작, 다발신경병증, 척수병증
AGNA (SOX1)	SOX1	소세포폐암	렘버트-이튼 근무력증후군, 소뇌증후군, 변연뇌염, 감각운동신경병증
Amphiphysin-IgG	Amphiphysin	유방암, 소세포폐암	말초신경병증, 뇌병증, 척수병증, 강직을 동반한 뇌척수염, 소뇌증후군, 근간대발작, 국소통증, 가려움증
CRMP-5 IgG	CRMP-5	소세포폐암, 흉선종, 감상선암, 신장암	말초신경병증, 자율신경장애, 소뇌실조, 뇌피질장애, 기저핵염증, 뇌신경장애, 척수병증, 근신경병증, 신경총병증, 신경근연접부장애
PCA-1 (Yo)	CDR2	난소암, 난관암, 샘암종	대부분 소뇌 장애(90%), 10%는 말초신경병증만 보임
PCA-2	MAP1B	소세포폐암	뇌간 혹은 변연뇌염, 소뇌실조, 신경병증
PCA-Tr	Delta/notch-like growth factor related receptor	호지킨림프종	소뇌기능저하
Recoverin (anti-CAR)	Recoverin	자궁내막암, 자궁경부암, 난소암, 유방암, 소세포폐암	진행성 시력저하
GAD65	GAD65	흉선종, 유방암	강직증후군, 변연뇌염, 구개떨림, 하향안진, 교대안진, 뇌간 장애

표 2-4 세포 외 항원에 대한 자가항체와 그 증후군

항원	임상양상	관련 암
NMDA	환각, 망상, 이상행동, 경련, 이상운동, 의식저하, 자율신경장애, 호흡저하	난소 기형종
AMPA	변연뇌염, 정신이상	폐, 유방, 흉선
GABA$_B$	변연뇌염, 경련, 안구간대경련-근간대경련(opsoclonus-myoclonus), 실조	소세포폐암
GABA$_A$	난치성뇌전증지속상태	호지킨림프종
LGI1	뇌염, 안면위팔근긴장경련(faciobrachial dystonic seizure), 근간대경련	-
CASPR2	신경근긴장증(neuromyotonia), 뇌염, 모반증후군, 중증근무력증	흉선
DDPX	뇌염, 과흥분증(hyperexcitability), progressive encephalomyelitis with rigidity and myoclonus (PERM)	-
GlyR	강직증후군(stiff-person syndrome), 경축과 근간대경련 동반 진행성뇌척수염 (PERM)	호지킨림프종
mGluR5	오펠리아증후군	호지킨림프종
mGluR1	소뇌위축	호지킨림프종, 전립선암
Homer-3	소뇌위축	-
DNER	소뇌위축	호지킨림프종

연쇄반응(lytic complement cascade) 과정을 통해 아쿠아포린-4를 하향 조절한다.

참고문헌

1. Brouwer MC, Tunkel AR, van de Beek D. Epidemiology, diagnosis, and antimicrobial treatment of acute bacterial meningitis. Clin Microbiol Rev 2010;23:467-92.

2. Greenberg BM. Central nervous system infections in the intensive care unit. Semin Neurol 2008;28:682-9.

3. McKeon A, Pittock SJ. Paraneoplastic encephalomyelopathies: pathology and mechanisms. Acta Neuropathol. 2011;122:381-400.

4. Minagar A, Commins D, Alexander JS, et al. NeuroAIDS: characteristics and diagnosis of the neurological complications of AIDS. Mol Diagn Ther 2008;12:25-43.

5. Pittock SJ, Palace J. Paraneoplastic and idiopathic autoimmune neurologic disorders: approach to diagnosis and treatment. Handb Clin Neurol 2016;133:165-83.

6. Rotbart HA. Viral meningitis. Semin Neurol 2000;20:277-92.

7. van de Beek D, de Gans J, et al. Community-acquired bacterial meningitis in adults. N Engl J Med 2006;354:44-53.

8. Ziai WC, Lewin JJ 3rd. Update in the diagnosis and management of central nervous system infections. Neurol Clin 2008;26:427-68.

3

 이서영

뇌염의 역학(Epidemiology of encephalitis)

1 발병, 사망, 질병 부담

급성뇌염(acute encephalitis)의 발생률(incidence)은 연간 0.07-12.6/100,000명으로, 점차 감소하고 있는 것으로 보고되었다. 2017년 한 해에 세계적으로 약 222만 5,000명의 환자가 발생하는 것으로 추산되었고, 이는 뇌전증(약 247만 8,000명)보다 다소 적고, 신경계 암(약 40만 5,200명)에 비해 다섯 배 많았다. 뇌염의 질병 부담(burden of disease)은 1990년에서 2007년 사이에 15.8%, 이후 10년간 5.2% 감소하였다.

사망률은 5-15%이며, 생존하여도 인지 기능과 거동에 장애를 남기는 경우가 흔하지만, 장기적인 예후에 대한 자료는 부족하다. 2017년 세계적으로 10만 명당 1.2명이 뇌염으로 사망하는 것으로 집계되었고, 2015년 통계에서 신경계 질환으로 인한 사망 중 1.6%를 차지하여, 뇌졸중(67.3%), 치매(20.3%), 수막염(4.0%), 암(2.4%)의 뒤를 이어 다섯 번째였다.

뇌염의 질병 부담은 장애보정손실수명(disability-adjusted life-years, DALY)으로 평가할 때, 8,453명으로 신경질환의 질병 부담 중 3.4%를 차지하며, 뇌졸중(47.3%), 편두통(13.1%), 수막염(10.1%), 치매(9.5%), 뇌전증(5.0%), 약물 남용 두통(3.7%)의 뒤를 이어 일곱 번째였다.

한편 연령별로는 소아에서 성인에 비해 발병률이 대체로 높으며 성별에 따른 뇌염의 발병은, 북미에서 수행된 연구에서 남자에서 꾸준히 높다가, 점차 여성이 증가하는 양상이 보고되었는데, 자가면역뇌염에 대한

인식이 높아지고 있기 때문으로 추정된다.

뇌염의 발병은 유럽과 북미에서 아시아나 아프리카보다 높은 경향을 보였다. 신경질환 중 뇌염이 차지하는 질병 부담은 남아시아(south Asia), 동남아시아(southeast Asia), 오세아니아(Oceania)에서 높았고, 사회경제적 수준이 높은 지역에서 뇌염의 발병은 낮았다.

우리나라에서는 전반적인 뇌염과 관련된 통계는 드물다. 일본뇌염(Japanese encephalitis)은 1950년대부터 특히 소아에서 주요한 보건 문제였고, 1983년 한 해 동안 1,197명 발생과 40명의 사망을 일으켰다. 백신이 일반화되면서 줄어들어 1984-2009년 동안 연 0-7건이 발생하였으나, 2010년 26명, 2015년 129명의 발병(outbreak)이 있었고, 주로 40세 이상으로 모두 백신을 맞은 적이 없는 사람들이었다. 건강보험심사평가원 청구 자료를 바탕으로 추정하면, 뇌염 및 척수염(G04)을 주 진단으로 입원한 환자는 2019년에 1,570명(3.0/100,000)이었고, 남자가 여자보다 많았다(그림 3-1). 연령별로는, 뇌염 및 척수염(G04)을 주 진단으로 진료받은 환자 수가 2013년까지 10세 미만이 가장 많다가, 2014년 이후로는 50, 60대가 더 많아졌고, 인구 대비 환자 수도 2016년까지 10세 미만이 가장 높다가 2017년 이후로 70대가 가장 높아졌다(그림 3-2).

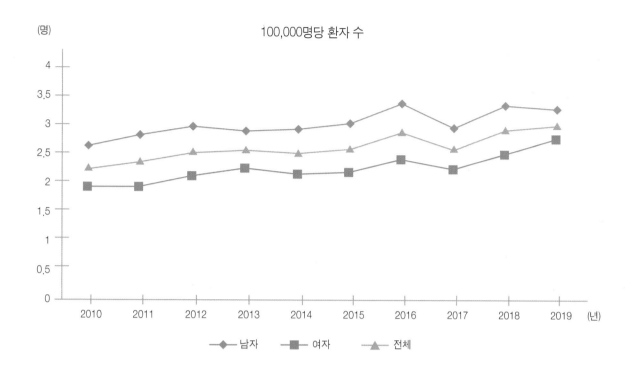

그림 3-1 국민건강보험공단 자료에 근거한 우리나라의 뇌염 관련 입원, 2010-2019년

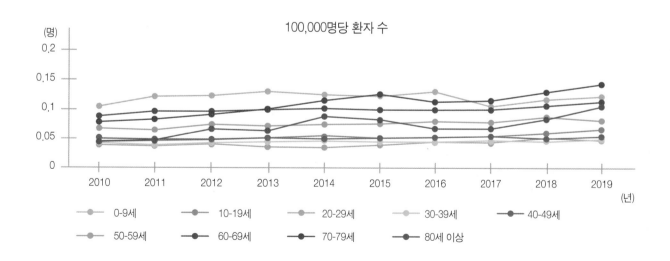

그림 3-2 국민건강보험공단 자료에 근거한 뇌염 관련 건강자원이용에 대한 연령별 통계, 2010-2019년

2 | 원인

바이러스감염이 20-50%로 가장 많고, 약 15-20% 가 면역성, 약 50%가 원인 불명으로 보고되었다. 1995 2015년에 미국 미네소타에서 조사된 연구에서는 감염 관련 뇌염은 1.2/100,000명, 면역 관련 뇌염은 연간 0.8/100,000명 발병하였고, 면역관련 뇌염은 점차 증가하여 2006-2015년에는 1.2/100,000명이었다. 원인 바이러스로는 단순헤르페스바이러스(herpes simplex virus, HSV)가 가장 흔하며 전체의 10-36%를 차지한다. 수두대상포진바이러스(varicella zoster virus, VZV)가 그 다음으로 많으며, 일부 연구에서 엔테로바이러스(enterovirus)도 상위 원인 균으로 보고되었고, 아르보바이러스(arbovirus)도 지역에 따라 주요 원인이다. 세균 중에는 결핵균(*Mycobacterium tuberculosis*)과 리스테리아모노사이토제네스(*Listeria monocytogenes*)가 가장 흔하다.

원인은 지역별로 차이가 크다. 특히 벡터매개전파(vector-borne transmission)의 경우가 차이가 있는데, 아시아의 일본뇌염바이러스(Japanese encephalitis virus), 동부 및 북부 유럽, 동러시아의 진드기매개뇌염바이러스(tick-borne encephalitis virus, TBEV), 북미의 웨스트나일바이러스(West Nile virus, WNV) 등을 포함하는 플라비바이러스(flavivirus), 동부말뇌염바이러스(eastern equine encephalitis, EEE) 등을 포함하는 알파바이러스(alphavirus) 등이 그 예이다. 아시아에서는 소아에서 일본뇌염바이러스, 성인에서 HSV가 가장 흔하다. 아프리카에서는 광견병(rabies)과 바이러스출혈열(viral hemorrhagic fever)이 흔하다. 유럽에서는 원인들이 더 다양한데, 소아에서 VZV와 폐렴미코플라즈마(*Mycoplasma pneumoniae*)가 흔한 원인이고, 그 외 TBEV, 보렐리아(borrelia) 등이 있으며, 비교적 근래 A형간염바이러스(hepatitis A virus)나 로타바이러스(rotavirus)도 뇌염의 원인으로 인식되었다. 북미에서는 흔한 원인들의 비중이 작고, TBEV나 지역색이 있는 라크로스바이러스(La Crosse virus), 세인트루이스뇌염바이러스(St. Louis encephalitis virus), 톡소포자충(*Toxoplasma gondii*), 희귀한 기생충이나 진균 등이 원인으로 꼽힌다. 광견병(rabies)은 오세아니아, 유럽에서는 사라졌지만, 아프리카와 인도에서는 0.1-

1/100,000명 정도로 아직 발병하고 있고, 미국에서도 간혹 보고되고 있다.

3 | 위험 요인

면역 저하 환자의 경우 모든 바이러스와 균에 취약하지만, 엡스타인-바바이러스(Epstein-Barr virus, EBV), 거대세포바이러스(cytomegalovirus, CMV), 사람헤르페스바이러스6형(human herpesvirus 6, HHV6), VZV, 엔테로바이러스, 결핵균(*Mycobacterium tuberculosis*), 리스테리아모노사이토제네스, 노카르디아(Norcardia), 크립토콕쿠스(cryptococcus), JC바이러스, WNV, 림프구성맥락수막염바이러스(lymphocytic choriomeningitis virus, LCMV), E형간염바이러스(hepatitis E virus), 홍역 바이러스(measles virus) 등이 더 빈번하게 발견된다. 임산부에서 LCMV, 리스테리아모노사이토제네스, 만성 간질환에서 리스테리아모노사이토제네스에 취약하다. 수영 뒤에 엔테로바이러스, *Naegleria fowleri*, 렙토스피라증(leptospirosis)이 전파될 수 있다. 개, 고양이, 박쥐에 의해 광견병이 감염될 수 있다.

4 | 예후 인자

원인에 따라 다양하여, 비폴리오엔테로바이러스(non-polio enterovirus)나 라크로스바이러스의 경우는 치사율이 1% 미만, HSV 8%, 일본뇌염바이러스나 EEE는 40%, 광견병이나 아급성경화범뇌염(subacute sclerosing panencephalitis)은 거의 100%에 이른다. 고령, 면역억제, 동반 질환이 불량한 예후 인자로 꼽힌다. 뇌척수액 단백질 농도, 그 중 S100B단백, 신경교섬유질산성단백질(glial fibrillary acidic protein, GFAP), 타우(tau)가 불량한 예후와 관련된다고 보고되었다. 뇌전증지속상태(status epilepticus), 뇌부종, 혈소판감소증(thrombocytopenia) 등 조절 가능한 요인들 역시 사망의 위험성을 높인다고 알려져 있어, 이에 대한 임상적 주의가 필요하다.

5 | 결론

뇌염의 발병은 조금씩 감소하는 추세이지만, 여전히 10만 명당 3명 정도 발병하며 신경질환 중 일곱 번째의 질병 부담을 갖는다. 백신 투여와 경제 수준의 향상에 따라 감염뇌염은 감소하고 있으나, 자가항체 발견 능력 향상에 힘입어 자가면역뇌염의 비중이 증가하면서 원인불명 뇌염의 비중은 줄고 있다. 뇌염은 소아와 남자에서 더 빈발했으나, 점차 고령층과 여성에서 발생이 증가하고 있다.

참고문헌

1. Bale JF. Virus and Immune-Mediated Encephalitides: Epidemiology, Diagnosis, Treatment, and Prevention. Pediatr Neurol 2015;53:3–12.

2. Boucher A, Herrmann JL, Morand P, et al. Epidemiology of infectious encephalitis causes in 2016. Med Mal Infect 2017;47:221-35.

3. Dubey D, Pittock SJ, Kelly CR, et al. Autoimmune encephalitis epidemiology and a comparison to infectious encephalitis: Autoimmune Encephalitis. Ann Neurol 2018;83:166–77.

4. Feigin VL, Abajobir AA, Abate KH, et al. Global, regional, and national burden of neurological disorders during 1990-2015: a systematic analysis for the Global Burden of Disease Study 2015. Lancet Neurol 2017;16:877-97.

5. Granerod J, Tam CC, Crowcroft NS, et al., Challenge of the unknown: A systematic review of acute encephalitis in non-outbreak situations. Neurology 2010;75:924–32.

6. James SL, Abate D, Abate KH, et al. Global, regional, and national incidence, prevalence, and years lived with disability for 354 diseases and injuries for 195 countries and territories, 1990–2017: a systematic analysis for the Global Burden of Disease Study 2017. Lancet 2018;392:1789–858.

7. Roth GA, Abate D, Abate KH, et al. Global, regional, and national age-sex-specific mortality for 282 causes of death in 195 countries and territories, 1980–2017: a systematic analysis for the Global Burden of Disease Study 2017. Lancet 2018;392:1736–88.

8. Seo HJ, Kim HC, Klein TA, et al. Molecular detection and genotyping of Japanese encephalitis virus in mosquitoes during a 2010 outbreak in the Republic of Korea. PLoS One 2013;8:e55165

9. Sunwoo JS, Jung KH, Lee ST, et al., Reemergence of Japanese Encephalitis in South Korea, 2010-2015. Emerg Infect Dis 2016;22:1841-3

10. Venkatesan A. Epidemiology and outcomes of acute encephalitis. Curr Opin Neurol 2015;28:277-82.

11. Tyler KL. Acute Viral Encephalitis. N Engl J Med 2018;379:557-66.

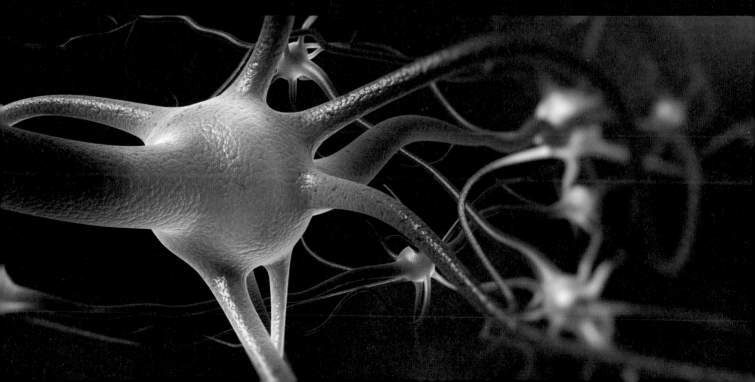

SECTION

3

뇌염의 임상적 접근

ENCEPHALITIS

1

장혜연

뇌염의 임상적 접근
(Clinical approach to encephalitis)

1 서론

뇌염(encephalitis)은 다른 신체 기관의 염증에 비하여 발생 빈도는 적으나, 심각한 후유증을 남길 수 있으므로 중요한 질환이다. 또한 임상 의사의 초기 판단이 예후에 결정적 영향을 미치는 질환이기도 하다. 뇌염은 다양한 원인으로 인해서 발생한다. 뇌염의 진단에는 임상적 징후와 환자가 노출된 환경, 그리고 기저 질환 등이 중요한 진단적 단서가 될 수 있으며 뇌척수액검사(cerebrospinal fluid analysis), 혈액검사, 그리고 자기공명영상(magnetic resonance image, MRI)같은 뇌영상검사가 원인 감별에 도움이 된다.

뇌염의 종류에 따라서 특정한 치료가 도움이 될 수 있는데 특히 감염뇌염에는 감염원을 치료할 수 있는 항생제나 항바이러스제를 조기에 투여하는 것이 중요하다. 자가면역뇌염이 의심되는 경우에는 면역치료 시행 여부를 빨리 결정하는 것이 환자의 예후에 도움이 된다. 뇌염의 원인으로 가장 흔한 것은 바이러스질환이며 이외 세균 감염이나 면역 매개 질환, 그리고 신생물딸림뇌염(paraneoplastic encephalitis) 및 자가면역뇌염이 있다. 이 장에서는 뇌염의 정의에 대해 알아보고 뇌염 환자 진료 시 접근법과 유의 사항을 정리하고 진단 초기에 원인을 추측할 수 있는 임상적 양상 및 단서들에 대하여 서술하겠다.

2 정의

뇌염 진단의 첫번째 단계는 뇌염과 뇌병증(encephalopathy)을 구별하는 것이다. 뇌병증은 질병이나 전신상태 등에 의하여 뇌의 기능이 감퇴되어 의식저하, 혼동(confusion) 등이 발생하는 상태를 말하며 뇌염은 뇌실질의 염증이 임상적, 진단적으로 강력히 시사되는 경우를 일컫는다. 국제뇌염협회(International Encephalitis Consortium)는 2013년 뇌염의 진단을 다음 표 1-1과 같이 정의하였다. 주 진단기준인 의식 상태 변화와 2가지 이상의 부진단기준(열, 경련, 신경학적 이상, 뇌척수액 백혈구증가증(leukocytosis), 뇌영상검사상 이상, 뇌파 이상)을 만족해야 한다. 뇌염을 확인하기 위해서는 뇌생검이 가장 확실한 방법이라 생각되지만, 뇌염의 진단을 위하여 뇌생검을 시행하는 경우는 드물다.

표 1-1 뇌염의 진단기준

주진단기준(필수)
환자는 의학적 주의가 필요로 하는 의식수준의 변화(의식저하, 의식의 변화, 혼수, 성격변화)가 24시간 이상 지속되어야 하며, 이를 설명할 다른 원인이 없어야 함.

부진단기준(2가지 이상 충족 시 '가능(possible)' 뇌염, 3가지 이상 충족 시 '유력(probable)' 뇌염 혹은 '확진' 뇌염)
38℃ 이상의 열이 내원 전후 72시간 이내에 보고되어야 함.
기존에 있던 경련질환으로 완전히 설명되지 않은 전신경련이나 부분 경련이 있어야 함.
새로 시작된 국소신경학적 증상이 관찰됨.
뇌척수액검사상 백혈구 ≥ 5개/mm³
뇌염을 시사하는 뇌실질의 변화가 뇌영상검사에서 관찰됨.
다른 이유로 설명되지 않고, 뇌염에 합당한 이상 뇌파가 관찰됨.

3 | 병리

뇌의 염증은 크게 감염성과 비감염성으로 나눌 수 있다. 감염성은 세균, 바이러스, 기생충, 프리온과 같은 외부 인자의 침입에 의해서 일어나며 비감염성은 신생물딸림뇌염이나 자가면역뇌염처럼 체내 인자에 대한 면역반응으로 뇌염이 발생하는 경우이다. 하지만 감염성 질환에서도 뇌 손상이 발생하는 주 기전이 숙주의 면역반응이기 때문에 감별진단에 주의가 필요하다.

바이러스, 세균, 암 등의 항원에 면역계가 노출되면 수지상세포(dendrite cell)에 의해 항원이 포착된다. 세균의 경우 세균세포벽 성분에 대한 반응인 경우가 많으며, 자가면역뇌염의 경우 암세포나 암세포가 발현하는 신경계 항원이 면역반응을 촉발한다. 이때 미접촉B세포(naïve B cell)가 항원에 접촉하여 기억B세포(memory B cell)가 되고, 형질세포(plasma cell)도 생성된다. 이렇게 발생한 항체는 혈액뇌장벽(blood-brain barrier)을 통과하여 뇌 안의 항원을 공격하기도 하고, 형질세포가 뇌에 서식하면서 항체를 생산하기도 한다.

세균감염의 경우 세균세포벽 성분에 대한 염증 반응으로 뇌척수액에 인터루킨-1β (interleukin-1β, IL-1β)와 종양괴사인자-α (tumor necrosis factor-α, TNF-α)와 같은 사이토카인(cytokine)이 생성된다. 사이토카인은 혈액뇌장벽의 투과성을 증가시켜 뇌척수액으로 혈장단백의 삼출과 중성구의 이동을 촉진시킨다. 수일 안에 림프구와 조직구도 나타나며 2주 경과 시점에 형질세포가 증가한다.

바이러스의 경우 바이러스가 뇌실질을 직접 침범하여 일어나기도 하고, 면역반응으로 손상을 일으킬 수 있다. 예를 들어 단순헤르페스바이러스(herpes simplex virus, HSV) 및 볼거리바이러스(mumps virus)의 경우 뇌실질을 직접 침범하는 급성뇌염을 일으키기도 하지만 지연된 자가면역뇌염 혹은 면역매개탈수초화를 일으키기도 한다.

자가면역뇌염의 경우 신경계 항원을 발현하는 종양세포가 수지상세포에 의해 인지되면 항원에 특이적인 B세포를 활성화하고 형질세포가 생성되면서 신경계에 반응하는 자가 항체를 생성하게 된다. 항체는 신경계를 공격하고 추가적으로 T세포 침윤이 발생하게 하여 세포 손상이 일어나게 된다. 보다 자세한 뇌염증의 기전에 대한 내용은 1단원에서 다루고 있다.

4 | 뇌염 의심 환자의 진단과 초기 대응

임상의가 뇌염 의심 환자를 진료할 때 가장 중요한 것은 크게 3가지(3E)이다. 첫째, 이 환자가 응급 상황인지 판단(Emergency issue)한다. 둘째, 뇌전증 발작(Epileptic seizure)을 감지하고 치료한다. 셋째, 병인(Etiology)을 찾아낸다(그림 1-1). 환자 상태를 파악할 때 원인 감별도 중요하지만 보다 먼저 판단해야 할 것은 응급 상황 여부이다. 이를 위해서는 기도 확보가 제대로 되었는지, 호흡은 안정적인지, 순환이 적절히 이루어지고 있는지 파악해야 한다. 환자가 병원 도착 시 이미 질환이 많이 진행되어 있다면 뇌부종(cerebral edema)으로 인해 뇌간을 압박하여 혈역학적 징후가 불안정 할 수 있다. 또한 포도당 농도 등을 확인하여 저혈당에 의한 의식저하나 소실이 일어난 것은 아닌지 확인할 필요가 있다.

의식 소실이 있는 환자에서 한쪽 또는 양쪽의 동공확장이나 빛 반사 소실이 있으면 뇌압 상승에 의한 뇌탈출(brain herniation)을 의심할 수 있다. 뇌부종으로 인한 종괴 효과(mass effect)가 확인되는 경우 환자에게 적절히 산소를 공급하고 이산화탄소분압 30 ± 2 mmHg을 목표로 과호흡(hyperventilation)을 하도록 한다. 또한 만니톨(mannitol)이나 고장식염수(hypertonic saline)를 이용한 삼투압요법(osmotic therapy)을 고려한다.

발열은 뇌압 상승을 악화시키고 신경손상을 가속할 수 있기 때문에 치료해야 한다. 빠르게 진행하는 뇌부종은 뇌척수액 배출 및 두개강내압(intracranial pressure, ICP)모니터링을 위하여 뇌실창냄술(ventriculostomy)를 시행해야 한다. 위의 조치에도 불구하고 뇌부종과 뇌압 상승이 진행될 수 있다. 이때는 barbiturate 혼수요법(coma therapy)을 유도하거나 감압수술(decompression surgery)을 고려해야 한다.

두 번째로 중요한 것은 발작을 치료하는 것이다. 뇌염 환자에서 발작의 발생은 일반적이며 뇌염으로 인한 중환에서 뇌전증지속상태(status epilepticus)는 뇌염 환자의 약 15%에서 나타난다. 뇌염환자에서 뇌전증 발작이 의심될 경우 즉각 치료해야 한다. 응급 뇌파 시행으로 빠른 진단을 하는 것이 중요하며, 뇌전증지속상태 환자에서는 항뇌전증약의 치료 효과를 실시간으로 모니터링 하기 위하여 24시간 뇌파검사가 권장된다.

이때 적절한 항뇌전증약의 사용과 함께 lorazepam등의 benzodiazepine계통 약물을 사용하게 되며, 고용량의 항뇌전증약과 진정제 사용으로 인하여 혈압 저하, 호흡, 기도 반사 등이 소실되므로 중환자실 치료가 필요하게 될 수 있다.

세 번째는 병인을 알아내고 적절한 치료를 하는 것이다. 바이러스뇌염이나 세균뇌염을 강력하게 시사하는 병력이나 징후가 보인다면 가능한 조기에 경험적 항바이러스제와 항생제를 시작해야 한다. 특히 세균의 경우 시간의 경과에 따라 기하급수적으로 체내에서 증식하므로 빠른 항생제 치료가 중요하다. 자가면역 병인이 의심될 경우 1차 면역치료(immunotherapy)로 스테로이드와 면역글로불린정맥주사(intravenous immunoglobulin, IVIg)의 투여를 초기에 결정하면 환자의 예후에 도움이 된다. 원인 감별을 위해서 뇌척수액검사, 항체 및 중합효소연쇄반응(polymerase chain reaction, PCR)검사 등을 시행할 수 있으며 영상검사 및 배양검사도 감별 진단에 도움이 된다. 특히 대부분의 뇌염 의심 환자에서 뇌척수액검사는 진단의 필수인데 개방 압력은 진단에 힌트가 될 수 있어 주의를 기울여 측정해야 한다. 또한 적혈구 개수, 백혈구 개수와 감별 혈구 계산(differential count)을 참고하면 세균성인지, 바이러스성인지 혹은 자가면역 가능성이 높을지 가늠하는데 도움이 된다(표 1-2). 참조 진단적 접근의 세부적 고찰에 관한 것은 다음 장에서 논의될 것이다.

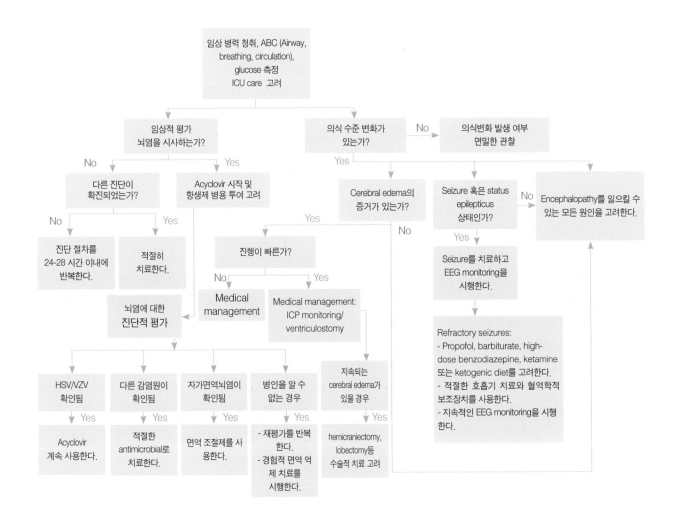

그림 1-1 뇌염 의심 환자에서 진단과 치료
ICU, intensive care unit; HSV, herpes simplex virus; VZV, varicella zoster virus; ICP, intracerebral pressure

표 1-2 뇌척수액검사 결과에 따른 원인 질환 감별

	수막염				뇌염
	세균	바이러스	결핵	진균	
개방 압력	증가	정상	정상 혹은 증가	정상 혹은 증가	정상 혹은 증가
백혈구	증가	증가	증가	증가	증가
혈구 감별	다형핵백혈구 우세	단핵구 우세	단핵구 우세	호산구 우세	단핵구
포도당	감소	정상	대개 감소	대개 감소	정상
단백질	대개 증가	정상 혹은 증가	대개 증가	대개 증가	정상 혹은 증가

5 | 증상 및 징후

뇌염은 대개 두통, 열, 혼동, 경부경직(neck stiffness), 구토를 동반한다. 또한 경련(seizure), 환각(hallucination), 기억 소실(memory loss) 등의 증상을 동반하는 경우도 있다. 이중 뇌염 여부를 감별하는 가장 중요한 지표는 의식 수준의 변화이다. 인지, 집중력, 지남력(orientation), 수면각성주기(sleep-wake cycle) 등의 변화가 동반된다. 많은 경우 수막염(meningitis)이 뇌염에 동반되므로 케르니그징후(Kernig's sign)나 브루진스키징후(Brudzinski's sign) 등이 나타난다. 그러나 대부분의 경우 그 이전 단계인 경부경직이 나타나는 경우가 흔하므로, 두통 환자에서 열이 난다면 경부경직 여부를 반드시 확인해야 한다. 다만 노화 과정에 따라 인대 등 주변 조직의 탄력성이 감소하여 고령에서 상대적으로 경부 굽힘 시 저항이 심할 수 있으므로, 연령에 따른 차이를 감안해야 한다. 뇌염을 진단함에 있어 가장 중요한 것은 임상의가 여러 가능성을 고려하고 감별 진단을 줄여 나가는 것이다. 이에 있어 임상적인 증상 및 징후가 도움이 될 수 있다.

1) 신체 검사에서 얻을 수 있는 단서들

뇌염을 일으키는 원인 중 가장 흔한 것은 바이러스로 이중 단순헤르페스뇌염(herpes simplex encephalitis)이 가장 높은 비중을 차지한다. 제1형 단순헤르페스바

이러스(herpes simplex virus-1, HSV1)는 입술 주변 수포 및 잇몸입안염(gingivostomatitis)을 만들기도 하며, HSV2의 경우는 생식 점막의 포진을 유발하기도 한다. 전형적인 증상으로는 감기 같은 전구증상이나 두통, 구역, 의식저하를 일으킬 수 있고 특징적으로 내측두엽과 전두엽의 안와면을 침범하여 측두엽뇌전증(temporal lobe epilepsy)을 일으킬 수 있으며 이상 행동, 공포감, 언어장애와 환각 등을 보이기도 한다. 수두대상포진바이러스(varicella zoster virus, VZV)의 경우 피부분절에 신경성 통증, 가려움, 감각이상 등을 동반할 수 있으며 삼차신경의 제1분지나 얼굴신경 등을 침범하여 눈 대상포진이나 귀 대상포진, 얼굴 마비 등을 동반할 수도 있다. 엡스타인-바바이러스(Epstein-Barr virus, EBV), 아데노바이러스(adenovirus), 폐렴미코플라스마(Mycoplasma pneumoniae)감염증의 경우 특징적인 발진이 보일 수 있다. 에코바이러스(echovirus)와 콕삭키바이러스(coxsackievirus), 특히 A형 감염 시에는 많은 경우 발진이 동반되며 회색의 수포병변인 헤르페스목구멍염(herpangina)이 나타난다. 간이나 비장 등의 비대는 EBV, 폐렴미코플라스마, 아데노바이러스 등에서 나타날 수 있다. 전구 증상으로 경부림프절병증(cervical lymphadenopathy), 비장비대, 삼출성인두염이 있을 경우 병원체가 거대세포바이러스(cytomegalovirus, CMV), EBV일 가능성이 있다. 폐렴미코플라스마 혹은 호흡기바이러스에 의한 뇌염이라면 호흡기 증상을 동반할 수 있고 광견병(rabies)의 경우 동물에 물린 흔적이 같이 발견될 수 있다.

세균 감염의 경우 주로 수막염이 흔하지만 뇌염으로 진행하는 경우도 있고 위에서 언급했듯 면역반응을 유발하여 뇌염 증상을 일으킬 수 있다. 자색반(purpura), 출혈점(petechia), 출혈반(ecchymosis) 등을 동반할 때는 수막알균(Neisseria meningitides)을 의심해야 한다. 또한 수막알균 감염에서는 급성부신피질 부전으로 인한 쇼크가 발생할 수 있다. 결핵균에 의한 뇌염의 경우 전체 환자의 약 60%에서 전신 질환(폐, 소장, 뼈, 신장)을 동반하는 것으로 알려져 있으며 활성 결핵 병터를 가지고 있는 경우가 많다. 그러나 폐에 비활성병터만 있는 경우도 있어 주의가 필요하다.

자가면역뇌염 중 가장 흔한 항NMDA수용체뇌염의 경우 자율신경계가 불안정해지고 중추저호흡이

나타나기도 한다. 신생물딸림증후군(paraneoplastic syndrome)의 경우 기존에 발견되지 않았던 암을 가지고 있는 경우가 있어 체중감소 여부 등을 확인해야 하고, 흉부와 복부의 CT 등의 암 진단을 위한 스크리닝이 필요히다. 특히 젊은 여자에서 발생한 자가면역뇌염 증상이 있는 경우에는 난소기형종(ovarian teratoma)이 항NMDA수용체뇌염의 원인인 경우가 약 50%가량 되므로 골반장기의 컴퓨터단층촬영술(computed tomography, CT) 시행이 필요하다.

2) 신경학적 진찰 이상 소견에서 얻을 수 있는 단서들

신경학적 이상 유무와 양상도 진단의 단서가 될 수 있다. 사지 증상이 두드러지게 보이면 우선 자가면역뇌염이나 사람헤르페스바이러스6형(human herpesvirus 6, HHV6)이나 7형에 의한 뇌염을 의심할 수 있다. 운동실조(ataxia)는 파동편모충(trypanosoma), 트로페리마위플레(*Tropheryma whipplei*) 또는 크로이펠츠야콥병(Creutzfeldt-Jakob disease, CJD)과 함께 VZV, EBV, 웨스트나일바이러스(West Nile Virus) 및 볼거리바이러스(mumps virus)와 같은 많은 바이러스 감염에서 두드러지게 나타날 수 있다. 정신병력이나 가족력이 없는 환자에서 정신이상 증상이 갑작스럽게 나타난다면 항NMDA수용체뇌염, 광견병, CJD를 의심할 수 있다. 특히 기억장애, 언어 이상, 뇌전증 발작과 함께 입-얼굴-사지 이상운동증(orofacial-limb dyskinesia)이 보인다면 항NMDA수용체뇌염을 시사한다. 항LGI1뇌염(anti-LGI1 encephalitis)의 경우도 발작과 기억 감소를 보이며 안면위팔근긴장경련(faciobrachial dystonic seizure, FBDS)을 약 70%에서 관찰 할 수 있다. 급격한 이완 마비가 발생할 때는 WNV 혹은 아르보바이러스(arbovirus), 광견병바이러스를 의심할 수 있다. 환자에게서 파킨슨증상이 나타나면 아르보바이러스나 톡소포자충(toxoplasma) 감염을 의심해야 한다.

6 │ 병력

뇌염을 유발하고 유사한 증상을 보이는 여러 원인을

감별하기 위하여 병력 청취가 중요하다. 경우에 따라서 환자의 거주지나 여행력, 직업, 그리고 환자가 방문한 장소 등이 감별 진단의 단서가 될 수 있다. 또한 환자의 연령, 면역 상태, 발병한 계절 등이 도움이 되기노 한다. 성 접촉력 모기 등 곤충에 노출되었는지, 동물에 접촉했는지 등도 면밀히 조사하여야 한다.

바이러스의 전파 경로는 다양하나 대체로 DNA바이러스(DNA virus)와 레트로바이러스(retrovirus)는 성접촉, 모유 수유, 분만 직후 수직 전파, 수혈에 의해 전파되고 RNA바이러스는 경구 혹은 대기를 통해서 전파되므로 추가적인 병력 청취가 도움이 된다. 최근 해외여행이 늘어남에 따라 뇌염 유행 지역에 여행하는 경우에는 그 지역에서 유행하는 바이러스에 대한 사항을 고려해야 한다.

근래에 발생한 호흡기나 위장관계 증상, 감염성 질환의 과거력, 장기간의 면역억제제 사용여부 등을 확인해야 한다. 여러 이유로 장기간 면역억제제를 사용하거나, 면역계통을 억제하는 질환을 가진 환자의 경우 CMV나 EBV감염이 흔하다.

세균뇌염의 경우, 세균수막염이 먼저 발생 후 진행되는 경우가 흔하여 전형적인 경과를 보이는 경우가 많다. 헤모필루스인플루엔자(*Haemophilus influenzae*), 나이세리아(*Neisseria*), 폐렴사슬알균(*Streptococcus pneumoniae*), 리스테리아모노사이토제네스(*Listeria monocytogenes*)균이 흔한 원인이다. 따라서 선행하는 호흡기 증상이 없었는지 확인하는 것이 도움이 되며 리스테리아는 오염된 육류나 우유 가공식품 등에서 서식하므로 면역저하자에서 오염된 식품을 섭취한 적이 없는지 확인하면 진단에 도움이 될 수 있다. 뇌종양, 두부외상, 뇌수술과 관련하여 이차적으로 발생하는 경우에는 황색포도상구균(*Staphylococcus aureus*)과 그룹 A, D 사슬알균(group A, D streptococcus)이 관련이 높으므로 수술력, 뇌실복강션트(ventriculoperitoneal shunt) 보유 여부, 이전 외상력 확인이 필요하다.

아급성으로 진행되는 기억저하, 의식저하, 정신이상 증세와 같이 변연뇌염(limbic encephalitis)이나 뇌간뇌염(brainstem encephalitis) 증상이 있으면 자가면역뇌염을 의심해야 하며, 특히 젊은 여성에서 가족력이나 기저 정신과 질환 없이 갑작스러운 정신이상 증세가 나타난다면 항NMDA수용체뇌염 검사를 시행해 보도록 한다.

면역억제 환자들은 또한 피부에 전신적 대상포진이 있을 때 단순헤르페스뇌염의 위험이 있다. CMV뇌염은 후천면역결핍증후군(acquired immunodeficiency syndrome, AIDS)을 지닌 환자들에서 흔히 발생할 수 있다. CMV의 이러한 전신증상은 부신염(adrenalitis)으로 유래한 저나트륨증과 종종 연관되어 있고, 환자의 반수에는 이전에 CMV 망막염(retinitis)으로 치료받은 적이 있다.

만성 또는 아급성 경과를 보이는 질환으로는 결핵(tuberculosis) 등 미코박테륨(mycobacterium)과 매독(syphilis), 라임병(Lyme disease), 렙토스피라증(leptospirosis), 사르코이드증(sarcoidosis)이 있다. 결핵수막염(tuberculous meningitis)은 1-2주 또는 그 이상에 걸쳐 진행하는 아급성 경과를 보인다. 초기 증상으로 미열, 병감, 두통, 졸음, 혼동과 경부경직이 보인다. 식욕부진이나 체중 감소가 동반되기도 한다. 약 20%에서 뇌신경마비나 시신경 유두부종이 초기에 나타나기도 하며 뇌경색이나 신경근병증(radiculopathy)이 동반되기도 한다.

매독의 경우 무증상 신경매독(neurosyphilis)은 감염 수주에서 수개월 사이에 발생한다. 매독이 중추신경계에 침범하는 것은 대개 일차 감염 2년 이내에 나타나나 수년에서 수개월 후에도 나타날 수 있다. 이때 뇌척수액검사를 시행하면 무증상인 경우에 비하여 백혈구증가나 단백질 증가가 뚜렷하다(백혈구 200-400개/mm³, 단백질 100-200 mg/dL). 후기 신경매독은 매독수막뇌염(syphilitic meningoencephalitis)이나 척수매독(tabes dorsalis)의 형태로 나타난다. 첫 감염으로부터 10-25년 후에 발생하나 2년 내 발병하는 경우도 있다. 초기 증상으로 기억저하와 성격변화로 나타나며 진행 마비가 일어난다.

라임병은 참진드기에 의해 매개되며, 크게 3단계 경과를 거친다. 1기는 피부병터와 전신 증상이 나타나며 이동 홍반이 감염에 노출된 1개월 이내에 발생한다. 두통과 피로감 같은 비특이적인 증상이 동반된다. 2기는 수주에서 수개월 후에 시작되고, 방실전도차단이나 무균수막염, 뇌신경마비 증상을 보일 수 있다. 3기는 신경계 만성 감염으로 첫 감염 후 수개월 이후에 발생하며, 뇌염 증상과 함께 뇌척수병증(encephalomyelopathy), 만성축삭다발신경병(chronic axonal polyneuropathy)이 나타나며 관절염을 보이기도 한다.

7 | 감별 진단

뇌염의 주 진단기준이 의식저하이기 때문에, 의식저하 환자 진료 시 뇌염으로 오인될 수 있는 다른 진단들을 배제하는 것이 필요하다.

1) 전신 감염(Systemic infection)

상기도 감염, 폐렴, 요로감염, 패혈증 등 전신 감염증이 있는 경우 열과 함께 두통이나 의식저하가 동반하는 수막염이나 뇌염을 감별하는 것이 필요하다. 특히 의식저하가 동반되는 경우 뇌척수액검사를 통하여 뇌염 여부를 배제하는 것이 좋다. 하지만 고령에서 고열이 나는 경우 뇌염이 없이도 섬망 등의 증상이 나타날 수 있으며, 뇌척수액검사 시행 전에 이학적 검사 및 영상검사, 혈액 검사, 소변 검사 등을 통하여 다른 발열 원인을 먼저 찾아보아야 한다.

2) 대사 장애

대사 장애는 의식저하를 일으킬 수 있는 가장 흔한 원인으로 초기 진료 시 뇌염으로 오인되기 쉽다. 저혈당, 심한 고혈당, 저산소증, 탈수 혹은 전해질 이상 등을 배제해야 한다.

3) 약물 및 독성 물질

각종 약물 및 독성 물질 또한 의식저하에 원인이 될 수 있으므로 초기 진료 시 자세한 병력 청취를 통하여 이를 배제하는 것이 필요하다. 알코올을 장기간 남용한 환자의 경우 알코올 중단 이후 48시간에서 90시간 경과 후 진전섬망(delirium tremens)이 발생할 수 있다. 또한 benzodiazepine 계통의 약물이나 마약성 진통제 혹은 아편유사제(opioid)도 의식수준의 변화와 급격한 정신병 증상을 보일 수 있어 감별이 필요하다. 또한 비소, 크롬, 납, 수은 등 중금속에 장기간 노출될 경우 두통, 피로감 등 가벼운 증세부터 운동 이상 증세나 의식저하를 일으킬 수 있어서 뇌염과의 감별이 필요하다.

4) 뇌졸중

뇌졸중의 경우 의식저하보다는 국소신경학적 증상이 먼저 나타나는 경우가 많으나, 후방순환(posterior circulation)에서 일어나는 뇌경색이니 기지동맥 침부에 발생하는 뇌경색은 의식저하를 주소로 내원할 경우가 많다. 또한 지주막하출혈(subarachnoid hemorrhage)도 의식저하를 나타낼 수 있으므로 반드시 뇌영상검사를 확인하여야 한다.

5) 뇌전증

뇌전증의 경우 뇌염과 동반되는 일이 많고 진단기준에 들어 있는데다, 의식저하나 의식 소실을 동반할 수 있어, 뇌염으로 인한 발작과 기저질환인 뇌전증에 의한 발작의 구분이 필요하다. 대개 비경련뇌전증지속상태(nonconvulsive status epilepticus)의 경우 이학적 검사나 신경학적 검사만으로는 검출하기 어려운 경우가 있어 뇌파 확인이 필요하다. 또한 환자 병력 청취 시 기존에 뇌전증을 앓고 있던 환자인지 확인하는 것도 감별진단에 도움이 될 수 있다.

참고문헌

1. 대한신경과학회. 신경학. 3판. 서울:범문에듀케이션. 2017
2. Graus F, Titulaer MJ, Balu R, et al. A clinical approach to diagnosis of autoimmune encephalitis. Lancet Neurol 2016;15:391-404.
3. Halperin JJ. Diagnosis and management of acute encephalitis. Handb Clin Neurol 2017;140:337-47.
4. Lee DK. Clinical Approach to Confusion and Delirium in the Elderly. Korean J Clin Geriatr 2014;15:1-8.
5. López-Sánchez C, Sulleiro E, Bocanegra C, et al. Infectious encephalitis: utility of a rational approach to aetiological diagnosis in daily clinical practice. Eur J Clin Microbiol Infect Dis 2017;36:641-8.
6. McKnight CD, Kelly AM, Petrou M, et al. A Simplified Approach to Encephalitis and Its Mimics: Key Clinical Decision Points in the Setting of Specific Imaging Abnormalities. Acad Radiol 2017;24:667-76.
7. Piquet AL, Cho TA. The clinical approach to encephalitis. Curr Neurol Neurosci Rep 2016;16:1-8.
8. Richie MB, Josephson SA. A Practical Approach to Meningitis and Encephalitis. Semin Neurol 2015;35:611–20.
9. Kim OJ. Acute viral encephalitis. J Neurocrit Care 2008;1 Suppl 1:69–77.
10. Sejvar JJ, Kohl KS, Bilynsky R, et al. Encephalitis, myelitis, and acute disseminated encephalomyelitis (ADEM): Case definitions and guidelines for collection, analysis, and presentation of immunization safety data. Vaccine 2007;25:5771-92.
11. Venkatesan. Encephalitis diagnostic criteria from selected published studies.
12. Venkatesan A, Tunkel AR, Bloch KC, et al. Case definitions, diagnostic algorithms, and priorities in encephalitis: Consensus statement of the international encephalitis consortium. Clin Infect Dis 2013;57:1114-28.

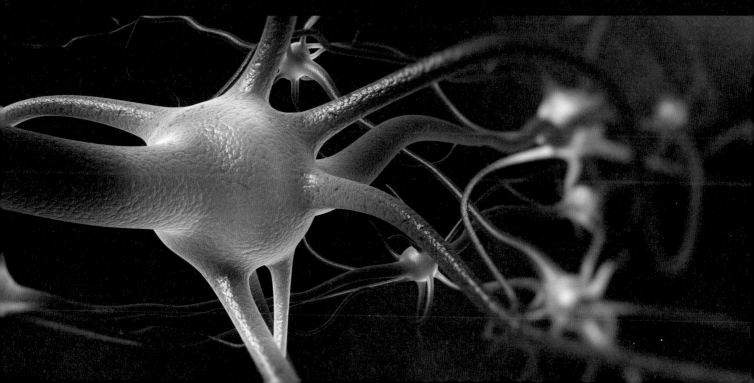

SECTION

4

뇌염의 진단적 접근

ENCEPHALITIS

최승홍

뇌염 진단에서 MRI의 이용
(MRI in the diagnosis of encephalitis)

1 | 뇌농양(Brain abscess)

뇌농양의 자기공명영상(magnetic resonance image, MRI) 소견은 병리학적 소견을 반영하며 시간 경과에 따라 다르게 나타난다. 조기뇌염기(early cerebritis stage, 약 1-5일)에는 국소화가 덜 된 염증세포의 침윤, 여기저기 산재된 괴사, 부종 등이 병리학적 소견이다. 따라서 이 시기의 MRI 소견은 경계가 불명확한 부종과 함께 종괴 효과(mass effect)를 보이고, 조영후 MRI에서는 혈액뇌장벽(blood-brain barrier)의 훼손 정도에 따라 다양한 정도의 불규칙한 모양의 조영증강을 보인다. 만기뇌염기(late cerebritis stage, 약 4-10일)에는 주위에 부종이 증가하고 중심부 괴사 부위가 서로 융합되며 괴사조직 주위에 육아 조직이 생긴다. 교원질 피막은 아직 생기지 않지만 신생 혈관이 생기고 섬유모세포(fibroblast)가 이 부위로 이동하여 어느 정도 기질화(organization)된다. 이때에는 부종과 괴사 부위가 더 커져서 종괴 효과가 더 뚜렷해지고 조영후 MRI에서 불규칙하고 두꺼운 환상조영증강(ring-like enhancement)을 보이게 된다. 성숙피막기는 교원질 피막형성과 함께 약 10-14일부터 시작된다. 육아 조직의 신생 혈관에서 섬유모세포가 생성되고 여기서 교원질 피막이 형성되는데 처음에는 얇고 불완전하지만 2-3주 경과하면서 더 두꺼워진다. 농양피막이 더 성숙함에 따라 주위 부종은 감소하고 피막의 바깥쪽에 신경아교증(gliosis)이 생긴다. 이때에는 피막이 3층으로 구성되는데 1층은 가장 내측의 육아 조직 및 탐식 세포층, 2층은 중간 교원질층, 3층은 바깥 신경교증 층이다. 중심부 괴사 조직은 완전히 액화되어 농(pus)으로 바뀐다. T2강조영상에서는 농양 피막은 동등 신호 강도 혹은 저신호 강도를, 중심부 괴사는 고신호강도를 보인다. 조영후 T1강조영상에서는 종영증강벽이 만기뇌염기에 비해 얇아지면서 평활해진다. 이 피막의 저신호 강도의 정확한 원인은 아직 분명히 밝혀져 있지 않지만, 아마도 활성포식작용(active phagocytosis) 중에 대식세포(macrophages)에 의해서 생긴 활성산소(oxygen free radical)에 의한 것이라는 설이 유력하다. 확산강조영상(diffusion weighted image)은 뇌농양과 종양 내 괴사를 구분하는데 결정적인 도움을 준다. 뇌농양이 확산강조영상에서 고신호강도를 보이며, 확산계수의 감소를 보이는데 반해, 고등급 교종(high grade glioma)이나 전이암 내의 괴사의 경우 확산강조영상에서 저신호강도를 보인다. 이는 뇌농양 내의 점성도(viscosity) 증가와 관련이 있다(그림 1-1).

2 | 결핵종(Tuberculoma)

결핵종은 T1강조영상과 T2강조영상 모두에서 뇌실질과 거의 비슷한 동등 신호 강도를 보인다. 일부의 결핵종은 T2강조영상에서 국소적인 저신호 강도를 보일 수 있는데 이 원인은 아마도 뇌농양에서와 같이 대식세포의 활성포식작용 중에 활성산소가 형성되고 이로 인하여 T2 단축 효과가 생긴 것으로 추측되고 있다.

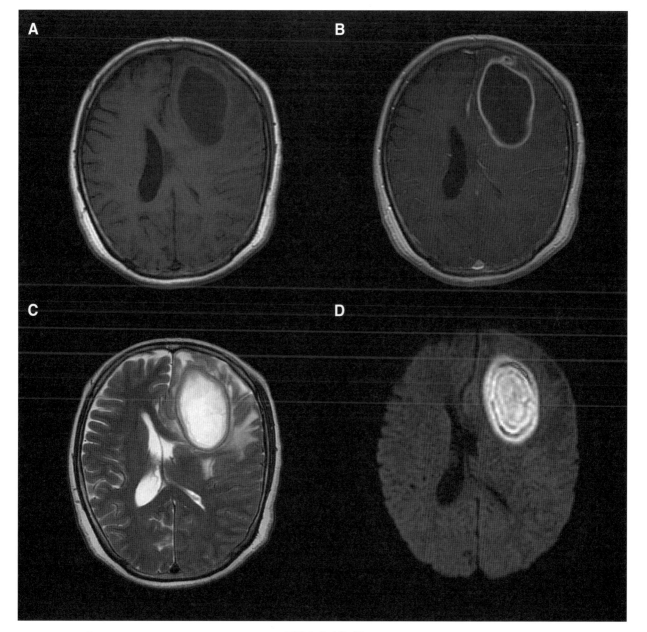

그림 1-1 **뇌농양**

(A) 조영전 T1강조영상에서 좌측 전두엽에 위치한 뇌농양의 외벽에 고신호강도가 보이고 내부는 액화된 농으로 정상 뇌조직보다 저신호 강도이며 주변 뇌에는 부종이 관찰된다. (B) 조영후 T1강조영상에서 좌측 전두엽에 환형 조영증강의 뇌농양이 보인다. (C) T2강조영상에서 농양의 벽은 저신호강도륜 (rim of low intensity)을 보인다. (D) 확산강조영상에서 농양 내부의 농은 고신호강도로 보인다.

조영후 T1강조영상에서 결핵종은 보통 고형성으로 균질하게 혹은 환상조영증강되는 1-3 cm의 결절로 관찰된다. 뇌의 어느 부위에서도 보일 수 있으나 피질-백질 경계 부위에 호발한다. 내부에 건락괴사(caseous necrosis)가 없는 1 cm 이하의 작은 결절인 경우에는 균질한 조영증강을 보이게 되고, 1 cm 이상의 큰 결절에서는 대부분 내부에 건락괴사가 있으므로 이 부분은 조영증강되지 않아 환상조영증강을 보이게 된다. 결핵종의 특징적인 MRI소견의 하나는 조영후 T1강조영상에서 조영증강 되지 않는 중심부의 건락괴사 부위가

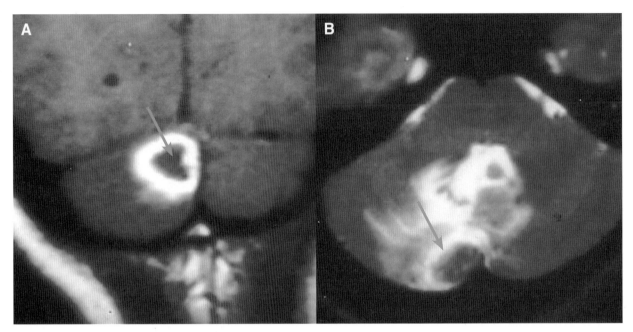

그림 1-2 결핵종
(A) 조영후 관상면 T1강조영상에서 종괴는 강한 조영증강을 보이며, 내부에 조영증강되지 않는 작은 부분(화살표)이 있는데 병리학적으로 건락괴사 부위에 해당한다. (B) T2강조영상에서 우측 소뇌에 부분적인 저신호로 보이는 종괴가 고신호강도의 부종으로 둘러싸여 있다(화살표).

T2강조영상에서 동등 신호 강도 혹은 저신호 강도, 혹은 경미한 고신호강도로 보인다는 것이다(그림 1-2). 또 하나의 특징적인 소견은 환상조영증강을 보이는 결절들이 서로 집합하여 집합결절(conglomerated nodule) 모양으로 나타나는 것이다. 조영증강되는 종괴가 엽상(lobular)으로 보이면서 종괴의 중심부뿐만 아니라 주변부에 비교적 크기가 비슷한 매우 작고 둥근 괴사 부위가 관찰되면 결핵종을 먼저 의심해야 한다.

3 │ 바이러스뇌염(Viral encephalitis)

1) 단순헤르페스뇌염(Herpes simplex encephalitis)

단순헤르페스뇌염은 측두엽, 뇌섬(insula), 전두엽의 안와면 등의 호발 부위에서 T2강조영상에서 고신호강도의 병변이, T1강조영상에서 저신호 강도의 일측성 혹은 양측성으로 보이는 것이 특징적이다. 점상출혈(petechial hemorrhage)도 나타날 수 있는데 흔하지는

않다. 만일 점상출혈이 있으면 T1강조영상에서 국소적인 고신호강도를 보이고, T2강조영상에서는 국소적인 저신호 강도로 나타난다. 조영증강 MRI에서는 조영증강이 대부분 없거나, 있더라도 비특이적인 형태로 나타난다(그림 1-3).

2) 일본뇌염(Japanese encephalitis)

조기의 경미한 병리학적 소견은 MRI에서 발견하기 어렵다. 미만성 뇌부종에 의해 뇌실이 압박되고 T2강조영상에서 대뇌피질, 시상, 뇌간(brainstem)에 다발성 고신호강도 병변을 보인다. 조영증강 영상에서는 조영증강이 없거나 여러 가지 모양의 조영증강 양상을 보일 수 있는데 연뇌막 조영증강, 뇌회전모양(gyriform) 혹은 불규칙한 모양으로 나타날 수 있다.

3) 수두대상포진바이러스뇌염(Varicella zoster virus encephalitis)

수두대상포진바이러스(varicella zoster virus, VZV)는

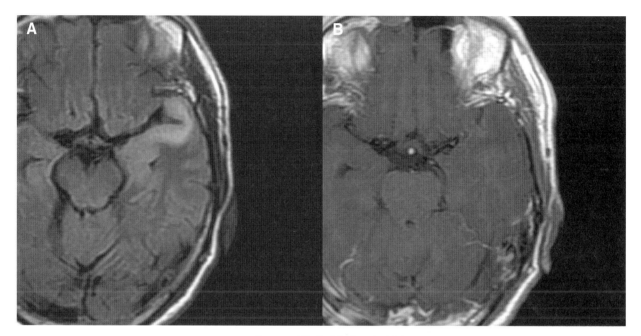

그림 1-3 일측성 단순헤르페스뇌염

(A) FLAIR영상에서 좌측 측두엽에 고신호강도의 병변이 보인다. 단순헤르페스뇌염의 전형적인 위치이다. (B) 조영후 T1강조영상에서는 조영증강이 거의 보이지 않는다.

면역억제환자 특히 림프종을 가진 환자에 잘 생기는 경향이 있는 DNA바이러스이다. 뇌염과 수막염을 일으키고, 뇌의 육아종성혈관염과 관계가 있다고 알려져 있다. 폐쇄성 육아종성혈관염의 소견을 보일 수 있는데, MRI에서는 뇌염 혹은 수막염의 소견(뇌막의 조영증강 등)과 뇌경색의 소견을 보일 수 있다. 혈관염의 부위에 종괴 효과와 뇌실질 조영증강을 보이며 T2강조영상에서 고신호강도를, T1강조영상에서는 저신호강도를 보인다. 드물게 시신경의 경색을 일으키고, 제5뇌신경(삼차뇌신경)을 따라서 두개강 내로 파급되어 단순헤르페스뇌염과 유사한 양상을 보일 수도 있다.

4) 아급성경화범뇌염(Subacute sclerosing panencephalitis)

아급성경화범뇌염은 T2강조영상에서 뇌실주위, 기저핵, 소뇌 및 뇌교 부위에 비특이적인 고신호강도를 보이고 T1강조영상에서는 저신호 강도의 병변을 보인다. 전두엽과 후두엽의 백질내에서 고신호강도가 보일 수 있다. 또한, 양측 측뇌실이 압박되는 미만성 뇌부종의 소견을 보이기도 한다. 만성이 되면 뇌피질과 뇌백질에 심

한 뇌실질의 소실을 보이고 뇌실주변 백질부위에 저신호강도로 보일 수 있다. 보통 조영증강은 되지 않는다.

5) 급성파종뇌척수염(Acute disseminated encephalomyelitis)

급성파종뇌척수염은 주로 대뇌의 피질하백질 혹은 뇌실주위백질에 다발성의 병변이 나타나는데, T2강조영상에서는 다발성의 불규칙한 고신호강도로, T1강조영상에서는 저신호 강도로 보인다. 조영후 T1강조영상에서는 거의 조영증강이 없거나 비특이적인 불규칙한 조영증강이 관찰될 수 있다. 급성기에는 확산 강조 영상에서 확산 제한을 보일 수 있다. 다발경화증에서는 뇌실주변백질에 병변이 더 호발하는데 반하여 이 질환에서는 피질하백질을 더 많이 침범하는 경향이 있으나 양자의 구별은 어렵다.

6) 후천면역결핍증후군(AIDS)

(1) 사람면역결핍바이러스(Human immunodeficiency virus, HIV)뇌염

주요 MRI 소견은 국소적인 백질병변으로 T2강조영상에서 고신호강도를 나타내고 뇌위축을 보인다. 백질병변은 대칭성이거나 비대칭성일 수도 있고, 초점성이거나 미만성으로도 나타나는데 보통 종괴 효과와 조영증강은 없다. 하지만, 진행다초점백질뇌병증(progressive multifocal leukoencephalopathy, PML)과 비교하여, 주로 난형중심(centrum semiovale)과 뇌실주위 백질을 비교적 대칭적으로 침범하는 경향을 보인다. 또한, PML은 대뇌 후부를 주로 침범하는 반면, HIV뇌염의 가장 흔한 병소는 전두엽이다. 이러한 MRI 소견은 병리학적으로 2차적인 탈수초화와 교질화를 반영한다(그림 1- 4).

(2) 진행다초점백질뇌병증(Progressive multifocal leukoencephalopathy, PML)

진행다초점백질뇌병증은 면역 결핍환자에서 발생하는 JC바이러스(JC virus)에 의한 드문 질환으로, AIDS 환자에서 생기는 가장 대표적인 백질병변이다. AIDS 환자에서 HIV뇌염 자체에 의한 백질병변과 2차적인 진행다초점백질뇌병증 혹은 다른 감염에 의한 백질병변을 감별하는 것은 매우 어렵다 진행다초점백질뇌병증의 가장 중요한 소견은 뇌백질에 조영증강이나 종괴 효과는 없이 액체감쇠역전회복영상(fluid-attenuated inversion recovery image, FLAIR) 및 T2강조영상에서 비특이적으로 고신호강도를 보이는 것이다. 하지만, 약 10%의 증례에서 병변의 주변부에서 조영증강을 보일 수 있다. 이러한 병변은 주로 다발성, 양측성이며, 비대칭적인 분포를 보인다.

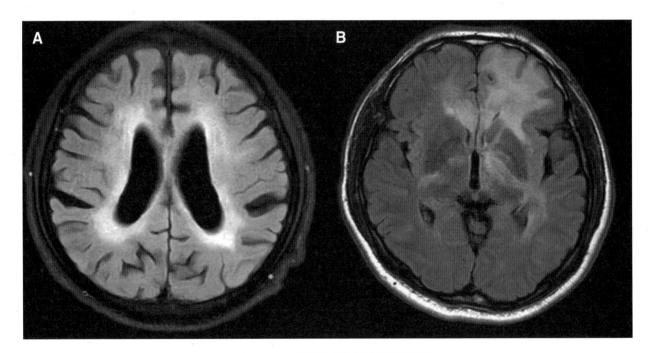

그림 1-4 HIV뇌염 및 진행다초점뇌백질병증

(A) HIV뇌염: FLAIR영상에서 양측 대뇌 중심부백질에 대칭성의 미만성 고신호강도가 관찰된다. 이러한 소견은 병리학적으로 경미한 염증반응과 이차적 탈수초화와 교질화를 반영한다. (B) 진행다초점뇌백질병증: FLAIR영상에서 주로 양측 전두엽의 뇌백질에 비대칭성의 미만성 고신호강도가 관찰된다.

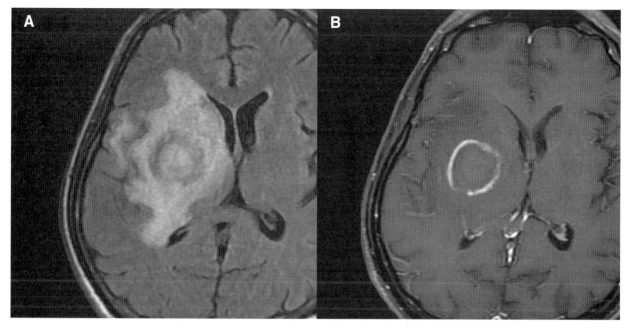

그림 1-5 톡소포자충증
(A) FLAIR영상에서 우측 기저핵에 심한 부종을 동반한 내부에 고신호강도를 그리고 변연부에 저신호 강도를 보이는 병변이 보인다. (B) 조영 후 T1강조영상에서 우측 기저핵병변은 환상조영증강을 보인다.

(3) 톡소포자충증(Toxoplasmosis)

톡소포자충증은 AIDS 환자의 뇌에 발생하는 가장 흔한 기회감염이다. 이 질환은 AIDS 환자의 약 10%에서 그리고 세포면역체계가 저하된 환자에서 잘 생기는 원충류의 기생충 감염이다. 이 질환은 혈전증을 일으킬 수도 있고, 뇌농양의 형태로 나타날 수도 있다. 병변은 기저핵, 피질-수질경계부위, 백질 혹은 뇌실 주변 부위에 잘 생긴다. 선천성 톡소포자충증과 달리 석회화는 흔히 관찰되지 않으며 가끔 출혈이 나타나기도 한다. MRI에서는 병변 자체와 주위의 혈관성 부종으로 인하여 T2강조영상에서 단발성 혹은 다발성의 고신호강도 병변이 보이고 조영후 T1강조영상에서 고형성 혹은 환상의 조영증강이 보인다. 이 병변은 MRI에서 림프종과 잘 감별되지 않는다(그림 1-5).

7) 라스무센뇌염(Rasmussen's encephalitis)

라스무센뇌염은 만성국소뇌염(chronic focal encephalitis)이라고도 알려져 있으며, 굉장히 드문 만성염증퇴행신경질환으로 치료에 잘 듣지 않는 경련과 진행성 신경결손을 야기한다. 증상은 보통 유아기, 6-8세에 시작한다. 원인은 알려져 있지 않으며, 병리상 만성바이러스뇌염의 소견을 보인다. 최근 자가면역질환 이론이 제기된 바 있다. 한쪽 뇌반구를 침범하는 경향이 있으며, 병이 진행하면서 뇌피질 위축(cortical atrophy), 해면형퇴화(spongy degeneration), 그리고 뇌신경 손실(neural loss)을 보이며 활동성 염증은 동반하지 않는다. 초기 MRI 소견은 정상이나 병의 진행에 따라 국소적 혹은 대뇌반구 위축을 보이며, T2강조영상에서 뇌백질과 조가비핵(putamen)에 고신호강도를 보이게 된다.

8) 기타 바이러스성 감염

(1) 거대세포바이러스(Cytomegalovirus, CMV) 감염

CMV 감염은 정상인과 면역억제환자 모두에서 질병을 일으킬 수 있다. 상의(ependymal)와 상의하(subependymal) 부위에 호발한다. 작은머리증(microcephaly), 안구 결손(ocular defect), 난청

(deafness), 큰뇌이랑증(pachygyria) 혹은 작은뇌이랑증(microgyria) 등의 선천성 기형을 일으키기도 하고, 뇌위축, 뇌실 확장, 뇌실 주변 낭종을 일으킬 수 있다.

4 | 진균(fungus) 감염

1) 크립토콕쿠스증(Cryptococcosis)

크립토콕쿠스균(*Cryptococcus neoformans*)은 다당질 피막을 가진 진균으로서 수막염, 수막뇌염(meningoencephalitis), 혹은 육아종을 일으킨다. 이 질환은 면역결핍환자에서 중추신경계 감염을 일으키며, 드물게는 정상인에서도 발생한다. 크립토콕쿠스균은 중추신경계 진균 감염질환 중 가장 흔하며, AIDS환자의 가장 흔한 진균 감염이다. 잠재적인 폐병변으로부터 혈행성으로 전신에 파급되는 것이 보통이다. 중추신경계 크립토콕쿠스증은 AIDS 환자의 약 6-7%에서 생긴다. MRI 소견은 대부분 정상 소견이며, 뇌실질내의 크립토코코마(cryptococcoma): 진균, 염증세포, 아교질 점액질(gelatinous mucoid material) 등으로 구성되며, 중뇌와 기저핵에 주로 나타난다. 또한 Virchow-Robin공간의 확장, 뇌실질과 연뇌막의 다발성 속립성 조영증강 결절, 맥락얼기염(choroid plexitis)의 소견, 즉 측뇌실내 맥락얼기의 비후 및 조영증강이 나타날 수 있다(그림 1-6).

2) 아스페르길루스증(Aspergillosis)

아스페르길루스증은 일반적으로 MRI에서는 T2강조영상에서 고신호강도를 보인다. 하지만 병변의 원발병소가 부비동에 있다면 부비동내의 석회화 혹은 망간축적에 의해 T2강조영상에서 저신호 강도를 보일 수 있다. 접형동내의 아스페르길루스가 인접해 있는 해면정맥동으로 파급하여 해면동내에 종괴를 형성하고 내경동맥을 침범하여 내경동맥의 협착을 일으키기도 한다. 해면동내의 종괴는 특징적으로 T2강조영상에서 저신호 강도를 보인다.

3) 털곰팡이증(Mucormycosis)

털곰팡이증은 부비동의 벽을 따라서 연부조직 비후 혹은 종괴로 나타나고 부비동의 혼탁, 공기액수준, 석회화 음영 및 인두조직면의 소실등으로 나타난다. MRI에서 저신호 강도가 T1 및 T2강조영상에서 나타날 수 있다. 일부에서는 인접 뼈의 파괴도 나타나고 사골동에서부터 안와로 침범하여 안구 돌출과 결막부종(chemosis), 상안정맥의 혈전, 안와의 첨부와 해면정맥동의 혈전증을 일으키고 경우에 따라서는 측두하부위(infratemporal area)와 익구개와(pterygopalatine fossa)로 확산될 수 있다. 이 병은 또한 혈관을 잘 침범하여 혈관염을 일으키는데 동맥류, 가성동맥류, 혈관폐색을

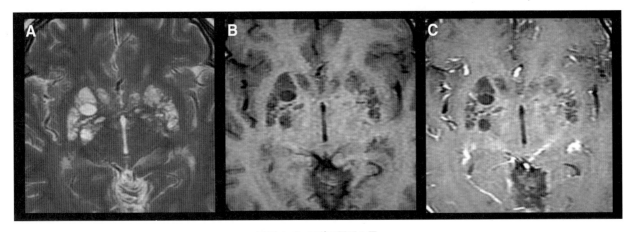

그림 1-6 크립토콕쿠스증
(A) T2강조영상에서 양측 기저핵에 다발성의 고신호강도의 병변이 보인다. (B, C) 조영 후 T1강조영상에서는 병변의 변연부에 일부 조영증강을 보인다.

일으킨다. 특히 내경동맥의 해면정맥동 부위에서 가장 흔하게 나타나나 기저동맥에서도 보인다.

부비동염증에서부터 직접적으로 인접한 두개강내로 침범하면, 두개강내 전두엽 부위에 국소적인 수막염, 뇌염, 뇌농양을 일으키고, 혈관염에 의한 2차적인 뇌경색을 일으킬 수 있다.

4) 기타 진균 감염

노카르디아증(nocardiasis)은 면역결핍상태 특히 스테로이드를 사용하는 환자에서 잘 생긴다. 보통 폐병변으로부터 중추신경계로 혈행성 파급을 하며 뇌농양을 잘 형성하나 수막염은 드물게 발생한다. MRI에서 뇌농양은 다방성(multiple loculation)의 조영증강 피막을 보이는데 이는 비특이적인 소견이다.

칸디다증(candidiasis)은 AIDS가 아닌 환자에서 흔히 생기는 뇌의 진균 감염의 하나로서, 스테로이드 사용하고 있는 백혈구저하 환자에서 잘 생긴다. 이 질환은 호흡기나 소화기 계통의 원발병소에서 부터 혈행성으로 중추신경계에 병을 일으킨다. 칸디다증은 수막염, 경막염(pachymeningitis), 색전뇌경색(embolic cerebral infarction), 농양 혹은 육아종을 일으키고 중대뇌동맥영역에 혈관염이나 혈전증, 이에 따른 2차적인 경색 또는 뇌실질내의 미세 농양이 발생한다. MRI 소견으로는 수두증과 부종을 동반한 조영증강되는 농양이나 육아종성 결절, 석회화된 육아종, 혹은 경색이 나타날 수 있다.

5 | 기생충 질환

1) 낭미충증(Cysticercosis)

낭미충증의 뇌 MRI 소견은 낭미충의 위치, 크기, 수뿐만 아니라 유충의 생존(viability) 혹은 퇴화(degeneration) 여부와 이에 따른 병리조직학적 변화에 따라 다양하게 나타난다. 유충의 위치에 따라 실질형(parenchymal form), 연뇌막형(leptomeningeal form) 및 뇌실형(ventricular form)으로 구분할 수 있는데 이 중에서 다발성으로 존재하는 실질형이 가장 흔하고 그 진단도 가장 용이하다.

뇌실질의 낭미충증은 낭미충의 퇴화과정에 따라 4가지 형태로 나타난다. 제1기는 수포기(vesicular stage)로 낭미충이 살아있는 상태로서, 이 시기의 전형적인 MRI소견은 다양한 크기(보통 1-2 cm), 여러 개의 낭종이 모든 펄스연쇄(pulse sequences) 영상에서 뇌척수액과 같은 신호 강도로 보이며, 약 1-2 mm 크기의 벽결절(mural nodule)이 낭종내벽에서 보이고, 주위 조직의 부종이나 염증 반응은 없는 것이 흔하다. 벽결절은 유충의 두절(scolex)에 해당한다. 제2기는 콜로이드수포기(colloid vesicular stage)로서, 퇴화의 초기단계이다. Praziquantel로 치료를 시작하거나, 수주일~수개월이 지나면 저절로 낭미충이 퇴화하기 시작하는데 이때는 낭종의 내용물이 혼탁해져서 T1강조영상에서 뇌척수액 보다 높은 신호 강도로 나타날 수 있다. 낭미충 벽은 염증 반응으로 인해 두꺼워지고 조영증강을 보인다. 또한 주위 조직에는 심한 부종을 동반한다. T2강조영상에서는 낭종 내용물과 주위 부종은 고신호강도로, 낭종벽과 두절은 동등 신호 강도를 보여 마치 "과녁 모양"을 보이기도 한다. 드물게 낭종 내부에 액층(fluid level)을 보이기도 한다. 제3기는 과립결절기(granular nodular stage)로서, 유충의 퇴화가 더 진행하여 낭종의 내용물이 흡수되어 결절로 나타난다. 이 시기에는 MRI에서 1 cm 내외의 조영증강 결절로 나타나며 조영증강의 중심부에 작은 저신호 강도의 낭성 부분이 남아있는 경우가 대부분이나 고형성 결절로 보이는 경우도 있다. 주위에 부종이 나타나는 경우가 많으며 그 정도도 다양하다. 제4기는 결절석회화기(nodular calcified stage)로서, 말기이다. 이때는 유충이 완전히 퇴화되고, 주위 조직의 염증 반응도 사라지는데 이때는 경미한 신경아교증(gliosis)을 남기거나, 혹은 작은 점상석회화(spotted calcification)를 보인다(그림 1-7).

2) 스파르가눔증(Sparganosis)

가장 특징적인 뇌 MRI 소견으로 다음 3가지를 들 수 있다. 첫째, 광범위한 백질의 저음영 및 동측 인접 뇌실의 확장, 둘째, 불규칙한 모양의 조영증강, 셋째, 점상의 석회화이다. 백질의 저음영과 인접 뇌실 확장은 병리조직학적으로 만성 비가역성 퇴행성 변화 혹은 뇌연화증을 나타내며, 이와 함께 존재하는 석회화 소견

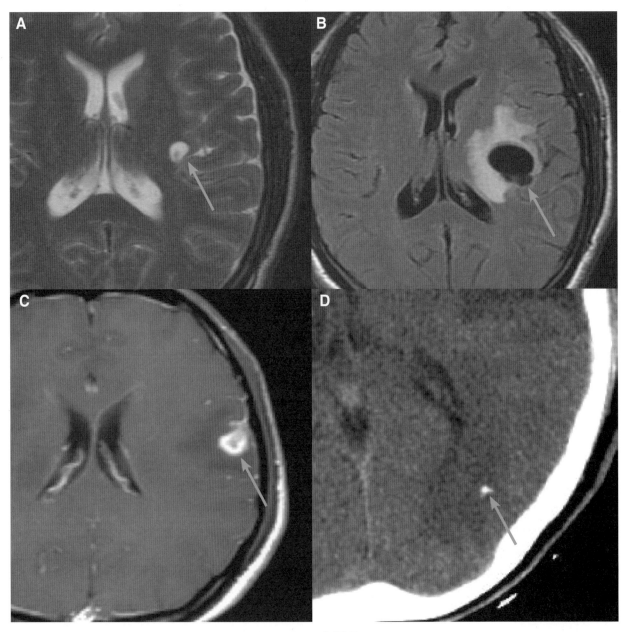

그림 1-7 낭미충증

(A) 수포기: T2강조영상에서 0.5~1.0 cm 크기의 낭미충이 뇌척수액과 같은 고신호강도로 보이며 낭 내부에 두절(scolex)을 보인다(화살표). 이 시기에는 보통 주위 부종과 조영증강이 없다. (B) 콜로이드수포기: FLAIR영상에서 좌측 전두엽에 약 2.5 cm 크기의 낭종이 있으며, 주변부에 부종을 동반하고 있다(화살표). (C) 과립결절기: 조영 후 T1강조영상에서, 낭미충의 신호강도는 뇌척수액과 같으나 낭종벽이 조영증강되는 퇴행초기의 낭미충이다(화살표). (D) 결절석회화기: 조영 전 CT에서 수 mm 크기의 석회화가 좌측 후두엽에 보인다(화살표). 퇴화한 석회화 유충이다.

은 질병의 만성 경과를 의미한다. 조영증강 부위는 활동성 염증이 공존함을 시사하는 소견이다. 저음영 부위가 많은 예에서 광범위하거나, 다발성인 이유는 분명치 않으나, 첫째 유충의 수명이 매우 길며(수년-10년 이상), 둘째, 유충이 뇌 조직 내에서 움직이며, 셋째, 유충이 단백질 분해 효소를 분비하여, 광범위한 뇌백질의 손상을 일으키기 때문인 것으로 추정된다. 추적 영상검사가 결정적인 진단의 단서를 제공할 수도 있는데 MRI에서 결절성 조영증강 병소의 모양과 크기가 변하고 위치가 달라지면 움직이는 충체를 시사하며 스파르가눔증의 가능성이 매우 높다.

3) 뇌폐흡충증(Cerebral paragonimiasis)

MRI소견은 2가지로 활동성 염증 단계와 비활동성 석회화 단계로 나눌 수 있다. 활동성 염증 단계는 감염의 조기에 나타나며, MRI에서 조영제 주입 후에 포도송이 모양의 환상 조영증강이 밀집되어(conglomerate) 나타나는 소견이 특징적이며, 주위에 심한 부종을 동반하며 주위 뇌실이나 뇌조를 압박한다. 시간이 경과하여 비활동성이 되면 포도송이 같이 밀집된 결절 형태 혹은 조개 껍질 형태(또는 비누거품 모양)의 다양한 석회화를 보인다.

4) 톡소포자충증

앞에서 설명하였다.

6 | 비감염성 염증 질환

1) 베흐체트병(Behcet's disease)

MRI에서는 비교적 작지만 다양한 크기의 불규칙한 병변이 주로 뇌간에 나타나는 것이 특징적이나, 기저핵 혹은 양측 대뇌반구에도 나타날 수 있다. 병변은 T1강조영상에서 저신호강도로, T2강조영상에서 고신호강도로 나타난다. 만성인 경우에는 소공경색과 뇌간 및 소뇌의 위축을 보인다. 드물게 출혈도 나타날 수 있다. 조영후 MRI에서 환상조영증강 혹은 결절성 조영증강으로 보이기도 하고 경우에 따라서 종양과 같은 종괴를 나타내기도 한다. 이러한 영상 소견은 병리학적으로 혈관염을 반영하는 것으로 알려져 있다. 일부에서는 정맥혈전증을 동반한다.

2) 자가면역뇌염(Autoimmune encephalitis)

자가면역뇌염은 다양한 자가항체에 의한 염증성 반응으로 발생한다. 전형적으로는 양측 변연계를 침범하지만 뇌의 어느 부위나 병변이 나타날 수 있다. 많은 경우에, 특히 질병의 초기에는 MRI에서 이상 소견이 발견되지 않는다. 조영증강 T1강조영상이 가장 민감한 영상 기법이며, 환자의 반 이상에서 조영증강 병변이 보인다. 양측성으로 변연계를 침범하는 경우가 가장 흔하며, 이때 뇌회질의 두께 증가와 T2 신호 강도

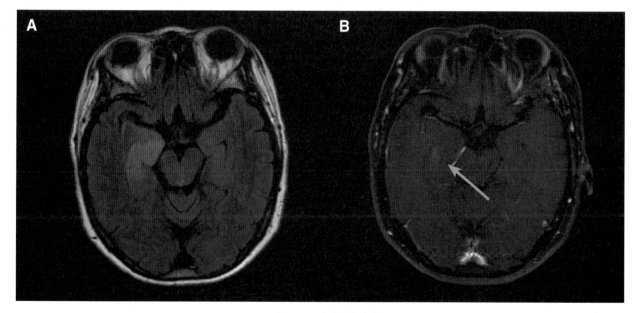

그림 1-8 자가면역뇌염

(A) 소세포폐암 환자로 항-gamma-aminobutyric-acid B (GABA$_B$) 수용체뇌염으로 확진된 환자이다. FLAIR영상에서 우측 내측 측두엽에 고신호 강호를 보이며 부피 증가를 동반한 병변이 있다. (B) 이 병변은 조영 후 T1강조영상에서 국소적인 조영증강을 보인다(화살표).

증가가 보이게 된다. 바깥쪽 측두엽과 뇌섬(insula) 침범은 흔치 않으나 기저핵 침범은 흔히 동반될 수 있다. 출혈이나 확산 제한은 흔하지 않다(그림 1- 8).

참고문헌

1. 장기현, 김인원, 한문희. 신경영상의학. 일조각. 2011.
2. Osborn AG, Hedlund GL, Salzman KL. Osborn's Brain: Imaging, Pathology, and Anatomy. Elsevier Science Health Science; 2 edition (2017).
3. Shih RY, Koeller KK. Bacterial, Fungal, and Parasitic Infections of the Central Nervous System: Radiologic-Pathologic Correlation and Historical Perspectives: From the Radiologic Pathology Archives. Radiographics 2015;35:1141-69.
4. Saini J, Gupta RK, Jain KK. Intracranial infections: key neuroimaging findings. Semin Roentgenol 2014;49:86-98.
5. Kelley BP, Patel SC, Marin HL, et al. Autoimmune Encephalitis: Pathophysiology and Imaging Review of an Overlooked Diagnosis. AJNR 2017;38:1070-78.

변정익

뇌염 진단에서 PET와 SPECT의 유용성
(PET and SPECT in the diagnosis of encephalitis)

뇌염 진단에서 뇌 자기공명영상(magnetic resonance image, MRI)을 통한 뇌실질의 변화를 확인하는 것이 중요하지만, 그 결과가 경미한 이상을 보이거나 정상인 경우가 많다. 양전자방출단층촬영(positron emission tomography, PET)과 단일광자방출컴퓨터단층촬영(single photon emission computed tomography, SPECT)은 뇌의 구조적 이상보다는 기능적 변화를 보기 위한 영상이다. 대부분 뇌의 기능적 변화가 구조적인 변화를 선행하기 때문에, MRI가 정상인 환자에서도 PET 또는 SPECT영상의 이상이 나타나는 경우가 있으며, 이를 통해 뇌염을 조기에 더 민감하게 진단할 수 있다. 빠른 진단을 통한 치료가 뇌염의 예후에 중요한 만큼 PET나 SPECT와 같은 기능적 영상을 통하여 뇌염의 조기진단을 모색할 수 있을 것이다. 다만 경련이 동반될 경우 기능적 영상변화를 나타낼 수 있기 때문에 영상결과는 임상적 상황을 고려하여 해석해야 할 것이다.

1 | 양전자방출단층촬영(Positron emission tomography, PET)

양전자를 방출하는 방사성동위원소를 결합한 약품을 만들어 인체에 주입하면 목표 조직에서 1개의 양전자를 방출하면서 붕괴하게 되는데, 이때 나오는 방사선을 측정하여 위치를 영상화할 수 있다. PET는 2–3 mm 두께로 촬영하여 비교적 공간 해상도가 우수한 장점이 있으며 신호를 정량화하기 용이하다. 가장 많

이 쓰는 방사성동위원소는 F-18불화디옥시포도당(^{18}F-fluoro-2-deoxy-glucose, ^{18}F-FDG)인데, 이는 포도당과 유사하여 포도당 대사가 많은 종양세포와 같은 조직에 모여 방사선을 방출하게 된다. 또한 감염이나 염증이 있을 경우 포도당수송체가 과발현되어 PET 신호가 높게 나타날 수 있다. 뇌에서는 대뇌 신경 접합부의 포도당대사 정도를 확인할 수 있어 대뇌 혈류와 산소 이용률, 즉 뇌대사작용을 평가할 수 있다. 하지만 ^{18}F는 110분, 다른 동위원소인 ^{11}C 등은 20분 내의 짧은 반감기를 가지기 때문에 투여 직전에 사이클로트론을 이용해 만들어야 하는 단점이 있으며, 이에 따라 이용할 수 있는 방사성동위원소의 종류가 제한된다.

전신 ^{18}F-FDG-PET은 신생물딸림증후군(paraneoplastic syndrome)이 의심될 때 종양의 여부를 확인하기 위해 시행하는 경우가 많으며, 뇌까지 확장하여 촬영할 수 있고 뇌염에 따른 특징적인 소견이 보고되었다. 특히 최근 PET/MRI 기기를 이용하여 두 검사를 동시에 시행할 수 있는 시설이 많아지면서 구조적 영상과 기능적 영상정보를 동시에 얻을 수 있게 되었다.

최근 보고에 따르면 자가면역변연뇌염(autoimmune limbic encephalitis)이 의심되는 20명의 환자에서 ^{18}F-FDG-PET/MRI를 시행하였고, MRI 단독으로 이상소견은 그 중 16명에서 관찰되었고, 이 중 9명은 정상 PET소견을 보였으나, MRI와 PET결과를 동시에 보았을 때 19명에서 이상이 나타나 두 검사를 동시에 함으로써 상보적인 기능을 하는 것을 알 수 있었다. 또한 PET검사를 이용하여 전신 스캔을 하였을 때 2명에

서 이상소견이 보였고 그 중 1명에서 종양이 발견되었다는 보고가 있다.

1) 정상 PET 소견

정상적으로 뇌 ^{18}F-FDG-PET은 외측 전전두피질(lateral prefrontal cortex), 시상핵(thalamic nuclei), 꼬리핵(caudate), 조가비핵(putamen), 후측띠다발피질(posterior cingulate cortex), 쐐기앞소엽(precuneus), 가로관자이랑(Heschl's gyrus), 그리고 시각피질(visual cortex)에서 대사가 증가되어 있다. 일반적으로 보기 편하게 이러한 피질, 기저핵을 붉은색, 백질을 녹색, 뇌척수액을 푸른색으로 조장하여 보게 된다.

2) 뇌염 진단에서 ^{18}F-FDG-PET의 유용성

^{18}F-FDG-PET은 경미한 염증도 감지할 수 있다고 알려져 있기 때문에 뇌염 환자에서 MRI보다 조기에 이상이 나타날 수 있으며, 민감도가 더 높다. 일반적인 뇌염에서 ^{18}F-FDG-PET은 기본 뇌 대사작용이 높게 나타나기 때문에 MRI 보다 정확도가 떨어진다고 알려져 있다. 특히 자가면역뇌염(autoimmune encephalitis) 환자에서 그 유용성이 많이 보고되었고, 자가면역변연뇌염의 부가적인 진단기준으로 ^{18}F-FDG-PET 소견이 포함되어 있다. 명확한 자가면역변연뇌염의 진단기준은 (1) 3개월 이내로 발생하는 아급성 증상, (2) 내측두엽 MRI 병변 및 (3) 뇌척수액 또는 뇌파소견을 모두 만족해야 하며, 이중 하나가 만족하지 않는 경우 ^{18}F-FDG-PET에서 대사 증가가 확인된다면 진단할 수 있다. 이를 뒷받침하는 연구결과가 최근까지 계속 보고되고 있다.

전형적으로 자가면역뇌염 환자에서 뇌MRI가 정상인 경우에도 ^{18}F-FDG PET영상에서는 내측두엽에 대사가 증가하게 되며 그 외 다양한 영역에서도 대사 증가 또는 감소가 나타날 수 있다. 자가면역뇌염으로 진단된 61명의 환자에서 증상 발생 4주 이내 시행된 ^{18}F-FDG-PET을 분석하여 Z 점수(Z score) 2.0 이상 나타나는 신호를 이상 있는 것으로 보았을 때 85%에서 이상소견이 관찰된 반면에 MRI는 39%에서만 이상이 관찰되었다. ^{18}F-FDG-PET이상 소견 중 68.8%에서는 대사 저하, 13.1%에서는 대사 증가와 저하가 동시에 관

찰되었고 3.3%에서는 대사 저하만 관찰되었다. 다양한 자가면역 항체가 양성으로 나온 23명의 자가면역뇌염 환자에서도 22명에서 ^{18}F-FDG-PET의 이상이 관찰된 반면에 13명(56.6%)에서만 MRI 이상이 동반되었다.

변연계뿐 아니라 그 외 영역(예: 기저핵, 뇌간, 소뇌 등)의 대사 변화가 나타나는 경우가 있는데 이는 병의 상태 또는 임상증상과 연관성이 있다고 알려져 있다. 기저핵의 대사 변화는 운동증상과 연관되어 있다고 한다. 또한 ^{18}F-FDG-PET은 뇌염의 심각도를 평가하는 데 도움을 주며 면역치료 후 대사가 정상으로 회복되는 것을 확인함으로써 치료효과를 평가하는데 도움을 주기도 한다.

3) 뇌염 특이적인 ^{18}F-FDG-PET 소견.

자가면역뇌염에서 ^{18}F-FDG-PET 신호가 증가, 대사가 증가하는 소견이 대표적이지만, 실제 대사 저하를 보이는 경우가 더 많다는 보고가 있다. 그 기전은 아직 정확하게 알려져 있지 않으나 대사 증가는 염증반응 또는 경련에 의한 것으로, 대사 저하는 항체에 의한 대뇌피질 기능의 저하 또는 구조적 손상에 의한 것으로 알려져 있다. 특히 대사 저하는 수용체내재화(receptor internalization)가 진행되는 항N-Methyl-D-aspartate (NMDA)수용체뇌염에서 특징적으로 나타난다.

뇌염 환자에서 특징적인 ^{18}F-FDG-PET소견에 대한 대규모 연구는 부족한 실정이며, 후향적으로 10여명의 규모의 환자를 대상으로 한 보고가 대부분이다. 그 중 항NMDA수용체뇌염과 항leucine-rich glioma inactivated-1(LGI1)뇌염 사례에 대한 보고가 많다.

(1) 항NMDA수용체뇌염

항NMDA수용체뇌염 환자는 정상 MRI 소견을 보이지만, FDG-PET에서 이상소견이 나타나는 경우가 많으며, 후두엽(특히 내측후두엽)의 대사 저하가 특징적이다. 또한 기타 대뇌 피질, 시상의 대사 저하와 전두엽, 선조체(striatum)의 대사 증가가 보고되었다. 이러한 특성은 증상이 심한 환자에서 뚜렷하게 나타나며, 증상 발생 시기에 따라서 다르게 나타나게 된다. 급성기(증상 발생 5-6주)에는 양측 후두엽 대사 저하와 함께 전두엽, 측두엽, 그리고 기저핵의 대사 증가가 보이고 이

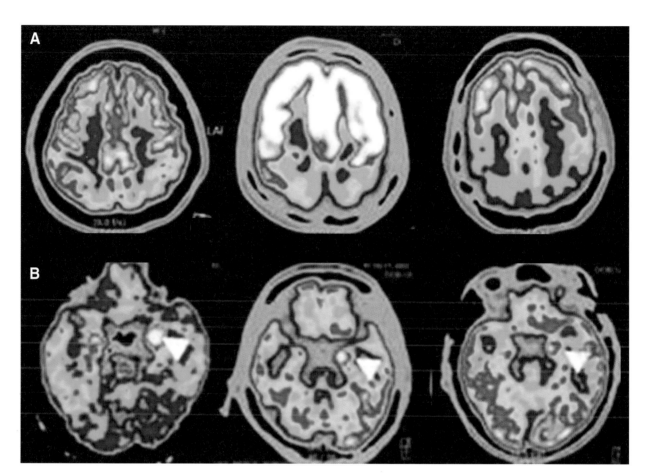

그림 2-1. 자가면역뇌염에서 ^{18}F-FDG-PET 소견
(A) 항NMDA수용체뇌염에서 양측 후두엽의 대사 저하가 나타남. (B) 항LGI1뇌염에서 내측두엽에서 대사 증가가 나타남(화살표 머리).

후 초기 회복기(증상발생 9-13주)에는 전반적인 대뇌피질 대사 저하가, 상대적인 기저핵의 대사 증가가 관찰되며 회복기(증상발생 20주 이상)에서는 정상적인 대사를 보이게 된다. 후두엽 대사 저하가 생기는 이유는 명확하게 밝혀지지 않았으나, 후두엽 쪽에 NMDA수용체가 더 많이 분포되어 있고, 수용체의 내재화에 따른 기능저하로 인한 소견이라는 의견이 있다. 후두엽 대사가 저하되어도 시각증상을 호소하지는 않는다. 또한 항NMDA수용체뇌염에서는 다른 항체 뇌염에서 특징적으로 보이는 내측두엽 대사 증가가 드물게 관찰된다.

(2) 항LGI1뇌염 및 기타 자가면역뇌염

항LGI1뇌염은 전형적으로 내측두엽 대사 증가를 보이게 되며 이러한 소견은 더 심한 질병활성을 시사한

다고 알려져 있다. 반면에 내측두엽 대사가 정상인 항LGI1뇌염의 경우 양호한 예후를 시사할 수 있다. 이러한 특성은 또한 항contactin-associated protein-like 2(CASPR2), 항gamma-aminobutyric acid-B (GABA$_B$)수용체뇌염에서도 관찰된다. 항α-Amino-3-hydroxy-5-methyl-4-isoxazolepropionic acid (AMPA)수용체뇌염의 보고는 많지 않으나 주로 전두엽과 측두엽의 대사 저하가 나타난다는 보고가 있다.

(3) 세포내 항체에 의한 뇌염

초기 신생물딸림뇌염 환자의 72.2%에서 전반적인 뇌대사 저하가 보고되었다. 대부분은 내측두엽 대사 증가가 나타나게 되며 세포독성 T세포에 의한 염증성 변화에 의한 에너지 소비로 인하여 대사 증가가 관찰

될 수 있다고 생각한다. 항Ma2뇌염에서는 뇌간, 간뇌(diencephalon) 대사 변화가 보고되었다. 하지만 아직 특정 항체에 특이적인 소견, 항체 양성 및 음성인 경우에 따른 특성에 대한 연구가 부족한 실정이며, 치료 후 종단연구가 부족하다.

2 | 단일광자방출컴퓨터단층촬영(Single photon emission computed tomography, SPECT)

SPECT는 환자에게 방사성 추적자를 투여한 후 동위원소가 분포된 곳에서 나오는 감마선을 여러 각도에서 감마카메라를 통해 영상화하는 기법이다. 이를 이용하여 뇌관류, 심근관류, 뼈, 신장에 대한 검사를 하게 되며 단층영상을 얻을 수 있어 병소를 비교적 정확히 찾을 수 있는 장점이 있다. 뇌혈류 SPECT는 방사성 추적자로 ^{99m}Tc-hexamethylpropyleneamine oxime (^{99m}Tc-HMPAO) 또는 ^{99m}Tc-ethyl cysteinate dimer (^{99m}Tc-ECD)를 사용하는데, 이들은 크기가 작고, 지용성이어서 혈액뇌장벽(blood-brain barrier)을 자유롭게 통과하기 때문에 주입 1분 내 국소 뇌혈류에 비례하여 뇌조직에 섭취된다. 따라서 뇌혈류량을 반정량적으로 평가할 수 있으며, 국소 뇌관류이상을 확인할 수 있다. 또한 반감기가 6시간으로 길고, 적어도 2시간 이상 뇌조직에 정체되어 있어 핵의학 영상을 시행하는데 시간적 여유가 있기 때문에 PET보다 더 널리 이용 가능하며, 비용도 저렴하다. 뇌염환자에서 SPECT 소견은 제한적으로 보고되었다.

1) 바이러스뇌염

급성바이러스뇌염환자 14명에서 증상 발생 4-11일째 ^{99m}Tc-HMPAO SPECT 검사를 하였을 때 그 중 6명의 단순헤르페스뇌염(herpes simplex encephalitis) 환자에서 측두엽에 신호가 증가되어 있었고 치료 4-10주 후 점차적으로 신호가 감소하는 것이 보고되었다. HMPAO가 손상된 조직에 오래 남아있어 SPECT신호가 증가하는 반면에 ECD를 사용하였을 때는 신호가 감소하는 소견이 보인다. 단순헤르페스뇌염 환자에서 동적 SPECT 결과를 분석한 논문에 따르면 주입 1

분 내 ECD신호가 병변 부위에 증가한 이후 급격히 감소하여 2분째 안정기에는 감소된 상태로 보인다고 한다. 이 기전은 잘 알려져 있지 않으나 저자들은 혈액뇌장벽 손상과 함께 ECD를 대사하는 효소의 결핍으로 인한 결과로 해석하였다. 국내 급성소뇌염(acute cerebellitis) 환자 3명의 SPECT소견 보고에 따르면 정상 MRI에도 SPECT에서는 급성기에 양측 소뇌 혈류가 증가되어 있었으며 5-6개월 후 회복기에서는 혈류가 정상으로 회복된 소견을 확인하였다. 또한 소아 바이러스뇌염 18명의 뇌MRI와 SPECT 영상을 분석하였을 때 MRI에서 22%, SPECT에서는 94%에서 이상이 발견되어 SPECT가 더 민감한 검사방법임을 확인하였다. 또한 이 보고에 따르면 아급성기 SPECT의 혈류변화가 환자의 예후를 결정하는데 유용한 정보를 제공한다고 제시하고 있다.

2) 자가면역뇌염

자가면역뇌염에 대한 SPECT연구는 주로 증례보고 수준에 그치고 있다. 주로 항NMDA수용체뇌염에서 ^{99m}Tc-HMPAO SPECT 결과가 보고되었는데 주로 편측 또는 양측 측두엽과 전두엽 등 부위에 뇌관류 증가가 있었고, 동반되는 경련으로 인한 소견으로 해석하였다. GABA$_A$수용체의 분포를 시각화할 수 있는 ^{123}I-iomazenil SPECT 결과 항NMDA수용체뇌염 환자에서는 신호가 감소해 있는 소견이 보였고, 이것은 면역치료 후 정상으로 회복되어 저자는 항체로 인한 기능적 저하로 인한 결과로 해석하였다. 항LGI1뇌염은 한 사례보고에서 SPECT결과 전두엽과 기저핵의 관류 증가가 관찰되었다.

참고문헌

1. Bacchi S, Franke K, Wewegama D, et al. Magnetic resonance imaging and positron emission tomography in anti-NMDA receptor encephalitis: A systematic review. J Clin Neurosci 2018;52:54-59.

2. Deuschl C, Ruber T, Ernst L, et al. ^{18}F-FDG-PET/MRI in the diagnostic work-up of limbic

encephalitis. PloS one 2020;15:e0227906.

3. Graus F, Dalmau J. Role of (18)F-FDG-PET imaging in the diagnosis of autoimmune encephalitis - Authors' reply. Lancet Neurol 2016;15:1010.

4. Graus F, Titulaer MJ, Balu R, et al. A clinical approach to diagnosis of autoimmune encephalitis. Lancet Neurol 2016;15:391-404.

5. Kasahara H, Sato M, Nagamine S, et al. Temporal Changes on (123)I-Iomazenil and Cerebral Blood Flow Single-photon Emission Computed Tomography in a Patient with Anti-N-methyl-D-aspartate Receptor Encephalitis. Intern Med 2019;58:1501-5.

6. Kataoka H, Inoue M, Shinkai T, et al. Early dynamic SPECT imaging in acute viral encephalitis. J Neuroimaging 2007;17:304-10.

7. Liu J, Li M, Li G, Zhou C, Zhang R. Anti-leucine-rich glioma-inactivated 1 limbic encephalitis: A case report and literature review. Exp Ther Med 2016;11:315-7.

8. Morbelli S, Zoccarato M, Bauckneht M, et al. ^{18}F-FDG-PET and MRI in autoimmune encephalitis: a systematic review of brain findings. Clin Transl Imaging 2018;6:151-68.

9. Kwon OY, Kim JH, Park KJ et al. Tc-99m HMPAO Brain Perfusion SPECT Findings in Acute Cerebellitis. J Korean Neurol Assoc 2002;20:67-9.

10. Probasco JC, Solnes L, Nalluri A, et al. Decreased occipital lobe metabolism by FDG-PET/CT: An anti-NMDA receptor encephalitis biomarker. Neurol Neuroimmunol Neuroinflamm 2018;5:e413.

11. Robasco JC, Solnes L, Nalluri A, et al. Abnormal brain metabolism on FDG-PET/CT is a common early finding in autoimmune encephalitis. Neurol Neuroimmunol Neuroinflamm 2017;4:e352.

12. Solnes, L.B., et al., Diagnostic Value of (18)F-FDG PET/CT Versus MRI in the Setting of Antibody-Specific Autoimmune Encephalitis. J Nucl Med, 2017. 58(8): p. 1307-1313.

13. Morbelli, S., et al., ^{18}F-FDG-PET and MRI in autoimmune encephalitis: a systematic review of brain findings. Clinical and Translational Imaging, 2018. 6(3): p. 151-168.

14. Sokoloff L. The deoxyglucose method for the measurement of local glucose utilization and the mapping of local functional activity in the central nervous system. Int Rev Neurobiol 1981;22:287-333.

15. Trevino-Peinado C, Arbizu J, Irimia P, et al. Monitoring the Effect of Immunotherapy in Autoimmune Limbic Encephalitis Using ^{18}F-FDG PET. Clin Nucl Med 2015;40:e441-3.

16. Wei YC, Tseng JR, Wu CL, et al. Different FDG-PET metabolic patterns of anti-AMPAR and anti-NMDAR encephalitis: Case report and literature review. Brain Behav 2020:e01540.

김동욱

3 뇌염 진단에서 뇌파의 이용
(Electroencephalography in the diagnosis of encephalitis)

1 서론

뇌염(encephalitis)은 뇌 조직의 염증으로 인한 뇌의 기능 이상으로 발생하는 질환이다. 뇌염의 진단은 크게 바이러스, 세균, 진균, 혹은 기생충 등의 감염에 의한 감염뇌염과, 면역 작용에 의한 자가면역뇌염으로 분류할 수 있다. 뇌파(electroencephalography)는 발열이나 의식저하와 같은 임상 양상과 함께 뇌염의 진단에 반드시 필요한 검사이다. 특히 뇌파는 뇌염에서 다음과 같은 이유로 임상적 중요성을 지닌다. 많은 뇌염 환자가 초기에 경련으로 시작되며 또한 뇌염의 경과 중 경련이 발생 빈도가 매우 높다. 뇌염 환자는 뇌염 자체에 의한 대뇌 기능 이상으로 경련의 동반 여부와 상관없이 의식저하인 경우가 많으므로 환자의 경련 진단 및 환자가 비경련뇌전증지속상태(non-convulsive status epilepticus)가 아닌지를 감별하여야 하기 때문에 뇌파가 반드시 필요하다. 뇌파는 컴퓨터단층촬영영술(computed tomography, CT) 혹은 자기공명영상(magnetic resonance imaging, MRI)처럼 뇌의 구조적 이상을 평가하는 영상검사에 비해 진단의 민감도는 다소 떨어지나 환자의 뇌의 기능을 실시간으로 파악할 수 있다는 점에서 질병의 경과 파악에 매우 유용하다. 뇌염 환자는 의식저하로 인해 협조 부족과 동반된 폐렴 등의 내과적 질환으로 인해 CT나 MRI 등의 영상검사가 어려운 경우가 많고, 임상적으로 환자의 상태 파악을 위해 반복적인 영상검사를 시행하는 것은 한계가 있다. 뇌파 혹은 지속적 뇌파검사를 통해 환자의 뇌 기

능 변화를 실시간으로 파악할 수 있다는 점에서 유용성이 큰 검사라고 할 수 있겠다. 뇌염에서의 뇌파 소견은 대개 비특징적인 전반적 혹은 부분적 서파를 보이나, 일부 뇌염에서는 특정 뇌파 소견이 진단에 크게 도움이 될 수 있다. 예를 들어 단순헤르페스뇌염(herpes simplex encephalitis)에서는 뇌염이 있는 부위의 주기예파(periodic sharp wave)의 존재가 진단의 정확도를 높여 주며 항N-methyl-D-aspartate (NMDA)수용체뇌염의 경우 delta brush의 존재가 진단의 정확성을 높이는 데 도움이 된다. 따라서 뇌염의 진단과 치료과정에서 뇌파는 필수적인 검사이며, 뇌염에서의 뇌파의 소견을 알고 있는 것이 환자의 적절한 진단에 크게 도움이 될 것이다.

2 감염뇌염

뇌파는 일반적으로 바이러스뇌염을 진단하는데 반드시 필요한 검사로 판단되나, 그 뇌파 결과는 비특이적인 소견을 보이는 경우가 많다. 일부 바이러스뇌염 이외의 세균, 결핵, 진균뇌염의 경우에도 뇌파에서 질병의 원인 파악에 직접 도움이 되는 특이한 소견을 보이는 경우는 매우 드물다. 일부 연구에서는 뇌염에서 백질을 침범하는 경우 회백질만을 침범하는 경우보다 뇌파의 이상 소견이 국소적으로 관찰된다는 보고가 있으나 임상적 유용성이 큰 것 같지는 않다. 바이러스뇌염에서도 뇌파의 가장 큰 효용성은 원인이 되는 바이

러스의 종류를 파악하는 것이 아니고, 뇌염의 초기에 대뇌 조직의 침범을 빨리 발견하는데 도움을 줄 수 있다는 점이다.

1) 급성바이러스뇌염

뇌파는 바이러스뇌염의 초기에 병변이 뇌조직에 침범했는지를 구분하는데 도움을 주며 뇌영상검사에서 이상소견이 관찰되기 전부터 배경파의 이상소견이 발견될 수 있다. 때로는 뇌조직을 침범하지 않는 바이러스수막염으로과 뇌염의 감별에도 뇌파가 도움이 될 수 있다. 일부 급성기 바이러스뇌염 환자에서 국소적 이상 소견이 나타나기도 하며 이러한 경우 국소적 이상 소견의 범위가 환자의 질병 경과와 잘 연관될 수 있다. 반대로 뇌파에서 국소 이상이 있었던 환자라도 치료 경과 중 급격한 호전을 보인다면 이는 좋은 예후와 흔히 연관된다. 바이러스뇌염의 초기에 경련이 있더라도, 뇌파상 뇌전증모양방전(epileptiform discharge)이 관찰되는 것은 매우 드물며, 바이러스뇌염의 침범 부위 혹은 전반적인 서파가 나타나는 것이 일반적이며, 뇌파의 이상은 임상 소견의 호전 후에도 지속되는 경우가 있다.

2) 단순헤르페스뇌염

단순헤르페스뇌염은 뇌파가 뇌염의 진단에 직접적인 도움을 주는 질환으로, 단순헤르페스뇌염의 80%의 환자에서는 뇌파상 특징적인 이상 소견을 보여 준다. 단순헤르페스뇌염 환자의 뇌파는 배경파(background activity)가 느려지며 특히 단순헤르페스뇌염이 흔히 침범하는 측두엽 부위의 주기예파가 관찰된다. 이러한 이상 소견은 대부분 일시적이며, 질병의 시작부터 보통 2-14일 정도 지속된다(그림 3-1A, 3-1B). 뇌파에서 이러한 이상 소견이 관찰되는 경우 지속적인 뇌파검사가 치료의 경과나 예후 파악에 도움이 된다. 주기예파는 보통 1-4초에 한 번씩 발생하나 소아의 경우 좀 더 빈번한 경우가 있으며 측두엽이 아닌 곳에서도 발견될 수 있다. 만약 임상적으로 단순헤르페스뇌염으로 확진 되었으나 지속적으로 뇌파가 정상이거나 국소 이상 소견이 관찰되지 않는 경우에, 좋은 예후를 보인다(그림 3-1).

3) 기타 뇌염

뇌간을 침범하는 뇌염의 경우, 뇌파는 환자의 의식저하를 나타내는 소견을 보이며, 직접적인 뇌파의 이상 소견은 드물게 나타난다. 이러한 환자에서는 간헐리듬델타활동(intermittent rhythmic delta activity)이 나타날 수 있다. 소뇌를 침범하는 경우 뇌파는 대부분 정상이다. 사람면역결핍바이러스(human immunodeficiency virus, HIV) 감염에 의한 뇌파 소견은 매우 다양하게 나타날 수 있으나, 대부분 비특이적인 뇌파 이상 소견을 나타낸다. 소아에서 주로 발병하는 아급성경화범뇌염(subacute sclerosing panenecephalitis)에서는 전형적으로 4-15초에 한 번씩 나타나는 전반적 주기성 이상파를 나타낸다고 알려져 있다. 결핵뇌염이나 진균뇌염에서도 특징적인 뇌파 소견이 나타나지는 않으나, 임상 경과에 따라 리듬델타활동(rhythmic delta activity)이나 그 외의 비특이적인 뇌파 소견이 관찰될 수 있다(그림 3-2).

3 | 자가면역뇌염

자가면역뇌염 또한, 뇌염의 경과 중 경련이 흔하고, 비경련뇌전증지속상태 등과의 감별이 흔하게 필요하기 때문에 뇌파는 진단에 필수적인 검사이다.

자가면역뇌염에서 뇌파는 감염성 뇌염을 감별하거나, 뇌파상 경련을 감별하고 예후를 판단하며, 일부 자가면역뇌염에서는 진단을 정확하게 하는 데 도움을 준다. 그러나 일반적인 자가면역뇌염에 특징적이라고 알려져 있는 소견은 없고 국소적 혹은 전반적 리듬파형(rhythmic pattern)이 가장 흔한 것으로 알려져 있으며 자가면역뇌염 환자의 약 40%에서 관찰된다고 한다.

항NMDA수용체뇌염 환자에서 경련은 질병의 초기에 나타날 수도 있고 질병의 경과 중 언제든지 나타날 수도 있다. 극단적 delta brush는 항NMDA수용체뇌염에 비교적 특징적인 소견이며 특히 증상이 심한 항NMDA수용체뇌염에서 더 자주 관찰된다(그림 1-2). Delta brush는 다른 자가면역뇌염에서도 관찰될 수 있으나 항NMDA수용체뇌염에 비교적 특이도가 높아 전형적인 delta brush가 나타나는 경우 항NMDA수용체

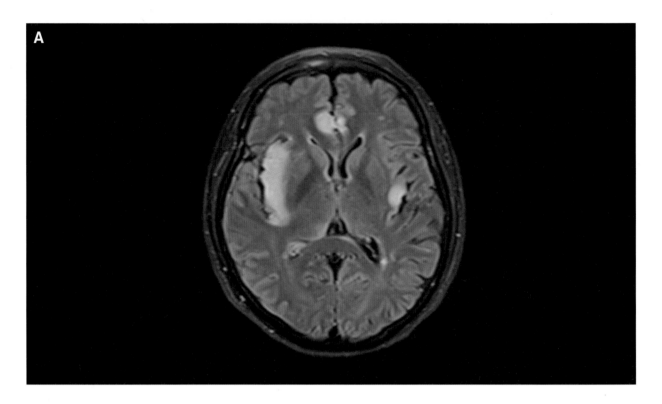

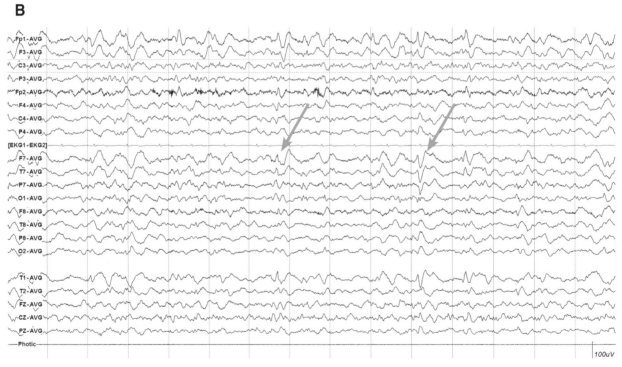

그림 3-1 **단순헤르페스뇌염으로 진단받은 65세 여자 환자**

(A) MRI에서 우측에 더 심한 병변을 보인다. (B) 뇌파에서 우측 대내 반구에서는 서파만 관찰되고, 좌측 대뇌 반구에서 뚜렷한 주기예파(화살표)가 관찰된다.

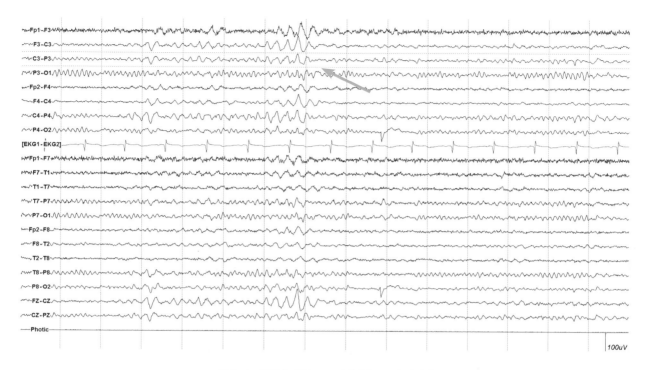

그림 3-2 결핵수막염으로 진단받은 82세 여자 환자

증상이 호전되고 있는 중 전두엽간헐리듬델타활동(frontal intermittent rhythmic delta activity, FIRDA)이 관찰된다(화살표).

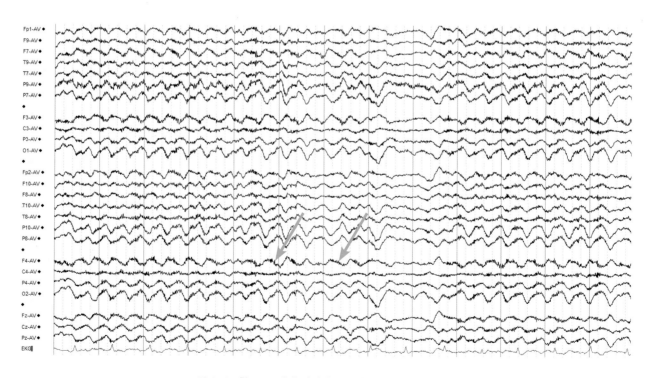

그림 3-3 항NMDA수용체뇌염으로 진단받은 20세 남자 환자

배경파가 느려져 있으며 리듬델타활동에 베타영역 주파수의 리듬활동이 겹쳐진 delta brush가 관찰된다(화살표).

뇌염의 진단을 위한 검사를 더 적극적으로 시행하는 것이 추천된다. 항NMDA수용체뇌염 환자 및 다른 원인의 뇌염 환자에서는 외부 자극에 반응이 없는 기간이 길게 지속되는 경우가 있다. 이러한 환자에서는 지속적인 의식저하가 뇌염 자체에 의한 것인지, 경련이 농반된 것인지 임상적으로 구분이 어려울 수 있으며 지속적 뇌파검사가 감별에 도움이 된다.

뇌전증지속상태는 자가면역뇌염에서 몇 가지 다른 양상으로 나타난다. 뇌전증지속상태는 특히 항 gamma-aminobutyric acid (GABA)-A (GABA$_A$) 혹은 GABA$_B$수용체에 대한 억제 항체를 가지는 자가면역뇌염환자에서 더 빈번히 관찰되며, 이런 환자에서는 수용체에 대한 항체의 역가가 높을수록 뇌전증지속상태의 위험도가 더 올라가고, 면역치료가 아닌 일반적인 항뇌전증약의 반응성이 떨어진다고 알려져 있다. 그러나 항 GABA$_A$/항GABA$_B$수용체뇌염은 그 빈도가 상대적으로 낮아 자가면역뇌염에 의한 뇌전증지속상태의 가장 흔한 원인은 그 빈도가 가장 많은 항NMDA수용체뇌염인 것으로 생각된다.

항leucine-rich glioma inactivated-1(LGI1)항체에 의한 뇌염은 짧은 안면위팔근긴장경련(faciobrachial dystonic seizure, FBDS)을 흔히 일으키며, 이는 다른 자가면역뇌염의 증상이 발생하기 수주에서 수개월 전부터 발생할 수 있어 간혹 이상운동질환으로 오인되기도 한다. FBDS는 특징적으로 한쪽 안면 혹은 팔의 짧은 반복적인 경련이 발생하는 것으로 주로 한쪽에서 발생하나 양쪽에서 발생하는 경우도 있다. 이러한 경련은 짧은 운동 경련이 반복적으로 발생하고 의식 소실은 동반되지 않는 경우가 많으나, 일부 환자에서는 경련의 빈도가 잦아지면서 의식소실이 동반되는 경우도 있다. 짧은 운동 경련인 경우 뇌파에서 특징적인 이상소견은 주로 관찰되지 않고 배경파가 느려지는 정도의 이상 소견만이 관찰되나, 경련이 빈번해 지는 경우 다초점뇌전증모양방전(multifocal epileptiform discharge)이 관찰되는 경우가 보고되었다.

자가면역뇌염에서 경련은 자가면역질환이 활성 상태임을 나타내는 지표이며 적절한 면역치료 없이 항뇌전증약으로만 치료하는 것은 어려운 경우가 많고, 드물게 자가면역질환의 자연 관해가 나타날 수도 있으나 적절한 항뇌전증약 치료와 면역치료의 병행이 필요하다.

참고문헌

1. Lai CW, Gragasin ME. Electroencephalography in herpes simplex encephalitis. J Clin Neurophysiol 1988;5:87-103.

2. Lancaster E. The diagnosis and treatment of autoimmune encephalitis. J Clin Neurol 2016;12:1-13.

3. Moise A, Krakis I, Herlopian A, et al. Continuous EEG findings in autoimmune encephalitis. J Clin Neurophysiol 2020, e-pub

4. Sainio K, Granstrom ML, Pettay O et al. EEG in neonatal herpes simplex encephalitis. Electroenceph Clin Neurophysiol 1983;56:556-61.

5. Schmahmann JD, Sherman JC. The cerebellar cognitive affective syndrome. Brain 1998;121:561-79.

6. Schmitt SE, Pargeon K, Frechette ES, et al. Extreme delta brush: a unique EEG pattern in adults with anti-NMDA receptor encephalitis. Neurology 2012;79:1094-100.

7. Steiner I, Budkar H, Chaudhuri A, et al. Viral encephalitis: a review of diagnostic methods and guidelines for management. Eur J Neurol 2005;12:331-43.

8. Sutter R, Kaplan PW, Cervenka MC, et al. Electroencephalography for diagnosis and prognosis of acute encephalitis. Clin Neurophysiol 2015;126:1524-31.

9. Tenembaum S, Chamoles N, Fejerman N. Acute disseminated encephalomyelitis: a long-term follow-up study of 84 pediatric patients. Neurology 2002;59:1224-31.

10. Titulaer MJ, Dalmau J. Seizures as first symptom of anti-NMDA re¬ceptor encephalitis are more common in men. Neurology 2014;82:550-1.

4

김정민

뇌염 진단을 위한 뇌척수액검사 (Cerebrospinal fluid analysis in the diagnosis of encephalitis)

1 │ 서론

요추천자(lumbar puncture)는 병상에서 비교적 쉽고 안전하게 진행할 수 있는 수기이면서 뇌압을 측정하고 뇌척수액(cerebrospinal fluid)을 채취하기 위해서는 필수적인 검사이다. 임상 현장에서 진단적인 목적뿐만 아니라 요추천자는 치료 목적으로 수행되는 경우도 있는데 척수강 내로 항생제나 항암제를 투여하거나 자가 혈액을 주입하는 경우가 이에 해당한다. 임상 의사가 요추천자를 성공적으로 수행하고 그 결과를 올바로 해석하기 위해서는 검사의 기본 원리와 적절한 수행 순서를 알고 있어야 한다.

2 │ 뇌척수액 순환의 원리와 검사 원리

뇌척수액은 뇌와 척수를 싸고 도는 액체로 정상 성인에서 약 125 mL가 뇌실 및 지주막하공간을 채우고 있으며 중추신경계의 물리적/화학적 완충 작용을 담당한다. 뇌척수액은 하루에 약 500 mL가 뇌실 내 맥락얼기(choroid plexus)에서 생산되고 지주막하공간을 따라 순환하고 지주막과립(arachnoid granulation)에서 흡수된다. 요추천자는 척수 손상 가능성을 최소화하기 위해서 성인에서는 주로 요추 3-4번 또는 4-5번 사이 공간에서 시행하게 되는데 그럼에도 불구하고 뇌의 염증 반응을 반영하는 이유도 바로 이 때문이다.

3 │ 요추천자의 올바른 수행 순서

요추천자 시행 전 신경학적 검진과 필요 시 뇌 영상검사를 시행하여 뇌압 상승에 따른 뇌탈출 위험성은 없는 지 확인한다. 대상 환자는 편한 상태로 옆으로 누워서 진행하거나 또는 바로 앉은 상태에서 진행한다. 누운 상태에서 진행하는 경우가 일반적인데 이는 뇌압 측정이 가능하기 때문이다. 환자는 어깨와 골반을 지면에 수직이 되도록 옆으로 누워서 고개는 숙이고 무릎은 모아 새우등처럼 만드는 자세를 취하게 되는데 이러한 자세는 척추 사이의 공간을 최대한 넓혀 검사가 수월하게 진행될 수 있도록 돕는다. 옆으로 누워 있는 환자의 양쪽 엉덩뼈능선(iliac crest)을 가상으로 이은 선이 4번째 요추를 지나가게 되는데 천자 위치는 주로 요추 3-4번 또는 4-5번 사이로 선정한다. 천자할 부위를 펜이나 손톱으로 눌러서 표시하고 그 주변을 알코올과 베타딘으로 작은 원에서 큰 원 순서로 동심원을 그리며 소독하고 방포를 덮어서 추가 오염을 방지한다. 검사자는 환자의 활력 징후 및 의식 수준을 체크하면서 검사를 진행하며 섬유 조직을 뚫는 느낌이 드는 경우 속심(stylet)을 빼내어 뇌척수액이 흘러나오는지 확인한다. 요추천자에 성공하면 먼저 뇌척수액의 색깔과 투명도를 확인한다. 그 다음 3-way 밸브를 조작하여 압력계(manometer)를 이용하여 뇌척수압력을 측정한다. Queckenstedt[kwek'en-stet] 검사는 뇌척수압력을 측정하고 난 후 양쪽의 경정맥을 손으로 압박하였을 때 압력이 올라가는 모습을 확인하는 검사로서

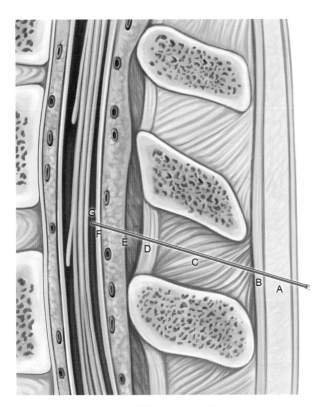

그림 4-1 올바른 요추천자 시 지나가는 구조물 모식도

연조직(soft tissue)(A), 극상인대(supraspinous ligament)(B), 근간인대(interspinous ligament)(C), 황색인대(ligamentum flavum)(D), 후종인대(posterior longitudinal ligament)(E), 경막(dura)(F), 지주막하공간(subarachnoid space)(G)

영상검사 발전이 미미했던 시절에 척수강 내의 폐쇄를 유발하는 구조적인 문제 감별을 위해서 사용되었으나 최근에는 뇌압 상승을 악화시킬 수 있는 잠재적인 위험성을 고려하여 일반적으로 시행하지 않게 되었다. 압력을 측정한 이후에는 다시 3-way 밸브를 조작하여 검체를 채취하는데 생화학 검사, 배양검사, 그리고 세포 검사 순서로 진행한다. 전반적인 과정에서 무균 조작이 필수적임은 아무리 강조해도 지나치지 않다.

요추천자 바늘은 피부 및 연조직(soft tissue)을 통과하여 극상인대(supraspinous ligament), 근간인대(interspinous ligament) 및 황색인대(ligamentum flavum)를 통과하고 후종인대(posterior longitudinal ligament)를 지난다. 이 때 정맥 혈관을 손상시키면 정맥혈이 뇌척수액에 섞이는 외상천자를 초래할 수 있다. 경막(dura)을 통과할 때 특징적인 찢어지는 느낌을 받는다면 속심을 분리하여 뇌척수액이 흘러나오는 지 확인하며 조금씩 전진하면 곧 지주막하공간(subarachnoid space)에 도달하여 요추천자에 성공하게 된다(그림 4-1).

4 | 뇌척수액검사 결과 해석

표 4-1 정상 뇌척수액검사 결과

육안 소견	투명, 무색
개방 압력	50–180 mmH₂O
뇌척수액 양	125–150 mL
뇌척수액 하루 분비량	450–500 mL
비중(specific gravity)	1.006–1.007
적혈구	0
백혈구	1–5/high power field
그람염색(gram stain)과 배양검사	No microorganism
단백질	15–45 mg/dL
포도당	50–80 mg/dL
염화물	115–130 mmol/L
칼슘	1.0–1.40 mmol/L
인	0.4–0.7 mmol/L
마그네슘	1.2–1.5 mmol/L
칼륨	2.6–3.0 mmol/L

1) 육안 소견 및 압력, 세포

정상적인 뇌척수액검사 결과는 표 4-1에 기술하였다. 뇌척수액은 정상적으로는 무색 투명하며 뿌옇게 변해 있는 경우 뇌척수액 내 세포 또는 단백질의 증가에 의한다. 일반적으로 적혈구는 200개/mm³ 이상으로 증가한 경우 뇌척수액이 뿌옇게 변하고 1,000개/mm³ 이상으로 증가한 경우 붉은 빛으로 보인다. 백혈구는 수백 개/mm³ 이상 증가한 경우에 뇌척수액이 그 투명성을 잃고 뿌옇게 보인다. 지주막하출혈과 외상천자(traumatic tap) 감별은 임상 현장에서 중요한데 이른바 3 tube test라 불리는 순차적인 뇌척수액검사를 통해서 적혈구가 감소하는 추세를 보이면 외상천자, 그렇지 않고 균질한 적혈구 증가 분포를 보인다면 지주막하출혈 가능성이 높다. 지주막하출혈인 경우 초기에는 뇌척수액이 적혈구변색(erythrochromia), 그 이후 시간이 갈수록 황색변색(xanthochromia)으로 보일 수 있는데 이는 수시간 후부터 적혈구 용해가 시작되어 주요 색소가 산소혈색소(oxyhemoglobin), 빌리루빈(bilirubin), 메트헤모글로빈(methemoglobin) 순서로 변하기 때문이다. 한편 적혈구와 백혈구, 단백질 비율을 감별에 이용할 수 있는데 정상 혈액은 1000개 적혈구 당 1-2개 백혈구, 1 mg 단백질 비율이 유지되나 지주막하출혈인 경우 척수강 내에서 적혈구가 용해되어 그 비율이 증가하고 외상천자인 경우 유지되는 경향을 보인다. 정상 뇌척수액 개방 압력(opening pressure)은 문헌마다 다르게 기술하나 대체로 100-180 mmH$_2$O 사이이며 소아에서는 30-60 mmH$_2$O 정도로 성인 보다 낮다. 200 mmH$_2$O 이상은 뇌압 상승으로, 50 mmH$_2$O 이하는 뇌압이 정상보다 낮아져 있다고 판단할 수 있다. 정상 뇌척수액에서는 백혈구가 거의 검출되지 않는 것이 원칙으로 백혈구 수치의 상승은 거의 언제나 중추신경계 감염성 질병이나 비감염성 염증 반응을 시사한다. 한편 다양한 질병으로 면역 기능이 저하되어 있는 환자가 아직 면역체계가 정립되지 않은 신생아에서는 중추신경계 감염증이 있어도 백혈구가 정상 수준으로 증가하지 않는 경우도 존재할 수 있어 검사 해석에 주의를 요한다.

2) 단백질

뇌척수액내 단백질은 45-50 mg/dL 혹은 그 이하가 정상 수준인데 혈액 성분의 여과로 구성되는 원리이니 척수강내 오래 머물수록 높아지는 기울기가 형성된다. 세균수막염에서는 맥락막과 뇌수막 관류가 증가하여 단백질 증가가 500 mg/dL에 이를 만큼 현저하게 높아지고 바이러스뇌염인 경우 그 폭이 비교적 낮은 것으로 알려져 있다. 결핵 혹은 진균 감염일 경우 그 증가 폭은 염증 반응의 정도에 비례하여 올라간다. 단백질이 1,000 mg/dL 수준으로 확인되는 경우 뇌척수액 흐름에 장애를 초래하는 구조적인 병변이 존재함을 시사한다. 뇌척수액 단백질의 구성 성분은 알부민이 50-70%를 차지할 만큼 대표적으로 이러한 경향은 혈액의 단백질 구성과 같으나 프리알부민(prealbumin)이 비교적 높은 수준으로 검출되는 것이 혈액과 다른 점이고 중추신경계에 국한된 염증성 질병에서는 면역글로불린G(immunoglobulin G, IgG)가 선택적으로 상승하게 된다. 그 밖에 진단에 도움이 되는 단백질 아형은 프리온병(prion disease)과 관련된 14-3-3단백질(protein 14-3-3), 수막림프종증(meningeal lymphomatosis)과 관련된 베타2마이크로글로불린(β2-microglobulin), 외상 뇌질환을 반영하는 신경특이에놀라아제(neuron specific enolase, NSE), 그리고 신경교종(glioma)에서 증가하는 알파태아단백(α-fetoprotein) 등이 있다.

3) 포도당

뇌척수액의 정상 포도당 농도는 45-80 mg/dL이며 이는 혈액의 약 60-70% 수준에 해당하나 고혈당인 경우 그 비율은 50% 수준으로 감소하고 저혈당인 경우에는 85% 수준으로 상승한다. 세균수막염 환자에서 뇌척수액의 포도당 농도는 감소하게 되는데 그 기전에 대해서는 아직까지 다양한 가설이 존재한다. 전통적으로 세균 혹은 염증세포에 의해 소모되기 때문에 포도당이 감소하는 것으로 여겨졌지만 이러한 가설은 효과적인 항생제 치료 이후에도 비교적 낮은 수준이 1-2주가량 유지되는 현상을 설명하기 어렵다. 이에 최근에는 뇌막의 염증 반응으로 뇌막전달시스템의 왜곡이 발생하여 포도당이 혈장에서 삼출되지 않는 것을 포도당 농도 감소 기전으로 설명한다. 세균수막염인 경우 뇌척수액에서 젖산염(lactate)이 증가하는 경우가 흔한데 이는 백혈구 및 수막세포의 무산소해당작용(anaerobic glycolysis)에 의한다.

4) 도말 검사 및 기타 검사

중추신경계 감염증을 초래하는 의심되는 병원체에 따라서 특정 염색 방법이 필요할 수 있다. 특히 크립토콕쿠스나 결핵에 의한 감염증일 경우 특정한 염색 방법으로 신속한 질병 진단이 가능하나 임상 의사는 위양성 및 위음성 가능성을 염두에 두어야 한다. 악성 종양의 뇌막 침범이 의심되는 경우에는 종양세포를 찾기 위한 세포검사를 진행하는 경우도 있으나 확보된 뇌척수액 내에서 종양세포는 빨리 용해되기 때문에 신속한 검체 가공 및 판독이 필수적이며 역시 위음성이 많다는 사실을 염두에 두어야 한다. 바이러스는 배양검사에서 확인되는 경우는 거의 없고 임상 현장에서는 중합효소연쇄반응(polymerase chain reaction, PCR)이나 항체 검사로 확인하게 되며 일반적으로 PCR은 병원균의 활동이 활발한 감염증의 초기에, 항체는 병원균에 대한 대응 면역 체계가 어느 정도 활성화된 이후 검출 가능성이 높다고 알려져 있다. 뇌척수액은 기본적으로 무균적인 환경이므로 PCR에서 검출되는 병원균은 뇌염의 원인균일 가능성이 높으나 항체인 경우 그 발현 정도 및 항체의 타입에 따라서 해석을 달리 해야 하는 경우가 있다.

5 뇌염 진단을 위한 뇌척수액검사 활용

중추신경계 감염증의 진단 및 그 원인 감별을 위해서는 뇌척수액검사가 필수적이다. 바이러스수막염이나 염증 반응이 심하지 않은 세균수막염인 경우 조영증강을 한 고해상도 MRI에서조차 뚜렷한 이상이 나타나지 않거나 비특이적인 뇌막 신호 증가 정도만을 보이는 경우가 많다. 따라서 중추신경계 감염증 여부를 확인하고 이를 초래한 원인균을 확진하기 위해서는 뇌척수액을 확보해서 배양 또는 염색하는 검사가 필요하다. 세균뇌염 환자는 초기부터 뇌압 상승이 매우 높아져 있고 염증세포 및 단백질의 증가 폭이 높게 나타난다. 염증세포 중 단핵구 위주의 증가가 관찰되며 뇌척수액의 포도당은 크게 감소한다. 바이러스뇌염 환자의 뇌척수액검사는 염증세포의 증가 폭이 세균수막염에 비해서 크지 않고 림프구 위주의 백혈구 증가 소견을 보인다. 그러나 감염증 초기에는 단핵구 위주의 증가가 보일 수 있으니 해석에 주의를 요한다. 단순헤르페스뇌염(herpes simplex encephalitis)인 경우 측두엽 위주의 출혈성 뇌실

질 손상을 유발하여 뇌척수액에서 적혈구 증가 소견이 동반될 수 있다. 일반적으로 단백질 증가 및 포도당 감소는 세균성에 비해 심하지 않다. 결핵수막염은 바이러스뇌염과 유사한 뇌척수액 이상 소견을 보이나 그 시기와 염증 반응 정도에 따라서 초기에는 세균성과 유사하게 염증세포 증가가 나타날 수 있다.

6 요추천자의 합병증

요추천자의 주요 합병증은 천자 부위의 통증, 두통, 어지럼증 및 출혈, 감염으로 대부분 경과 관찰을 하면 호전되나 드물게 생명의 위협을 초래하기도 한다. 뇌압이 뚜렷하게 증가되어 있는 경우, 출혈 경향성이 있거나 항응고제를 복용하는 경우, 천자 부위의 감염증이 있는 경우 천자의 금기에 해당한다. 한편 척추 변형이 심하거나 이전에 척추 수술을 받은 경우, 심각하게 비만인 경우 병상에서 천자를 성공하기 어려운데 엑스선디지털투시검사(X-ray digital fluoroscopy)를 이용하면 그 성공 가능성을 높이고 합병증을 줄일 수 있다.

요추천자의 가장 무서운 합병증은 뇌탈출이다. 뇌압이 크게 상승된 상태에서 요추천자를 하게 되면 압력이 아래로 쏠리면서 뇌간과 소뇌가 큰구멍(foramen magnum)으로 탈출하며 연수가 눌려서 손상되어 호흡부전 및 의식저하로 환자가 사망할 수 있다. 이를 예방

표 4-2 질환별 뇌척수액검사 결과

질병	세포	단백질	포도당	기타
세균감염	백혈구 50개/mm³ 이상	100-250 mg/dL	20-50 mg/dL, 대부분 혈액내 포도당농도의 50% 미만	개방 압력의 현저한 상승; 그람 염색에서 미생물 확인 가능
바이러스, 진균, 스피로헤타감염	백혈구 10-100개/mm³	50-200 mg/dL	정상 또는 약간 감소	개방 압력 상승할 수 있음; 특수 염색 기술 필요
결핵감염	백혈구>25개/mm³, 질병에 상태에 따라서 다양	100-1000 mg/dL	50 mg/dL 미만, 대부분 현저히 감소	개방 압력 상승할 수 있음; 특수 염색 기술 필요
지주막하출혈	적혈구>500개/mm³, 백혈구는 약간 증가	60-150 mg/dL	정상 또는 약간 감소	개방 압력의 현저한 상승
허혈뇌졸중	정상 또는 약간의 백혈구	정상 또는 약간 증가	정상	뇌 부종 시 개방 압력 상승할 수 있음
다발경화증	정상 또는 약간의 백혈구	정상 또는 약간 증가	정상	면역글로불린G 증가 및 올리고클론띠 검출
수막암종증	백혈구 10-100개/mm³	대부분 증가	정상 또는 약간 감소	개방 압력 상승할 수 있음; 종양마커 또는 세포 검사

하기 위해서는 검사를 시행하기 전 환자의 뇌압 상승 징후 여부를 신경학적 검진, 안저검사 그리고 뇌영상 검사를 통해 확인하는 것이 중요하나 요추천자 검사를 요하는 중추신경계 질병들 대부분이 뇌압 상승을 유발할 수 있어 임상 현장에서 딜레마를 초래한다. 결국 검사자는 요추천자를 수행하기 전 만니톨(mannitol) 등을 투여하여 일시적으로 압력을 조절하거나 요추천자를 수행하는 도중에도 뇌압이 어느 정도 수준인지 관찰하고 이에 따른 환자 상태를 살피며 뇌압 상승 정도가 심각하거나 환자의 의식 수준의 변화가 감지되면 즉시 검사를 중단하는 등 융통성 있는 대처가 필요하다.

요추천자 후 두통은 뇌척수액의 소실로 뇌압의 일시적인 저하로 발생하는 두통으로 천자 검사를 받은 환자의 약 1−30%에서 보고되는 가장 흔한 합병증 중 하나이다. 두통은 특징적으로 앉거나 일어설 때 유발되고 누우면 호전되는 체위성 양상으로 발생하는데 시술 이후 발생한 경막 결손으로 뇌척수액이 누출되어 뇌 내압이 하강하게 되면 뇌혈관 및 뇌신경 그리고 상부 경추 신경이 자극되어 통증이 발생한다. 대부분 충분한 수액 공급과 안정을 취하면 호전되나 일부에서는 추가적인 치료가 필요할 수 있다. 환자의 정맥혈을 채취하여 경막 외 공간으로 주입하면 응고인자의 활성화로 요추천자로 뚫린 공간을 막아서 증상을 호전시키는 것으로 알려져 있다. 드물게 반복적인 자가 혈액 패치가 필요한 환자가 있다. 임상 현장에서는 전통적으로 천자 후 두통을 예방하기 위해서 수시간 절대 침상 안정을 권고하는데 반해 이러한 조치는 실제 임상 연구에서는 뚜렷한 효과는 규명하지 못하였다.

그 밖의 요추천자 부작용으로 드물게 표피낭(epidermoid cyst) 발생이 있는데 이는 요추천자 시 속침을 같이 넣어서 진행하지 않으면 피부 조직 일부가 척수강 내로 딸려 들어가 그 속에서 안착하여 발생하므로 천자 시 바늘의 이동 과정에는 반드시 속심을 결합하여 움직이도록 한다.

참고문헌

1. Arevalo-Rodriguez I, Ciapponi A, Roqué i Figuls M, et al. Posture and fluids for preventing post-dural puncture headache. Cochrane Database Syst Rev 2016;3:CD009199.

2. Lin WL, Chi H, Huang FY, et al. Analysis of clinical outcomes in pediatric bacterial meningitis focusing on patients without cerebrospinal fluid pleocytosis. J Microbiol Immunol Infect 2016;49:723-28.

3. Ropper AH, Samuels MA, Klein JP. Adams and Victor's Principles of Neurology, 10th ed. McGraw-Hill Education. p. 13, 2013.

4. Straus SE, Thorpe KE, Holroyd-Leduc J. How do I perform a lumbar puncture and analyze the results to diagnose bacterial meningitis? JAMA 2006;296:2012-22.

문장섭

5 뇌염의 분자유전학 진단검사
(Molecular genetics in encephalitis)

1 서론

분자유전학 검사는 검사대상물로부터 핵산(DNA 혹은 RNA)을 분리하여 염기서열을 분석하는 검사를 말한다. 뇌염을 진단하기 위한 분자유전학 검사는 인간의 유전 정보를 분석하는 것이 아니고, 검체 내에 존재

하는 병원체의 염기서열을 분석하여 병원체 감염 여부를 진단하기 위한 것이다.

통상적인 병원체 진단법(혈청학적 검사, 배양검사 등)으로는 최신 시설을 갖춘 병원에서도 감염성 뇌염의 병원체 진단율이 30−40%에 지나지 않는다. 최근 병원체 진단 분야에서 분자유적학 검사 방법들이 많은 발

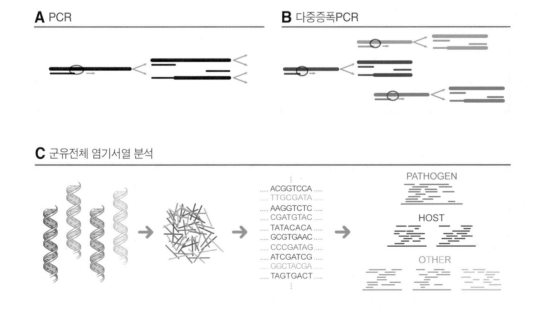

그림 5-1 뇌염 진단에 활용 가능한 분자유적학 검사 방법들

(A) PCR은 검체 내에서 표적으로 하는 특정 염기서열을 검출하는 방법이다. (B) 다중증폭PCR은 여러 가지 표적 염기서열을 동시에 검출하는 방법이다. (C) 군유전체 염기서열 분석은 표적을 몇 개로 한정 짓지 않고 검체 내에 존재하는 모든 핵산을 (증폭하여) 염기서열 분석 시험으로 서열을 분석함으로써 동시에 여러 병원체(예: 세균, 진균, 바이러스 등)를 검출할 수 있는 방법이다. 생물정보 분석(bioinformatic analysis)을 통해 염기서열 결과를 분석하는 단계가 매우 중요하다.

전을 이루었다. 본 장에서는 분자유전학 검사를 통해 뇌염의 병원체를 진단하는 여러 가지 방법에 대해 알아보고자 한다(그림 5-1).

2 병원체별검사(Pathogen-specific testing)

1) 중합효소연쇄반응(Polymerase chain reaction, PCR)

PCR은 병원체 유전체(genome)의 특정 짧은 부위를 증폭하는 방법으로 병원체를 진단한다. 이를 위해 병원체의 잘 보존된(conserved) 염기 서열에 결합하는 프라이머(primer)를 제작하여 활용한다. PCR을 위해서는 먼저 검체로부터 핵산을 추출하여야 한다. PCR은 추출한 DNA에서 바로 진행할 수도 있고, 추출한 RNA로부터 역전사(reverse transcription, RT)를 통해 상보서열을 생성한 뒤 진행할 수도 있다(RT-PCR). RT-PCR은 정량적인 분석을 위해 이용되는 실시간(real-time) PCR과는 구분되어야 한다. 일반적인 PCR은 양성 혹은 음성의 정성적인 결과만을 제공하게 된다.

PCR은 높은 민감도와 특이도를 지니며, PCR 기반 병원체 진단법은 배양이 어려운 병원체를 진단하는데 특히 유용하다. 이에 PCR은 지난 20여 년간 바이러스 뇌염/수막염의 표준진단법(gold standard)으로 활용되었으며, 세균이나 진균 진단에도 활용되어 왔다. 대부분의 PCR은 매우 높은 민감도를 보이지만, 헴분해산물(heme degradation product)같은 억제제(inhibitor)가 검체 내에 포함된 경우 위음성 결과가 나올 수 있으므로 이에 대한 고려가 필요하다. 또한, 실험 과정 중에 오염(contamination)이 발생하면 위양성 결과도 나올 수 있으므로 이에 대한 주의가 필요하다.

(1) DNA바이러스

사람에서 뇌염을 일으키는 DNA바이러스 중 가장 흔한 것은 사람헤르페스바이러스(human herpesvirus, HHV)이다. 대부분의 사람은 어린 나이에 HHV에 감염된다. 초기 감염 시에 뇌염 증상이 발생할 수도 있지만, 대부분의 경우에는 잠복감염 형태로 바이러스가 체내에 존재하고 있다가, 재활성화(reactivation)되면서 뇌염 증상을 일으키게 된다. 이미 대부분의 사람들은 HHV에 대한 항체를 보유하고 있다. 따라서, HHV에 의한 뇌염의 진단은 혈청학적 검사보다는 바이러스의 DNA를 직접 검출하는 PCR 방법으로 진단해야 한다.

① 단순헤르페스바이러스(Herpes simplex virus, HSV)

HSV는 중추신경계 감염을 일으키는 가장 흔한 병원체이다. HSV1은 주로 뇌염을 일으키며 변연계(limbic system)를 흔히 침범하는 것으로 알려져 있고, HSV2는 주로 수막염을 일으키며 재발도 가능한 것으로 알려져 있다. HSV1과 HSV2는 대부분 PCR로 진단을 하게 되며, 각각의 유형에 특이적인 염기서열에 결합하는 프라이머를 검사해야 한다. HSV1의 PCR 진단율에 대해서는 많은 연구가 이뤄져 있으며, 매우 높은 민감도(96-98%)와 특이도(94-99%)를 보이는 것으로 알려져 있다. 다만, 감염 초기 3일 동안에는 민감도가 낮을 수 있다. 미국 감염병학회의 권고 사항에 따르면, 첫 번째 HSV PCR 검사가 음성이어도 임상적으로 의심이 되면, 3-7일 후에 반복 검사를 시행하여야 한다. 반복 검사는 항바이러스 치료제 투약 이후에도 양성이 나올 수 있다. HSV1은 acyclovir 투약 7일 뒤에도 PCR에서 양성이 나올 수 있다고 보고된 바 있다.

② 수두대상포진바이러스(Varicella zoster virus, VZV 혹은 HHV3)

VZV는 1차 감염 시 수두를 일으키고, 재활성화 시 대상포진을 일으키는 바이러스이며, 척수염, 시신경염, 혈관병증, 수막염, 뇌염 등 다양한 신경계 감염증을 일으킬 수 있다. 중추신경계 VZV 감염증은 PCR 혹은 혈청학적 검사로 진단을 하게 된다. 중추신경계 VZV PCR의 민감도는 혈관병증의 경우 30%, 뇌염/수막염의 경우 60%에 이르는 것으로 알려져 있다. 이처럼 민감도의 차이가 심한 이유는 뇌척수액(cerebrospinal fluid, CSF) 내에 바이러스가 출현하는 시기와 신경학적 증상이 발현하는 시기에 차이가 있기 때문인 것으로 이해되고 있다.

③ 엡스타인-바바이러스(Epstein-Barr virus, EBV, HHV4)

EBV는 면역저하 환자에서 뇌염/수막염, 척수염 및 소뇌염을 일으킨다고 알려져 있다. EBV 감염증은 뇌척수액 PCR을 통해 진단하지만, 뇌척수액 내에서 EBV DNA가 검출되었다고 확진을 할 수 없다. 다른 신경염증 반응에서도 EBV 재활성화가 일어날 수 있기 때문이다. 따라서, EBV 감염증을 진단하기 위해서는 혈청학적 검사를 EBV PCR과 함께 시행해야 한다. EBV PCR을 시행해야 하는 중요한 적응증은 면역저하 환자에서 EBV-연관 중추신경계 림프종을 다른 종괴 병변과 감별해야 하는 경우이다. 이 경우 EBV PCR의 민감도는 100%, 특이도는 98.5%이다.

④ 거대세포바이러스(Cytomegalovirus, CMV, HHV5)

CMV는 괴사성 뇌염을 일으킬 수 있는 원인이며, 출혈성 뇌실염, 망막염, 요추부 신경근척추염 등이 동반될 수 있다. 진단은 뇌척수액 PCR로 하게 되며, 면역저하 환자에서 검사의 민감도는 82-100%, 특이도는 86-100% 정도로 알려져 있다.

⑤ 사람헤르페스바이러스6형(Human herpesvirus-6, HHV6)

HHV6은 면역저하환자, 특히 조혈모세포이식을 받은 환자에서 변연뇌염을 일으키는 것으로 알려져 있다. HHV6 감염증의 진단은 PCR을 통해 이뤄지지만 뇌척수액 내에서 HHV6 DNA를 검출하는 것만으로 확진을 할 수는 없다. HHV6 DNA는 증상이 없는 사람의 뇌 조직에서도 74%는 검출이 되며, 뇌척수액 HHV6 DNA 검출의 양성예측도(positive predictive value)는 30%에 그치는 것으로 알려져 있다. 이는 HHV6가 다른 헤르페스바이러스처럼 어린시기에 1차 감염을 일으킨 뒤, 오랜 시간 잠복감염 상태로 있다가, 이후 재활성화를 일으키기 때문이다. HHV6는 다른 헤르페스바이러스와 다르게 인간의 유전체 말단소립(telomere)에 통합(integration)되어 염색체통합HHV6(chromosomally integrated HHV6, ciHHV6)을 형성하는 것으로 알려져 있다. 전체 인구의 1% 정도는 출생 직후에 ciHHV6을 얻는다고 알려져 있는데, 이러한 사람들은 증상이 없는 상태에서도 전신에서 HHV6 발현이

높게 측정된다. 따라서, 뇌척수액 HHV6 PCR이 양성인 경우, 전혈에서 ciHHV6 여부를 확인해야 한다. 이상의 이유로, 뇌척수액 HHV6 PCR의 결과를 해석할 때에는, 임상 양상, 영상의학적 소견 등을 고려하여 종합적으로 판단해야 한다.

⑥ John Cunningham (JC) virus

JC 바이러스는 보통 어린 나이에 감염이 된 뒤, 콩팥에 잠복 감염 형태로 존재한다. JC 바이러스는 AIDS 환자 혹은 natalizumab을 투약 받은 다발경화증 환자 등 면역저하 환자에서 재활성화를 일으킬 수 있다. JC 바이러스에 의한 중추신경계 침범의 대표적인 증상은 의식변화, 국소신경증상, 뇌백질병변 등을 보이는 진행다초점백질뇌병증(progressive multifocal leukoencephalopathy, PML)이다. JC 바이러스는 뇌척수액 PCR에 의해 진단하며, 특이도는 100%를 보이는 반면, 민감도는 58-92%로 다양하다. 그러나, 정상 성인의 55-85%가 JC virus 항체 양성을 보이므로, 혈청학적 검사는 유용하지 않다.

(2) RNA 바이러스

사람에게서 뇌염을 일으키는 RNA 바이러스는 대개 1차 감염 시에 증상을 일으킨다. RNA 바이러스는 잠복감염 및 재활성화를 일으키지 않는다. 일부 RNA 바이러스는 짧은 복제주기로 인해 혈청학적 검사가 진단에 유용하지만, 일부 바이러스는 뇌척수액에서 PCR을 통해 바이러스 RNA를 검출하는 것이 진단에 중요하다.

① 엔테로바이러스(Enterovirus)

엔테로바이러스는 무균수막염을 일으키는 가장 흔한 원인이며, 뇌염도 일으킬 수 있다. 엔테로바이러스 내에는 에코바이러스(echovirus), 콕삭키바이러스(coxsackievirus), 폴리오바이러스(poliovirus) 등 다양한 바이러스가 포함된다. 폴리오바이러스외의 엔테로바이러스들은 바이러스의 5'-말단의 비번역 부위(5'-untranslated region)에 대한 RT-PCR로 진단할 수 있다. PCR은 엔테로바이러스 진단의 민감도와 특이도가 모두 95% 이상인 것으로 알려져 있다. 다만, 엔테로바이러스71(EV71)은 뇌척수액 PCR로 검출이 어려운(민

감도 30% 수준) 것으로 알려져 있다. 엔테로바이러스에 의한 중추신경계 감염이 강하게 의심되지만, 뇌척수액 PCR이 음성인 경우는 호흡기 혹은 대변 검체에서 PCR을 시행해서 진단할 수 있다.

② 광견병바이러스(Rabies virus)

광견병바이러스는 광견병에 걸린 동물에 물린 사람에게 치명적인 뇌염을 일으킨다. 광견병은 뇌조직 혹은 뒷목 머리선(hairline)쪽 피부 조직에서 RT-PCR을 시행하여 진단한다. 추가적으로 침에서 광견병바이러스 RT-PCR을 시행하거나, 뇌척수액 및 혈청에서 혈청학적 검사를 시행해서도 진단할 수 있다. 그러나, 혈청학적 검사는 민감도가 낮거나, 백신 접종을 맞은 경우에는 결과 해석에 혼선이 있을 수 있다.

③ 기타 RNA 바이러스

페레코바이러스(parechovirus)는 소아에서 수막염을 일으키는 바이러스로 RT-PCR을 통해 진단한다. 림프구맥락수막염바이러스(lymphocytic choriomeningitis virus, LCMV)는 쥐에 노출된 사람에게서 수막염/뇌염을 일으키는 바이러스로 RT-PCR을 통해 진단한다. 사람면역결핍바이러스(human immunodeficiency virus, HIV)도 무균수막염, 면역재구성염증증후군(immune reconstitution inflammatory syndrome, IRIS)을 일으킬 수 있으며, 뇌척수액 RT-PCR로 진단이 가능하다. 이 외에 홍역 바이러스(measle virus)와 볼거리바이러스(mumps virus)도 예방접종을 하지 않은 사람에서 뇌염 혹은 수막염을 일으킬 수 있는데, 이들 바이러스도 주로 뇌척수액 혹은 뇌조직에서 PCR을 통해 진단한다.

(3) 세균(Bacteria)

상당수의 세균은 뇌척수액 배양검사를 통해 진단하나, 배양 조건이 까다로운 세균들을 진단하거나 이미 항생제가 투여된 환자의 검체에서 검사를 진행할 때에는 PCR이 유용할 수 있다.

리스테리아모노사이토제네스(Listeria monocytogenes)는 경미하게 면역저하된 환자에서 수막염 및 뇌염을 일으키며, 면역 능력이 있는 사람에게도 마름뇌염(rhombencephalitis) 및 뇌간뇌염(brainstem encephalitis)

을 일으킬 수 있다. 리스테리아는 그람양성균으로 약 30%의 환자에서는 그람염색으로 진단이 가능하다. 뇌척수액 배양검사는 민감도가 높다고 알려져 있지만, 실제 임상상황에서는 40–50% 수준이며, 혈액배양검사도 민감도가 35–60%로 다양하게 보고되어 있다. 따라서, 뇌척수액 리스테리아 PCR이 뇌염 진단의 부가 검사로 유용하게 활용될 수 있다.

폐렴미코플라스마(Mycoplasma pneumoniae)는 무균수막염, 뇌염, 횡단척수염, 급성파종뇌척수염(acute disseminated encephalomyelitis) 및 길랭-바레증후군(Guillain-Barré syndrome)을 일으킬 수 있다. 미코플라스마는 배양이 어렵기 때문에, 뇌척수액 PCR이 진단에 유용할 수 있다.

트로페리마위플레(Tropheryma whipplei)는 휘플병(Whipple disease)을 일으키는 세균으로, 배양을 하기가 매우 어렵다. 보통 휘플병은 십이지장 조직검사 시행 후 파스염색(periodic acid-Schiff stain, PAS)으로 진단하나, 중추신경계 침범을 진단하기 위해서는 뇌척수액 PCR이 필요하다.

WHO 세계보건기구는 결핵균(Mycobacterium tuberculosis)에 의한 수막뇌염의 1차 진단법으로 Xpert MTB/RIF Ultra 검사를 권장하고 있다. 이 검사는 중첩실시간PCR (nested real-time PCR) 방법으로 검체내에 결핵균의 DNA가 존재하는지 검사하고, 존재한다면 rifampin저항결정부위(rifampin-resistance determining region) 내에 돌연변이 여부를 확인하여 rifampin 내성 여부를 진단한다.

3 | 광범위 검사(Broad-range testing)

뇌염을 일으키는 병원체를 앞에서 기술한 방법대로 각각의 병원체를 표적으로 하는 검사 방법만으로 진단하기는 매우 어렵다. 뇌염을 일으키는 병원체 종류는 세균, 진균, 바이러스를 포함하여 수백 가지에 달하기 때문이다. 개별 병원체를 표적으로 하는 진단법은 많은 시간과 자원을 투자해야 하는 것뿐만이 아니라, 뇌척수액은 한 번에 획득할 수 있는 양이 제한되어 있기 때문에 수많은 병원체에 대한 검사를 각각 진행하는 것에는 한계가 있다. 또한, 개별 병원체에 대한 검사를 모두 진행하여도 뇌염/수막염의 병원체를 진단하게 되는 확률은 30-40% 정도에 지나지 않는다. 따라서, 뇌염 병원체를 진단하기 위한 새로운 방법을 개발하고자 하는 노력이 지속적으로 이뤄지고 있다.

1) 다중증폭PCR

다중증폭PCR은 주요 병원체 몇 개를 선정하여 이에 대한 PCR을 복합적으로 시행하는 방법을 말한다. 다중증폭PCR은 단일 병원체에 대한 PCR과 불특정 다수의 병원체에 대한 메타지노믹스 진단법의 중간 역할을 담당한다.

BioFire FilmArray수막염/뇌염패널(BioFire FilmArray meningitis/encephalitis panel)은 중추신경계 감염의 신속 진단을 위한 다중증폭PCR 검사법으로 2015년에 FDA 승인을 받았다. 이 수막염/뇌염 패널은 6개의 세균(*Escherichia coli K1*, *Haemophilus influenzae*, *Listeria monocytogenes*, *Neisseria meningitidis*, *Streptococcus agalactiae*, *Streptococcus pneumoniae*)과 7개의 바이러스(HSV1, HSV2, VZV, CMV, HHV6, 엔테로바이러스, 페레코바이러스), 그리고 1개의 진균(*Cryptococcus neoformans*, *Cryptococcus gattii*)을 검출할 수 있다. 이 수막염/뇌염패널은 뇌척수액 200 μL를 이용해 검사를 진행할 수 있으며, 전용 장비에 의해 핵산 추출, 역전사, PCR 증폭(amplification) 등 모든 실험 과정이 자동화되어 있어, 1시간 이내에 검사 결과를 확인할 수 있다.

최근 이 수막염/뇌염패널 진단법과 기존 진단법(단일 PCR 혹은 배양검사)을 비교한 다기관 연구 결과가 발표되었다. 이 수막염/뇌염패널은 세균 진단에 98%(78/80)의 민감도, 바이러스 진단에 90%(145/161)의 민감도를 보였으나, 진균(*Cryptococcus neoformans* 1종) 진단에서는 52%(26/50)의 민감도를 보이는 데 그쳤다.

BioFire FilmArray 수막염/뇌염패널 외에도 여러 회사들에서 중추신경계 감염증에 대한 다양한 다중증폭PCR 제품을 제공하고 있다. 일부 제품들은 BioFire FilmArray 수막염/뇌염패널보다 더욱 많은 병원체를 동시에 검사할 수 있다는 점을 장점으로 제시하고 있다. 향후, 더욱 간단한 실험 방법으로 더 많은 종류의 병원체를 더욱 신속하게 진단하는 다중증폭PCR 제품이 개발될 가능성이 있다.

이처럼 다중증폭PCR은 검사 방법이 비교적 간단하고, 신속하게 검사 결과를 얻을 수 있다는 큰 장점이 있지만, 기존의 전통적인 진단법을 완전히 대체하지는 못할 것이다. 다중증폭PCR은 일반적으로 가장 흔한 병원체들의 1차적 스크리닝에는 유용하지만, 드문 병원체에 대한 검사 방법으로는 부적절하다. 특히 지역적 발생 특성을 지닌 병원체(예: 보렐리아, 웨스트나일바이러스, 결핵균 등) 혹은 면역저하자에서 발생하는 기회감염균들에 대한 검사는 패널에 포함되기 어려운 측면이 있다. 또한, 헤르페스바이러스의 경우에는 다중증폭PCR로 바이러스가 검출이 되더라도, 급성감염과 만성감염(혹은 재활성화)을 감별하기 어렵다는 단점이 있다.

2) 군유전체 염기서열분석(Metagenomic sequencing)

군유전체 염기서열분석은 염기서열분석을 통해 불특정 다수의 병원체를 한꺼번에 검사할 수 있는 방법으로, 지난 수년간 이를 병원체 진단에 활용하는 연구가 폭발적으로 많이 진행되었다. 군유전체 염기서열분석은 검체 내에 존재하는 핵산을 모두 염기서열분석하고, 생성된 소자 혹은 리드(read) 중 사람의 염기서열에 해당되는 리드를 제외한 나머지를 참조 데이터베이스(reference database)에 비교해봄으로써, 검체내에 존재하는 병원체를 검출하는 방법이다. 군유전체 염기서열분석 라이브러리는 DNA 혹은 RNA로부터 생성할 수 있다. 진핵생물(eukaryote), 박테리아, DNA바이러스는 DNA로부터 생성된 라이브러리로 검출이 가능하지만, RNA 바이러스는 RNA로부터 생성된 라이브러리로만 검출이 가능하다. RNA를 이용한 염기서열분석 라이브러리는, 일반적으로 RNA로부터 상보 cDNA(complementary DNA)를 합성한 뒤 생성한다.

뇌척수액은 정상적으로는 상재균이 존재하지 않는 무균(sterile)상태이고, 인체의 다른 검체에 비해 숙주(host)의 염기서열에 의한 백그라운드(기본적인 비특이 신호)가 매우 적어 군유전체 염기서열분석을 적용하기에 적합한 검체이다. 2014년 Wilson이 원인미상의 뇌염 환자에서 염기서열분석을 통해 신경렙토스피라병(neuroleptospirosis)를 진단한 증례를 발표한 이후, 군유전체 염기서열분석을 활용하여 뇌염의 드문 병원체를 규명한 증례들이 지속적으로 보고되고 있다. 현재까지는 실험실 연구 환경에서 이뤄진 결과들이지만, 일부 증례에서는 군유전체 염기서열분석의 임상적 유용성을 명확히 확인할 수 있다.

군유전체 염기서열분석은 검체에서 얻은 DNA 혹은 cDNA로 바로 라이브러리를 만들어서 진행하는 방식이 있고, PCR 증폭과정을 거친 뒤 진행하는 방식이 있다(그림 5-2).

(1) 표적 앰플리콘 군유전체 염기서열분석(Targeted Amplicon metagenomics sequencing)

검체에서 얻은 DNA 혹은 cDNA 중 관심있는 표적 유전자염기서열(target sequence)을 PCR을 통해 증폭한 뒤 염기서열분석을 진행하는 방법이다. 관심있는 염기서열들만 대량으로 증폭하여 염기서열분석 라이브러리를 제작하기 때문에 염기서열분석결과를 분석할 때에도 기타 염기서열(혹은 숙주 염기서열 host sequence)에 의한 영향을 최소화할 수 있다. 이 방법은 검체 내에 병원체의 염기서열이 매우 적은 양으로 포함되어 있는 경우에도 매우 유용하다.

① 세균 식별을 위한 앰플리콘 염기서열분석(16S rDNA)

세균의 분류 및 동정에 있어서 16S rRNA 유전자(16S rDNA)는 아주 이상적인 분자로 인정받아 널리 이용되어 왔다. 모든 세균은 약 1550 염기쌍(base pair) 길이의 16S rDNA를 가지고 있으며, 이 부분은 모든 세균이 공통적으로 보유하고 있는 염기서열과 각 세균별로 다르게 보유하고 있는 염기서열로 구성되어 있다. 따라서 16S rDNA의 보존 부위에 대한 공통프라이머(universal primer)를 이용하여 PCR로 16S rDNA 부위를 증폭하여 염기서열분석을 진행할 수 있다. 최근에는 모든 세균에 대한 16S rDNA 서열 정보가 데이터베이스에 등록되어 있는데, 염기서열분석을 통해 얻는 염기서열을 이 데이터베이스와 비교(basic local alignment search tool, BLAST)해봄으로써 세균을 동정할 수 있다.

16S rDNA 염기서열분석을 통한 세균 동정 방법은 기존의 통상적인 진단법(그람염색 혹은 배양검사)에 비해 여러 가지 장점을 보인다. 첫째, 16S rDNA 염기서열분석은 배양검사에 비해 신속하고 정확하게 세균을 동정할 수 있다. 둘째, 배양이 불가능하거나 어려운 세균도 16S rDNA 염기서열분석을 통해 동정할 수 있다. 셋째, 여러 종류의 세균에 의한 복합감염의 경우에도 16S rDNA 단일검사로 동시에 동정할 수 있다. 넷째, 배양검사를 통한 진단율이 떨어지는 소량의 검체, 항생제 투약 후 취득한 검체에서도 16S rDNA 염기서열분석은 세균을 동정할 수 있다.

이러한 장점을 바탕으로 세균수막뇌염 및 뇌농양 등에서 16S rDNA 염기서열분석이 임상 진단에 유용할 수 있다는 연구 결과들이 지속적으로 보고되고 있다.

② 진균 식별을 위한 앰플리콘 염기서열분석(ITS1, 18S rDNA, D1/D2 region of 28S rDNA)

세균 동정을 위해 보편적으로 16S rDNA 분석을 시행하는 것과 달리, 진균 동정을 위해서는 여러 부위의 염기서열 분석이 혼용되고 있다. 가장 널리 사용되는 분자는 rDNA의 사이에 존재하는 내부전사간격자(internal transcribed spacer, ITS)이다. 일반적으로 내부전사간격자를 이용한 진균 동정이 가장 정확도가 높은 것으로 알려져 있다. 그러나 진균의 종류에 따라 내부전사간격자 부위의 변이가 심한 경우들이 존재하기 때문에, 18S rDNA 혹은 28S rDNA의 D1/D2 부위 시퀀싱을 통한 동정이 더 정확한 경우도 있다. 따라서 각 진균별로 어느 부위에 대한 염기서열분석이 정확한 동정에 유리한지는 향후 연구가 더 필요할 것이다.

③ 특정병원체 식별을 위한 앰플리콘 염기서열분석

세균이나 진균 전체를 표적으로 하는 것과 달리, 염기서열을 알고 있는 특정 병원체만을 표적으로 증폭하여 염기서열분석을 진행하는 방법도 있다. 마치 유전자 패널 검사에서 관심 대상인 특정 유전자들만을 포착(capture)하고 증폭하여 염기서열분석을 진행하듯이, 군유전체 염기서열분석에서도 특정 병원체의 유전자만 선택적으로 염기서열분석할 수 있다. 이러한 방식으로 뇌염을 일으키는 주요 병원체 몇 개만을 선택적으로 염기서열분석을 해서 검출하는 것이 가능하다.

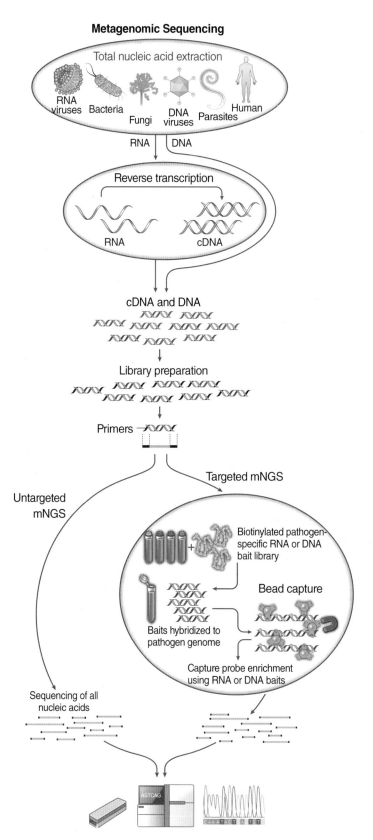

그림 5-2 군유전체 염기서열분석을 통한 병원체 진단 방법

(2) 비표적 군유전체 염기서열분석(Untargeted Shotgun metagenomic sequencing)

이는 검체 내에 존재하는 모든 핵산을 한꺼번에 염기서열분석하여 분석하는 방법이다. 이론적으로는 모든 병원체(예: 세균, 진균, 바이러스 등)에 대한 동정을 한꺼번에 진행할 수 있기 때문에 대상 병원체가 무엇일지에 대한 가설을 세울 필요가 없다(hypothesis-free). 특히 공통염기서열(universal sequence)이 없어 앰플리콘 염기서열분석을 적용하기 어려운 바이러스의 검출에 유용하다. 또한, 이 방법은 통상적으로 고려하지 않는 드문 병원체들을 검출하는 데에 특히 유용하다.

실제로 진단에 어려움이 있던 뇌염 환자들에서 군유전체 염기서열분석을 통해 드문(혹은 신종) 병원체에 의한 감염성 뇌염을 비표적 군유전체 염기서열분석을 통해 진단한 증례들이 지속적으로 보고되고 있다. 그러나, 검체 내에 숙주 DNA가 많이 함유된 경우에는 염기서열분석시험 결과 분석 시 백그라운드 신호로 존재하는 수많은 인간 염기서열 틈에서 병원체의 염기서열을 찾아내는데 많은 어려움이 따른다. 이러한 난관을 극복하기 위해 숙주 DNA를 제거하고 병원체의 DNA를 농축시키고자 하는 여러 방법들이 연구되고 있다. 한편, 검체 내에 핵산의 농도가 너무 낮은 경우에는 무작위 PCR 앰플리콘(random PCR amplification)을 시행한 뒤 염기서열분석을 진행하는 방법도 많이 활용되고 있다.

4 결론

감염뇌염의 병원체를 진단하는 데, 분자유전학 진단 방법은 매우 유용하게 활용되고 있다. 이미 표준 진단법으로 널리 활용되고 있는 PCR과 더불어, 동시에 진단할 수 있는 다중증폭PCR도 널리 활용되고 있다. 최근에는 군유전체 염기서열분석을 이용한 병원체 진단 방법에 대한 연구가 활발히 이뤄지고 있으며, 앞으로 이 방법이 임상에서 활용되는 비중이 점차 증가하게 될 것이다.

참고문헌

1. Brown JR, Bharucha T, Breuer J. Encephalitis diagnosis using metagenomics: application of next generation sequencing for undiagnosed cases. J Infect 2018;76:225-40.
2. Chiu CY, Miller SA. Clinical metagenomics. Nat Rev Genet. 2019;20:341-55.
3. Gutierrez M, Emmanuel PJ. Expanding Molecular Diagnostics for Central Nervous System Infections. Adv Pediatr 2018;65:209-27.
4. Gu W, Miller S, Chiu CY. Clinical Metagenomic Next-Generation Sequencing for Pathogen Detection. Annu Rev Pathol 2019;14:319-38.
5. Houlihan CF, Bharucha T, Breuer J. Advances in molecular diagnostic testing for central nervous system infections. Curr Opin Infect Dis 2019;32:244-50.
6. Kanjilal S, Cho TA, Piantadosi A. Diagnostic Testing in Central Nervous System Infection. Semin Neurol 2019;39:297-311.
7. Moon J, Kim N, Kim TJ, et al. Rapid diagnosis of bacterial meningitis by nanopore 16S amplicon sequencing: A pilot study. Int J Med Microbiol 2019;309:151338.
8. Wilson MR, Naccache SN, Samayoa E, et al. Actionable diagnosis of neuroleptospirosis by next-generation sequencing. N Engl J Med 201419;370:2408-17.
9. Wilson MR, Sample HA, Zorn KC, et al. Clinical Metagenomic Sequencing for Diagnosis of Meningitis and Encephalitis. N Engl J Med 2019;380:2327-40.

김태준

6

자가면역항체
(Autoimmune antibodies)

1 자가면역항체의 개요와 역사

자가면역뇌염(autoimmune encephalitis)의 확진을 할 수 있는 유일한 방법은, 이 병의 병태생리에서 핵심적인 역할을 담당하는 항체(자가면역항체)를 확인하는 것이다. 스크리닝 방법으로 조직기반분석법(tissue-based assay)이 사용되고, 세포기반면역분석법(cell-based immunoassay)이 시냅스 항체 검출에 적용되며, 면역블롯팅(immunoblotting)이 세포 내부의 신생물딸림항체

(paraneoplastic antibody)의 검출에 사용된다. 혈청과 뇌척수액을 모두 사용하는 항체 검사가 필요하며 뇌척수액 검사의 수치는 질병활성도(disease activity)를 일부 반영한다. 임상적으로 자가면역뇌염으로 진단했으나 항체검사는 음성일 수 있다.

자가면역뇌염에 대한 치료로 1980년 면역글로불린정맥주사(intravenous immunoglobulin, IVIg) 요법이 도입되었으며, 그 이후인 1980년대부터 2000년경까지 항Hu, Yo, Amphiphysin을 포함한 많은 고전적인 신생물딸림

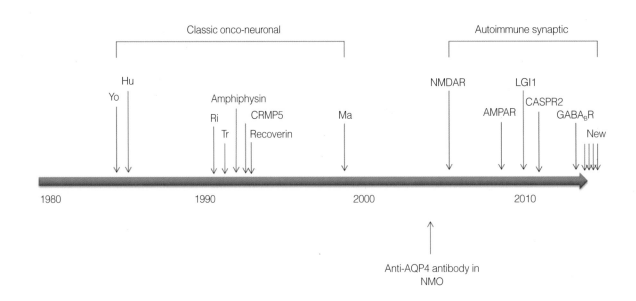

그림 6-1 시간 순서에 따른 자가면역항체 발견

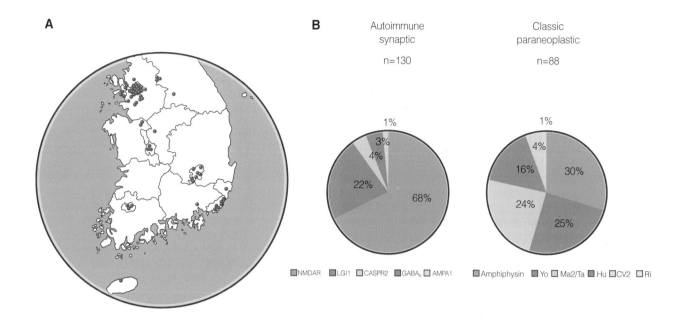

그림 6-2 대한 자가면역시냅스 및 신생물딸림뇌염 레지스트리(KASPER)
(A) 샘플 수집 지역 (B) 검사 결과 항체 빈도

항체가 밝혀졌다. 2000년 이후 항N-methyl D-aspartate (NMDA)수용체, 항α-amino-3-hydroxy-5-methyl-4-isoxazolepropionic acid (AMPA)수용체, 항leucine-rich glioma inactivated 1(LGI1), 항contactin-associated protein-like 2(CASPR2) 및 항gamma-aminobutyric acid-B (GABAB)수용체와 같은 많은 새로운 시냅스 항체가 발견되었다. 과거에는 환자의 증상과 뇌내 국소화에 따라 뇌염을 분류했으나, 여러 항체의 발견 이후에는 항체에 따른 자가면역뇌염의 분류가 일반적이다. 또한 항체의 발견으로 자가면역뇌염의 병태생리가 밝혀지며 근거중심적인 면역치료가 가능해졌다.

한국의 자가면역뇌염항체 검사는 대부분 대한 자가면역시냅스 및 신생물딸림뇌염 레지스트리(Korea Autoimmune Synaptic and Paraneoplastic Encephalitis Registry, KASPER)에서 담당하고 있다. 2012년 6월부터 2015년까지 전국 72개 병원에서 2,500개가 넘는 샘플이 수집되었다. 검사된 총 샘플에서 항체의 양성률은 8.6%로 확인되었다. 가장 흔한 시냅스 항체는 항NMDA수용체항체(68%)에 이어 항LGI1항체(22%)였다. 신생물딸림항체는 항암피피신(amphiphysin), 항Yo, 항Ma2/Ta항체 순이었다.

2 항체의 분류

표 6-1 자가면역항체의 표적 항원의 위치에 따른 분류

위치		알려진 항원 종류들
세포내	신경세포 핵 또는 핵소체	Hu (ANNA-1), Ri (ANNA-2), Ma2/Ta, SOX1
	신경세포질	Yo (PCA-1), Amphiphysin, Tr, PCA-2, glutamic acid decarboxylase (GAD) 65/67, Titin, Recoverin
	아교세포	CV2/CRMP5
시냅스 또는 세포 표면	이온성 통로 및 수용체	NMDA수용체, AMPA수용체, VGCC, Gly수용체, DPPX
	대사성 통로 및 수용체	GABAB수용체, GABAA수용체, mGlu수용체
	세포 외부 시냅스	LGI1
	다른 세포막 구조	CASPR2, AQP4(astrocyte), MuSK, MOG

자가면역항체는 세포에 대한 표적 항원의 위치에 따라 다음과 같이 크게 3가지로 분류할 수 있다. 1) 세포내 항체, 2) 시냅스(또는 세포 표면) 항체 및 3) 임상적인 의미가 불명확한 항체. 각 분류에 따라 종양과의 관련성과 면역 요법에 대한 반응성이 상이하기 때문에 임상적으로 의미가 크다.

세포내 항체는 Hu (ANNA-1), Ri (ANNA-2), Ma2/Ta와 같은 핵 및 Yo (PCA-1), Titin과 같은 세포질 단백질을 표적으로 하는 항체로, 90% 이상의 경우에서 전신 종양과 관련이 있어 신생물딸림뇌염을 일으킨다. 이 환자들에서 뇌염은 CD8$^+$세포독성T세포 매개 반응으로 인한 신경세포 손상으로, 면역 요법에 대한 반응이 좋지 않은 편이다. 동반한 암을 치료해야 신경학적인 호전을 기대할 수 있다.

시냅스항체와 전신 종양과의 관계는 항체에 따라 다양한 편으로 세포내 항체의 경우에 비해 낮다. 이 분류의 항체와 관련한 자가면역뇌염의 병인은 항체 매개 반응이다. 면역 요법에 대한 반응이 좋은 경우가 많다. 시냅스항체에 대한 항원은 보통 시냅스수용체 또는 시냅스단백질복합체의 구성원이다. 항NMDA수용체 항체가 가장 흔하며, 항LGI1항체가 두 번째 빈도를 갖는다. 그 외의 표적 항원은 AMPA수용체, GABA$_A$수용체 및 GABA$_B$수용체, dipeptidyl-peptidase-like protein 6(DPPX), 글리신수용체(glycine receptor)가 확인되었다.

임상적 의미가 불명확한 항체의 전형적인 예는 하시모토뇌병증(Hashimoto encephalopathy)으로, 항갑상선과산화효소항체(anti-thyroid peroxidase antibody, anti-TPO antibody) 양성이지만 항체가 직접적인 병원성이 있지는 않다.

자가면역뇌염에서 확인되는 항체는 병원성 질환 특이적인 면역글로불린G (immunoglobulin G, IgG)이다. IgA나 IgM은 임상적 중요성이 잘 알려져 있지 않다. 예를 들면, 항NMDA수용체 IgM 및 IgA가 조현병 및 기타 정신 질환 환자들과 정상인에서 최대 10%의 빈도로 보고된 바 있다. 하지만 이러한 IgM 및 IgA 반응성은 자가면역뇌염 병리와 진단에 역할이 큰 관계가 없다고 보여진다. 반대로, 조현병 및 기타 정신 질환 환자들에서 항NMDA수용체 IgG항체는 거의 발견되지 않았다.

3 │ 항체 검사 방법

모든 자가면역뇌염 환자들의 약 절반에서 항체 검사 결과가 음성이긴 하나, 항체의 검출은 확진 검사로 의미가 크다. 항체 검사 방법으로는 조직기반분석법, 세포기반면역분석법, 면역블롯의 세 가지 기초적인 연구 기법이 사용된다. 조직기반분석법은 일반적으로 임상에서 잘 사용하지는 않으며, 세포기반면역분석법과 면역블롯기법은 상업적 키트로 가능하여 임상에서 환자 진단에 유용하게 사용한다.

조직기반분석법은 항체 스크리닝 방법이다. 이 방법에서는 해마 및 소뇌와 같은 생쥐 뇌조직 절편을 간접 면역형광기술을 사용하여 환자의 혈청 또는 뇌척수액

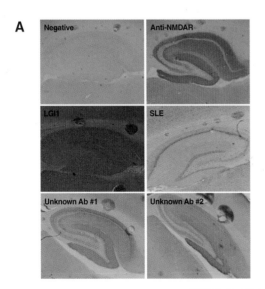
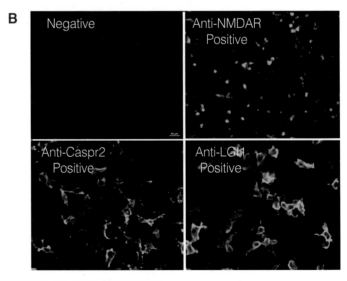

그림 6-3 (A) 조직기반분석법, (B) 세포기반면역분석법

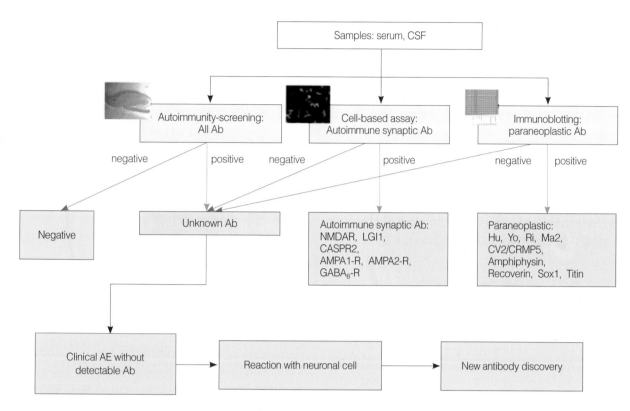

그림 6-4 항체 검사 방법과 과정

으로 염색한다. 이를 통해 기존의 항체뿐만 아니라 알려지지 않은 항체의 여부도 확인할 수 있다.

자가면역뇌염의 항체 검사에서 세포기반면역분석법은 세포 표면 또는 시냅스 항체의 검출에 사용되고 면역블롯은 세포내 항체의 검출에 사용된다. 세포기반면역분석법은 자가면역질환의 진단법으로 비교적 최신의 방법이다. 세포 표면 또는 시냅스 항원에 대한 항체는 보통 항원의 3차원 고유 형태를 인지하므로 세포기반면역분석법을 사용하여 검사하게 된다. 이 방법은 다음 4가지 절차를 포함한다. 표적 항원의 유전 정보를 가진 DNA를 플라스미드에 삽입하고, 이 플라스미드를 벡터 세포에 형질 감염시키고, 벡터 세포와 환자의 혈청 또는 뇌척수액과 반응시킨 후, 간접면역형광기술을 통해 특정 항체를 검출한다.

세포내 신생물딸림항체의 검출에는 면역블롯기법을 사용한다. 면역블롯은 항체를 사용하여 여러 관련이 없는 단백질의 혼합물 중 특정 단백질을 검출하는 방법이다. 항체 진단에 이 기술을 적용할 때에는 다음과 같은 몇 단계를 거치게 된다. 전기영동을 통해 단백질을 분리하고, 막(membrane)으로 단백질을 이동한 후, 막에 일차 항체(환자 검체) 및 이차 항체를 적용하고, 효소나 방사성동위원소를 이용하여 항체 유무를 확인하게 된다.

환자 진단 단계로는 가능하다면 먼저 스크리닝 검사로 조직기반분석을 자가면역뇌염이 의심되는 모든 환자에서 수행한다. 또한 시냅스 및 세포내 특정 항체의 검출을 위해 세포기반면역분석법과 면역블롯을 각각 사용한다. 조직기반분석에서 미지의 항체를 검출하는 경우 알려지지 않은 항체를 확인하기 위한 진단 및 연구 과정으로 배양된 신경세포를 환자 검체로 염색해보고, 액체크로마토그래피 및 질량분광법을 이용할 수 있겠다. 이러한 과정을 종합하면 위 **그림 6-4**와 같다.

4 | 항체의 진단적 접근

항체의 검출이 자가면역뇌염에 대한 최상의 진단 방법이지만, 항체 음성인 자가면역뇌염 사례가 많이 있다.

자가면역뇌염의 치료에는 면역 요법의 조기 적용이 필수적이므로 임상적 소견에 근거한 조기 진단이 중요하다. 자가면역뇌염의 진단에는 항체와 함께 환자의 증상, 뇌파, 뇌 영상, 종양을 모두 종합할 필요가 있겠다. 따라서 진단을 위한 접근법으로는 각 항체 별 대표적인 증상과 검사 결과를 익힐 필요가 있겠으며, 또한 특정 증상에 따른 가능한 항체도 염두에 두어야 하겠다. 특정 항체를 가진 자가면역뇌염 환자에서 주로 관찰되는 증상과 검사 결과는 본서의 자가면역뇌염 파트를 참고하길 바란다. 다음으로 자가면역뇌염의 특정 증상에서 가능한 항체를 나열하면 다음 표와 같다.(표 6-2)

표 6-2 임상 양상에 따른 가능한 표적 항원

Syndrome	구체적 임상 양상	표적 항원
전형적 항NMDA수용체뇌염	운동이상증, 의식저하, 정신이상, 자율신경계 이상	NMDA수용체
변연뇌염	경련, 인지기능 저하, 정신이상	LGI1, AMPA수용체, GABA_B수용체, mGlu수용체, Hu, Ma2/Ta, CV2/CRMP5
소뇌염 (Cerebellitis)	소뇌실조, 어지럼증	Yo, Hu, Tr, Ri, amphiphysin, VGCC, mGlu수용체, GAD
뇌척수염 (Encephalomyelitis)	뇌염 증상과 함께 대소변 장애, 사지 위약	AQP4, Hu, CV2/CRMP5, amphiphysin
강직증후군(Stiff-person syndrome)	근육 강직, 근경직, 근경련, hyperekplexia	GAD, Amphiphysin, Glycine수용체
경축과 근간대경련 동반 진행성뇌척수염 (Progressive encephalomyelitis with rigidity and myoclonus, PERM)	경축, 근간대경련, 뇌간기능 이상, 자율신경계 이상	Glycine수용체
안구간대경련-근간대경련증후군 (Opsoclonus-myoclonus syndrome)	안구진탕, 실조	Ri, Hu, Ma2/Ta, NMDA수용체
모반증후군 (Morvan's syndrome)	신경근육통, 과민증, 체중감소, 불면증, 환각	CASPR2
망막증(Retinopathy)	시야장애, 시력 저하	Recoverin, Hu, CV2/CRMP5

5 | 음성 또는 위양성 항체

자가면역뇌염이 있는 경우에도 항체 검사는 음성일 수 있다. 임상적으로 자가면역뇌염에 해당하나 자가항체검사 결과가 음성인 경우는 세 가지로 해석될 수 있다. (1) 상업적 키트를 이용한 항체 검사는 잘 알려진 주요 시냅스 항체와 세포내 항체를 세포기반면역분석법과 면역블롯을 통해 탐지하는 것이다. 따라서 상업적인 키트에 포함되지 않은 자가항체에 의한 자가면역뇌염의 경우 항체 검사가 음성일 수 있다. (2) 항체 역가가 낮거나 검사 과정의 문제로 실제 존재하는 항체가 검출되지 않는 경우도 드물게 가능하다. (3) 자가면역뇌염의 한 범주인 항체음성자가면역뇌염(seronegative autoimmune encephalitis)의 경우 스크리닝으로 사용하는 조직기반분석을 포함한 모든 검사 결과가 음성일 수 있다. 면역치료제인 rituximab에 반응하는 자가면역뇌염 환자의 44%가 항체 검사 결과 음성이었다는 연구 결과가 항체음성자가면역뇌염의 존재를 뒷받침한다. 항체음성자가면역뇌염의 가능한 이유로는 T세포 위주의 자가면역반응이 자가면역뇌염의 주요 기전인 경우 혹은 인간과 생쥐의 항원의 차이 등을 고려할 수 있다.

대조적으로 위양성 항체도 가능하다. 즉 항체 검사가 양성이라는 것이 꼭 병원성 항체의 존재를 의미하지는 않는다. 소세포폐암과 항Hu항체가 있는 환자 중 일부가 무증상이라는 사실은 잘 알려져 있다. 하시모토뇌병증에서 항TPO항체의 존재는 질병의 진행 과정과 관련이 없다. 자가면역뇌염뿐만 아니라 일반적인 자가면역질환에서 여러 항체가 양성인 경우는 흔하다. 항NMDA수용체 항체는 전형적인 항NMDA수용체뇌염 증상 없이 다발경화증 및 시각신경척수염 환자에서도 발견될 수 있으며, 이는 위양성 항체로 해석된다. 하지만 일부 환자는 항NMDA수용체뇌염 증상과 함께 탈수초성 장애를 함께 가질 수도 있기 때문에, 경우에 따라 환자가 두 개의 신경학적 상태를 모두 갖는지 또는 위양성 항체인지 판단하기 어려울 수도 있어 주의가 필요하다.

참고문헌

1. Esposito S, Principi N, Calabresi P, et al. An evolving redefinition of autoimmune encephalitis. Autoimmun Rev 2019;18:155-63.

2. Graus F, Titulaer MJ, Balu R, et al. A clinical approach to diagnosis of autoimmune encephalitis. Lancet Neurol 2016;15:391-404.

3. Hermetter C, Fazekas F, Hochmeister S. Systematic Review: Syndromes, Early Diagnosis, and Treatment in Autoimmune Encephalitis. Front Neurol 2018;9:706.

4. Kaneko J, Kanazawa N, Tominaga N, et al. Practical issues in measuring autoantibodies to neuronal cell-surface antigens in autoimmune neurological disorders: 190 cases. J Neurol Sci 2018;390:26-32.

5. Lancaster E. The Diagnosis and Treatment of Autoimmune Encephalitis. J Clin Neurol 2016;12:1.

6. Lee SK, Lee ST. The Laboratory Diagnosis of Autoimmune Encephalitis. J Epilepsy Res 2016;6:45-50.

7. Leypoldt F, Wandinger KP, Paraneoplastic neurological syndromes. Clin Exp Immunol 2014;175:336-48.

8. Linnoila J, Rosenfeld M, Dalmau J. Neuronal Surface Antibody-Mediated Autoimmune Encephalitis. Semin Neurol 2014;34:458-66.

9. Ricken G, Schwaiger C, De Simoni D, et al. Detection Methods for Autoantibodies in Suspected Autoimmune Encephalitis. Front Neurol 2018;9:841.

10. Shin YW, Lee ST, Park KI, et al. Treatment strategies for autoimmune encephalitis. Ther Adv Neurol Disord 2017;11:1756285617722341.

11. Zuliani L, Zoccarato M, Gastaldi M, et al. Diagnostics of autoimmune encephalitis associated with antibodies against neuronal surface antigens. Neurol Sci 2017;38:225-9.

 이순태

7

뇌염의 병리 진단
(Pathologic diagnosis of encephalitis)

1 | 뇌 생검(Brain biopsy)의 목적

뇌염 환자에서 뇌 생검을 하는 이유는 감별 진단과 치료 타겟 설정이다. 뇌염에서 감별해야 하는 질환은 매우 광범위하다(표 7-1). 이러한 질환의 감별이 뇌 생검을 통한 병리 분석으로 모두 가능한 것은 아니며, 임상 양상, 뇌자기공명영상(magnetic resonance imaging, MRI), 혈청과 뇌척수액검사 등 광범위한 검사를 시행하여, 이를 통해 뇌염의 원인을 추정해 나가야 한다.

뇌 생검을 시행하는 경우는 크게 두 가지이다. 첫 번째로, 경험적 치료를 시도하였음에도 치료의 반응이 없는 경우 생검을 선택할 수 있다. 두 번째로. 조직병리검사를 통해 진단을 내리고, 치료의 방향을 결정해야 하는 경우가 있다. 특히, 림프종 등 종양성 병변이 의심되는 경우, 원발중추신경계혈관염(primary angiitis of the central nervous system, PACNS)이 의심되는 경우가 그러하다. 하지만 이러한 경우에도 경험적 치료를 시도해 보고 치료에 반응을 살펴본 뒤, 반응이 없는 경우 뇌 생검을 시행하는 방법을 고려할 수 있다.

표 7-1 뇌염에서 감별해야 하는 질환

바이러스	단순헤르페스바이러스1/2형(herpes simplex virus, HSV1/2)
	수두대상포진바이러스(varicella zoster virus, VZV)
	엡스타인-바바이러스(Epstein–Barr virus)
	엔테로바이러스71(entrerovirus71)
	거대세포바이러스(cytomegalovirus)
	볼거리뇌염(mumps encephalitis)
	일본뇌염(Japanese encephalitis)
	홍역(measles) 아급성경화범뇌염(subacute sclerosing panencephalitis)
	미코플라스마(mycoplasma)
	John Cunningham (JC) 바이러스 진행다초점백질뇌병증(progressive multifocal leukoencephalopathy)
	사람면역결핍바이러스뇌염(human immunodeficiency virus encephalitis)
세균	리스테리아뇌염(listeria encephalitis)
	세균뇌염(bacterial encephalitis)
	결핵뇌염(tuberculosis encephalitis)
	진드기매개뇌염(tick–borne encephalitis)
	세균심내막염(bacterial endocarditis)
	신경매독(neurosyphilis)
	보렐리아증(borreliosis) 라임병(Lyme disease)
기타 감염성	아스페르길루스증(aspergillosis) 털곰팡이증(mucormycosis) 칸디다증(candidiasis) 대뇌크립토콕쿠스증(cerebral crytococcosis)
	크로이츠펠트–야콥병(Creutzfeldt–Jakob disease)
	아메바수막뇌염(amebic meningoencephalitis)
	기생충(parasites)

자가면역	자가면역뇌염(autoimmune encephalitis): 항NMDA수용체뇌염 등
	항체음성자가면역뇌염(seronegative autoimmune encephalitis)
	혈관염(vasculitis): 원발중추신경계혈관염, 항중성구세포질항체연관혈관염(ANCA-associated vasculitis), 비특이혈관염(nonspecific vasculitis)
	하시모토뇌병증(Hashimoto encephalopathy)
	전신홍반루푸스(systemic lupus erythematosus)
	신경베흐체트병(neuro-Behcet's disease)
	쇼그렌증후군(Sjögren syndrome)
	다발경화증(multiple sclerosis)
	시신경척수염(neuromyelitis optica)
	급성파종뇌척수염(acute demyelinating encephalomyelitis, ADEM)
	경수막염(pachymeningitis)
	라스무센뇌염(Rassmussen encephalitis)
	궤양성대장염연관(ulcerative colitis-associated)
대사성	대사뇌병증(metabolic encephalopathy)
	고혈당증/저혈당증(hyperglycemia/hypoglycemia)
	포르피린증(porphyria)
	윌슨병(Wilson disease)
	비타민B12결핍증(vitamin B12 deficiency)
종양	뇌교종(glioma)
	연수막전이(leptomeningeal metastasis)
	림프종(lymphoma)
	종자세포종양(germ cell tumor)
	적혈구포식성림프조직구증식증(hemophagocytic lymphohistiocytosis, HLH)
혈관성	뇌정맥동혈전증(cerebral venous sinus thrombosis)
	색전경색증(embolic infarction)
	편마비편두통(hemiplegic migraine)
	경막동정맥루(dural arteriovenous fistulas)
	가역적후두부뇌병증증후군(posterior reversible encephalopathy syndrome, PRES)
유전성/ 특발성	미토콘드리아병(mitochondrial disease): MELAS, MERRF
	피질이형성증(cortical dysplasia)
	조현병(schizophrenia)
	자폐증(autism)
퇴행성	알츠하이머병(Alzheimer disease)
	정상압수두증(normal pressure hydrocephalus)
약물	5-fluorouracil, ifosfamide metronidazole

2 | 뇌 생검의 방법

1) 목표 위치 선정

뇌 생검을 시행할 경우 적절한 목표 병변을 선정하는 것이 중요하며, 목표 병변은 환자의 임상 양상과 뇌 MRI의 소견을 고려하여 결정한다. 주로 최근에 발생하였고 활성이 있는 병변을 택하게 되는데, MRI에서 조영증강(enhancement)되는 병변, 스테로이드를 사용한 경우 스테로이드에 내성이 있는 병변, 뇌 생검의 위험도가 낮은 위치의 병변을 선택 대상으로 고려한다.

2) 검사 방법

뇌 생검의 방법으로 정위생검(stereotactic biopsy)과 개방 생검(open biopsy)을 선택할 수 있다. 개방 생검은 병변을 직접 확인하고 충분한 양의 검체를 얻을 수 있는 장점이 있지만 수술의 규모와 상처가 크고 정위 생검은 뇌의 심부에 위치한 조직을 얻기는 용이하나 조직의 양이 적고 목표한 병변이 정확히 채취되지 않을 가능성이 있다.

3) 분석

검체가 얻어지면 포르말린 고정 후 조직병리실에서 분석을 진행하게 되는데, 조직을 이용한 중합효소연쇄반응(polymerase chain reaction, PCR) 검사를 하고자 한다면 포르말린 고정 전에 검체를 분주하여 별도 진행하는 것이 검사에 용이하다. 병리슬라이드가 만들어지면, hematoxylin and eosin (H&E) 염색을 통해 괴사 유무와 정도, 염증세포 침윤의 패턴, 종양세포의 유무, 혈관 상태, 신경아교증(gliosis)의 상태를 판단한다. 면역화학염색(immunohistochemistry, IHC)을 통해서는 염증세포표지자(예: CD3 → T세포, CD4 → 도움T세포, CD8 → 세포독성T세포, CD20 → B세포, CD68 → 미세아교세포 및 대식세포) 등을 확인하고 이들의 분포 패턴을 확인한다. 또한 탈수초성질환 확인을 위한 수초염색, 바이러스표지자, 종양돌연변이단백염색 등 다양한 병리 검사를 추가로 시행할 수 있다.

3 | 병리 소견

1) 감별 진단

뇌염은 그 세부 종류가 광범위하기 때문에 특징적이고 일관적인 병리 소견이 있지는 않다. 대부분의 뇌병변은 염증을 동반하는데, 혈관을 따라 염증세포가 침윤하기 때문에 많은 경우에 혈관주위 림프구 침윤(perivascular lymphocytic infiltration)이라는 병리 판독 결과를 얻게 된다. 이 결과만으로는 감염뇌염, 자가면역뇌염, 림프종, 뇌혈관염을 구분하는 것이 불가능하므로, 추가적인 소견에 대한 분석을 통해 감별 진단을 해야 한다. 큰B세포림프종(large B-cell lymphoma)에서 보이는 뇌실질 내의 비특이적 거대 림프구의 응집 및 Ki67 등 세포분열표지자의 상승, 혈관염에서 보이는 혈관내막의 증식, 혈관내림프종(intravascular lymphoma)에서 보이는 혈관 내부 종양림프구의 응집 등이 특징적인 감별 진단의 지표이다.

2) 병리 기전 판단

자가면역뇌염은 병리 기전에 따라 **그림 7-2**와 같이 분류해 볼 수 있다. 특히 조직병리소견으로 관찰되

는 T세포(CD3, CD4, CD8 양성)의 과도한 침윤이나, 미세아교세포(CD68 양성)의 과도한 증식이 확인될 경우 T세포나 미세아교세포가 병리 기전에 상당히 기여하고 있을 것으로 추정해 볼 수 있다. 또한 침윤세포의 패턴에 따라 치료 전략을 수립할 수도 있는데, B세포 침윤이 거의 없이 T세포 중심의 자가면역뇌염의 조직 소견이 확인될 경우에는 T세포 억제를 목적으로 하는 스테로이드 및 cyclophosphamide를 고려해 볼 수 있다. 미세아교세포나 대식세포의 과도한 증식에 의해 염증이 지속되고 있는 경우는, 이들 선천면역(innate immunity)세포의 활성화를 유발한 감염 등의 원인이 치료되었다고 생각되면 anakinra와 같은 선천면역세포억제제를 사용해 볼 수 있다.

3) 자가면역뇌염별 병리 소견

대표적인 자가면역뇌염인 항NMDA수용체뇌염은 병리 검사에서 염증세포 침윤이 거의 없으나, 항LGI1뇌염은 부분적인 T세포 침윤이 있는 것이 확인되었다. LGI1뇌염의 치료에 있어서 T세포 중심의 면역 억제가 주효한 지 대해서는 검증이 되지 않았으나, 면역치료가 늦어질 경우 내측두엽(medial temporal lobe)의 위축이 발생하고 부분적 인지기능 저하가 남게 되는 것은 임상

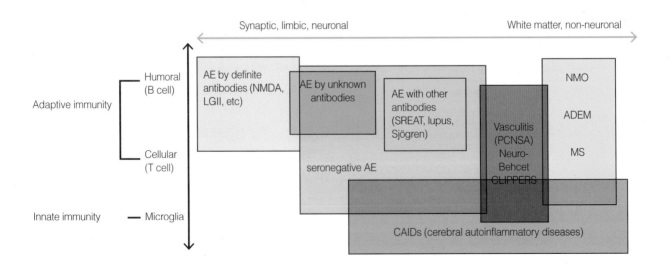

그림 7-1 자가면역뇌염의 병리 기전에 따른 분류

적으로 확인되어 있다. T세포의 침윤은 고전적 신생물딸림증후군(classical paraneoplastic syndrome)인 항Ma2, 항Hu, 항GAD항체뇌염 등에서 더욱 확연하게 관찰된다. 이러한 근거로 이들 항체 질환에서는 T세포 억제 기능이 있는 면역억제제를 선택하는 것이 추천된다.

항IgLON5항체뇌염은 렘수면장애, 연수마비(bulbar palsy), 진행핵상마비(progressive supranuclear palsy) 등을 증상으로 보이는 자가면역뇌염으로, 병리 검사 상 특징적으로 Tau단백질의 침착이 시상하부나 뇌간에서 관찰된다. 이러한 기전으로 인해 신경세포 사멸이 유발되며, 따라서 항IgLON5항체뇌염의 경우 면역치료를 시행하여도 증상이 잘 호전되지 않는다.

4 | 결론

뇌 생검과 병리 진단에 대해서는 임상적 노하우가 필요하다. 뇌 생검을 위한 뇌수술을 하여도 충분한 조직을 얻지 못하거나 병리 분석 결과가 진단에 결정적 도움이 되지 못하는 경우가 있으므로, 검사 전 환자와 보호자에게 수술과 검사의 실패 가능성에 대해 설명하고 이해를 구할 필요가 있다. 뇌 생검 전에 스테로이드를 사용하고 있다면 2주 정도 중단하는 것이 가장 좋겠으나, 현실적으로 중단이 어려운 경우가 많다. 또한 스테로이드 사용 중 병이 재발한 경우라면 스테로이드를 유지하는 중에 뇌 생검을 시행하더라도 적절한 병리 결과를 얻을 수 있다. 병리 판독에는 임상적 감별진단이 매우 중요하므로, 임상 의사는 병리과 의사와 직접 대화하여 정보를 전달할 필요가 있다.

뇌염은 병리 결과만으로 확진하는 병이 아니므로, 임상 경과, MRI의 변화 패턴, 혈청 및 뇌척수액검사와 병리 검사를 모두 종합하여 진단하는 것이 중요하다. 만약 초기 뇌 생검으로 진단이 실패했거나, 병이 재발하여 다시 원인 감별을 하는 것이 필요하거나, 재발한 병변의 치료 타겟을 정할 필요가 있을 때는 조직검사를 재시행할 수 있다.

참고문헌

1. Bien CG, Vincent A, Barnett MH, et al. Immunopathology of autoantibody-associated encephalitides: clues for pathogenesis. Brain 2012;135:1622-38.
2. Finke C, Prüss H, Heine J, et al. Evaluation of Cognitive Deficits and Structural Hippocampal Damage in Encephalitis With Leucine-Rich, Glioma-Inactivated 1 Antibodies. JAMA Neurol 2017;74:50-9.
3. Gelpi E, Höftberger R, Graus F, et al. Neuropathological criteria of anti-IgLON5-related tauopathy. Acta Neuropathol 2016;132:531-43.
4. Jang Y, Woo KA, Lee ST, et al. Cerebral autoinflammatory disease treated with anakinra. Ann Clin Transl Neurol 2018;5:1428-33.

SECTION

5

뇌염의 치료

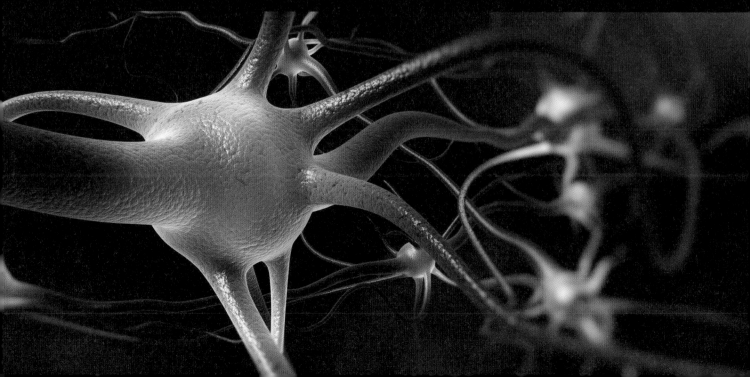

ENCEPHALITIS

 신정원

면역치료 (Immunotherapy: intravenous immunoglobulin & Steroid)

1 | 서론

면역글로불린정맥주사(intravenous immunoglobulin, IVIg)와 코르티코스테로이드(corticosteroid, 이하 스테로이드)는 다양한 염증 질환 및 자가면역질환에서 효과적이고 널리 쓰이는 약물이다. 스테로이드는 자가면역뇌염의 1차 치료제로 흔히 사용되며, 면역글로불린정맥주사는 주로 자가면역뇌염이 감염뇌염과의 감별이 불분명할 수 있는 급성기에 스테로이드 대신 1차 치료제로 사용된다. 질병의 중증도가 심한 경우, 더 효과적으로 면역반응을 조절하기 위해 초기부터 두 치료를 동시에 사용하는 방법도 고려되며, 이에 대한 임상적 효용성에 대한 결과들도 제시되고 있다. 그 외, 스테로이드는 세균 및 결핵수막염에서 항생제 및 항결핵제치료의 보조제로도 사용된다. 본 장에서는 두 약물의 기전 및 부작용과 임상적 효용성에 대해 알아보고자 한다.

1) 스테로이드

스테로이드는 1948년 처음 류마티스질환의 환자에서 사용되었고, 이후 약 30년이 지나 신경질환에서 사용되기 시작하였다. 스테로이드는 당시 자가면역뇌염으로 생각된 다발경화증에 대해 사용을 시도하기 시작했고, 1987년 급성기 다발경화증에서 고농도 스테로이드 치료의 새로운 패러다임으로 methylprednisolone이 제시되었다. 이후 자가면역뇌염 및 다양한 신경계 질환에서의 methylprednisolone의 사용이 활발해졌다.

(1) 신경염증에 대한 작용기전

스테로이드는 척추동물의 부신 피질에서 생성되는 스테로이드의 한 부류이며 이 호르몬의 화학성유사체를 포함하는 명칭이다. 스테로이드의 주요 두 부류는 glucocorticoid와 mineralocorticoid이고 그 종류는 **표 1-1**과 같다. 스테로이드는 체내 투여 시, 면역체계의 다양한 단계를 활성화시켜 항염증 및 면역억제의 효과를 보이며, 특히 세포매개면역을 억제하는 역할이 크다.

주된 작용기전은 염증 과정에서 발현이 증가되는 사이토카인(cytokine), 케모카인(chemokine), 염증 관련 효소 및 수용체, 세포 부착 관련 물질 등의 염증촉진(pro-inflammatory) 유전자의 발현을 억제하는 것이다. 특히 신경염증에 작용하는 기전을 살펴보면, 첫째, 스테로이드는 T세포의 자멸사(apoptosis) 뿐 아니라, 1형도움T세포(type1 helper T cell, Th1)에서 발현되는 사이토카인을 억제시키고, 2형도움T세포(Th2) 사이토카인의 발현은 증진시켜 항염증효과를 일으킨다 **(그림 1-1)**. 둘째, 스테로이드는 산화질소(nitric oxide) 합성 효소의 발현 억제 작용을 매개하여 산화질소의 생성을 억제시킨다. 산화질소는 대식세포(macrophage)와 미세아교세포(microglia)의 주작용 분자로 희소돌기아교세포(oligodendrocyte)를 파괴시키는 주 원인이다. 셋째, 스테로이드는 뇌염에서 미세아교세포에서의 주조직적합복합체(major histocompatibility complex, MHC) II형의 발현을 감소시키는 효과가 있다. 뇌염의 염증반응에서는 중추신경계의 항원특이 T림프구(antigen

표 1-1 스테로이드의 종류 및 등가용량(equivalent doses)

	등가용량 (mg)	상대적 항염증반응 활성도 (relative anti-inflammatory activity)	작용 시간 (hr)
Short-acting			
Hydrocortisone (cortisol)	20	1	8-12
Cortisone acetate	25	0.8	8-12
Intermediate-acting			
Prednisone	5	4	12-36
Prednisolone	5	4	12-36
Methylprednisolone	4	5	12-36
Triamcinolone	4	5	
Long-acting			
Dexamethasone	0.75	30	36-72
Betamethasone	0.6	30	36-72
Mineralocorticoids			
Fludrocortisone			12-36

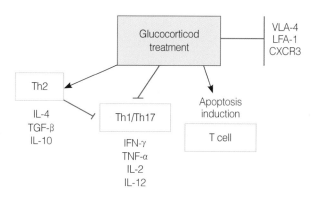

그림 1-1 스테로이드의 작용기전

1형도움T세포(Th1)억제로 염증촉진, 사이토카인 생성을 억제시키며, 세포부착인자(예: very late antigen-4, VLA-4)와 케모카인수용체(예: CXCR3)의 발현을 감소시킨다. 반대로, 2형도움T세포에 의해 항염증 사이토카인 생성을 유도하며 1형도움T세포의 작용을 억제하기도 한다.

킨다. 이를 통해 뇌부종을 감소시키는 효과도 있다.

이러한 다양한 작용기전 및 작용 시간을 고려하여 임상에서의 사용법이 다양하다. 자가면역뇌염이나 다발성경화증과 같은 급성기 신경손상을 막기 위해서 단기간 고용량의 스테로이드 사용을 고려하게 되며, 신경면역질환이 아닌 뇌 손상이나 척수손상의 경우 자유라디칼(free radicals)로부터의 신경 보호 및 뇌부종 감소를 위해 스테로이드 사용을 고려하게 된다.

(2) 부작용

스테로이드 약물은 흔히 사용되지만, 고용량 및 장기간 사용하게 될 때 고려해야 할 부작용들이 있다. 단기적으로 뇌염에서 흔히 사용할 때 가장 주의해야 할 부작용은 감염 가능성의 증가이다. 스테로이드의 사용은 염증매개 사이토카인의 감소와 포식세포(phagocyte)의 기능 변화가 일어나고, 이에 따른 감염의 증가가 나타날 수 있다. 또한 사이토카인의 감소는 염증 반응 및 발열을 감소시켜 감염을 조기에 발견하는 것을 어렵게 한다. 특히, B형, C형 간염바이러스의 증식을 활성화시킬 수 있으므로 주의를 요한다. 이에 스테로이드에 의해, 간염이 재발하거나 악화될 위험성을 막기 위해 lamivudine 등 역전사효소억제제를 같이 사용하는 것이 권장된다. 코르티코이드에 의해 위염, 위장관출혈의 위험이 증가되는데, 스테로이드 단독 사용으로는

specific T lymphocyte)의 재활성화가 중요한 역할을 하며 이 과정에서 대식세포와 미세아교세포에서의 MHC의 발현이 필요하다. 스테로이드는 MHC II의 발현을 감소시켜 특이 항원 T림프구의 작용을 방해한다. 그 외, 고농도의 스테로이드는 체내에서 추가적으로 후생적 조절을 통해서 항염증(anti-inflammatory)단백의 합성을 증진시키는 효과가 있으며, 포스포리파아제 A2 (phospholipase A2)의 코르티코이드수용체 매개를 통한 활성 억제로 산화자유기(oxidative free radical)를 제거하여 신경보호 역할도 한다. 또한, 스테로이드는 중추신경계 염증으로 손상된 혈액뇌장벽(blood-brain barrier)을 복원하여 중추신경계 내 백혈구의 침윤을 감소시킨다. 혈관 내 세포에서 세포부착물(예: ICAM-1, VCAM-1)의 발현이 증가되면서 혈액뇌장벽을 통한 림프구의 혈관 외 유출을 가능하게 하고, 혈액뇌장벽의 결합단백들의 손상을 일으키는 기질금속함유단백분해효소(matrix metalloproteinase, MMP)의 발현도 억제시

증가되는 위험도는 크지 않지만 뇌염 환자에서 해열의 목적으로 비스테로이드성 항염증제와 같이 사용 시 위장관 부작용이 현격히 증가되므로 주의해야 한다. 그 외, 장기적 사용 시 체지방 분포의 변화, 대사의 변화, 골다공증 등의 빈도가 증가, 징신과직 장애, 근병증 등이 유발될 수 있으므로 통원 치료 시에도 지속적인 관찰이 필요하다.

2) 면역글로불린정맥주사

항생제가 발견되기 이전에는 많은 감염 질환을 치료하기 위해서 면역글로불린이 사용되었었다. 현재 사용하는 면역글로불린 재제는, 수 천명의 사람의 혈청에서 얻은 다클론성 면역글로불린G (IgG)이고, 정맥주사용으로 사용되므로, 면역글로불린정맥주사(intravenous immunoglobulin, IVIg)라고 부른다. 면역글로불린이 부족한 여러 환자에서 치료법으로 이용되어 왔다. 반면, 몇몇 자가면역질환에서는 면역글로불린정맥주사가 병리현상을 일으키기도 하는데, 이를 IgG역설(IgG paradox)이라고 한다. 고용량으로 사용되는 경우 면역글로불린정맥주사는 여러 자가면역질환에서 항염증 효과와 면역조절 효과 등을 나타낸다. 본 장에서는 고농도의 면역글로불린정맥주사가 자가면역질환으로 작용하는 IgG 활성을 어떻게 억제하는지 살펴보고자 한다.

(1) 작용기전

IgG분자는 두 개의 기능적 도메인으로 나뉜다. F(ab)'분절(항원에 결합하는 이합체분절)은 항원 인식을 담당하고, Fc분절은 선천면역계의 활성화에 핵심역할을 수행한다. 이 두 개의 도메인 모두가 면역글로불린정맥주사의 항염증 효과 및 면역조절기능에 기여하는 것으로 알려져 있다. F(ab)'-의존성 작용기전은 항원-특이적 작용기전과 항원-비의존성 작용기전으로 나눌 수 있다. 면역글로불린정맥주사 제재에 포함된 혈청 IgG는 1억 개 이상의 특이 항체로 구성되어 있으며 이들 중에는 광범위한 자가 항원을 인식하는 저농도의 자가반응성 IgG항체가 포함되며 이를 통해 자가항체의 중성화(neutralization)를 시킬 수 있다. 또한 IgG의 F(ab)' 분획이 활성화된 보체 구성분인 C3a 및 C5a와 결합할 수 있으며 따라서 C3a와 C5a수용체를 통한 세포 활성화를 차단할 수 있다. IgG의 특징 중 하나는 2-3주에 이르는 혈청 중의 반감기인데, 이는 neonatal Fc receptor (FcRn)때문이다. FcRn의 주요기능은 혈청 IgG에 결합하여 내피세포 혹은 골수세포에 의해 내새화된 뒤 다시 세포 표면으로 되돌려지는데, FcRn가 없으면 IgG의 반감기는 극적으로 감소되며 이를 통해서 조직에서의 염증을 차단한다. 따라서 치료목적을 달성하기 위해 다량의 면역글로불린정맥주사가 필요한 이유는 이 제제 내의 항체들이 FcRn에 결합하여 병적으로 생성된 자가항체들과 경쟁하여 병원항체들의 반감기를 감소시킬 수 있기 때문이다.

면역글로불린정맥주사의 매우 분명한 작용기전은 면역복합체가 FcγRs을 활성화 하기 위해 접근하는 것을 제한하는 것이다. FcγRs는 호염기구(basophil), 호산구(eosinophil), 중성구(neutrophil), 비만세포(mast cell), 단핵구(monocyte)와 대식세포(macrophage)에서 광범위하게 발현된다. 또한 일부 수지상세포(dendritic cell)와 B세포의 표면에 발현된다. IgG면역복합체가 활성화 FcRs와 억제적 FcR인 FcRIIB에 동시에 결합하며, 이두 개(활성화와 이를 상쇄하는 억제적 신호 전달 경로)가 동시에 촉발되어 IgG에 대한 반응에서 세포 활성화의 임계치가 결정된다. B세포는 FcRIIB를 선택적으로 발현하여 B세포수용체를 통해 전달되는 활성 신호를 억제한다. FcRIIB가 발현되지 않는 생쥐는 B세포 반응과 자가항체 생산이 증강된다. 활성화 및 억제적 FcRs의 동시발현(co-expression)에 의해 정해지는 활성화의 임계치는 IgG분자의 결합에 따른 면역반응의 정도를 결정한다. 그러므로 면역글로불린정맥주사는 활성 FcγR을 막고, 억제성 FcγRIIB은 활성화 시켜 면역 조절을 할 수 있다고 생각된다.

지금까지 논의된 면역글로불린정맥주사의 작용기전을 요약하면(표 1-2), 면역글로불린정맥주사의 항염증 활성에는 IgG Fc분절이 중요한 역할을 수행하며, FcRn, 활성화 수용체 FcRs, 그리고 억제적 수용체 FcRIIB 같은 분자들이 이와 같은 Fc의존성 결합에 기여함을 보여준다.

표 1-2 면역글로불린정맥주사의 작용기전

	작용기전
F(ab)' 의존성	– 항체의존세포매개세포독성(antibody-dependent cytotoxicity)에 의해 표적세포 사멸: 세포 표면수용체(CD95와 CD95 리간드결합)의 매개에 의한 세포간 상호작용의 차단 – 사이토카인의 중화(neutralization of cytokines) – 항개별특이성 항체에 의한 자가항체의 중화(neutralization of autoantibodies by anti-idiotypic antibodies) – 아나필라톡신 C3a와 C5a의 제거(scavenging of the anaphylatoxins C3a and C5a)
Fc 의존성	– 신생Fc수용체의 포화(saturation of the neonatal Fc receptor (FcRn)) – Fcγ수용체와의 면역복합체 결합 차단(blockade of immune complex binding to low-affinity Fcγ receptors (FcγRs)) – 선천면역세포와 B세포에서 활성 및 억제성 FcγR 발현의 조절(modulation of activating and inhibitory FcγR expression on innate immune effector cells and B cells)

(2) 부작용

면역글로불린정맥주사의 가장 흔한 부작용은 두통, 열, 그리고 오심 등이며, 5% 이하의 환자에서 일시적으로 나타난다. 그 외, 면역글로불린정맥주사는 IgG가 주요 분획이긴 하지만 상당한 양의 다른 면역글로불린 동형(isotype), 즉 IgA 혹은 IgM을 포함할 수 있다. 이에 IgA의 선택적 면역결핍을 가진 환자에서 아나필락시스(anaphylaxis)의 위험이 있지만 발생률은 매우 드물다.

3) 스테로이드와 면역글로불린정맥주사의 임상적 사용

스테로이드와 면역글로불린정맥주사는 자가면역 뇌염에서 일차면역치료로 흔하게 사용된다. 둘 중, 어떠한 면역치료가 더 우수하다는 임상적인 근거 자료는 없지만 스테로이드는 다양한 염증 질환 및 자가면역질환에서 가장 효과적이고 널리 쓰이는 약물이다. 또한, 스테로이드와 면역글로불린정맥주사를 함께 사용하는 경우도 비교적 흔하며 면역글로불린정맥주사를 동시에 투약할 경우 스테로이드 제제를 경구 prednisolone으로 사용하기도 한다. 하지만, 뇌염 치료 시 스테로이드 사용에 있어서는 몇 가지 주의해야 할 사항이 있다. 첫째로 자가면역뇌염의 급성기에 감염성 뇌염과의 감별이 어려운 상황에서 스테로이드를 바로 사용하기 어렵다는 점이다. 뿐만 아니라 폐렴 등 전신적인 감염이 동반된 경우 스테로이드 치료는 지연된다. 두 번째로 스테로이드가 항체를 생성하는 B세포에 미치는 영향은 T세포를 억제하는 영향에 비해 훨씬 적다. 따라서 스테로이드가 혈중 항체 농도를 감소시키는 효과는 상대적으로 제한적이며, 자가면역항체가 직접적으로 질병 발생에 관여하는 자가면역뇌염(예: 항N-methyl-D-aspartate (NMDA)수용체뇌염 등)에서 스테로이드 치료의 효과는 T세포매개 자가면역뇌염(예: 신생물딸림자가면역뇌염)에 대한 효과에 비해서 상대적으로 낮다. 즉, 항체매개뇌염에서는 스테로이드 일차치료만으로 효과가 부족할 수 있다. 그러므로, 일차면역치료 시 스테로이드와 면역글로불린정맥주사의 병용 치료를 고려하고 2차 치료 실패 시 이차 면역치료를 반드시 고려해야 한다.

(1) 자가면역뇌염에서의 일차면역치료

자가면역뇌염은 다양한 임상 양상과 중증도를 보이며 면역치료의 반응도 다양하다. 이에 아직까지 정립된 가이드 라인이 없어 환자의 상태를 고려하여 임상의가 적절한 면역치료를 조기에 선택하여 치료하는 것이 중요하다. 자가면역뇌염에서 일차치료로 사용되는 스테로이드 치료 요법은 정맥내 methylprednisolone 1,000 mg을 3일에서 5일간 사용하며, 면역글로불린정맥주사는 400 mg/kg/day의 용법으로 총 5일간 투여한다. 면역글로불린정맥주사 5일 치료 후 임상적 반응이 현저하게 나타나는 경우 첫 치료 4주 후부터 면역글로불린정맥주사를 증강(booster)용법으로 500-1000 mg/kg/day를 하루씩 4주 간격으로 투여할 수 있다. 최근 항NMDA수용체뇌염에서 면역치료 효과에 대한 메타분석에서 761명의 환자에서 사용된 일차면역치료제로

스테로이드 83.3%, 면역글로불린정맥주사 66%, 혈장교환술 31.1% 비율로 사용됨이 보고되었다. 대부분 스테로이드와 함께 다른 일차, 이차 면역치료제가 사용되기 때문에 일차면역치료제 단독 치료에 대한 효과는 파악하기 어렵다. 전체 항NMDA수용체뇌염 환자 중 24개월째 수정Rankin척도(modified Rankin scale, mRS) 점수 0–2점으로 회복한 경우는 총 81%였는데, 일차면역치료에 반응이 좋았던 환자를 대상으로 하면 회복군의 비율이 91%까지 증가한다. 특히, 면역치료를 조기에 시작할수록 좋은 예후를 보일 가능성이 유의하게 증가하는 결과를 보였다. 두 번째로 흔한 자가면역뇌염인 항LGI(leucine-rich glioma inactivated)1뇌염의 면역치료 연구 결과를 종합하면, 전체 105명의 환자 중 약 89.5%에서 스테로이드, 50%에서 면역글로불린정맥주사, 14.1%에서 혈장교환술이 일차면역치료제로 사용되었다. 이는 항NMDA수용체뇌염의 면역치료 패턴과 유사하게, 스테로이드가 항LGI1뇌염의 일차면역치료제로 가장 흔하게 되었다. 일차면역치료의 효과 역시 비슷한 결과를 보이는데, 92%의 환자에서 mRS 2점 이하의 신경학적 회복을 보였고, 86.4%에서 경련 관해에 성공하였다.

스테로이드와 면역글로불린정맥주사의 복합 치료와 각각의 단독 치료의 효과를 비교한 연구는 거의 없다. 최근 보고된 연구결과를 살펴보면, 항LGI1뇌염의 연구에서 면역치료 종류에 따른 효과를 비교하였는데, 스테로이드 단독 치료에 비해서 면역글로불린정맥주사를 함께 사용하는 복합 면역치료가 유의하게 신경학적 회복을 증가시키는 결과를 보였다. 또 다른 연구에서는 세계 각국에서 보고된 83개의 항NMDA수용체뇌염 연구에 포함된 432건에서의 면역치료에 대한 효과를 비교 분석하였다. 74%의 환자에서 일차면역치료만 받았고, 25%의 환자들은 일차와 이차 면역치료까지 받았다. 일차면역치료만 받은 환자들 중 43%가 완전 회복되었으며 49%는 부분 회복되었다. 이전 대규모 연구들보다는 낮은 관해율이 관찰된다. 또한, 스테로이드와 면역글로불린을 동시에 투여한 군과 두 가지의 일차면역치료를 순차적으로 받은 군의 질병의 호전 정도에 차이가 없었으며, 일차면역치료제 사용에 대해 다양한 군(스테로이드 단독, 면역글로불린 단독, 스테로이드+면역글로불린)으로 비교 분석하여도 호전도의 차이는 없었다.

자가면역치료에서의 일차면역치료의 효과는 비록 무작위 대조 연구에서 입증되지 않았지만, 다수의 대규모 연구 및 메타연구들에서의 효과는 충분히 입증되었다. 하지만, 두 치료의 단독요법 및 복합요법의 효과에 대해서는 아직 논란이 많아, 임상에서는 환자의 질병 상태와 면역 상태 등으로 고려하여 신중히 선택해서 치료하는 것이 필요하겠으며 이에 대해서는 추후 더 추가적인 연구가 필요하다.

(2) 자가면역 외(바이러스, 세균 및 결핵) 뇌염에서의 치료

바이러스뇌염에서 면역조절 목적의 보조제로서 스테로이드의 효과가 입증되지 않았다. 미국감염학회(Infectious Disease Society of America) 가이드라인에서도 보조치료제로의 스테로이드 사용은 단순헤르페스바이러스(herpes simplex virus), 엡스타인-바바이러스(Epstein-Barr virus), 수두대상포진바이러스(varicella zoster virus)에서 아직 그 증거가 뚜렷하지 않은 것으로 나타났다. 좀 더 명확한 결과를 입증하기 위해 단순헤르페스뇌염에서 정맥내 dexamethasone 10 mg 6시간마다 4회 투여법으로 무작위 비교연구가 진행되고 있다. 일본뇌염에서 면역글로불린정맥주사에 대한 무작위 배정 연구가 이루어졌으나 좋은 결과를 입증하지 못하였으며, 최근 보고된 소아 뇌염(일본뇌염 포함)의 Cochrane 리뷰에서도 면역글로불린의 효과를 확인하지 못하였다. 최근 소아의 급성뇌염에서의 면역글로불린정맥주사 투여에 대한 다국적 무작위배정연구가 진행되고 있다.

바이러스뇌염과는 달리, 세균이나 결핵수막염에서의 스테로이드 사용은 권장되고 있다. 세균수막염에서의 dexamethasone은 이환율(morbidity)과 사망률(mortality)을 줄인다고 널리 보고되고 있으며, 항생제 치료 시작 수분 전 또는 항생제 치료하자마자 즉시 투여하는 것이 제일 효과가 크며 항생제가 혈액뇌장벽을 잘 투과할 수 있도록 도와줄 뿐 아니라, 사이토카인 폭풍(cytokine storm)과 같은 쇼크의 발생을 줄여준다. 2015년 세균수막염 25개의 연구(환자수 4,211명)에 대한 Cochrane 리뷰에서, 고소득 국가에서의 스테로이드의 사용은 사망률을 감소하는 효과는 없었으나 청력소실이나 다른 신경학적 후유증을 감소시켰고, 저소득 국가에서는 스테로이드 사용의 이득이 없다고 보고하였다. 결핵수막뇌염에서의 스테로이드의 사용에 대해, 2017년 WHO는 'Guidelines for Treatment of Drug-Susceptible Tuberculosis and Patient Care'를 통해 처음 항결핵약 사용 시 6–8주 동안 스테로이드를 함께 사용할 것을 권고하였다. Dexamethasone이 주로 사용되며 3주 동안 하루 12 mg에서 16 mg로 시작하여, 이후 3주 동안 서서히 줄여나가는 방식으로 사용한다. 이는 결핵수막뇌염에서 자주 발생하는 윌리스환(circle of Willis) 주변 혈관염을 완화시켜 뇌졸중과 같은 합병증의 발생을 줄이며, 장기 예후에 긍정적 영향을 끼친다.

참고문헌

1. Shin YW, Lee ST, Park KI, et al. Treatment strategies for autoimmune encephalitis. Ther Adv Neurol Disord 2018;11:1756285617722347.

2. Schweingruber N, Reichardt S, Lühder F, et al. Mechanisms of glucocorticoids in the control of neuroinflammation. J Neuroendocrinol 2012;24:174-82.

3. Samuel S, Nguyen T, Choi HA. Pharmacologic characteristics of steroids. J Neurocrit Care 2017;10:53-9.

4. Schwab I, Nimmerjahn F. Intravenous immunoglobulin therapy: how does IgG modulate the immune system? Nat Rev Immunol 2013;13:176-89.

5. Basta M, Van Goor F, Luccioli S, et al. F (ab)ʹ2-mediated neutralization of C3a and C5a anaphylatoxins: a novel effector function of immunoglobulins. Nat Med 2003;9:431-8.

6. Brownlie RJ, Lawlor KE, Niederer HA, et al. Distinct cell-specific control of autoimmunity and infection by FcγRIIb. J Exp Med 2008;205:883-95.

7. Lee WJ, Lee ST, Moon J, et al. Tocilizumab in autoimmune encephalitis refractory to rituximab: an institutional cohort study. Neurotherapeutics 2016;13:824-32.

8. Titulaer MJ, McCracken L, Gabilondo I, et al. Treatment and prognostic factors for long-term outcome in patients with anti-NMDA receptor encephalitis: an observational cohort study. Lancet Neurol 2013;12:157-65.

9. Shin YW, Lee ST, Shin JW, et al. VGKC-complex/LGI1-antibody encephalitis: clinical manifestations and response to immunotherapy. J Neuroimmunol 2013;265:75-81.

10. Tyler KL. Acute viral encephalitis. N Engl J Med 2018;379:557-66.

11. Iro MA, Martin NG, Absoud M, et al. Intravenous immunoglobulin for the treatment of childhood encephalitis. Cochrane Database Syst Rev 2017.

12. Davis LE. Acute bacterial meningitis. CONTINUUM: Lifelong Learning in Neurology. 2018;24:1264-83.

13. Brouwer MC, McIntyre P, de Gans J, et al. Corticosteroids for acute bacterial meningitis. Cochrane Database Syst Rev 2010;9:CD004405.

14. Organization WH. Guidelines for treatment of drug-susceptible tuberculosis and patient care. 2017.

이한상

면역치료 (Immunotherapy): Rituximab, Tocilizumab, Cyclophosphamide

자가면역뇌염에 대한 스테로이드와 면역글로불린 치료가 불충분한 효과를 보인다면 다른 면역치료제의 사용을 고려해야 한다. 아래에서는 2차치료제로 주로 사용되는 rituximab, tocilizumab, cyclophosphamide 에 대한 설명을 하겠다(표 2-1).

1 | Rituximab

분화클러스터(cluster of differentiation, CD)20은 주로 B세포 표면에 발현되어 있는 당단백질로, rituximab은 이 CD20에 대한 단클론항체다. Rituximab은 비호지킨림프종(non-Hodgkin's lymphoma)의 치료를 위해 처음 사용되었으나, 현재는 류마티스관절염(rheumatoid arthritis), 육아종성다발혈관염(granulomatosis with polyangiitis), 호지킨림프종(Hodgkin's lymphoma) 등 다양한 자가면역질환과 림프구증식질환의 치료제로 사용된다. Rituximab은 항체의존세포독성(antibody-dependent cellular cytotoxicity)과 포식작용(phagocytosis), 보체매개세포용해(complement mediated cell lysis), 증식억제, 세포자멸사(apoptosis)를 통해 미성숙B세포(naïve B cell)와 기억B세포(memory B cell)를 모두 고갈시킨다(그림 2-1).

Rituximab 주입 후 약 6-8개월간 혈액 내 B세포의 수는 측정 가능한 범위 이하로 내려간다. Rituximab이 자가면역뇌염 환자의 말초혈액 내에 B세포를 효과적으로 감소시키는 것으로 알려져 있으며, 항N-methyl- D-aspartate (NMDA)수용체뇌염 환자에서 단기생존형 질모세포(short-lived plasmablast)도 고갈됨이 보고되었다. 기억B세포 고갈이 시신경척수염과 시신경척수염 범주질환(neuromyelitis optica spectrum disorder)의 재발을 감소시키는 것으로 알려졌다. 최근의 발표에 따르면 80명의 항체양성자가면역뇌염 또는 항체음성자가면역뇌염 환자에게 2차치료약제로 rituximab을 투약하였을 때 수정Rankin척도(modified Rankin Scale, mRS)의 향상으로 이어졌다. 또한 rituximab 주입 중 부작용이 6.7%에서 나타났으며 11.3%에서 폐렴이 발생하였으나 생명에 위협을 주는 부작용이나 감염의 재발은 없었다. 따라서 자가면역뇌염에서 2차치료약제로 rituximab을 사용하는 것은 효과적이며 안전하다고 말할 수 있다. 4형면역글로불린G (immunoglobulin G4, IgG4) 연관질환(IgG4-ralated disease)에서 rituximab이 치료적 효과가 있으며, 이를 통해 항NMDA항체뇌염, 항leucine-rich glioma inactivated 1(LGI1)뇌염, 항contactin-associated protein-like 2(CASPR2)뇌염, 항IgLON5뇌염 등 IgG4 항체가 주 원인이 되는 자가면역뇌염의 치료의 근거가 된다.

B세포계통(B cell lineage)의 림프세포는 골수 내에서 전구B세포(pre-B cell) 시기부터 CD20을 표면에 발현하며 형질세포(plasma cell)로 분화하면서 소실된다. 이러한 특성으로 자가항체매개질환에서 rituximab 치료에도 불구하고 질병이 호전되지 않는 경우가 있다. Rituximab으로 인해 수개월간 B세포 감소증(B cell lymphopenia)이 지속되더라도 체내 면역글로불

표 2-1 자가면역뇌염에서 Rituximab, Cyclophosphamide, Tocilizumab 사용

치료제	기전	다른 병에서의 증거	뇌염에서의 증거	용법
Rituximab	주로 B세포 표면에 발현되어 있는 CD20에 대한 단클론항체로, 항체의존세포독성과 포식작용, 보체매개세포용해, 증식억제, 세포자멸사를 통해 미성숙B세포(naïve B cell)와 기억B세포(memory B cell)를 모두 고갈(depletion)시킨다.	류마티스관절염, 육아종다발혈관염 (granulomatosis with polyangiitis), 호지킨림프종, 림프구증식질환	Lee et al. Neurology. 2016. Hachiya et al. J Neuroimmunol. 2013. Brito-Zerón et al. Medicine (Baltimore). 2016.	375 mg/m² 용량의 rituximab을 1주일 간격으로 총 4회 투약한 이후 1개월 간격으로 재투약한다. Anti-HBc가 양성인 경우 B형간염 바이러스 재활성화를 방지하기 위해 entecavir를 예방적으로 투약한다.
Cyclophosphamide	Cyclophosphamide는 간에서 4-hydroxycyclophosphamide와 aldophosphamide로 대사되며, aldopholsphamide는 활성대사물인 phosphoramide mustard와 방광독성을 일으키는 acrolein으로 대사된다. phosphoramide mustard은 뇌와 뇌척수액을 포함 한 모든 조직에 분포하게 되며 알킬화작용으로 B세포와 T세포의 증식을 억제한다.	전신홍반루푸스, 루푸스신염, 전신혈관염, 베흐체트병, 비호지킨림프종	Shin et al. Ther Adv Neurol Disord. 2018.	750 mg/m² 용량의 cyclophosphamide를 1개월 간격으로 투약한다. 방광독성을 예방하기 위해 약물주입 24시간 전후로 정맥내 수분공급을 충분히 하며 mesna를 투약한다. 폐포자충(Pneumocystis jirovecii)에 의한 기회감염을 예방하기 위해 trimethoprim/sulfamethoxazole을 복용한다.
Tocilizumab	인터루킨-6(IL-6) 수용체에 대한 IgG1 아강(subclass)의 단클론항체로, IL-6의 여러 작용 중 B세포분화억제가 자가면역질환에서의 주된 작용이다.	전신소아특발성관절염 (systemic juvenile idiopathic arthritis), 캐슬만병 (Castleman disease), 류마티스관절염	Lee et al. Neurotherapeutics. 2016. Ayzenberg et al. JAMA Neurol. 2013.	4-8 mg/kg을 1개월 간격으로 투약한다. 감염증상 여부를 정기적으로 확인하며, 백혈구감소증, 혈소판감소증, 간효소상승, 고지혈증 여부를 감시한다.

린 농도가 정상범위 내로 유지되는 현상도 rituximab 이 형질세포는 줄이지 못하는 것으로 설명할 수 있다. 드물게 rituximab 투약 후 저감마글로불린혈증(hypogammaglobulinemia)이 나타날 수 있다.

Rituximab 투약은 새로운 항체에 대한 면역생성을 방해하기 때문에 투약계획이 있는 환자에게 가능하다면 예방접종력을 확인하여 투약하기 최소 4주 전에 에방접종을 완료하는 것이 도움된다. Rituximab 투약이 이미 이루어진 경우, B세포가 회복되는 약 6-12개월간 예방접종의 효과가 불충분할 수 있다. Rituximab 투약 전에는 기회감염을 예방하기 위해 B형간염(HBsAg, anti-HBs, anti-HBc), C형간염, 사람면역결핍바이러스(human immunodeficiency virus)에 대한 검사와 현재 감염증 존재유무에 대한 검사가 필요하다. Anti-HBc가 양성인 경우 rituximab에 의한 B형간염 바이러스 재활성화가 일어날 수 있으므로 이 경우에는 entecavir를 예방적으로 복용하는 것이 도움될 수 있다.

Rituximab 투약 시 투약반응으로 가려움증, 발진, 혈압저하 등의 알레르기 반응이나 발열 오한 등의 증상이 약 30%에서 발생할 수 있기 때문에 투약 30분 전에 acetaminophen과 항히스타민(anti-histamine)제로 전처치한다. 또한, 투약반응의 발생을 줄이기 위해 투약 초기에는 시간당 50 mg으로 시작하고, 30분 간격으로 부작용 여부를 확인하며 시간당 50 mg씩 주입속도를 증량하여 최고 시간당 400 mg의 주입속도를 유지할 수 있다. 또한, 부작용 발생여부를 모니터링 하기 위하여

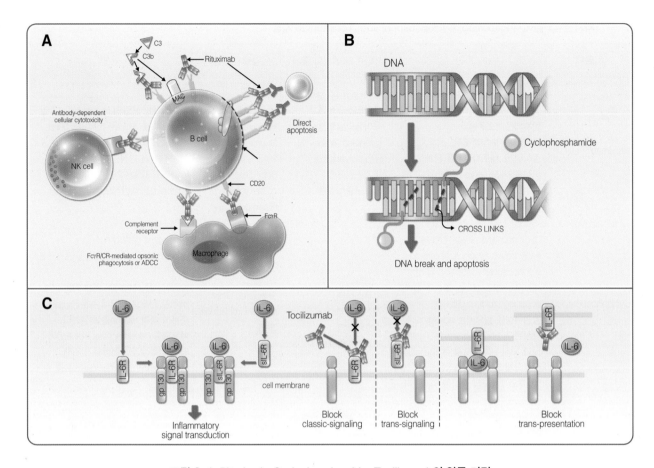

그림 2-1 Rituximab, Cyclophosphamide, Tocilizumab의 약물 기전

(A) Rituximab은 항체의존세포독성(antibody-dependent cellular cytotoxicity)과 포식작용(phagocytosis), 보체매개세포용해(complement mediated cell lysis), 증식억제, 세포자멸사(apoptosis)를 통해 미성숙B세포(naïve B cell)와 기억B세포(memory B cell)를 고갈시킨다. (B) Cyclophosphamide는 알킬화약물로 DNA 가닥들의 교차결합을 일으켜 DNA 복제를 방해함으로써 B세포와 T세포의 증식을 억제한다. (C) Tocilizumab은 인터루킨-6(interleukin-6, IL-6)수용체에 대한 IgG1 단클론항체로 classic signaling, trans-signaling, trans-presentation을 통한 IL-6수용체 신호 전달을 모두 억제한다.

ADCC, antibody-dependent cell-mediated cytotoxicity; FcγR, Fcγ receptor; sIL-6R, soluble interleukin-6 receptor; MAC, membrane attack complex; NK, natural killer.

혈압, 맥박수, 산소포화도 등의 활력징후를 확인한다. 투약반응 발생 시 투약을 중지하면 증상이 호전되는 것이 일반적이며, 증상호전 후 기존 초기주입속도의 절반 속도로 주입을 재시작하거나 재투약 전 acetaminophen 과 항히스타민제를 추가 투약하는 것이 도움된다. 아나필락시스(anaphylaxis)는 rituximab 투약환자의 5% 미만에서 발생하는 것으로 알려져 있으며, 투약 전처치가 아나필락시스 예방에는 도움되지 않는다고 한다.

2 | Cyclophosphamide

Cyclophosphamide는 알킬화약물로 B세포와 T세포의 증식을 억제하는 매우 강력한 면역억제제이다. 전신홍반루푸스(sytemic lupus erythematosus), 루푸스신염(lupus nephritis), 전신혈관염(systemic vasculitis), 베흐체트병(Behcet's disease) 등 다양한 자가면역질환과 염증성질환의 치료로 이용되며 비호지킨림프종의 치료를 위해서도 이용된다(그림 2-1). 자가면역질환의 치료효과는 우수하나 약제에 의한 심한 단기 또는 장기 독성이 발생 할 가능성이 있기 때문에 투약에 주의해야 한다. 약제에 의한 독성은 cyclophosphamide 투약이 중단된 이후에도 발생할 수 있는 것으로 알려져 있다. Cyclophosphamide는 간에서 4-hydroxycyclophosphamide와 aldophosphamide로 대사되며, aldopholsphamide는 활성대사물인 phosphoramide mustard와 방광독성을 일으키는 acrolein으로 대사된다. Acrolein은 cyclophosphamide 투약 24시간 후까지도 소변에서 검출된다. 활성대사물은 뇌와 뇌척수액을 포함 한 모든 조직에 분포하게 된다.

Cyclophosphamide는 간의 시토크롬P (cytochrome P, CYP)2B6에 의해 대사되므로 해당효소를 유도하는 carbamazepine, barbiturate, phenytoin, rifampin 등의 약물에 의해 약물의 효과와 독성을 모두 증가시킬 수 있으며, clopidogrel, desipramine, paroxetine, sertraline등의 효소억제제에 의해 효과가 줄어들 수 있다. 삼환계항우울제 등의 항콜린작용약물에 의해서는 소변배출이 억제될 수 있으므로 acrolein에 의한 방광독성이 증가할 수 있다.

Cyclophosphamide의 대사물들은 약 48시간에 걸쳐 소변으로 배출되므로, 약제의 투약량은 신기능에 따라 조정되어야 한다. Cyclophosphamide는 불임의 가능성을 증가시킬 수 있기 때문에 치료 전 정자나 난자의 냉동보관이 이러한 문제의 해결에 도움될 수 있다. Cyclophosphamide에 의한 기회감염이 발생할 수 있기 때문에 투약 전 B형간염, C형간염, 결핵을 포함한 감염에 대한 사전검사가 필요하며, 주폐포자충(Pneumocystis jirovecii)에 대한 예방적 항생제치료가 필요하다. 약제에 의한 방광염을 예방하기 위하여 cyclophosphamide 투약 기간을 최소화하여야 하며, 정맥내대량주입(intravenous bolus injection)을 계획하고 있는 환자는 약물주입 24시간 전후로 정맥내 수분공급을 충분히 해 주어야 한다. Mesna는 acrolein을 비활성화시키는 물질로 방광독성 예방에 도움을 줄 수 있다.

3 | Tocilizumab

Tocilizumab은 인터루킨-6(interleukin-6, IL-6)수용체에 대한 IgG1 단클론항체이다. IL-6수용체는 백혈구, 간세포, 상피세포 등에 발현되는 막결합형 (membrane-bound form)이나, 용해형(soluble form)으로 존재한다. IL-6는 다양한 염증 및 재생반응을 유도한다. IL-6의 염증반응으로는 B세포와 17형도움T세포(Th17)의 분화, 간의 급성기반응(hepatic acute-phase reaction)유도 등이 있으며, 재생반응으로는 간세포와 장내상피세포의 재생이 대표적이다. 세포표면에 발현된 수용체와 결합하면 주변에 당단백질(glycoprotein, gp)130이 이합체화(dimerization)되며 세포내로 classical signaling이 이루어져서 주로 염증억제 또는 재생촉진반응이 나타난다. IL-6가 용해형 수용체와 결합하면 결합체가 세포표면의 gp130을 이합체화시켜 trans-signaling이 일어나 염증반응이 유도되는 것으로 알려져 있다. 최근 수지상세포(dendritic cell) 표면에 존재하는 IL-6수용체와 IL-6가 결합하여 근처의 T세포의 gp130을 이합체화하여 신호를 전달하여 조직의 파괴를 일으키는 trans-presentation도 일어나는 것으로 보고되었으며, 실험적 자가면역뇌척수염(experimental encephalomyelitis) 모델의 병리기전에 해당 신호 전달이 필수적임이 보고되었다. Tocilizumab은 모든 형태의 IL-6수용체 신호 전달을 억제하며 전신소아특발성관절염(systemic juvenile idiopathic arthritis), 캐슬만병(Castleman disease), 류마티스관절염 등 다양한 자가면역질환의 치료에 이용된다(그림 2-1). 자가면역질환에서는 B세포분화를 억제하기 위하여 사용된다. 시신경척수염과 시신경척수염범주질환의 치료에 효과적이라는 보고가 있으며 rituximab 치료에 불충분한 반응을 보인 항체양성자가면역뇌염 또는 항체음성추정자가면역뇌염 환자의 예후를 향상시키는 데에 도움을 주는 것으로 보고되었다. Tocilizumab 투약은 감염의 위험을 증가시킬 수 있으며, 이 때문에 투약 전 감염증상 유무를 확인하는 것이 권장된다. Tocilizumab으로 인해 백혈구감소증, 혈소판감소증, 간효소상승, 고지혈증 등의 부작용이 발생할 수 있으며 이에 대한 정기적인 검사가 필요하다.

참고문헌

1. Ayzenberg I, Kleiter I, Schroder A, et al. Interleukin 6 receptor blockade in patients with neuromyelitis optica nonresponsive to anti-CD20 therapy. JAMA Neurol 2013;70:394-7.

2. Brito-Zerón P, Kostov B, Bosch X, et al. Therapeutic approach to IgG4-related disease: A systematic review. Medicine (Baltimore) 2016;95:e4002.

3. Cragg MS, Walshe CA, Ivanov AO, et al. The biology of CD20 and its potential as a target for mAb therapy. Curr Dir Autoimmun 2005;8:140-74.

4. Garbers C, Heink S, Korn T, et al. Interleukin-6: designing specific therapeutics for a complex cytokine. Nat Rev Drug Discov 2018;17:395-412.

5. Gupta D, Zachariah A, Roppelt H, et al. Prophylactic antibiotic usage for Pneumocystis jirovecii pneumonia in patients with systemic lupus erythematosus on cyclophosphamide: a survey of US rheumatologists and the review of literature. J Clin Rheumatol 2008;14:267-72.

6. Hachiya Y, Uruha A, Kasai-Yoshida E, et al. Rituximab ameliorates anti-N-methyl-Daspartate receptor encephalitis by removal of short-lived plasmablasts. J Neuroimmunol 2013;265:128-30.

7. Hickman LC, Valentine LN, Falcone T. Preservation of gonadal function in women undergoing chemotherapy: a review of the potential role for gonadotropin-releasing hormone agonists. Am J Obstet Gynecol 2016;215:415-22.

8. Jayne D, Rasmussen N, Andrassy K, et al. A randomized trial of maintenance therapy for vasculitis associated with antineutrophil cytoplasmic autoantibodies. N Engl J Med 2003;349:36-44.

9. Jun JS, Lee ST, Kim R, et al. Tocilizumab treatment for new onset refractory status epilepticus. Ann Neurol 2018;84:940-45.

10. Lee WJ, Lee ST, Byun JI, et al. Rituximab treatment for autoimmune limbic encephalitis in an institutional cohort. Neurology 2016;86:1683-91.

11. Lee WJ, Lee ST, Moon J, et al. Tocilizumab in Autoimmune Encephalitis Refractory to Rituximab: An Institutional Cohort Study. Neurotherapeutics 2016;13:824-32.

12. Moore MJ. Clinical pharmacokinetics of cyclophosphamide. Clin Pharmacokinet 1991;20:194-208.

13. Ortega G, Sola-Valls N, Escudero D, et al. Anti-Ma and antiMa2-associated paraneoplastic neurological syndromes. Neurologia 2018;33:18–27.

14. Salmon JH, Perotin JM, Morel J, et al. Serious infusion-related reaction after rituximab, abatacept and tocilizumab in rheumatoid arthritis: prospective registry data. Rheumatology (Oxford) 2018 1;57:134-9.

15. Schaper F, Rose-John S. Interleukin-6: Biology, signaling and strategies of blockade. Cytokine Growth Factor Rev 2015;26:475-87.

16. Shin YW, Lee ST, Park KI, et al. Treatment strategies for autoimmune encephalitis. Ther Adv Neurol Disord 2018;11:1-19.

17. Tanaka T, Kishimoto T. The biology and medical implications of interleukin-6. Cancer Immunol Res 2014;2:288-94.

18. Smolen JS, Keystone EC, Emery P, et al. Consensus statement on the use of rituximab in patients with rheumatoid

arthritis. Ann Rheum Dis 2007;66:143-50.

19. Vose JM, Reed EC, Pippert GC, et al. Mesna compared with continuous bladder irrigation as uroprotection during high-dose chemotherapy and transplantation: a randomized trial. J Clin Oncol 1993;11:1306-10.

장윤혁

3 자가면역뇌염의 치료: 기타 (Treatment of autoimmune encephalitis: others)

1 | 서론

자가면역뇌염의 약 10%는 1-2차 면역치료에 반응을 하지 않는 난치성 질환이다. 현재까지 알려진 정형화된 치료법인 고용량 스테로이드, 면역글로불린정맥주사, rituximab 및 tocilizumab의 치료에도 불구하고 증상 회복이 되지 않는 뇌염에서는 면역학적인 타겟을 다양화 시켜 다방면에서 치료를 시도해볼 수 있다.

새로운 경험적 면역치료를 시도하기 전 반드시 고려해야 할 사항이 있다. 우선, 어떤 면역학 타겟을 설정할 것인지에 대해 정확하게 숙지하고 그에 대한 이론적인 증거가 있어야 한다. 새로운 면역학 타겟은 뇌생검 및 사이토카인(cytokine) 분석을 통해 힌트를 얻을 수 있다. 환자의 혈청 및 뇌척수액의 사이토카인 분석은 어떠한 물질이 상승해 있는지를 확인함으로써 면역반응 중 비정상적으로 활성화 되어있는 세포들을 간접적으로 알 수 있다. 대표적인 예로 신생난치성뇌전증지속상태(new onset refractory status epilepticus, NORSE)에서 tocilizumab이 성공한 사례이다.

또 다른 방법으로는 뇌 생검이다. 뇌 생검 분석을 통해 어떠한 면역세포들이 활성화가 되어있는지 확인한다. 뇌 생검은 반드시 자기공명영상(magnetic resonance imaging, MRI) 등의 영상검사를 통해 T2강조영상 및 액체감쇠역전회복영상(fluid-attenuated inversion recovery, FLAIR)에서 고신호강도를 보이거나 확산강조영상(diffusion-weighted image, DWI)에서 높은 확산을 보이는 부위에서 조심스럽게 시행되어야 한다.

예를 들어, 얻은 조직에서 T세포의 침윤이 많다면 cyclophosphamide가 시도되어 볼 수 있다. 또한, 곧 서술할 사례로서 CD68+ 미세아교세포(microglia)가 많았던 환자의 경우 anakinra가 효과적이었다. 하지만 뇌 생검은 침습적이므로 반드시 충분한 사전 고려를 통해서 일부 선택된 환자들에게서만 시행해야 한다.

만약 뇌염에서 한번도 시도된 적이 없는 면역치료라면 다른 질환에서 면역치료가 성공한 사례를 확인하는 것이 도움이 될 수 있다. Bortezomib의 경우 다발골수종(multiple myeloma)에서, 저용량 인터루킨-2(interleukin-2, IL-2)의 경우 이식편대숙주병(graft versus host disease) 및 C형바이러스혈관염, anakinra의 경우 류마티스관절염에서, 효과적이라는 사례가 있었다. 따라서 같은 면역학적 타겟을 치료할 때 자가면역뇌염에서도 반응이 있을 수 있다는 이론적 증거가 된다.

무엇보다 경험적 면역치료에 있어 가장 중요한 것은 환자와 보호자에게 현재 상황에 대한 충분한 설명을 하는 것이고 자발적 동의를 얻는 것이다. 환자의 상태가 빠르게 악화되지만 현재까지 알려져 있는 치료가 반응이 없는 경우, 보호자에게 대안 치료법에 대한 자세한 설명과 부작용 설명이 필요하다. 또한, 대안 치료법은 대규모 환자에서 성공한 적이 없고 일부 사례들에서 효과적이었다는 점을 반드시 알릴 필요가 있다. 면역학치료들은 근본적으로 면역시스템을 낮추는 역할을 하기에 치명적인 감염이 일어날 가능성이 있으며 치료가 실패할 경우 다음 대안 치료법을 시도할 지에 대해서도 계획을 세워 두어야 한다.

현재까지 알려져 있는 대안 치료법은 다음과 같다(표 3-1).

표 3-1 자가면역뇌염에서의 대안치료법

치료제	기전	다른 병에서의 증거	뇌염에서의 증거(대상 환자 수)	용법
Bortezomib	• 26S프로테아좀의 촉매자리에 결합하여 촉매활동을 방해함으로써 파괴되어야 할 단백질들을 세포 내에 쌓이게 하여 세포자멸사를 유도. • 난치성 항체매개뇌염의 장기생존형질세포(long-lived plasma cell)를 파괴함	• 다발골수종(multiple myeloma) • 신장이식 • 급성거부반응 • 전신홍반루푸스	• Behrendt et al. (2명) • Schiebe et al. (5명) • Shin et al. (5명)	• 1.3 mg/m² 용량의 bortezomib 피하주사 및 20 mg 용량의 dexamethazone혈관주사를 함께 투약. • 일주일에 두 번씩, 2주간 투약한 후(day 1, 4, 8, and 11), 10일의 휴식 기간
저용량 인터루킨-2	• 조절T세포는 효과T세포보다 더 적은 용량의 인터루킨-2에서 민감하게 반응하므로 저용량을 주어 조절T세포만 선택적으로 활성화 시킴 • 난치성뇌염에서 조절T세포를 활성화시켜 자가면역반응을 억제함	• C형간염바이러스 유도 혈관염(HCV-induced vasculitis) • 이식편대숙주병 • 원형탈모증(alopecia areata) • 전신홍반루푸스	• Lee et al. (10명)	• 1 million IU/day 를 피하주사로 5일간 투약하고(week 1), 14일의 휴식 기간. • 이후 1.5-3 million IU/day를 5일씩 투약하며 각 주입 사이에는 14일간의 휴식 기간
anakinra	• 대식세포의 인터루킨-1 수용체에 결합하여 선천면역반응을 방해함 대뇌 자가염증질환(CAID)에서 미세아교세포의 초기 면역반응을 억제함	• 류마티스관절염(rheumatoid arthritis) • 성인형Still씨병(adult-onset Still's disease) 외 전신자가면역질환들	• Jang et al. (1명)	• 100 mg/day를 피하주사로 30일간 매일 투약 (희귀의약품센터에서 신청 가능)

CAID, cerebral autoinflammatory disease

2 | Bortezomib

1) 기전

Bortezomib은 26S프로테아좀(proteasome)억제제이다. 프로테아좀은 정상세포에서 역할이 끝난 단백질이나 잘못 형성된 단백질을 파괴하는 역할을 하는 세포내 효소이다. 이러한 단백질에는 세포주기, 세포자멸사, 세포신호 및 사이토카인 생성을 포함한다. Bortezomib은 프로테아좀의 촉매 자리에 결합하여 촉매 활동을 방해한다. 따라서 파괴되어야 할 단백질들이 세포 내에 점점 쌓이게 되고, 이렇게 쌓인 단백질들은 세포자멸사를 유도한다. 형질세포(plasma cell)의 경우 활발히 항체단백질을 생성하고 있는 상태로 bortezomib의 주요 타겟이 된다.

2) 역사

Bortezomib이 처음으로 시도된 질병은 다발골수종이었다. 다발골수종은 형질세포의 과다증식으로 발생하는 암으로서 치료불응성 다발골수종에 대해 bortezomib의 치료가 성공하고 2003년 미국에서 허가되었다. 이후 장기생존형질세포(long-lived plasma cell)가 항체매개자가면역질환(autoimmune disease)의 난치성의 원인이라는 가설 하에 bortezomib의 적용 가능성이 제기되었고 전신홍반루푸스(systemic lupus erythematosus) 동물모델에서의 성공 및 신장이식 환자에서 급성 거부반응의 효과적인 완화로 가설을 증명하였다. 마침내 2015년 난치성 전신홍반루푸스 환자에서 치료가 성공하며 bortezomib은 스테로이드, cyclophosphamide, rituximab 등과 같은 기존 면역치료에 대한 불응성인 자가면역질환에서 새로운 치료법으로서의 가능성을 증명하였다.

3) 뇌염에서의 사례

난치성 항N-methyl-D-aspartate (NMDA)수용체 뇌염의 경우 여타의 난치성 자가면역질환에서와 같이 장기생존형질세포에 의한 지속적인 항체 생성이 병인일 것이라는 가설이 주된 의견이다. 형질세포는 B 세포의 마지막 분화 형태로서 분화클러스터20(cluster of differentiation20, CD20)의 발현이 급격히 감소하며 세포분열 역시 억제된다. 따라서 기존 면역치료인 rituximab, cyclophosphamide 등의 치료효과는 감소하게 된다. 단기생존형질세포(short-lived plasma cell)의 경우 수개월 정도 생존하는 것으로 알려져 있으며 장기생존형질세포의 경우 최대 수십년까지 생존할 수 있다고 알려져 있다. 따라서 기존 면역치료에 의해 B 세포 소멸 치료를 시행하여도 장기생존형질세포에 의해 NMDA수용체에 대한 항체가 지속적으로 생성될 경우 효과가 없을 것이다. 반면 bortezomib으로 단백질 생성이 활발한 세포를 파괴할 경우 항체 생성을 하고 있는 장기생존형질세포를 타겟으로 하기 때문에, 병이 호전될 것이라는 가설에 기초를 두고 있다.

실제로 최근에 bortezomib 치료가 난치성 항NMDA수용체뇌염에 시행되어 성공한 사례들이 있다. 2016년 Behrendt와 저자들은 난치성 항NMDA수용체뇌염 환자 두 명에게서 bortezomib의 성공을 최초로 보고하였다. 이어 독일에서 2017년 다섯 환자 중 네 명의 임상적 호전이 보고되었으며, 우리나라에서는 2018년 서울대병원에서 혼수(coma)상태의 다섯 환자 중 세 명이, bortezomib 치료 후 'minimally conscious status'로 호전됨을 보고하였다(그림 3-1). 하지만 장기간의 면역치료와 중환자집중치료가 함께 동반되었기에 bortezomib의 효과를 단정하기에는 아직 이르다. 앞으로 더 많은 환자수에서의 연구가 필요하다. 항NMDA수용체뇌염 환자에서 상반된 치료 성적을 보이는 이유는 항NMDA수용체항체가 혈액 혹은 뇌척수액 중 어느 곳에 더욱 많이 분포하는 지의 차이로 설명 가능하다. 뇌척수액 내에 항체가가 높은 환자의 경우, 장기생존형질세포가 맥락총(choroid plexus)등 수막내 공간(intrathecal space)에 자리를 잡고, 장기적으로 항체를 수막내 합성(intrathecal synthesis)하는데, bortezomib은 혈액뇌장벽(blood-brain barrier) 통과가 거의 되지 않으며, 이로 인해 뇌척수액이 아닌 혈액 내 항체 감소 효과만 기대할 수 있기 때문이다.

4) 용법

Bortezomib의 한 사이클 치료는 총 3주의 스케줄로 구성되어 있다. $1.3\ mg/m^2$ 용량의 bortezomib 피하주사 및 20 mg 용량의 dexamethasone혈관주사를 함께 투약한다. 일주일에 두번씩, 2주간 투약한 후(1, 4, 8, 11일차), 10일의 휴식기간을 갖는다. 이때 valaciclovir와 trimethoprim-sulfamethoxazole을 예방적으로 함께 투약한다. 사이클은 환자의 반응에 따라 다르며 현재까지는 1사이클에서 최고 6사이클까지 시도되었다.

3 | 저용량 인터루킨-2(Low-dose interleukin-2)

1) 기전

IL-2는 비교적 최근까지 T세포 증식에 관여하는 사이토카인으로 알려져 왔다. 하지만 IL-2나 IL-2수용체를 knock-out마우스에서 면역 결핍이 아닌 오히려 전신 자가면역반응과 림프구증식이 일어난다는 사실을 발견하였다. 이러한 IL-2의 상반된 반응의 수수께끼는 조절T세포(regulatory T cell)에 의해 풀리게 되었다. 조절T세포는 효과T세포(effector T cell)보다 더 적은 용량의 IL-2에 민감하게 반응하여 발달한다. 자가면역질환은 모종의 이유로 조절T세포와 효과T세포의 균형이 깨진 상태이다. 따라서 저용량의 IL-2를 주사할 경우 선택적으로 항염증효과가 있는 조절T세포의 작용을 상승시켜 전반적인 자가면역 염증반응을 감소시킬 수 있다.

2) 역사

저용량 IL-2가 조절T세포에 선택적인 활성화를 통해 자가면역 염증반응을 치료할 수도 있다는 가능성이 제기된 이후 2011년 최초로 C형간염바이러스유도혈관염(HCV-induced vasculitis)과 이식편대숙주병에 치료법을 적용하여 일부 환자에서 성공을 거두었다. 이후 2014년 난치성 원형탈모증(alopecia areata)에서 조절T세포의 증가시킴으로써 증상을 호전 시켰고, 2015년에는 전신홍반루푸스에서 새로운 치료법으로서 가능성을 확인하였다. 저용량 IL-2를 5일간 투여할 경우, 14-21일 사이 조절T세포의 peak가 나타난다.

3) 뇌염에서의 사례

기존 면역치료에 반응하지 않는 난치성 뇌염에는 새로운 기전의 치료 필요성이 제기되어왔다. 그 중 하나가 자가면역질환에 중요한 병인으로 작용하는 조절T세포의 활성화이다. 2016년 서울대병원은 난치성 뇌염

환자 10명을 대상으로 저용량 IL-2의 효용을 입증하였다(그림 3-1). 10명 중 4명의 환자는 항NMDA수용체뇌염이었고 6명은 항체음성자가면역뇌염(seronegative autoimmune encephalitis) 환자였으며 이들은 모두 기존 면역치료에 반응하지 않는 환자들이었다. 최소 4사이클 이상의 저용량 IL-2을 주입하였고 하였고 총 6명에게서 임상적 호전을 확인하였는데, 항NMDA수용체뇌염 4명 전부 수정Rankin척도(modified Rankin Scale, mRS)가 호전되었고 항체음성자가면역뇌염은 6명 중

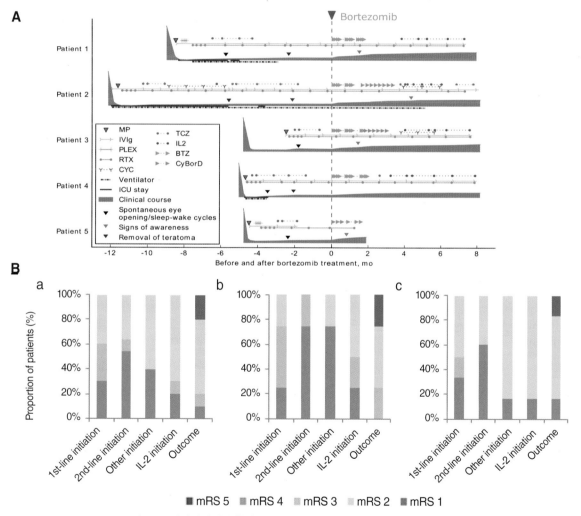

그림 3-1 **자가면역뇌염 환자에서 bortezomib과 저용량인터루킨-2의 효과**

(A) 항NMDA수용체뇌염 환자 다섯 명의 치료력과 임상 양상. 환자의 전반적인 상태는 의식 수준, 이상운동, 발작 주기, 자율신경계이상, 중추저호흡을 고려하여 검은 그림자의 높낮이로 표시되어있다. Bortezomib치료(초록색 화살표) 이후 환자의 전반적인 상태가 호전되었다. NMDAR, N-Methyl-D-aspartate receptor; MP, methylprednisolone; IVIg, intravenous immunoglobulin; PLEX, plasmapheresis; RTX, rituximab; CYC, cyclophosphamide; TCZ, tocilizumab; IL2, low-dose interleukin-2; BTZ, bortezomib; CyBorD, cyclophosphamide with bortezomib and dexamethasone regimen; ICU, intensive care unit. (B) 자가면역뇌염 환자 10명의 면역치료 전후 수정Rankin척도(mRS) 변화. 저용량인터루킨-2 치료 이후 환자들의 예후가 호전되었다. a. 모든 자가면역뇌염 환자, b. 항NMDA수용체뇌염 환자, c. 항체음성자가면역뇌염 환자를 각각 분석하였다.

2명의 환자에게서 발작 감소를 확인하였다. 저용량 IL-2를 주입한 10명 중 2명의 환자는 중성구 감소 및 장폐색의 부작용을 경험하였으나 치료를 중단할 정도로 심각하지 않았다. 또한 10명 중 8명에게서는 호산구의 증가가 확인되있으나 곧 저절로 회복되었다. 하지만 위 연구는 조절T세포의 숫자의 증감이 측정되지 않았으며 비교적 적은 수의 환자로 시행된 후향적 연구로서의 한계가 있어 저용량 IL-2가 난치성 자가면역뇌염의 일반적인 면역치료 중 하나로 자리잡기 위해서는 더 큰 집단의 전향적 연구로 증명될 필요가 있다.

4) 용법

100만 IU/day를 피하주사로 5일간 투약하고(1주차), 14일의 휴식 기간을 갖는다. 이후 150-300만 IU/day를 5일씩 투약하며 각 주입 사이에는 14일 간의 휴식 기간을 갖는다. 자가면역뇌염의 경우 최소 4사이클 이상이 투여되었다.

4 | Anakinra

1) 기전

자가면역질환으로 알려져 있던 질환들 중 일부는 선천면역(innate immunity)의 개입 비중이 크다는 것이 확인되었다. 이를 '자가염증질환(autoinflammatory disease)'으로 분류하는데, 전신자가염증질환에는 선천성 열성 질환들(예: familial Mediterranean fever, cryopyrin-associated periodic syndromes), Still씨병, Schnitzler증후군, 류마티스관절염, 통풍, 제2형당뇨병 등이 속해있다. 이러한 병들에서는 단핵구, 대식세포 및 IL-1α, IL-1β와 같은 면역반응 초기 단계의 사이토카인이 주 병인이다. 외부 신호에 의해 자극된 단핵구 및 대식세포는 IL-1을 분비하고, IL-1은 추가적인 선천성 및 후천성 면역반응들을 활성화시킨다. 따라서 자가염증질환에서 IL-1의 작용을 타겟으로 하는 치료법이 시도되었는데, 이러한 항 IL-1수용체항체를 'anakinra'라고 명명하였다.

2) 역사

Anakinra치료는 1998년 류마티스관절염 환자들에서 최초로 성공을 거두었다. 이후 성인형 Still씨병을 대상으로 한 대규모 연구에서 그 효과를 입증하였고, 그 외 다른 전신자가면역질환들에서도 성공을 거둠으로써 주요 치료법으로 자리잡았다.

3) 뇌염에서의 사례

자가면역뇌염의 치료는 적응면역(adaptive immunity)을 타겟하는 방향으로 특화되어 연구되어왔다. 하지만 항체가 발견되지 않는 일부 뇌염의 경우 선천면역의 작용이 주 병인일 수 있다는 가설이 제기되었다. 2018년 서울대병원에서 보고된 난치성 뇌염인 50대 환자의 증례는 대뇌 자가염증질환의 존재를 보여준다(그림 3-2). 환자는 항체가 발견되지 않은 상세 불명의 뇌염으로 급격한 증상 악화를 보여 혼수상태가 되었고, 뇌 MRI상 급성파종뇌척수염(acute disseminated encephalomyelitis)과 비슷한 소견을 보였다. 하지만 기존 면역치료에는 반응하지 않았다. 이에 실행한 뇌생검에서는 여타 자가면역뇌염에서 보이는 다량의 림프구 침윤 소견과는 다르게 CD68[+]/CD163[+] 미세아교세포의 침윤이 확인되었고, 자가염증질환의 치료법으로서 대식세포를 타겟하는 anakinra가 경험적으로 투약되었다. 환자는 한 달간의 치료 과정을 거쳐 증상 및 영상에서 극적인 호전을 보였다. 따라서 자가염증 기전의 뇌염이 존재하며 이는 anakinra로 치료 가능함을 확인하는 증례 보고라 할 수 있다.

4) 용법

100 mg/day를 피하주사로 30일간 매일 투약한다.

참고문헌

1. Arend WP, Malyak M, Guthridge CJ, et al. Interleukin-1 receptor antagonist: Role in Biology. Annu Rev Immunol 1998;16:27-55.

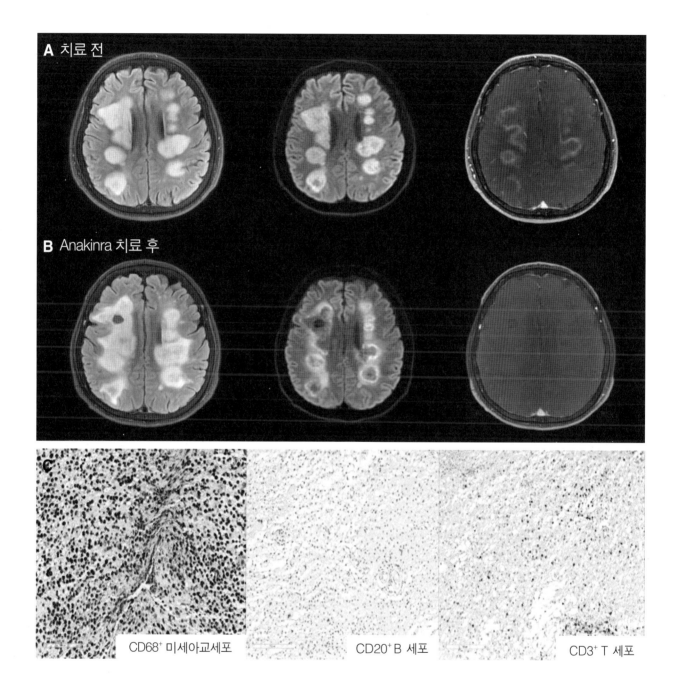

그림 3-2 대뇌 자가염증질환(cerebral autoinflammatory disease) 환자의 뇌MRI와 병리 소견

(A) Anakinra 치료 전 양측 대뇌 반구 백색질에 다발성 병변이 관찰되며, 확산강조영상 및 조영 강조T1영상에서 고신호강도를 보인다. (B) Anakinra 치료 후 환자의 확산강조영상과 조영 강조T1영상 소견의 호전을 확인할 수 있다(우측 전두엽 부분의 생검 흔적이 관찰된다). (C) 병리 소견에서 매우 밀집되어 있는 CD68양성미세아교세포 증식 소견을 확인할 수 있다. 반면 CD20⁺ B세포와 CD3⁺ T세포의 침윤은 미미하다.

2. Behrendt V, Krogias C, Reinacher-Schick A, et al. Bortezomib Treatment for Patients With Anti-N-Methyl-d-Aspartate Receptor Encephalitis. Jama Neurol 2016;73:1251.

3. Bresnihan B, Alvaro-Gracia JM, Cobby M, et al. Treatment of rheumatoid arthritis with recombinant human interleukin-1 receptor antagonist. Arthritis Rheum 1998;41:2196-204.

4. Castela E, Duff FL, Butori C, et al. Effects of Low-

Dose Recombinant Interleukin 2 to Promote T-Regulatory Cells in Alopecia Areata. Jama Dermatol 2014;150:748-51.

5. Cavalli G, Dinarello CA. Anakinra Therapy for Non-cancer Inflammatory Diseases. Front Pharmacol 2018;9:1157.

6. Cohen S, Hurd E, Cush J, et al. Treatment of rheumatoid arthritis with anakinra, a recombinant human interleukin-1 receptor antagonist, in combination with methotrexate: Results of a twenty-four-week, multicenter, randomized, double-blind, placebo-controlled trial. Arthritis Rheum 2002;46:614-24.

7. Colafrancesco S, Priori R, Valesini G, et al. Response to Interleukin-1 Inhibitors in 140 Italian Patients with Adult-Onset Still's Disease: A Multicentre Retrospective Observational Study. Front Pharmacol 2017;8:369.

8. Everl, MJ, Everly, JJ, Susskind B, et al. Bortezomib Provides Effective Therapy for Antibody- and Cell-Mediated Acute Rejection. Transplantation 2008;86:1754-61.

9. He J, Zhang X, Wei Y, et al. Low-dose interleukin-2 treatment selectively modulates CD4+ T cell subsets in patients with systemic lupus erythematosus. Nat Med 2016;22:991-3.

10. Jang Y, Woo KA, Lee ST et al. Cerebral autoinflammatory disease treated with anakinra. Ann Clin Transl Neurol 2018;5:1428-33.

11. Jun JS, Lee ST, Kim R, et al. Tocilizumab treatment for new onset refractory status epilepticus. Ann Neurol 2018;84:940-5.

12. Koreth J, Matsuoka K, Kim HT, et al. Interleukin-2 and Regulatory T Cells in Graft-versus-Host Disease. N Engl J Med 2011;365:2055-66.

13. Lim JA, Lee ST, Moon J, et al. New feasible treatment for refractory autoimmune encephalitis: Low-dose interleukin-2. J Neuroimmunol 2016;299(Curr. Opin. Neurol. 27 2014):107-11.

14. Malek TR. The Biology of Interleukin-2. Annu Rev Immunol 2008;26:453-79.

15. Neubert K, Meister S, Moser K, et al. The proteasome inhibitor bortezomib depletes plasma cells and protects mice with lupus-like disease from nephritis. Nat Med 2008;14:748-55.

16. Richardson PG, Barlogie B, Berenson J, et al. A Phase 2 Study of Bortezomib in Relapsed, Refractory Myeloma. N Engl J Med 2003;348:2609-17.

17. Saadoun D, Rosenzwajg M, Joly F, et al. Regulatory T-Cell Responses to Low-Dose Interleukin-2 in HCV-Induced Vasculitis. N Engl J Med 2011;365:2067-77.

18. Scheibe F, Prüss H, Mengel AM, et al. Bortezomib for treatment of therapy-refractory anti-NMDA receptor encephalitis. Neurology 2016;88:366-70.

19. Shin YW, Lee ST, Kim TJ, et al. Bortezomib treatment for severe refractory anti-NMDA receptor encephalitis. Ann Clin and Transl Neurol 2018;5:598-605.

이상건

4 자가면역뇌염과 관련된 뇌전증 발작의 치료 (Anti-seizure treatment related with autoimmune encephalitis)

1 자가면역뇌염에서의 뇌전증 발작

자가면역뇌염(autoimmune encephalitis)에서 뇌전증 발작은 흔히 동반되는 현상이다. 그 이유는 자가면역뇌염의 중요한 원인이 되는 항체가 세포막을 공격하면서 각종 이온통로병증(ion channelopathy)과 과흥분 현상을 일으키기 때문이다. 심지어 자가면역뇌염의 증상이 뚜렷하지 않은 뇌전증에서도 종종 이러한 항체가 발견된다. 이러한 뇌전증 발작은 초기부터 자주 약물난치성 경향을 보이며 흔히 뇌전증지속상태(status epilepticus)로 진행한다. 따라서 여러 약물을 사용하게 되는 경우가 많으며 항뇌전증약(antiepileptic drug) 단독으로는 발작을 완전히 조절하지 못하는 경우가 많다. 그러나 종국에는 발작이 완전히 조절되는 경우가 많은데 이렇게 되는 이유는 면역치료의 효과 때문이거나 자가면역뇌염 자체의 자연적 경과가 호전의 이유일 가능성이 있다. 따라서 면역치료 없이도 발작이 없어지는 경우도 드물지만 가능하다. 자가면역뇌염이 만성뇌전증으로 진행하는 경우는, 급성기를 지나서도 염증성반응이 지속되거나 급성기염증으로 인해서 뇌에 비가역적인 손상이 발생한 경우로 생각해 볼 수 있다. 따라서 자가면역뇌염에서 나타나는 만성뇌전증이 반드시 염증반응의 지속이라고만 생각할 수는 없다. 이 경우에는 면역치료 이외에도 지속적인 항뇌전증약의 사용이 중요해진다. 그 외에 임상적으로 확인되지 않는 발작(subclinical seizure)이나 비경련뇌전증지속상태(noncovulsive status epilepticus)도 흔히 동반된다. 지속

적인 뇌파 감시가 이러한 환자들을 찾아내고 치료하는 데 필수적이다.

2 뇌염증과 뇌전증 발작과의 관계

뇌의 염증반응이 선천면역체계(innate immune system)를 통하여 뇌전증발생(epileptogenesis)에 관여하는 것은 여러 연구결과가 뒷받침하고 있다. 전신적인 자가면역질환에서도 뇌전증의 발병률이 높고 열과 관련된 뇌전증 발작도 잘 알려져 있다. 최근의 한 연구에서는 원인이 불명확한 뇌전증환자 127명 중 20.5%의 환자에서 발작과 연관이 있을 가능성이 있는 항체가 발견되었다. 반대로 뇌전증 발작과 뇌전증지속상태에도 여러 기전을 통하여 뇌에 염증반응을 만들어낸다. 여기에는 미세아교세포(microglia)의 인터루킨-1β (interleukin-1β, IL-1β)의 발현과 혈액뇌장벽(blood-brain barrier) 손상 등이 관여한다. 또 high mobility group box 1(HMGB1)과 톨유사수용체(Toll-like receptor, TLR)와의 결합을 통하여 염증반응을 강화하며 이러한 염증반응은 뇌의 흥분성경향을 조장하여 발작을 악화시키게 된다. 특별히 세포 표면에 작용하는 항체를 매개로 하는 자가면역뇌염의 경우 시냅스에 직접 작용하여 세포의 과흥분현상을 유발한다.

자가면역뇌염이 아닌 경우에도 뇌전증환자에서는 면역체계에 다양한 변화가 발생한다. 뇌전증 발작이 염증촉진물질(예: IL-1α, IL-6, 종양괴사인자(tumor necrosis factor, TNF)α, IL-2)을 증가시키고 그 결과로 형성된 항체가 뇌항원에 반응하여 뇌세포에 염증반응이 시작될 수 있다. 다른 연구에서는 뇌전증환자에서 자연살해세포(natural killer cell, NK cell)와 단핵구(monocyte)의 수가 증가하고 B세포의 수가 낮음을 확인하였다. 282명의 어린이 환자를 대상으로 한 연구에서는 뇌전증의 초기부터 체액면역(humoral immunity)에 변화가 있으며 면역글로불린(Immunoglobulin, Ig)A, IgG1, IgG2, IgG4가 정상인에 비하여 유의하게 높아져 있다고 하였다. 그러나 다른 소아환자를 대상으로 한 다른 연구에서는 IgG는 상승해 있으나 IgA, IgM, C3, C4는 낮은 수치를 보였다고 하였다. 자세한 설명은 다른 장을 참조하길 바란다.

3 │ 자가면역뇌염에서의 항뇌전증약의 효과

자가면역뇌염에서 각기 다른 항뇌전증약의 효과를 비교한 연구는 매우 드물다. 주로 안면위팔근긴장경련(faciobrachial dystonic seizure, FBDS)을 보이는 항leucin-rich glioma inactivated 1(LGI1)뇌염 환자 56명을 대상으로 한 연구에서는 38명의 환자에서 발작의 관해를 관찰할 수 있었다. 이 중 29명의 환자는 면역치료로 발작이 조절되었으며, 면역치료 없이 항뇌전증약 단독으로 발작의 완전 관해가 이루어진 환자는 단지 3명이었다. 또 면역치료 후에 항뇌전증약을 써서 발작의 관해가 이루어진 환자가 4명이었다. 항뇌전증약의 종류로는 levetiracetam과 valproate가 가장 흔하였지만 나트륨통로차단제(sodium channel blocker)의 사용이 발작관해와 관련이 있는 것으로 추정하였다. 결론적으로 항뇌전증약 단독으로 항LGI1뇌염의 발작을 조절하는 것은 매우 힘들고 각 항뇌전증약의 효과를 평가하기에는 한계가 있다. 다른 연구로 자가면역이 병인으로 생각되며 뇌전증 발작이 최초 증상인 환자 50명을 대상으로 한 연구에서는(82%가 항체 양성, 86%면역치료와 항뇌전증약을 같이 사용), 22명의 환자가 발작관해를 보였고, 이 중 18명은 면역치료에 의해, 5명은 항뇌전증약에 의하여 발작이 조절되었다(면역치료 후에 발작이 조절되지 않아 항뇌전증약을 쓴 환자들 포함). 항뇌전증약으로는 levetiracetam이 가장 많이 사용되었으나

이 약제만으로 발작이 관해에 도달한 환자는 없었다. 치료제의 종류와 상관 없이 전압작동칼륨통로(voltage-gated potassium channel, VGKC)관련 항체의 경우에서, 글루탐산탈탄산효소65(carbonic acid decarboxylase65, GAD65)항체 양성의 경우보다 발작관해의 비율이 유의하게 높았다.

자가면역뇌염에서 항뇌전증약의 효과를 보기 위한 6개의 후향적 연구를 메타분석(meta-analysis)한 연구결과에서는 139명의 환자가 대상이 되었다. 이 중 10.7%의 환자만이 항뇌전증약에 반응을 보였으며(반응은 논문에 따라 발작관해 또는 50% 이상 발작 횟수 감소), 알려진 항체가 발견되지 않은 환자의 18%, 전압작동칼륨통로 관련 항체 양성의 11%, 그리고 GAD65항체 양성의 8%에서 이러한 변화가 관찰되었다. 반응을 보인 73%의 환자는 나트륨통로차단제를 단독 또는 조합으로 사용하고 있었으나 이러한 약제들이 뇌전증 발작의 치료에서 가장 흔히 사용되는 점을 고려하면 이를 통해서 개별 항뇌전증약의 효과를 비교하는 것은 불가능한 상황이다.

결론적으로 자가면역뇌염의 뇌전증 발작 치료에서 일부 항뇌전증약 단독으로 발작의 관해가 이루어지는 경우들이 있으나 그 수는 매우 적고 대부분 면역치료가 필수적인 것을 알 수 있으며 현재까지의 임상 자료로는 개별 항뇌전증약의 효과를 비교하는 것은 어려운 상황으로 보여진다. 따라서 이 환자들에서는 아직까지 항뇌전증약의 사용 순서나 용량 등을 제시할 만한 근거가 없어 앞으로 이에 대한 연구와 임상 지침이 필요한 상황이다.

4 │ 항뇌전증약과 면역 체계의 관계

항뇌전증약은 피부발진과 같은 과민성반응 등 면역 체계에 큰 영향을 미칠 수 있다. 이렇게 잘 알려진 반응 이외에도 항뇌전증약은 그 종류에 따라 면역 체계에 여러 가지 영향을 미치고 있다. 현재는 이러한 항뇌전증약의 면역에 대한 영향이 약물 선택에까지 영향을 미치지는 못하지만 향후 연구 결과에 따라 뇌전증의 원인 또는 자가면역뇌염의 치료에 있어서 약물 선택의 고려 사항이 될 수 있다. 이 장에서는 DRESS증후군(drug reaction with eosinophilia and systemic symptoms syndromes)과 같은 과민성반응 등의 부작용에 대한 설명은 생략하고 항뇌전증약 종류 별로 면역체계에 미치는 영향에 대한 그 간의 연구결과를 간략하게 소개하고자 한다.

1) Valproate

Valproate는 면역 체계에 다양한, 경우에 따라서는 상반된 영향을 준다. 우선 NF-κB의 전위(translocation)를 억제하여 TNFα와 IL-6의 생산을 억제하게 된다. IL-6는 B세포, T세포의 분화, 백혈구의 활성화, 급성기단백(acute phase protein)의 생산을 촉진하는 역할이 있다. 이러한 점은 valproate의 항면역효과(anti-immune effect)를 시사하는 소견이다. 반면에 소아환자들의 연구에서는 valproate가 IL-1α, IL-1β와 IL-6의 생산을 증가시킨다는 보고가 있다. IL-1β는 염증촉진단백의 생산과 17형도움T세포(Th17)의 분화에 중요한 역할을 하므로 항염증과는 반대로 염증촉진효과(pro-immune 또는 pro-inflammatory)를 시사하는 소견이다.

2) Carbamazepine

치료 전과 비교해서 carbamazepine 치료 1년 후의 소아환자에서 IL-1α, IL-1β, IL-2, IL-6의 농도가 2-3배 증가함이 보고되어 있다. 하지만 IL-2는 조절T세포(regulatory T cell)의 분화에도 중요한 역할을 하므로 IL-2의 증가가 반드시 염증을 악화시키는 쪽으로만 작용하지는 않는다. 반대로 carbamazepine를 복용하고 있는 환자들의 49%에서 체액 또는 세포 면역이 억제되어 있었다는 보고도 있다. 또 carbamazepine를 최소 6개월 이상 복용하는 환자들에서 IgG의 농도가 평균 11%, IgG1의 농도가 평균 9% 감소되어 있다는 연구 결과가 있다.

3) Phenytoin

Phenytoin는 IL-6와 IL-8을 증가시키는 작용이 있고 또 다른 작용으로 섬유아세포성장인자(fibroblast growth factor)를 증가시킨다. 이 들 작용은 phenytoin 복용 환자의 잇몸비대의 원인으로 작용한다. 또 억제T

세포(suppressor T cell)의 기능을 강화시켜 IgA를 생산하는 B세포의 기능을 감소시킴으로써 여러 IgA결핍증후군을 만들기도 한다.

4) Diazepam

Diazepam는 GABA$_A$수용체와 결합하여 세포 기능 억제 효과를 갖게 되는데 이 수용체는 폐의 대식세포나 혈액 속의 단핵세포에 많이 분포하므로 이 것이 diazepam 사용으로 인한 환자의 감염증가의 원인으로 제시되기도 한다.

5) Levetiracetam

Levetiracetam은 동물모델에서 IL-1β의 발현을 억제하여 항염증효과가 제시된 바 있다. Levetiracetam은 작용기전상 시냅스소포(synaptic vesicle)에 결합하게 되는데 CD8$^+$ 세포에도 같은 수용체가 있으며 이에 따라 항바이러스 기능에 이상을 초래할 수 있다는 가설이 있으며 이로 인해 levetiracetam사용에서 상기도감염이 늘어나는 것을 설명하기도 한다. 기타 3세대 항뇌전증약을 포함한 다른 약물들의 면역기능에 미치는 영향에 대해서는 뚜렷한 연구 결과는 없다.

6) 약동학적 약물상호작용(Pharmacokinetic drug interaction)

항뇌전증약 중 CYP3A4유도제인 phenytoin, carbamazepine, phenobarbital, oxcarbazepine과 고용량의 topiramate이나 lamotrigine의 경우는 스테로이드나 cyclosporin의 혈중 농도를 떨어뜨리게 되므로 용량 조절이 필요할 수 있다. 면역글로불린정맥주사의 경우 항뇌전증약과 특별한 약동학적 상호작용은 없다. rituximab 등 기타 단클론항체(monoclonal antibody)약제도 항뇌전증약과의 상호작용은 특별히 알려진 것이 없다.

5 | 뇌전증지속상태(Status epilepticus)의 치료

1) 정의와 분류

자가면역뇌염은 뇌전증지속상태의 원인으로 그 빈도가 계속 증가하고 있다. 한 연구에서는 570명의 연속적인 뇌전증지속상태 환자의 2.5%가 자가면역뇌염을 갖고 있는 것으로 확인하였다. 다른 인구역학조사 연구에서는 자가면역뇌염의 유병율이 일반 감염성 뇌염의 유병율과 같았다고 보고하였다. 현재 알려진 항체 검사에서 음성인 자가면역뇌염이 많이 있음을 감안하면 실제 뇌전증지속상태에서 자가면역뇌염이 차지하는 비율은 훨씬 클 것으로 예상된다. 이 밖에 뇌염증 반응과 관련 있는 것으로 생각되는 증후군들로 신생난치성뇌전증지속상태(new onset refractory status epilepticus, NORSE)와 열감염관련뇌전증증후군(febrile infection-related epilepsy syndrome, FIRES)이 있다. NORSE는 기존에 뇌전증이나 관련된 신경계질환이 없던 환자에서 특별한 급성의 구조적, 독성, 혹은 대사성질환 없이 처음으로 뇌전증지속상태가 나타나는 현상을 말한다. FIRES는 NORSE의 한 형태로도 볼 수 있는데, 직전 24시간에서 2주 이내에 열감염 또는 발열이 있고 그 이후에 난치성

의 뇌전증지속상태이 나타나는 경우다. 두 경우 모두 여러 원인이 가능하겠으나 공통적으로 전격성의 뇌염증이 공통 요인이 될 가능성이 높다.

전통적인 경련뇌전증지속상태(convulsive status epilepticus)의 정의는 30분 이상의 경련발삭이 있거나 의식의 회복 없이 발작이 연이어 일어나는 경우였으나, 최근에는 이 정의를 5분 이상의 연속적인 발작이나 의식의 완전한 회복 없이 발작이 반복되는 경우로 하는 것이 보편화되고 있다. 비경련뇌전증지속상태(nonconvulsive status epilepticus)의 정의는 아직 논란이 있으나 겉으로 드러나는 뚜렷한 발작이 없는 상황에서 30분 이상 전기생리학적으로 발작이 지속되는 경우로 정의하는 경우가 많다. 그 밖에 benzodiazepine과 2차 항뇌전증약을 사용하였음에도 불구하고 뇌전증 발작 현상이 멈추지 않는 경우를 '난치성뇌전증지속상태(refractory status epilepticus)'로 정의하고 24시간 이상의 혼수요법 치료에도 계속되는 경우를 '초난치성뇌전증지속상태(super-refractory status epilepticus)'라고 분류하기도 한다. 이러한 정의 외에도 임상적 상황을 고려한 여러 분류 체계가 있다(그림 4-1). 뇌전증지속상태의 예후를 결정할 수 있는 인자로는 뇌전증지속상태의 원인이 되는 질환의 종류와 중증도, 그리고 뇌전증지속상태를 확인하고 치료하는 데까지 걸린 시간 등이 있다.

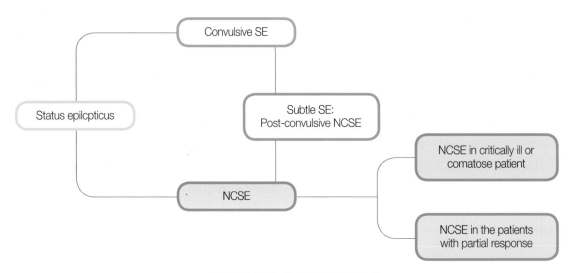

그림 4-1 뇌전증지속상태 분류의 한 예

이중 미세뇌전증지속상태(subtle status epilepticus)는 경련뇌전증지속상태가 조절이 되지 않아 많은 수의 신경세포가 파괴되고 따라서 뇌에서는 뇌전증지속상태가 광범위하게 계속 되고 있으나 겉으로 드러나는 운동증상(예: 근육 떨림 등)은 경미하게 관찰되는 경우를 말한다. 이 경우 당연히 예후는 좋지 않다. 경련뇌전증지속상태를 적절히 치료하여 이 단계로 가지 않도록 노력해야 한다.

SE, status epilepticus; NCSE: nonconvulsive status epilepticus

2) 경련뇌전증지속상태(Convulsive status epilepticus)의 치료

경련뇌전증지속상태의 치료는 2012년 신경계중환자치료학회(Neurocritical Care Society)와 2016년 미국뇌전증학회(American Epilepsy Society)가 제시하는 지침이 있으며, 처음에 환자를 안정화시키고 benzodiazepine을 사용한 후에 조절되는 정도에 따라 2차 항뇌전증약과 3차 항뇌전증약을 사용한다는 점에서 유사한 내용을 보여주고 있다(그림 4-2). 두 지침에서 시간 단위의 차이는 실제 최초 약물이 들어갈 때까지의 현실적인 시간을 고려한 차이로 두 지침의 내용은 동일하다고 볼 수 있다.

Benzodiazepine에 반응하지 않는 경련뇌전증지속상태 환자들에 대한 2차 항뇌전증약의 효과를 비교한 메타분석에서는 valproate (75.7%), phenobarbital (73.6%), levetiracetam (68.5%)의 효과에는 유의한 차이가 없었고 이에 비하여 phenytoin에 반응하는 비율이 50%로 상대적으로 효과가 떨어지는 결과를 보여주었다. 반면에 benzodiazepine으로 1차적으로 조절된 뇌전증지속상태 환자에서 발작의 재발을 막기 위하여 fosphenytoin과 levetiracetam을 사용하였을 때에는 두 약물의 재발 억제 효과에는 차이가 없었다(81.5% vs. 85.1%). 사용 가능한 약물들의 효과와 부작용에 대해서는 현재 전향적 무작위 배정 이중맹검연구가 진행되고 있다. 이 중 일부 연구 결과로, fosphenytoin과 정맥 내 lacosamide를 비경련뇌전증지속상태에 투여하여, lacosamide가 fosphenytoin (20 mg phenytoin equivalent/kg)에 비하여 유의하게 발작의 재발을 억제하는 것을 확인하였다. 일반적으로 lacosamide를 정맥내 부하 투여하는 경우 용량은 200-400 mg이다. 기타 midazolam의 비정맥 투여(구강, 비강, 근육주사)로도 초기의 뇌전증지속상태를 조절하는데 정맥내 diazepam 투여와 같은 정도의 효과를 확인한 바 있다.

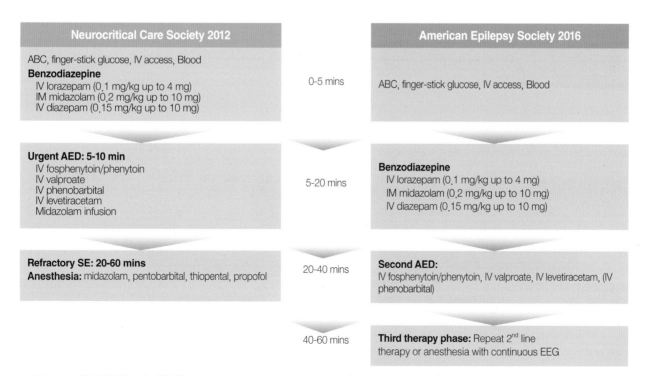

그림 4-2 신경계중환자치료학회(Neurocritical Care Society, 2012년)와 미국뇌전증학회(American Epilepsy Society, 2016년)가 제시하는 경련뇌전증지속상태의 치료지침
ABC, Airway, Breathing, Circulation; IV, intravenous; IM, intramuscular

3) 비경련뇌전증지속상태(Nonconvulsive status epilepticus, NCSE)의 진단과 치료

비경련뇌전증지속상태는 종종 진단에 어려움을 겪게 된다. 뇌피가 진단에 절대적으로 중요하지만 경우에 따라 뇌파 소견도 불확실할 수 있다. 진단기준으로 의식의 저하 또는 신경학적 손상의 소견이 있고 뇌파 검사 상 반복되거나 지속되는 발작기파(ictal rhythm)가 있으며 항뇌전증약에 반응하는 것으로 제시된 바 있다. 그러나 비경련뇌전증지속상태 모두에서 이러한 소견이 뚜렷하게 관찰되는 것은 아니다. 비경련뇌전증지속상태를 시사하는 기타 소견으로는 전신강직간대발작 또는 경련뇌전증지속상태가 선행하거나 눈 깜박거림, 국소적인 근육경련, 안구진탕 등의 미세한 신경학적 소견이 보이는 경우, 기타 다른 이유로 설명되지 않는 의식저하가 있는 경우 그리고 이전에 뇌전증의 병력이 있는 경우 등이 해당된다. 비경련뇌전증지속상태에는 소발작뇌전증지속상태(absence status epilepticus, ASE)와 복합부분뇌전증지속상태(complex partial status

epilepticus, CPSE)가 있으나 자가면역뇌염에서 관찰되는 뇌전증지속상태는 모두 복합부분뇌전증지속상태라고 보는 것이 맞다.

비경련뇌전증지속상태의 뇌파는 매우 다양하며(그림 4-3), 소견에 따라 비경련뇌전증지속상태가 확실한 경우부터 의심 수준에 머무는 경우가 있다. '주기편측뇌전증모양방전(periodic lateralized epileptiform discharges, PLEDs)'의 경우는 급성 뇌손상을 시사하기도 하고 그 자체가 발작기파일 수가 있으며 빈도가 진단에 도움이 될 수 있다(그림 4-4). 삼상파(triphasic wave)도 대사성뇌증의 중요한 진단 지표이기도 하지만 경우에 따라 비경련뇌전증지속상태의 소견일 수도 있다. 과거에는 benzodiazepine 주사로 삼상파가 억제되는 것을 보고 대사성뇌증 또는 비경련뇌전증지속상태를 구분하기도 했으나 대사성뇌증의 경우에도 benzodiazepine으로 삼상파가 억제가 되므로 구분이 쉽지 않을 수 있다.

비경련뇌전증지속상태가 사람에게서 어느 정도의 뇌 손상을 일으키는지에 대하여는 논란이 있다. 비경

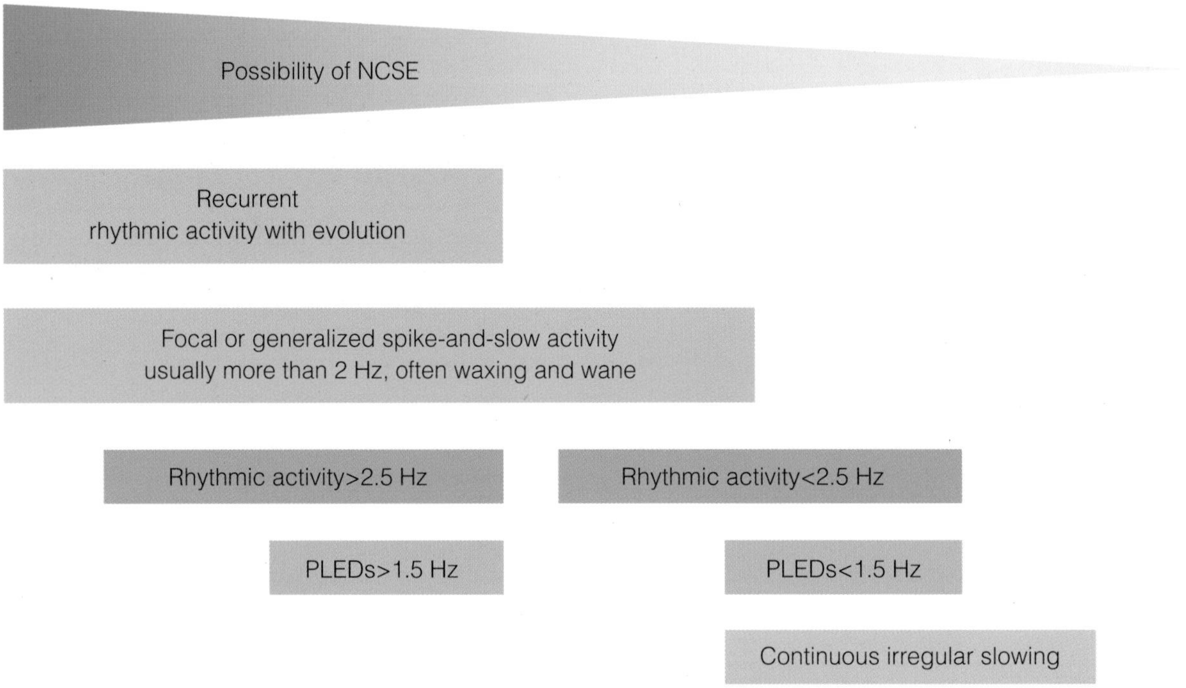

Possibility of NCSE

Recurrent rhythmic activity with evolution

Focal or generalized spike-and-slow activity usually more than 2 Hz, often waxing and wane

Rhythmic activity>2.5 Hz

Rhythmic activity<2.5 Hz

PLEDs>1.5 Hz

PLEDs<1.5 Hz

Continuous irregular slowing

그림 4-3 비경련뇌전증지속상태를 시사하는 여러 뇌파 소견.
왼쪽에 있는 것일 수록 비경련뇌전증지속상태의 가능성이 높다.
NCSE, non-convulsive status epilepticus; PLEDs, periodic lateralized epileptiform discharges.

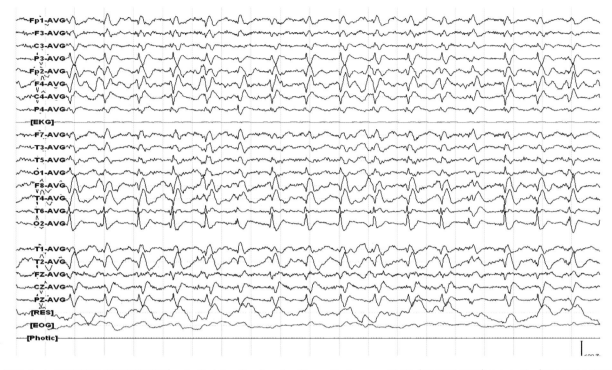

그림 4-4 **주기편측뇌전증모양방전(periodic lateralized epileptiform discharges, PLEDs)이 발작 기파(ictal rhythm)로 나타난 경우.** 우측 측후두엽에 1 Hz의 PLEDs가 관찰되고 있다.

련뇌전증지속상태의 원인이 매우 다양한 것이 가장 큰 이유가 되며 실제 임상 관찰 결과도 비경련뇌전증지속상태 환자들에게서 뇌전증 발작 단독에 의한 뇌 손상의 정도를 확실하고 일관되게 보여주지는 못하고 있다. 따라서 비경련뇌전증지속상태의 치료를 얼마나 적극적으로 해야 하는가도 여전히 논란이 있으나, 비경련뇌전증지속상태로 인하여 뇌세포 손상이 증가한다는 실험적인 증거는 많이 있으며 지속되는 의식저하는 여러 가지 합병증을 만들게 되므로 역시 적극적인 치료가 필요하다.

약제로는 일단 경련뇌전증지속상태에 쓰이는 약이 모두 적용이 가능하며, 기타 경구 투여 약제로 topiramate, oxcarbazepine, perampanel 등이 이용될 수 있다. 이러한 경구 약들은 특히 비경련뇌전증지속상태 또는 초난치성뇌전증지속상태의 치료에 경구부하(oral loading: topiramate 200-400 mg, oxcarbazepine 30 mg/kg, perampanel 4-12 mg) 형태로 적용할 수 있으며 완전히 정립된 것은 아니나 그 효과에 대한 보고들이 있다.

4) 초난치성뇌전증지속상태(super-refractory status epilepticus)의 치료

전신마취로도 조절되지 않는 초난치성뇌전증지속상태의 치료에는 특별히 우월한 방법은 없고 여러 가지 수단을 동원해 볼 수 있다(그림 4-5). 뇌전증지속상태가 진행되면서 세포 표면의 NMDA (N-methyl-D-aspartate)수용체의 수는 증가하면서 $GABA_A$수용체는 세포내섭취(endocytosis)에 의해서 점차 줄어들게 된다. 따라서 $GABA_A$수용체에 결합하는 약물의 경우 기존의 용량으로는 충분한 효과를 볼 수 없다. 여기에는 대용량 phenobarbital법(mega-dose phenobarbital)을 시도해 볼 수 있다. 이 방법의 장점으로는 기존의 전신마취제에 비하여 장기적인 사용이 가능하고 지속적인 정맥주사가 필요 없고, 호흡 마비가 오는 빈도가 상대적으로 적어서 인공호흡기 없이도 사용이 가능할 수 있다는 점들이다.

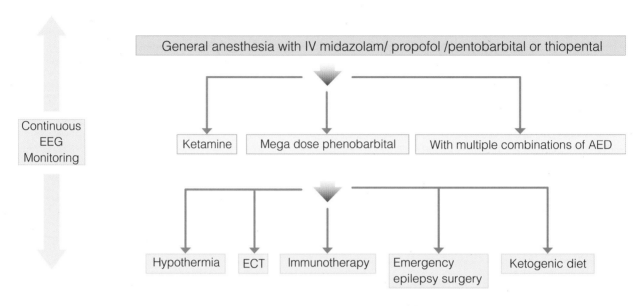

그림 4-5 초난치성뇌전증지속상태(super-refractory status epilepticus)에 적용해 볼 수 있는 치료 방법들.
ECT, electro-convulsive therapy; AED, antiepileptic drug

6 | 면역치료

항체의 존재의 증명과 관계 없이 뇌전증 발작이 급성, 또는 아급성으로 발생하였으며 발병 전에 염증 또는 감염 소견이 있고, 진행하는 경과를 밟으며, 의식 및 기억장애를 동반하는 경우, 그리고 뇌 MRI에 고강도신호를 보이고 뇌척수액검사에서 염증에 합당한 소견이 있는 경우에는 뇌전증 발작 또는 뇌전증지속상태의 원인으로 자가면역뇌염을 고려해 볼 수 있다. 이러한 경우 단순히 항뇌전증약만으로는 발작의 조절이 어려우므로 면역치료를 시도해 보는 것이 중요하다. 이 밖에도 '초난치성뇌전증지속상태'를 보이는 NORSE 환자에서 tocilizumab을 사용하여 효과를 본 연구 결과가 있다.

참고문헌

1. Beghi E, Shorvon S. Antiepileptic drugs and the immune system. Epilepsia 2011;52 Suppl 3: 40-4.

2. Brigo F, Lattanzi S, Rohracher A, et al. Perampanel in the treatment of status epilepticus: A systematic review of the literature. Epilepsy Behav 2018;86:179-86.

3. Brophy GM, Bell R, Classen J, et al. Guidelines for theevaluation and management of status epilepticus. Neurocrit Care 2012;17:3-23.

4. Byun JI, Chu K, Sunwoo JS, et al. Mega-dose phenobarbital therapy for super-refractory status epilepticus. Epileptic Disord. 2015;17:444-52.

5. Byun JI, Lee ST, Jung KH et al. Effect of immunotherapy on seizure outcome in patients with autoimmune encephalitis: a prospective observational registry study. PLoS One, 2016;11.

6. Cabezudo-Garcia P, Mena-Vazquez N, Villagran-Garica M, et al. Efficacy of antiepileptic drugs in autoimmune epilepsy: a systemic review. Seizure 2018;59:72-76.

7. Dubey D, Alqallaf A, Hays R, et al. Neurological autoantibody prevalence in epilepsy of

unknown etiology. JAMA Neurol 2017;74:397-402.

8. Drislane FW. Presentation, evaluation, and treatment of nonconvulsive status epilepticus. Epilepsy Behav 2000;1:301-14.

9. Ferlazzo E, Gasparini S, Sueri C, et al. Status epilepticus of inflammatory etiology: a cohort study. Neurology 2016;86:1076.

10. Feyissa AM, Lopez Chiriboga AS, Britton JW. Antiepileptic drug therapy in patient with autoimmune epilepsy. Neurol Neuroimmunol Neuroinflamm 2017;4:2353.

11. Fyeissa AM, lamb C, Pittock S, et al. Antiepileptic drug therapy in autoimmune epilepsy associated with antibodies targeting the leucine-rich glioma-inactivated protein. Epilepsia Open 2018;3:348-56.

12. Fountain NB, Waldman WA. Effects of benzodiazepines on triphasic waves: implications for nonconvulsive status epilepticus. J Clin Neurophysiol 2001;18:345-52.

13. Gallenbach PM, Jol-Van Der Zijde CM, et al. Immunoglubulins on children with epilepsy: the Dutch Study of Epilepsy in Childhood. Clin Exp Immunol 2003;132:144-51.

14. Glauser T, Shinnar S, Gloss D, et al. Evidence-based guideline: treatment of convulsive status epilepticus in children and adults: report of the guideline committee of the American Epilepsy Society. Epilepsy Curr 2016;16:48-61.

15. Husain AM. Lacosamide in status epilepticus: Update on the TRENdS study. Epilepsy Behav. 2015;49:337-9.

16. Husain AM. Treatment of Recurrent Electrographic Nonconvulsive Seizures (TRENdS) study. Epilepsia 2013;54 Suppl 6:84-8.

17. Jun JS, Lee ST, Kim R, et al. Tocilizumab treatment for new onset refractory status epilepticus. Ann Neurol 2018;84:940-45.

18. Kim DW, Gu N, Jang IJ, Chu K, et al. Efficacy, tolerability, and pharmacokinetics of oxcarbazepine oral loading in patients with epilepsy. Epilepsia 2012;53:e9-12.

19. Kumar S, Kumar V, Jain DC, et al. Immunoogical variations in epileptic children. Open J Appl SCi 2013;3:21.

20. Ladépêche L, Planagumà J, Thakur S, et al. NMDA Receptor Autoantibodies in Autoimmune Encephalitis Cause a Subunit-Specific Nanoscale Redistribution of NMDA Receptors. Cell Re. 2018;23:3759-68.

21. Li G, Nowak M, Bauer S, et al. Levetiracetam but not valproate inhibits function of CD8+ Tlymphocyte. Seizure 2013;22:462-6.

22. Lowenstein DH, Bleck T, Macdonald RL. It's time to revise the definition of status epilepticus. EPilepsia 1999;40:120-2.

23. Maglalang PD, Rautiola D, Siegel RA, et al. Rescue therapies for seizure emergencies: New modes of administration. Epilepsi. 2018;59 Suppl 2:207-15.

24. Mahmoud SH, Rans C. Systematic review of clobazam use in patients with status epilepticus. Epilepsia Open. 2018;3:323-30.

25. Marchi N, Granata T, Janigro D. Inflammatory pathways of seizure disorders. Trends Neurosci 2014;37:55-65.

26. McKee HR, Abou-Khali B. Outpatient pharmacotherapy and modes of administration for acute repetitive and prolonged seizures. CNS Drugs 2014;29:55-70.

27. Modder TDomeiji H, Anduren I, et al. Effect of phenytoin on the production of interleukin-6 and interleukin-8 in human gingival fibrobalsts. J Oral Pathol Med 2000;29:491-9.

28. Nakamura K, Inokuchi R, Daidoji H, et a. Efficacy of levetiracetam versus fosphenytoin for the

recurrence of seizures after status epilepticus. Medicine (Baltimore) 2017;96:e7206.

29. Olney JW, Collins RC, Sloviter RS. Excitotoxic mechanisms of epileptic brain damage. Adv Neurolo 1986;44:857-77.

30. Ranua J, Luoma K, Auvinen A, et al. Serum IgA, IgG, and IgM concnetrations in patietns with epilepsy and matched controls: a cohort-based cross-sectional study. Epilepsy Behav 2005;6:191-5.

31. Recommendation of the Epilepsy Foundation of America's Working Group on Status Epilepsicus. Treatment of convulsive status epilepticus. JAMA 1993;270:854-9.

32. Sanders RD, Grover V, Goulding J, et al. Immune cell expression of GABAreceptors and the effects of diazepam on influenza infection. J Neuroimmunol 2015;282:97-103.

33. Shrovon S, Ferlisi M. The treatment of super-refractory status epilepticus: a critical review of available therapies and a clinical treatment protocol. Brain 2011;134:2802-18.

34. Steridae C, Moosa ANV, Hantus S, et al. Electroclinical features of seizures associated with autoimmune encephalitis. Seizure 2018;60:198-204.

35. Stojanova V, Rossetti AO. Oral topiramate as an add-on treatment for refractory status epilepticus. Acta Neurol Scand 2012;125:e7-e11.

36. Svalheim S, Mushtaq U, Mochol M, et al. Reduced immunoglobulin levels in epilepsy patietns treated with levetiracetam, lamotrigine, or carbamazepine. Acta Neurol Scan Suppl 2013;196:11-5.

37. Verotti A, Basciani F, Trotta D, et al. Effect of anticonvulsants drugs on interleukin-1, -2, and -6 and monocyte chemoattractant protein-1. Clin Exp Med 2001;1:133-6.

38. Vezzani A, Fujinami RS, White S, et al. Infections, inflammation and epilepsy. Acta Neuropathol 2016;131:211-34.

39. Walker MC. Pathophysiology of status epilepticus. Neurosci Lett 2018;667:84-91.

40. Walker M, Cross H, Smith S, et al. Nonconvulsive status epilepticus: Epilepsy Research Foundation workshop reports. Epileptic Disord 2005;7:253-96.

41. Wright S, Hashemi K, Stasiak L, et al. Epileptogenic effects of NMDAR autoantibodies in a passive transfer mouse model. Brain 2015;138:3159-67.

42. Yasiry Z, Shorvon SD. The relative effectiveness of five antiepileptic drugs in treatment of benzodiazepine-resistant convulsive status epilepticus: a meta-analysis of published studies. Seizure 2014;23:167-74.

김민아

증상 치료 – 정신증상
(Treatment of encephalitis: psychiatric symptoms)

1 서론

뇌염에는 불면(insomnia), 불안(anxiety), 초조 (agitation), 우울(depression), 감정 조절의 어려움(mood dysregulation), 정신병적 증상(psychotic symptom) 등의 정신과적 증상(psychiatric symptoms)들이 동반된다. 특히 자가면역뇌염의 경우 신경과적 증상이 나타나기 이전에 망상(delusion), 환청(auditory hallucination), 와해된 행동(disorganized behavior) 등의 정신병적 증상이 먼저 나타나 급성 정신병으로 진단받게 되는 경우가 종종 있다. 자가면역뇌염은 흔히 몇 가지 증상 단계를 거치는데, 전구기 증상(prodromal symptoms)으로 두통, 발열, 구역, 구토, 설사, 상기도 감염 등의 증상이 나타나며, 전구기 증상 단계 이후 며칠에서 2주 사이에 불면, 불안, 우울, 망상(delusion), 조증(mania), 편집증(paranoia), 상동증적 행동(stereotyped behavior), 긴장증(catatonia), 반향언어(echolalia), 함구증(mutism) 등의 정신과적 증상이 나타난다. 정신과적 증상 단계 이후에 무반응 기간 (unresponsiveness period)으로 진행하게 되며, 이 단계에서 환자들은 눈은 뜨고 있으나 시각적 위협에도 반응을 하지 않으며, 함구증을 보이거나 알아들을 수 없는 단어들을 중얼거리기도 한다. 무반응 단계에서는 호흡저하 (hypoventilation), 자율신경불안증(autonomic instability), 이상운동증(dyskinesia)이 흔히 동반된다.

뇌염으로 인하여 정신과적 증상이 발생하였을 때 근본적인 원인 해결을 위해 뇌염에 대한 치료를 진행해야 하지만, 동반된 정신과적 증상이 심각한 심리적 고통과 행동 문제를 유발하므로 정신과적 증상을 조절하기 위한 치료가 반드시 병행되어야 한다. 정서 (emotion)와 행동(behavior)에 영향을 주는 정신과적 증상이 조절되어야만 환자가 뇌염에 대한 치료에 순응할 수 있는 능력을 갖게 된다. 이번 장에서는 뇌염에 동반되는 정신과적 증상의 치료 방법에 대하여 고찰한다.

1) 정신병적 증상(Psychotic symptoms)

정신병적 증상은 현실감(reality)의 상실 또는 혼란을 특징으로 하며, 망상(delusion), 환청(auditory hallucination), 환시(visual hallucination), 초조성 공격성(agitated aggression)을 포함한다. 망상은 교정이 불가능한 잘못된 믿음(fixed false belief)으로써 피해망상 (persecutory delusion), 과대망상(grandiose delusion), 관계망상(delusion of reference) 등이 흔한 형태이다. 환청과 환시는 실제로 청각 및 시각 자극이 존재하지 않음에도 환자가 이를 현실로 느끼는 감각 영역의 장애이다. 흔히 망상 또는 환청, 환시에 대한 반응으로 공격적 행동이 나타나기도 하지만, 초조와 같은 정서 조절의 장애 자체로 인해서 공격적 행동이 나타나기도 한다. 도파민 가설(dopamine hypothesis)에 의하면 뇌의 복측피개부(ventral tegmental area)에서 중격핵(nucleus accumbens)에 이르는 중간변연경로(mesolimbic pathway)의 도파민 과활성(overactivity)에 의하여 망상, 환청, 환시, 초조성 공격성 등의 정신병적 증상이 나타난다.

정신병적 증상은 haloperidol, chlorpromazine과 같은 도파민수용체 차단제(dopamine receptor blocker) 기능을 하는 정형 항정신병제(typical antipsychotics)를 이용하여 조절할 수 있다. 그러나 근긴장이상(dystonia), 떨림(tremor), 좌불안석(akathisia)과 같은 추체외로증상(extrapyramidal symptom)이 부작용으로 나타날 수 있고, 근육강직(muscle rigidity), 발열, 자율신경불안증, 섬망(delirium)을 포함하는 신경이완제악성증후군(neuroleptic malignant syndrome, NMS)과 같은 부작용이 생길 수 있다. 이러한 부작용은 뇌염에 의한 증상과 구별이 어려우며 일부 뇌염 증상을 증폭시키기도 하므로 약물 사용에 주의가 필요하다. 도파민수용체 이외에 다른 여러 신경전달물질(neurotransmitter)수용체에 작용하는 olanzapine, risperidone, paliperidone, quetiapine, ziprasidone 등의 비정형 항정신병제(atypical antipsychotics)는 추체외로증상 및 신경이완제악성증후군과 같은 부작용의 발생 가능성이 좀 더 적으나 배제할 수는 없으므로 역시 약물 사용에 주의가 필요하다. 추체외로부작용의 발생을 방지하기 위하여 benztropine, trihexine 등의 항콜린성약물(anticholinergic agent)과 lorazepam등의 benzodiazepine계열의 약물을 함께 사용할 수 있다. 비정형 항정신병제는 도파민수용체에 대한 작용 외에 각각이 서로 다른 신경전달물질수용체에 작용하므로, 수용체 작용기전에 따라 부가적인 증상을 조절할 수 있다는 장점이 있다. 예를 들어 불면과 초조성 공격성이 동반된 경우 히스타민(histamine)수용체에 대한 작용으로 진정(sedative)효과가 있는 olanzapine이나 quetiapine을 사용하는 것이 좋다.

2) 긴장증적 증상(Catatonic symptoms)

긴장증적 증상은 혼미(stupor)로 나타나는 정신운동부동상태(psycho-motor immobility)와 행동이상(behavioral abnormality)을 뜻하며, 함구증(mutism), 위축(withdrawal), 상동증적 행동(stereotyped behavior), 납굴증(waxy flexibility), 거부증(negativism) 등의 증상을 포함한다. 흔히 심한 우울증상이나 정신병적 증상과 연관되어 나타나는 것으로 알려져 있고, 도파민(dopamine), GABA (gamma-aminobutyric acid),

glutamate시스템의 불균형이 원인인 것으로 생각된다. 항NMDA (N-methyl-D-aspartate)수용체뇌염 환자들의 경우, 급성기에 심한 긴장증을 보이는데, 이는 긴장증의 원인이 NMDA수용체의 기능저하와 깊게 연관되어 있다는 증거가 된다. 긴장증적 증상의 치료에는 benzodiazepine을 우선적으로 사용한다. Benzodiazepine의 사용은 수면에 도움을 주고 발작(seizure)을 예방하는 데에도 효과적이라는 장점이 있다. 긴장증적 증상의 치료에 있어 항정신병제의 사용에 대해서는 신경이완제악성증후군의 발생을 촉발할 수 있기 때문에 논란이 있다.

약물 치료에 반응하지 않는 긴장증적 증상의 치료에는 전기경련요법(electroconvulsive therapy, ECT)을 사용할 수 있다. 전기경련요법은 두피를 통해서 뇌에 30-50줄(joule) 정도의 짧은 펄스 형태의(0.3-1 ms of brief pulse wave) 전기 자극(electrical stimulus)을 보내어 인공적인 전신강직간대발작(generalized tonic-clonic seizure)을 일으키는 방법이다. 전기경련요법은 1934년 Meduna가 약물로 유도한 경련을 긴장증 및 기타 조현병 증상 완화에 사용한 것을 시작으로, 1938년 Cerletti와 Bini에 의해 전기를 이용한 경련요법을 사람에게 적용하게 되었다. 현대적인 전기경련요법은 마취 의사의 모니터링 하에 전신마취와 근이완제를 사용하며 안전하게 시행할 수 있다. 전기경련요법의 치료 원리는 아직 명확히 알려진 바는 없으나 경련 중 뇌혈류 변화, 경련역치 상승에 의한 항경련제 작용, 신경전달물질(neurotransmitter)수용체 변화, 신경내분비(neuroendocrine) 시스템 변화, 신경발생(neurogenesis) 가설 등이 제시되고 있다. 전기경련요법은 약물에 반응하지 않는 긴장증, 우울증, 정신병적 증상에 매우 효과적일 뿐만 아니라, 자율신경불안증(autonomic instability), 뇌전증지속상태(status epilepticus) 등 자가면역뇌염 자체에 의한 증상에도 효과를 기대해 볼 수 있다. 전기경련요법을 사용하여 자가면역뇌염에 동반된 긴장증 및 정신병적 증상을 효과적으로 치료한 사례 보고들이 다수 출판되어 있다(표 5-1).

3) 기분 증상(Mood symptoms)

뇌염에 동반되는 기분 증상으로는 우울, 불안, 기

표 5-1 항N-methyl-D-aspartate (NMDA)수용체뇌염에서 전기경련요법 사용 사례

출판 정보	나이/성별	면역치료	전기경련요법 시행 횟수	치료 결과
Braakman HMH et al., Neurology, 2010	47세/남	methylprednisolone	7회	행동 문제, 인지장애, 운동장애 개선
Mann A et al., J Neuropsychiatry Clin Neurosci, 2012	14세/여	prednisolone, 면역글로불린정맥주사, rituximab, 혈장교환, cyclophosphamide	7회	혈역학적 문제, 행동 문제, 인지장애, 운동장애, 충동성 개선
Matsumoto T et al., Psychiatry and Clinical Neurosci, 2012	18세/남	없음	13회	혈역학적 문제, 행동 문제, 인지장애, 정신증적 증상, 운동장애 개선
Wilson JE et al., Psychosomatics, 2013	14세/여	고용량 스테로이드, 면역글로불린정맥주사, 종양제거, rituximab	14회	혈역학적 문제, 행동 문제, 인지장애, 운동장애 개선
Jones KC et al., Psychiatric Practice, 2015	17세/남	면역글로불린정맥주사	2회	혈역학적 문제, 행동 문제, 인지장애, 운동장애 개선
Sunwoo JS et al., J ECT, 2016	27세/여	면역글로불린정맥주사, 종양제거, rituximab	13회	혈역학적 문제, 행동문제, 인지장애, 운동장애 개선

Adopted and modified from Coffey et al., Electroconvulsive therapy in anti-N-Methyl-D-Aspartate receptor encephalitis: A case report and review of the literature. J ECT, 2016.

분 불안정(mood lability), 조증이 있다. 우울증의 조절을 위해서는 escitalopram, fluoxetine, paroxetine 등과 같은 선택적세로토닌재흡수억제제제(selective serotonin reuptake inhibitor, SSRI)를 사용할 수 있다. 불안의 치료에는 lorazepam이나 alprazolam과 같은 benzodiazepine 계열의 약물이나 buspirone 또는 극소량의 항정신병제를 사용할 수 있다. 자가면역뇌염에 동반되는 기분 증상은 우울증보다는 기분 불안정 및 조증이 더 흔하게 보고된다. 기분 불안정 및 조증의 치료에는 lithium, valproic acid, lamotrigine 등의 기분조절제(mood stabilizer)가 사용된다. 특히, valproic acid의 경우 진정 효과, 수면, 경련 예방 및 치료 효과가 있으며, 필요시 정맥으로 투여할 수 있다는 장점이 있다. 기분 증상에 동반되는 불면의 경우 일반적인 불면의 치료와 같이 benzodiazepine, zolpidem, trazodone, melatonin, clonidine 등을 사용할 수 있다.

4) 공격적 행동(Aggressive behavior)

뇌염에 동반된 섬망, 정신병적 증상, 기분 불안정 (mood instability) 및 조증, 초조 등을 원인으로 하여 공격적 행동이 발생할 수 있다. 공격적 행동은 환자와 치료진에게 심각한 신체적 위협이 되는 물리적 사고로 이어질 수 있으므로, 공격적 행동의 징후를 미리 알아채고 이에 적절히 대처하는 것이 중요하다. 공격적 행동의 징후로, 초조의 증가, 걸어다님, 착석 거부, 말이 빨라짐, 비꼬는 듯한 말투, 눈맞춤 증가, 의심스러운 표정, 주먹을 쥠, 주먹을 흔드는 등의 행동 변화로 나타난다. 이러한 징후가 있을 때는 다음과 같이 대처하는 것이 좋다. 공격적 행동을 보이는 환자에 행동으로 대응하려 하는 것은 오히려 공격적 행동을 촉발할 수 있으므로 비언어적 개입을 삼가한다. 눈맞춤은 감소하고, 손을 올리거나 뒷짐을 지는 등의 위협이 될 수 있는 행동을 삼가하며, 어깨를 떨구어 작아 보이는 자세를 취한다. 되도록 환자의 정면에 서도록 하며, 갑자기 옆으로 피하거나, 뒤돌지 않도록 한다. 환자와의 사이에 충분한 공간을 확보하고 신체 접촉은 피한다.

갑작스러운 공격적 행동에 대한 대처는 다음과 같은 세 단계를 따르도록 한다. 첫 번째 단계로, 위협이 될 수 있을만한 환경에 대해 평가하고 조절하며, 환자

의 개인적 공간을 보장해 주기 위해 환자와 몇 걸음 정도 거리를 두고, 환자를 진정시키기 위한 언어를 사용하여 공격성을 점진적으로 감소시키려고 시도한다. 두 번째 단계로, 경구 항정신병제와 lorazepam을 사용하며, 신체 강박(physical restraint)을 고려한다. 신체 강박을 할 때 강박 시행 팀은 최소 4명 이상으로 구성되어야 하며, 의사는 강박을 시행한 일시와 사유, 치료하는 과정, 그리고 강박하는 동안의 환자의 치료 반응을 의무기록지에 기록해야 한다. 생체 징후와 사지의 순환, 탈수 유무를 정기적으로 확인해야 한다. 세 번째 단계로는, lorazepam과 haloperidol을 근육주사한다. 효과가 충분하지 않다면 30−60분 후에 한 번 더 근육주사를 시행할 수 있다. 세 번째 단계에서도 신체 강박을 고려할 수 있다.

2 | 결론

뇌염에 동반되는 정신과적 증상은 크게 정신병적 증상, 긴장증적 증상, 기분 증상으로 구분할 수 있으며, 정신과적 증상에 의해 발생하는 공격적 행동 또한 중요한 치료의 대상이 된다. 정신병적 증상의 치료에는 정형 또는 비정형 항정신병제를 사용할 수 있으며, 추체외로증상 및 신경이완제악성증후군과 같은 부작용에 주의해야 한다. 긴장증적 증상의 최우선적 치료 방법은 benzodiazepine을 사용하는 것이며, 약물 치료에 반응하지 않는 경우 전기경련요법을 시행할 수 있다. 기분 증상 중 우울증에는 항우울제(antidepressant)를 사용하고, 기분 불안정 및 조증에는 기분조절제를 사용한다. 공격적 행동을 미리 알아채고, 단계적인 방법으로 안전하게 대처하는 것이 중요하다. 이처럼 뇌염에 동반되는 정신과적 증상을 효과적으로 치료함으로써, 환자의 주관적 고통을 경감시키고 안전을 도모할 뿐만 아니라, 뇌염의 치료에도 순응할 수 있는 치료 환경과 자원을 마련할 수 있다.

참고문헌

1. Chapman MR, Vause HE. Anti-NMDA receptor encephalitis: diagnosis, psychiatric presentation, and treatment. Am J Psychiatry 2011;168:245-51.
2. Coffey MJ, Cooper JJ. Electroconvulsive therapy in anti-N-methyl-d-aspartate receptor encephalitis: a case report and review of the literature. J ECT 2016;32:225-9.
3. de Jong JO, Arts B, Boks MP, et al. Epigenetic effects of electroconvulsive seizures. J ECT 2014;30:152-9.
4. Kuppuswamy PS, Takala CR, Sola CL. Management of psychiatric symptoms in anti-NMDAR encephalitis: a case series, literature review and future directions. Gen Hosp Psychiatry 2014;36:388-91.
5. Maneta E, Garcia G. Psychiatric manifestations of anti-NMDA receptor encephalitis: neurobiological underpinnings and differential diagnostic implications. Psychosomatics 2014;55:37-44.
6. Pape k, Tamouza R, Leboyer M, et al. Immunoneuropsychiatry-novel perspectives on brain disorders. Nat Rev Neurol 2019;15:317-328.
7. Warren N, Grote V, O'Gorman C, et al. Electroconvulsive therapy for anti-N-methyl-d-aspartate(NMDA) receptor encephalitis: a systematic review of cases. Brain Stimul 2019;12:329-34.

 신혜림

증상 치료 – 이상운동증
(Treatment: dyskinesia)

1 | 서론

뇌염은 의식 수준 저하, 경련, 정신증상, 긴장증, 이상운동증 등 다양한 증상을 유발한다. 이 중 이상운동증은 크게 운동감소증(hypokinesia) 과 과다운동증(hyperkinesia)로 나눌 수 있으며, 자해, 낙상 및 횡문근융해(rhabdomyolysis) 등 내과적인 합병증이 발생하므로 임상적인 문제가 된다. 본 장에서는 뇌염에서 동반될 수 있는 다양한 이상운동증의 종류 및 임상적 특징과, 증상 치료에 대하여 소개하고자 한다.

2 | 이상운동증의 종류 및 임상적 특징

뇌염에서는 다양한 종류의 이상운동증이 동반된다. 운동감소증에는 운동완만(bradykinesia), 강직(stiffness), 경축(rigidity)가 있고 과다운동증에는 떨림(tremor), 근간대경련(myoclonus), 근긴장이상(dystonia), 무도병(chorea) 등이 있다. 뇌염에서 발생할 수 있는 이상운동증 및 이와 연관된 대표적인 질환은 다음과 같다.

1) 강직(Stiffness)과 경축(Rigidity)

강직은 사지의 근긴장항진(hypertonia)와 함께 연축(spasm)이 나타나는 것이며, 경축은 진찰자가 사지와 목을 움직일 때 저항이 증가된 상태이다. 강직과 연축이 발생할 수 있는 질환으로는 대표적으로 강직증후군(stiff-

person syndrome)이 있으며, 변이형으로 경축과 근간대경련 동반 진행성뇌척수염(progressive encephalomyelitis with rigidity and myoclonus, PERM)이 있다.

(1) 강직증후군(Stiff-person syndrome, SPS)

강직증후군은 사지와 몸통에 지속적인 근육의 연축과 자극에 의한 강직을 유발하는 질환으로, 몸통과 사지 근육에 경직이 나타나며 특히 복부와 척추옆근, 골반 근육 등이 주로 침범된다. 전신 근육의 연축과 강직 외에도 자율신경계 기능이상, 경련 등이 발생할 수 있으며, 당뇨병, 갑상선질환 등 전신의 자가면역질환과도 동반될 수 있다. 연관된 자가항체에는 항glutamic acid decarboxylase (GAD)항체나 항암피피신(amphiphysin)항체, 항glycine수용체항체가 있으며 특히 항amphiphysin항체가 동반된 경우 폐암, 유방암, 림프종 등 종양이 동반되어 있을 확률이 높다. 강직증후군은 척수의 gamma-aminobutyric acid (GABA)에 의한 억제 기전과 피질의 억제성 신경세포가 손상되면서 근육의 강직이 유발되는 것으로 생각된다.

(2) 경축과 근간대경련 동반 진행성뇌척수염 (Progressive encephalomyelitis with rigidity and myoclonus, PERM)

'경축과 근간대경련 동반 진행성뇌척수염'은 강직증후군의 변이형 중 하나로, 전신 근육의 강직과 함께 뇌병증 및 안구운동장애, 삼킴장애 등 뇌간 기능 이상, 척수병증이 동반된다. PERM은 항glycine수용체항체가 연관된 경우가 많으나, 항GAD항체도 발견될 수 있으며 일반적인 강직증후군에 비해 예후가 좋지 않다.

2) 근간대경련(Myoclonus)

근간대경련은 돌발적이며 짧은 불수의 운동으로, 운동 조절 기능을 침범하여 발생한다. 대표적으로는 안구간대경련-근간대경련증후군(opsoclonus-myoclonus syndrome)이 있으며, 불규칙하게 무작위 방향으로 반복되는 안구간대경련과 사지 및 체간에서 나타나는 근간대경련이 특징적이다. 성인에서는 다양한 바이러스나 세균 감염 후, 혹은 항Ri항체(antineuronal nuclear antibody-2, ANNA-2)뇌염에서 발생할 수 있다.

3) 무도병(Chorea)

무도병은 불규칙한 불수의운동으로, 신체의 여러 부위에서 무작위 순서로 나타나거나 한 부위에서 다른 부위로 물 흐르듯 이동한다. 무도병이 발생할 수 있는 뇌염으로는 항CV2/CRMP5(crossveinless 2/collapsin response mediator protein-5)뇌염, 항Hu(ANNA-1)뇌염과 같은 세포내 자가항체 매개 뇌염이 있으며, 항N-methyl D-aspartate (NMDA)수용체뇌염, 항LGI1(leucine-rich glioma-inactivated 1)뇌염, 항CASPR2(contactin-association protein2)뇌염 등의 세포표면 단백질에 대한 자가면역뇌염에서도 발생할 수 있다.

(1) 항CV2/CRMP5뇌염

항CV2/CRMP5뇌염은 소뇌변성, 무도병, 시신경염, 치매 등 다양한 신경학적 증후군으로 발병할 수 있다. 항CV2/CRMP5뇌염은 기저핵에 염증을 유발하여 무도병 외에도 파킨슨증 등 다양한 이상운동증상을 유발한다. 항Hu 항체가 함께 발견되는 경우가 있으며, 신생물딸림증후군으로는 폐암과 흉선종이 동반된 경우가 있다.

(2) 항NMDA수용체뇌염

항NMDA수용체뇌염은 자가면역뇌염 중 가장 흔하며, NMDA수용체에 작용하는 자가항체에 의하여 발병한다. NMDA수용체는 담장구(globus pallidus)의 도파민성 신경세포를 억제하는 역할이 있어 자가항체에 의해 NMDA수용체의 활성이 줄어들면 도파민성 신경세포가 과다 활성화된다. 따라서, 도파민이 과도하게 작용하게 되므로 무도병, 구강하악 이상운동증(oromandibular dyskinesia), 근긴장이상, 근간대경련, 떨림 등 다양한 과다운동증이 발생한다. NMDA수용체는 GABA작용 신경세포들에 많이 분포하므로, GABA에 작용하는 benzodiazepine 등이 이러한 과다운동증의 조절에 도움이 될 것으로 생각된다.

4) 소뇌실조(Cerebellar ataxia)

실조는 운동에서 필요한 상호작용(coordination)이 발성, 안구 운동, 사지 운동, 보행 등에서 장애가 발생하여 행동이 서툴어지는 상태를 말한다. 소뇌실조는 항Hu항체(ANNA-1)뇌염, 항Ri항체(ANNA-2)뇌염, 항Ma항체(paraneoplastic Ma antigens-1, PNMA-1)뇌염, 항Ta항체(PNMA-2)뇌염, 항Yo항체(Purkinje cell antibody-1 , PCA-1) 등 다양한 세포내 자가항체매개 뇌염에서 발생하며, 항AMPA (α-amino-3-hydroxy-5-methylisoxazole-4-propionic acid)수용체뇌염, 항N, P 및 Q-type의 칼슘통로(P/Q and N-type calcium channel)뇌염 등의 단백질에 대한 자가면역뇌염에서도 발생할 수 있다.

원인 불명의 산발성(sporadic) 소뇌실조의 경우 이와 같이 다양한 자가면역뇌염에서 발생하는 경우가 있으며, 자가면역 기전에 의한 소뇌실조에는 면역치료가 필수적이다. 따라서 소뇌실조가 처음 진단된 경우, 유전적인 요인이 없다면 자가항체 검사 등을 시행하여 자가면역뇌염을 감별하는 것이 필요하다.

표 6-1 뇌염에 동반되는 이상운동증에 대한 증상 치료

약제	적응증	용량	부작용
Baclofen	근긴장이상, 근간대경련	5–60 mg/일(경구); 100–1,000mg/day(척수강내)	경련, 호흡 저하, 근육긴장저하(hypotonia)
Trihexiphenidyl	근긴장이상, 근간대경련	2–60 mg/일(0.5–1 mg/일로 시작)	항콜린성 부작용
Tetrabenazine	근긴장이상, 무도병, 근간대경련	25–150 mg/일	우울, 자살 사고, 파킨슨증 유발 가능
Haloperidol	무도병	0.25–5 mg/일	추체외로 부작용, 심전도상 QT 연장
Risperidone	무도병	0.25–3 mg/일	추체외로 부작용, 심전도상 QT 연장
Piracetam	근간대경련	4.8–24 g/일	중단 시 발작 위험
Levetiracetam	근간대경련	20–60 mg/kg/일	이상 행동, 성격변화
Clonazepam	근간대경련, 근긴장이상, 강직, 운동이상증, 떨림	0.5–5 mg/일	진정, 호흡 저하
Valproic acid	근간대경련, 무도병	20–40 mg/일	간기능 이상, 혈소판감소 등
Carbamazepine	무도병	10–20 mg/kg/일	간기능 이상, 저나트륨혈증
Clonidine	근긴장이상	1 μg/kg/일로 시작하여 평균 20 μg/kg/일까지 증량	기립성저혈압, 서맥, 피로, 두통

출처: Mohammad SS, Dale RC. Principles and approaches to the treatment of immune–mediated movement disorders. Eur J Paediatr Neurol 2018;22:292–300.; Mohammad SS, Jones H, Hong M, et al. Symptomatic treatment of children with anti–NMDAR encephalitis. Dev Med Child Neurol 2016;58:376e84.; Koy A, Lin JP, Sanger TD, et al. Advances in management of movement disorders in children. Lancet Neurol 2016;15:719e35.

3 | 이상운동증의 증상 치료

뇌염과 동반된 이상운동증은 원인 질환을 치료하는 것이 가장 우선적이다. 예로 신생물딸림증후군으로 발생한 자가면역뇌염에서 이상운동증이 발생한 경우, 자가면역뇌염에 대한 면역치료와 함께 원인 종양에 대한 평가와 치료를 하는 것이 중요하다. 그러나 뇌염 자체에 대한 치료에는 많은 시간이 소요되므로, 그동안 이상운동증을 조절하기 위한 증상 치료가 필요하다. 이에 근이완제, benzodiazepine, 항뇌전증약, 항정신병약 등 다양한 약물을 통해 이상운동증을 조절하기 위한 치료들을 시도해왔다(표 6-1).

1) 항콜린제(Anticholinergics)

Trihexyphenidyl과 benztropine이 해당되며, 근긴장이상과 근간대경련의 조절에 도움이 된다. 항콜린성 약제는 특히 근긴장이상에 효과가 좋으며, 소아에서도 비교적 안전하게 투약할 수 있다는 장점이 있으나 인지기능 저하, 과민성(irritability), 변비 등 항콜린성 부작용이 있으므로 투약 시 주의가 필요하다.

2) GABA작용제

GABA작용제는 기저핵과 척수에 분포한 GABA성 신호 전달을 촉진하므로 근긴장이상, 강직, 운동이상증(dyskinesia) 등 다양한 과다운동증의 조절에 효과적이다. GABA작용제로는 clonazepam을 포함한 다양한 종류의 benzodiazepin이 있으며, baclofen도 $GABA_B$ 수용체 길항제로 작용한다. 벤조디아제핀은 GABA작용 이외에 근육 이완 작용이 있으며, 이상행동을 보이는 환자의 진정에도 도움이 된다. 그러나, 호흡 저하와 과진정이 나타날 수 있으므로 주의가 필요하다.

3) 항dopamine약제

항dopamine 약제는 dopamine의 과다 활성을 억제하므로, 무도병, 운동이상증 등 과다운동증의 조절에 사용된다. 대표적으로는 haloperidol, risperidone과 같은 항정신병약물이 있으며 무도병, 상동증 등에 효과적이다. 항정신병약물은 이상 행동 조절에도 도움이 되나, 추체외로 부작용과 심전도상 QT연장, 지연이상운동(tardive dyskinesia)에 주의해야 한다. 또한, tetrabenazine도 항 dopamine 작용을 통해 무도병, 근간대경련을 조절하며 파킨슨증, 오심, 졸음 등의 부작용에 주의해야 한다.

4) 항뇌전증약

항뇌전증약은 근간대경련의 증상 조절에도 효과적이다. Valproic acid, clonazepam, levetiracetam, piracetam 등은 근간대경련의 조절에 효과적이나 lamotrigine, carbamazepine과 같은 항뇌전증약은 근간대경련을 악화시키기도 하므로 주의가 필요하다. 또한 valproic acid와 carbamazepine은 무도병을 조절하는 효과가 있어 증상 조절을 위해 투약해 볼 수 있다.

참고문헌

1. 대한신경과학회. 신경학. 3판. 서울:범문에듀케이션. 595-643. 2017
2. Baizabal-Carvallo JF, Jankovic J. Stiff-person syndrome: insights into a complex autoimmune disorder. J Neurol Neurosurg Psychiatry 2015;86:840-8.
3. Balint B, Vincent A., Meinck HM, et al. Movement disorders with neuronal antibodies: syndromic approach, genetic parallels and pathophysiology. Brain 2018;141:13-36.
4. Chang VC. Autoimmune Movement Disorders. Clinical Neuroimmunology: Multiple Sclerosis and Related Disorders(Current Clinical Neurology). Springer;39:291-06.
5. Koy A, Lin JP, Sanger TD, et al. Advances in management of movement disorders in children. Lancet Neurol 2016;15:719e35.
6. Lancaster E. Paraneoplastic disorders. Continuum(minneap Minn) 2015;21:452-75.
7. Masdeu JC, Dalmau J, Berman KF. NMDA receptor internalization by autoantibodies: a reversible mechanism underlying psychosis? Trends Neurosci 2016;39:300-10.
8. McKeon A. Vincent A. Autoimmune movement disorders. Autoimmune Neurology. Cambridge: Elsevier;133:301-15.
9. Mohammad SS, Dale RC. Principles and approaches to the treatment of immune-mediated movement disorders. European Journal of Paediatric Neurology 2018;22:292-300.
10. Mohammad SS, Fung VS, Grattan-Smith P, et al. Movement disorders in children with anti-NMDAR encephalitis and other autoimmune encephalopathies. Mov Disord 2014; 29:1539-42.
11. Mohammad S, Jones H, Hong M, et al. Symptomatic treatment of children with anti-NMDAR encephalitis. Dev Med Child Neurol 2016;58:376e84.
12. Varley JA, Webb AJS, Balint B, et al. The Movement disorder associated with NMDAR antibody-encephalitis is complex and characteristic: an expert video-rating study. J Neurol Neurosurg Psychiatry 2019;90:724-6.

 김은영

증상 치료 – 내과적 합병증 치료
(Treatment: medical complication)

1 총론

뇌염의 환자를 진료하면서 임상의는 여러 합병증을 마주하게 된다. 특히 세 가지 원인으로 내과적인 합병증을 분류할 수 있다. 첫 번째는 뇌염 자체의 뇌실질 병변에 따른 내과적인 증상이다. 이러한 종류의 뇌염은 뇌염 초기, 그리고 뇌염의 진행 과정에서 발생하는 경우가 많다. 뇌는 우리 몸의 모든 기관에 영향을 줄 수 있으며 관련 기능의 뇌 실질에 병변이 생길 경우 이에 대한 내과적 기능 이상이 발생할 수 있다. 예를 들어 뇌섬(insula) 부위는 교감/부교감 신경계를 조절함으로서 순환기계통의 증상들을 유발할 수 있으며 내분비계 또한 많은 조절을 받는다. 내분비계의 중요한 역할을 하는 뇌하수체(pituitary gland)는 구조적으로도 뇌와 따로 생각할 수 없다.

두 번째는 뇌염의 치료 과정에서 발생하는 내과적인 증상이며, 급성기보다는 뇌염을 치료하는 과정에서 더 많이 발생한다. 이러한 치료 과정의 내과적 합병증은 두 가지로, 뇌염이 진행하며 조절 능력의 상실로 인한 결과로서의 합병증과, 치료 약에 따른 부작용으로 인한 합병증이다. 뇌염에 따라 감염 뇌질환의 경우 통상적으로 사용되는 전신 감염증에 비해 더 높은 용량과 부작용이 강할 수 있는 약물을 사용하는 경우가 많으며, 비감염 뇌질환의 경우 면역 억제를 위한 약을 사용하게 되기 때문에 그 약 자체 및 기회 감염과 관련된 부작용이 다수에서 관찰된다.

세 번째로는 뇌염을 유발한 원인과 관련된 내과적인 증상이다. 뇌염의 종류 중 하나인 신생물딸림뇌염(paraneoplastic encephalitis)의 경우 내과적인 종양이 원인이 되어 발생하는 경우가 많다. 이러한 경우 그 뇌염을 유발한 종양 자체에 대한 내과적인 증상이 나타날 수 있다. 상기와 같이 뇌염은 다양한 원인으로 내과적인 합병증을 유발할 수 있다. 그러나 이들은 모두 뇌염의 치료 과정에서 나타날 수 있는 합병증으로서 이들에 대한 즉각적이고 대증적인 치료를 유지해 나가야 하며 뇌염에 대한 치료를 지속하여 뇌염을 해결하여야 그 근본적인 치료가 가능할 수 있다.

2 세부 기관별 내과적 합병증

1) 순환기계 합병증

순환기계 합병증으로는 리듬에 이상이 생기거나 심장 기능에 이상이 발생할 수 있다.

(1) 부정맥과 심장전기전도 이상

변연뇌염(limbic encephalitis)이 뇌섬에 침범하는 경우, 심한 상황에서는 심장무수축(asystole)까지 유발 가능하다. 뇌염에 대한 증상 치료를 위하여 항뇌전증약을 사용하는 경우가 많다. 항뇌전증약의 경우 비교적 오래된 약물인 phenytoin, carbamazepine부터 신약인

lacosamide까지 심장 리듬 억제, 리듬 전도 억제 효과가 있는 것으로 알려져 있다. 심전도상 이러한 심장 리듬 이상이 발생하였을 때 약제가 원인으로 의심될 경우에는, 약물 변경을 고려해 보는 것이 좋으며, 변경이 불가능한 상황이라면, 체외/체내 박동기 적용 또한 고려해볼 수 있다. 심방세동과 심실빈맥과 같은 부정맥 또한 유발될 수 있다. 이러할 경우 혈역학적 불안정성에 대하여 확인하여야 하며 심하지 않을 경우 diltiazem, esmolol, digoxin, amiodarone과 같은 약물을 투약하고 혈역학적으로 불안정할 경우, 직류전류 심장율동전환을 시행하여야 한다. 이러한 부정맥들은 뇌경색 등의 신경학적 합병증을 유발할 수 있기 때문에 조절하여야 한다.

(2) 심장기능이상

뇌염 환자의 경우 catecholamine 과다활동(hyperactivity) 상태가 될 수 있고 이는 심장 근육에도 영향을 줄 수 있다. 심장에 스트레스가 가해질 경우 일시적으로 심장효소 상승 및 심근병증(myopathy)을 유발할 수 있다. 다른 원인을 배제한 후, 심장초음파를 통해 Takotsubo심근병증를 확인할 수 있으며 이들의 경우 지지적 치료(supportive care)하며 경과를 확인하여야 한다.

2) 호흡기계 합병증

호흡기계 합병증으로는 호흡이 억제되어 환기가 안 되거나, 폐렴 등의 상/하기도 감염이 발생할 수 있다. 호흡 중추는 연수(medulla)와 교뇌(pons)에 위치하고 있다. 이들의 화학수용체(chemoreceptor)들이 pH를 감지하고 이산화탄소의 제거를 조절한다. 뇌간을 침범하는 뇌염이 이들 위치에 병변이 발생할 경우 이를 조절하는 능력이 상실되어 호흡이 억제될 수 있다. 이렇게 유발된 호흡 억제로 2형 호흡부전(type 2 respiratory failure)이 발생할 수 있기 때문에, 뇌간 병변이 진행하는 환자의 경우 기관삽관 및 인공호흡장치의 사용 가능성에 대하여 검토하여야 한다. 또한 경증의 환자 중에서도 수면 시에 중추무호흡(central apnea)이 발생할 수 있으며 환자의 신경학적 증상이 불안정할 시에는 철저한 감시를 해야 한다.

신경성폐부종 또한 나타날 수 있다. 신경성폐부종은 대부분 뇌출혈 이후 발생하지만 뇌염에서도 발생이 보고된 적이 있다. 폐부종의 기전으로는 뇌 손상에 의한 아드레날린 반응으로 폐혈관이 수축, 압력 증가하여 폐모세혈관의 투과도가 증가하게 되면서 부종이 발생한다. 이러한 폐부종 시에는 비교적 빠르게 양측 폐로 나타난다. 폐렴과의 감별이 어렵기 때문에 임상양상을 면밀히 관찰하여야 하며 신경학적 증상과 함께 그 증상의 정도를 함께 한다.

감염뇌염 환자의 경우 그 원인 병원체에 의한 폐렴이 발생 가능하며, 비감염 환자의 면역치료를 시행하며 뇌염환자는 기회 감염에 노출이 되어 있다. 때문에, 뇌염 환자를 치료하는 과정에서 호흡기계 감염은 빈번하게 발생한다. 이러한 호흡기계 감염 합병증에 대하여서는 균 동정 이전에 임상 양상, 영상의학적 소견 등을 종합하여 빠른 경험적인 항생제 치료를 시행하여야 하며, 일반 폐렴 환자보다 장기적인 치료를 요할 수 있다.

3) 신장 합병증

신장 합병증으로는 전해질 불균형 문제, 신기능 문제, 요로계 감염이 발생할 수 있다. 그 중, 저나트륨혈증은 다른 전신 기관의 질환보다 뇌신경계 질환에서 더 잘 발생하는 전해질 이상이다. 일부 뇌염(예: 항leucine-rich glioma inactivated 1(LGI1)뇌염)에서 뇌염의 증상 자체로도 발생할 수 있으나 많은 신경계 질환에서 저나트륨혈증은 내과적 합병증으로 발생할 수 있다. 뇌염분소모증후군(cerebral salt wasting syndrome)은 그 중 가장 흔한 원인으로, 급성뇌염 환자의 1/3 정도에서 관찰될 수 있다. 뇌염분소모증후군은 아직 그 명확한 기전은 확인되지 않았으나, AVP (arginine vasopressin)의 조절 이상으로 뇌신경계 질환에서 잘 나타나는 것으로 추정되고 있다. 이는 뇌신경계 질환에서 시상하부(hypothalamus)의 삼투압수용기에 이상이 생김으로써 AVP의 합성에 영향을 줄 수 있기 때문이다. 이러한 저나트륨혈증, 저삼투압 농도(hypoosmolality)는 뇌부종을 촉진할 수 있기 때문에 뇌염의 치료에도 좋지 않은 영향을 준다. 뇌염분소모증후군은 그 정도에 따라 치료 적극성이 달라져야 한다. 심한 신경학적 증상이 저나트륨혈증에 의한 것으로 판단될 경우 고장식염수(hypertonic saline)로 교정 해야할 것이며, 그렇지 않은 경우, AVP수용체길항제를 투약하면서, 교정 여부를 확인해야 한다. 이 외에도 저나트륨혈증의 원인으로 부신기능부전(adrenal insufficiency), 항이뇨호르몬부적절분비증후군(syndrome of inappropriate antidiuretic hormone, SIADH)을 생각해 볼 수 있다. 부신기능부전의 경우 부족한 cortisol을 주고 항이뇨호르몬부적절분비증후군의 경우 수분 및 나트륨 보충을 해볼 수 있다.

감염뇌염에서 자주 사용하게 되는 acyclovir 등의 항바이러스제와 일부 항뇌전증약의 경우 신장을 통해 배설되거나, 신장독성이 있어 이로 인한 신기능 저하가 발생할 수 있다. 또한 catecholamine 과다활동 등에 따른 탈수, 반복되는 경련으로 인한 근효소의 상승으로 인한 신기능 저하 또한 발생할 수 있다. 이러한 경우 급성신손상에 의한 신기능 저하이며, 수액요법을 통한 신기능 소생 및 원인/유발 요인 및 약제를 중단하여야 한다.

뇌염 환자는 그 질환자의 특성상 배뇨 조절이 어려운 경우가 많고, 때문에 유치도뇨관을 유지하는 경우가 많다. 또한 치료과정 중에서 사용하는 면역 억제제로 인하여 면역력이 저하되어 있는 경우가 많다. 이러한 환경적 요인 및 환자 내인적 요인으로 뇌염 환자에게서 비뇨기계 감염이 발생하는 경우가 많다. 이러한 경우에도 예방적 항생제를 투약하면서 균 동정을 확인 후 항생제를 다시 결정하여야 한다.

4) 내분비계 합병증

내분비계 합병증으로는 당뇨병, 호르몬 이상 등이 있다. 흔히 비감염뇌염에서 1차적 면역치료로서 고용량 스테로이드를 사용하는 환자에게서 당뇨병이 잘 나타날 수 있다. 면역 억제를 위해 사용하는 스테로이드로 인한 증상으로서 추후 스테로이드를 감량하며 증상은 호전된다. 일부 뇌염(예: 항GAD뇌염)은, 뇌염의 증상으로서 당뇨병이 함께 발생한다. 전자의 경우 혈당을 일시적으로 조절하며 후자의 경우 같은 자가면역을 기전으로 발생한 당뇨병이므로, 면역치료와 함께 일시적으로 혈당조절을 시행하며, 질환 자체의 호전 경과에 따라 당뇨병도 좋아진다. 당뇨병 이외에도 뇌염 병변에 따라서 전해질 이상을 일으키는 원인으로서 위에

서 설명된 부신기능부전, 항이뇨호르몬부적절분비증후군 등이 있을 수 있다.

5) 소화기계 합병증

소화기계 합병증으로는 출혈, 소화 장기의 기능 문제, 감염 문제가 발생할 수 있다. 일부 뇌염의 경우 감염 병원체 자체가 소화기계 출혈을 유발하는 경우가 있을 수 있으며, 뇌염 환자 치료 중 약이나 장기간의 스트레스에 의하여 스트레스궤양(stress ulcer)이 발생할 수도 있다. 이에 위험군에 대하여 예방적인 위점막 보호제를 투약하는 것이 좋다.

뇌염의 증상 중 경련을 조절하기 위해 투약하는 항뇌전증약의 경우 위장관의 운동성에 영향을 주는 경우가 많으며 이는 용량이 올라갈수록 비례한다. 항뇌전증약 및 위장관의 운동성에 영향을 주는 유발약제를 중단하는 것이 가장 우선적이지만, 임상 상황상 불가능할 경우 위장관운동촉진제를 투약하며 일반적인 위장관운동촉진제로도 호전이 없을 경우 glycopyrrolate과 같은 항콜린약제(anticholinergics)를 사용하기도 한다. 뇌염의 치료 중 사용되는 항생제 연관 설사도 발생할 수 있어 이에 대한 항생제 치료가 필요할 때도 있다.

뇌염에 사용되는 약제는 간, 담낭, 췌장에도 영향을 주거나 독성을 가질 수 있으며 이러할 경우 가능한 빨리 원인 약제를 중단하는 것이 가장 우선적인 치료이고 간약(hepatotonic)을 투약해 볼 수 있다. 국내의 경우, 바이러스간염 환자가 많은 나라로 환자 본인은 잘 알지 못하거나, 보균자일 수도 있다. 예방적 치료 없이 rituximab과 같은 면역억제제를 투약하게 될 경우 바이러스를 활성화 시킬 수 있기 때문에 면역 억제 치료를 시행하기 전에 감염 여부에 대하여 이에 대한 사전검사를 하여 예방적 치료 여부에 대하여 검토하여야 한다. 또한 비감염성 뇌염의 치료를 위하여 시행하는 면역 억제 치료의 영향으로 소화기계에도 기회감염 문제가 발생할 수 있으며 이러한 감염에 대하여서도 항생제 치료하여야 한다.

6) 혈액 합병증

투약하는 약에 따라 혈액세포감소증, 골수억제와 같

은 질환이 발생할 수 있으며 이러할 경우 원인 약제를 중단하는 것이 원칙이다. 특히 흔히 쓰이는 약제 중에는 정신병적 증상들을 조절하기 위한 항정신병제(예: clozapine) 혹은 경련 조절을 위해 사용하는 항뇌전증 약들이 이러한 증상을 잘 유발할 수 있다. 간혹 면역 치료를 위해 투약한 면역글로불린도 지연성으로 일시적 혈액 합병증을 보이기도 한다. 이러한 조건에서 발생할 수 있는 기회감염에 대하여 주시하여야 한다. 원인 약제의 중단으로 호전되지 않을 경우, 수혈을 하기도 한다. 필요할 경우 임상적으로 G-CSF (granulocyte colony stimulating factor)를 투약하기도 한다.

7) 종양 합병증

신생물딸림뇌염의 경우 그 원인을 확인하고 제거하는 것이 가장 첫번째 치료이다. 소세포폐암(small cell lung cancer), 고환종자세포종양(testicular germ cell tumor), 유방암, 흉선종, 호치킨병(Hodgkin's disease), 기형종(teratoma) 등의 종양이 주로 발견된다.

많은 연구에서 종양이 확인되는 신생물딸림뇌염의 종양 제거 없이 치료 효과가 좋지 않음이 입증되었다. 이는 종양이 있을 경우에도 면역치료에 대한 반응이 있을 수는 있으나 근본적인 항체 생성 조직이 남아있기 때문이다. 또한 일부 신생물딸림뇌염의 경우(예: 항 Hu항체뇌염)에, 그 원인 종양이 불량한 예후를 갖는 종양(예: 소세포폐암)일 수도 있기에, 가능한 빨리 종양을 제거하여야 하며 필요할 경우 종양에 대한 치료를 시행하여야 한다.

3 | 결론

뇌염 환자는 임상적으로 다양한 내과적인 합병증이 발생할 수 있다. 뇌병변에 의한 내과적인 영향뿐만 아니라 사용하는 약제, 환자 상태에 따라 다른 합병증이 발생할 수 있으며 이는 치료 과정에서 반복적으로 나타날 수 있다. 이러한 합병증으로 뇌염 치료가 지체되는 경우가 있을 수 있으나 본 합병증들의 근본적인 치료는 뇌염의 치료임을 항상 유념하여야 하며, 이러한 합병증이 나타날 때마다 뇌염치료와 병행하여 해결해 나가야 한다.

참고문헌

1. 대한신경과학회. 신경학. 3판. 서울:범문에듀케이션. 699-740. 2017

2. Akın O, Kılınç Uğurlu A, Akbaş ED, et al. Autoimmune Limbic Encephalitis Associated with Type 1 Diabetes Mellitus. J Clin Res Pediatr Endocrinol 2017;9:387-8.

3. Iizuka T, Sakai F, Ide T, et al. Anti-NMDA receptor encephalitis in Japan: long-term outcome without tumor removal. Neurology 2008;70:504-11.

4. Kim DK, Joo KW. Hyponatremia in patients with neurologic disorders. Electrolyte Blood Press 2009;7:51-7.

5. Misra UK, Kalita J, Singh RK, et al. A study of Hyponatremia in Acute Encephalitis Syndrome: A Prospective Study From a Tertiary Care Center in India. J Intensive Care Med 34:411-7.

6. Oppenheimer S. Cerebrogenic cardiac arrhythmias: cortical lateralization and clinical significance. Clin Auton Res 2006;16:6-11.

7. Shin YW, Lee ST, Park KI, et al. Treatment strategies for autoimmune encephalitis. Ther Adv Neurol Disord 2017;11:1756285617722347.

8. Tomson T, Kennebäck G. Arrhythmia, heart rate variability, and antiepileptic drugs. Epilepsia 1997;38:S48-S51.

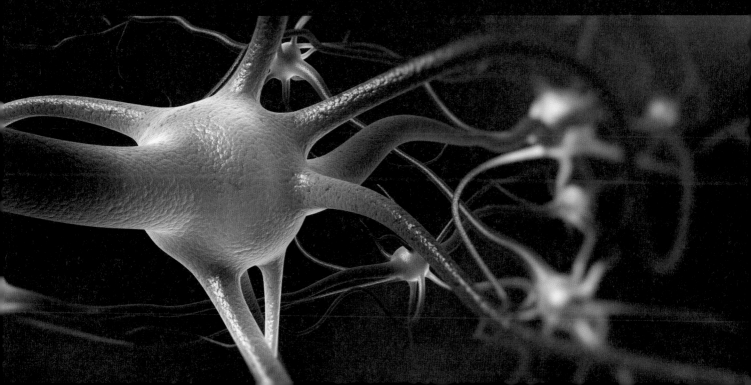

ENCEPHALITIS

 임정아

자가면역뇌염 중증도 및 예후 평가
(Severity and prognosis assessment of autoimmune encephalitis)

1 │ 서론

의학에서 임상 척도는 임상 소견을 정량화하여 질병의 정도를 객관적으로 표현하고 치료에 참여하는 구성원들 사이에 빠른 정보 교환에 도움을 준다. 자가면역뇌염을 대상으로 개발된 임상 척도는 아직 많지 않으며, 최근 자가면역뇌염의 중증도와 예후를 평가하기 위해 고안된 척도를 각각 하나씩 있어 소개하고자 한다.

2 │ 자가면역뇌염의 중증도 평가

자가면역뇌염의 임상적인 중증도를 평가하기 위해 고안된 척도로는 Clinical Assessment Scale in Autoimmune Encephalitis (CASE)가 있다(표 1-1).

이 척도는 확정자가면역뇌염(definite autoimmune encephalitis), 항체음성 유력 자가면역뇌염(autoanti body-negative but probable autoimmune encephalitis), 확정급성파종뇌척수염(definite acute disseminated ence phalomyelitis, ADEM), 확정 및 유력 뇌간뇌염(defin ite and probable brainstem encephalitis)을 포함하는 다양한 질환을 대상으로 개발되었다.

발작, 기억장애, 정신증상, 의식수준, 언어장애, 이상운동, 보행장애 및 실조, 뇌간기능장애, 근위약의 9개 항목으로 구성되어 자가면역뇌염 환자에서 보이는 중요한 증상 및 징후의 손상 정도를 양적으로 측정할 수 있다. 환자를 직접 검진하면서 측정할 수도 있고, 의무

기록을 이용하여 후향적으로도 측정이 가능하다. 항목당 0-3점이 부여되어 최대 27점으로, 점수가 높을수록 중증을 의미한다. CASE는 검사자간 신뢰도(inter-rater reliability), 검사자내 신뢰도(intra-rater reliability), 내적일치도(internal consistency)가 우수하다. 특히 기존에 대체적으로 사용되던 척도인 수정Rankin척도(modified Rankin Scale, mRS)와도 높은 관련성을 보여 구성타당도(construct validity)가 입증되었고, 특히 같은 mRS 점수 내에서도 환자의 중증도를 구별할 수 있어 자가면역뇌염 치료 후 환자의 증상과 징후의 악화 및 호전 정도를 파악하는 데 사용할 수 있다.

척도 개발 시 포함된 환자군의 55%가 항NMDA (N-methyl-D-aspartate)수용체뇌염이었다는 것은 이 척도의 제한점으로, 좀 더 다양한 자가면역뇌염 환자를 대상으로 했을 때에도 같은 결과가 나올 것인지 검증이 필요하다. CASE 척도는 앞으로 자가면역뇌염의 임상연구에서 치료의 기준, 치료 반응 및 임상 예후의 예측 등에 광범위하게 사용할 수 있을 것으로 기대되며, 이를 위해서는 추가적인 연구가 필요하다.

표 1-1 Clinical assessment scale in autoimmune encephalitis (CASE)

평가 증상	기준	점수
발작(seizure)	없음	0
	조절되는 경련(controlled seizures)	1
	난치성경련(intractable seizures)*	2
	뇌전증지속상태(status epilepticus)	3
기억장애(memory dysfunction)	없음	0
	경도(일상생활 수행에 지장 없음)	1
	중등도(일상생활 수행에 지장을 줌)	2
	고도(최근 일에 대한 기억이 없거나 의사소통 불가)	3
정신증상(psychiatric symptoms): 망상(delusion), 환각(hallucination), 탈억제(disinhibition), 공격적행동(aggression)	없음	0
	경도(약물치료를 요하지 않거나, 일상생활 수행에 지장 없음)	1
	중등도(일상생활 수행에 지장을 줌으로써, 약물치료를 요함)	2
	고도(정신과적 증상에 대한 지속적인 감시 혹은 입원치료가 필요) 혹은 평가 불가 상태	3
의식수준(consciousness)	각성(alert, 눈을 뜨고 있음)	0
	기면(drowsy, 소리 자극에 눈을 뜸)	1
	혼미(Stuporous, 통증 자극에 눈을 뜸)	2
	혼수(comatose, 눈을 뜨지 않음)	3
언어장애(language problem)	없음	0
	경도(느리나 문장 발화 가능)	1
	중등도(전체 문장 발화 불가)	2
	고도(언어적 의사소통 불가)	3
이상운동증/근긴장이상 (dyskinesia/dystonia)	없음	0
	경도(일상생활 수행에 지장 없음)	1
	중등도(일상생활 수행에 지장을 줌)	2
	고도(이차적 의학적 문제 발생: 부상, 횡문근융해증(rhabdomyolysis), 억제대 착용, 정맥주사라인 손상)	3
보행장애 및 실조증(gait instability and ataxia)	정상	0
	경도(도움 없이 보행 가능)	1
	중등도(도움 하에 보행 가능)	2
	고도(보행 불가)	3
뇌간기능장애 (brainstem dysfunction) (증상의 개수)	없음	0
	안구운동 마비(gaze paresis)	1
	경관 영양(tube feeding)	1
	중추호흡저하(central hypoventilation)에 의한 호흡기 착용	1
사지근력 저하 (사지 근력 평균의 반올림값) †	정상(Grade V)	0
	경도(Grade IV)	1
	중등도(Grade III)	2
	고도(≤ Grade II)	3
총점		27

*항뇌전증약의 증량 혹은 추가를 요하는 상태로 환자 협조가 가능할 경우, †사지의 근력은 MRC grading system을 통해 평가한다. 환자 협조가 불가할 경우 사지의 근력은 자발운동(spontaneous movement)관찰을 통해 평가한다.

3 | 자가면역뇌염의 예후 평가

자가면역뇌염 이후 전체적인 예후 판정을 평가할 수 있는 척도는 없다. 그러나 항NMDA수용체자가면역뇌염에서 증상 발생 1년째에 기능장애의 정도(functional status) 예측을 위해 고안된 anti-NMDAR Encephalitis One-Year Functional Status (NEOS) 점수가 있다(자가면역뇌염의 임상 양상 단원 참고).

항NMDA수용체자가면역뇌염 환자에서 1년째 불량한 예후(mRS≥3)와 관련된 요인들을 다변량 회귀 모델로 분석한 결과 첫째, 중환자실 입실, 둘째, 증상 발생 4주 이후에 치료 시작, 셋째, 자가면역치료 시작 4주 이내에 임상적인 호전이 없음, 넷째, 뇌 자기공명영상(magnetic resonance image, MRI) 이상소견, 다섯째, 뇌척수액 백혈구 상승(>20개/μL)이 독립적인 예측인자(independent predictors)로 확인되었다. 각 항목당 1점을 부여하여 최대 5점으로 구성된 NEOS 점수는 항NMDA수용체자가면역뇌염 환자에서 1년째 불량한 예후(mRS≥3)와 강한 상관 관계를 갖는 것으로 확인되었다(NEOS 0-1점: 불량한 예후 3%, NEOS 4-5점: 불량한 예후 69%). 하지만 NEOS 점수가 높다고 해서 1년 이후의 장기적인 예후도 나쁜 것은 아니었다.

NEOS 점수는 새로운, 실험적인 치료가 도움이 될 수 있는 환자를 밝혀낼 수 있을 것으로 기대된다. 또한 치료 결정에 참고가 되고 의료진과 보호자 사이에 의사소통의 수단으로도 사용할 수 있을 것이다. 항NMDA수용체뇌염 이외의 다른 자가면역뇌염에 적용하기 위해서는 추가적인 연구가 필요하다.

4 | 결론

자가면역뇌염의 중증도 및 예후를 평가하기 위한 척도는 거의 없다. 현재까지 고안된 몇몇 척도들이 있으며 실제 임상 및 연구에 사용되기 위해서는 추가적인 검증이 필요할 것으로 보인다.

참고문헌

1. Balu R, McCracken L, Lancaster E et al. A score that predicts 1-year functional status in patients with anti-NMDA receptor encephalitis. Neurology 2019;92:e244-52
2. Lim JA, Lee ST, Moon J et al. Development of the Clinical Assessment Scale in Autoimmune Encephalitis (CASE). Ann Neurol 2019;85:352-8.

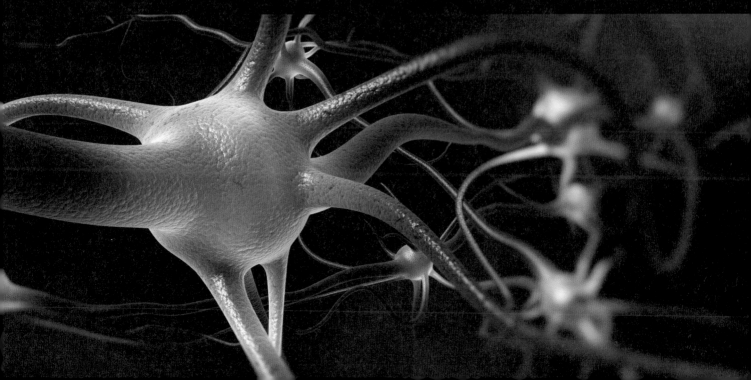

1

 주건

자가면역뇌염 총론

뇌염(encephalitis)과 수막염(meningitis)은 실제상황에서 구분이 명확하지 않다. 수막염은 수막에 주로 염증반응이 생기는 상황이며 뇌척수액내 백혈구를 비롯한 염증세포 침윤으로 진단할 수 있다. 뇌염은 대뇌, 뇌간, 척수를 포함한 중추신경계 실질에 염증이 생기는 상황으로 뇌척수액검사상 염증세포가 시기에 따라 검출되지 않을 수 있다. 이로 인해 수막뇌염(meningoencephalitis)이라는 용어로 두루뭉실하게 총칭하는 경우가 많으나, 뇌염과 수막염을 일으키는 병인이 상이하고 병의 심각성과 예후가 다르므로 임상적으로는 구분을 지어 진단하는 것이 좋다. 뇌염은 크게 나누어 감염성과 비감염성 원인으로 구분지어 지는데, 비감염뇌염은 대부분 자가면역반응에 의해 생긴다. 뇌에 염증을 일으킬 수 있는 자가면역뇌염(autoimmune encephalitis)은 다시 항체매개뇌염, 신생물딸림증후군, 감염후증후군, 혈관염등으로 나누어진다. 류마티스질환이라 부르는 전신혈관염, 결합조직질환(connective tissue disorder)들도 뇌염을 일으킬 수 있으나 이는 류마티스질환의 분류에 따르며 뇌신경계에 생기는 부수적인 증상이라 간주한다. 자가면역뇌염을 진단하기 위해서는 필수적으로 감염뇌염을 배제해야 하며, 쉽지 않은 감별과정을 거친다.

1 | 항체매개뇌염(Antibody-mediated encephalitis)의 소개

항체매개뇌염의 주요 증상은 급성 또는 아급성으로 진행하는 인지기능 저하, 정신병 증상, 발작, 운동장애, 자율신경이상증, 의식장애이다. 항체매개뇌염은 자가항체가 신경세포막에 존재하는 단백질, 이온채널, 수용체 등을 공격하는 경우(autoimmune encephalitis associated with cell surface antigens)와 자가항체가 세포내 항원을 공격하는 경우(autoimmune encephalitis associated with intracellular antigens)로 나뉜다. 신경세포막 항원에 대한 대표적인 항체에는 N-methyl-D-aspartate (NMDA)수용체, α-amino-3-hydroxy-5-methyl-4-isoxazolepropionic acid (AMPA)수용체, γ-aminobutyric acid-B (GABA$_B$)수용체(GABA$_B$R), leucine-rich glioma inactivated-1(LGI1), contactin-associated protein-like 2(CASPR2), metabotropic glutamate receptor 5(mGLUR5), dopamine-2(D2)수용체, dipeptidyl-peptidase-like protein 6(DPPX), GABA$_A$수용체, neurexin-3alpha 등이다. 발생 빈도는 정확히 알려져 있지 않으며, 국내에서는 1년에 모든 자가면역뇌염을 다 합쳐서 200-500명대 환자가 발생된다고 추정되며, 연령을 가리지 않고 발생한다.

세포내 자가항체매개뇌염의 경우, 1980년대부터 종양과 비슷한 시기에 발생된 뇌염환자에서 일련의 자가항체들이 발견되었다. 이들은 주로 신생물딸림증후군과 관련성이 높으며, Hu, Yo, Ri, Ma, Ta,

(Encephalitis Associated with Cell-Surface Antigens) (Encephalitis Associated with Intracellular Antigens)

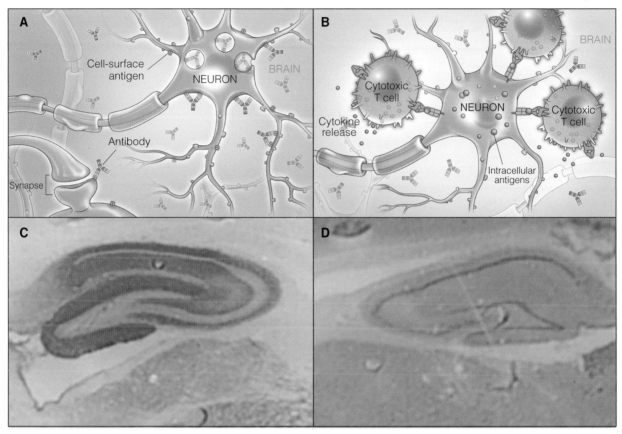

그림 1−1 자가항체의 종류에 따른 기전 및 면역형광염색(immunofluorescence) 양상
신경세포막 자가항체매개뇌염(A)과 세포내 자가항체매개뇌염(B)의 기전. 신경세포막 자가항체매개뇌염인 항NMDA수용체뇌염 환자의 혈청 혹은 뇌척수액을 설치류 뇌 해마 조직에 투여 후 시행한 면역형광염색에서 신경그물모양(neuropil−like)의 염색 양상이 관찰됨(C)에 반해, 세포내 자가항체매개뇌염인 항Hu뇌염 환자의 경우 면역형광염색에서 불연속적 염색 양상이 관찰된다(D)

amphiphysin에 대한 항체들이 알려져 있다. 신경세포막 자가항체매개뇌염의 경우 자가항체가 세포표면의 항원결정기(epitope)에 결합함으로써 항원의 구조, 분포 및 기능을 변화시키는 것에 비해, 세포내 자가항체매개뇌염의 경우 자가항체는 세포내 항원결정기에 결합하지 못하며, 세포독성T세포(cytotoxic T cell)를 매개로 면역반응이 촉발된다(그림 1−1).

모든 자가면역질환은 감염에 의해 촉발된다. 자가면역뇌염도 예외가 아닌데, 종양이 생기거나 바이러스뇌염 혹은 미코플라스마(mycoplasma)같은 균에 감염됨으로써 일련의 면역반응이 시작되게 된다. 일부 종양에서는 신경조직을 포함하고 있거나(예: 기형종(teratoma)), 신경계와 관련된 단백질이 이상발현되는 것이 관찰되는데 이로 인해 자가면역반응이 유발

된다고 추정한다. 종양관련자가면역뇌염은 종양이 제거되거나 소멸하여야 증상이 좋아진다. 단순헤르페스뇌염(herpes simplex encephalitis)에서 바이러스감염 후 자가면역뇌염이 잘 발생되는 것으로 잘 알려져 있는데, 주로 소아에서 많이 생기며 약 20−30%의 환자에서 바이러스가 검출되지 않는 시기(2−3주가 지난 후)에 NMDA수용체항체가 나타난다. 단순헤르페스뇌염 이후 나타나는 항체는 증상을 유발하는 것으로 간주되며, 적극적인 면역치료가 요구된다. 최근 대상포진감염증이 엄청나게 증가되고 있으며, 수두대상포진바이러스(varicella zoster virus)에 감염된 후에도 비슷한 자가면역뇌염이 생기는 경우들이 관찰되고 있다. 미코플라스마, 클라미디아(chlamydia), 캄필로박터(Campylobacter) 같은 박테리아 감염증은 주로 현증

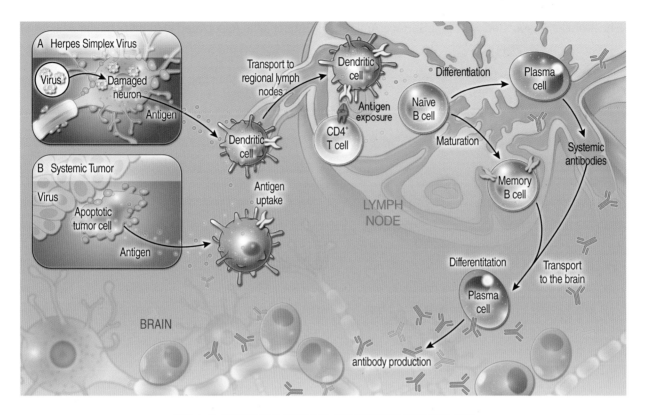

그림 1-2 감염(A) 혹은 종양(B)에 의한 자가면역뇌염의 촉발 기전

이 지나간 다음 수주 내 자가면역뇌염이 생기는 경우가 있으며, 급성파종뇌척수염(acute demyelinating encephalomyelitis, ADEM)이나 Bickerstaff뇌간뇌염이 이에 해당한다.

감염 혹은 종양에 의해 자가면역뇌염이 촉발되는 기전은 다음과 같다. 단순헤르페스바이러스 감염에 의해 신경세포가 파괴되거나, 신경조직을 포함한 종양세포가 자멸사(apoptosis)할 경우, 신경 조직의 일부가 수지상세포(dendritic cell) 등과 같은 항원제시세포(antigen presenting cell)에 항원으로 제시된다. 이러한 항원제시세포가 림프절로 이동하여, 림프절 내에서 미접촉B세포 접촉하게 되고, 항원과 접촉한 B세포는 도움T세포(helper T cell, CD4$^+$)의 사이토카인(cytokine)분비를 통해 형질세포(plasma cell)로 분화하면서 신경세포를 공격하는 항체를 생산한다. 이러한 항체의 일부가 혈액뇌장벽을 투과하여 뇌 내로 유입되거나, 기억B세포(memory B cell) 혹은 형질세포가 뇌 안으로 이동하여 항체를 생산함으로써, 자가면역뇌염이 일어나게 된다(그림 1-2).

2 │ 자가면역뇌염의 이슈들

1) 자가면역뇌염은 치료가 잘 되지 않는다.

자가면역뇌염의 치료는 1차치료[스테로이드, 면역글로불린정맥주사(intravenous immunoglobulin, IVIg)]와 2차치료[rituximab, tocilizumab, 혈장교환(plasma exchange), cyclophosphamide, aldesleukin, bortezomib]로 나누어진다. 대부분의 항체매개자가면역뇌염은 1차치료로 뚜렷한 임상적인 호전을 수주내에 보기 어렵다. 일부 좋은 반응을 보이는 환자군[수정Rankin점수(mRS) 2점이상, 2주 이내]이 있으며 증상변화의 폭은 병세가 심할수록 크게 보인다. 1차치료에 반응이 뚜렷하지 않은 환자를 약물난치성자가면역뇌염으로 분류할 수 있는데, 2차치료 약물의 연속 사이클을 진행하면 수개월이 지나서야 mRS가 2점 이하로 감소되게 된다.

다발경화증(multiple sclerosis, MS)이나 시신경척수염범주질환(neuromyelitis optica spectrum disorder, NMOSD) 환자들에서 발생되는 급성 증상들이 스테로이드 주사에 의해 빨리 소멸되는 것과 대비되는 현상인데, 이는 비슷하게 뇌에 염증이 생기는 다발경화증, 시신경척수염(neuromyelitis optica, NMO)과 자가면역뇌염이 병인과 병리기전이 다르다는 증거가 되기도 한다. 왜 자가면역뇌염 증상은 잘 없어지지 않는가에 대해서는 구체적인 연구결과가 없다. 추정해볼 수 있는 몇가지 원인으로는 1) 종양에 부수적으로 발생된 경우 종양이 제거되기 전까지는 계속적인 면역반응이 생기는 점, 2) 항체매개뇌염의 경우 혈액뇌장벽(blood-brain barrier)이 대부분 정상적인 기능을 유지하고 있어서 약물 침투가 잘 안되는 점, 3) 종양이 없는 경우에도 형질세포, 림프절, 흉선 등에서 계속적인 면역반응이 유발되는 점, 4) 중추신경계 침투 능력이 거의 없는 약물들로 치료를 하는 점 등을 꼽을 수 있다.

2) 자가면역뇌염의 치료목표는 어디까지인가?

자가면역뇌염의 중증도 혹은 병이 어느 정도까지 진행되었는가에 대해 알 길이 없었다. 대한뇌염/뇌염증학회에서는 이에 병의 중증도를 측정할 수 있는 CASE (clinical assessment scale in autoimmune encephalitis)점수를 개발하였으며, 9개의 아이템으로 구분되어 있으며 0점에서 27점 만점까지 매길 수 있다. 다른 장에서 이에 대해 자세히 다루고 있으므로 치료목표에 관련된 내용만 기술한다. 대부분의 항체매개뇌염의 경우, 일부 항LGI1, 항CASPR2, 항GABA_A수용체뇌염의 경우를 제외하면 정상 MRI소견을 보인다. 환자는 혼수상태이며 긴장증(catatonia) 증세를 보이지만 뇌MRI는 정상일 수 있다는 것인데, 이런 경우에는 긴 치료과정을 치명적인 합병증 없이 마칠 경우, 대부분 정상으로 돌아갈 수 있다. 자가면역뇌염 환자 치료과정에서 1~2개월이 지난 시점에서 두드러진 증상은 정신병증세와 뇌전증인데, 이 또한 대부분 소멸되게 된다.

특히, 초기부터 2차약제의 혼합투여를 시작할 경우 조속한 증세의 소멸을 관찰할 수 있는데, 1차치료만 하고 그저 관찰만 할 경우 저절로 정상이 된 환자는 극소수라 생각한다. 항LGI1뇌염과 같이 MRI에 이상이 많

이 나타나는 환자군의 경우에는 조기치료가 매우 중요한데, 발작 자체는 1차치료만 해도 없어지는 경우가 있으나 MRI이상과 관련된 인지기능 장애, 정신병증세는 2차치료를 포함한 면역치료가 얼마나 빨리 시작되었는지에 따라 후유증으로 영구히 남는지 여부가 결정된다.

면역치료 종료시점을 정하는 것은 매우 어렵다. 항체매개자가면역뇌염은 일단 시작된 병이 없어지지 않고 치료에 저항하는 상황이며, 어디까지 좋아져야 치료가 되었다고 판단할 수 있는지 연구결과가 부족한 현실이다. 치료를 계속할지 종료할지를 판단하는데 가장 중요한 것은 환자의 남은 '증상'이며 이 증상이 환자의 일상생활, 사회생활을 영위하는데 얼마나 방해가 되는지 환자와 논의해가며 결정해야 한다. 특히 MRI가 정상이며 약간의 인지기능 장애, 정신증세가 남았을 경우 판단에 어려움이 발생되는데, 본 센터에서는 뇌 SPECT나 PET검사 결과가 정상이 되었는지를 참고하여 결정한다.

3) 자가면역뇌염 항체검사의 유용성

항체매개뇌염의 진단에서 항체를 검사하는 것은 진단에 필수적이다. 항체검사는 혈액과 뇌척수액에서 동시에 검사해야 하며, 이는 한쪽에서만 항체가 나올 수 있기 때문이다. 항체검사가 양성으로 확정자가면역뇌염(definite autoimmune encephalitis) 중 항체값을 측정하는 것이 임상적인 의미가 있는 것은 항NMDA수용체항체의 경우이며, 확실하지는 않지만 뇌척수액내 항체 역가(titer)와 병의 중증도가 연관되어 있는 것으로 알려져 있다. 말초혈액내 항체수치는 rituximab치료에 바로 반응하는 경우가 있으나 뇌척수액내 수치는 그대로 유지되거나 오히려 높아질 수 있으므로 해석에 유의해야 한다. 항NMDA수용체항체는 다른 질환, 대표적으로 조현병에서 연구가 많이 되어 있는데, 전형적인 항NMDA수용체뇌염 발생에 관련된 항체인 anti-NR1 IgG는 잘 보이지 않으며, IgA나 IgM항체가 검출되곤 하며 이의 임상적 의미는 현재까지 잘 알려져 있지 않다. 항NMDA수용체항체를 제외한 나머지 항체들은 항체가 음전되더라도 임상적으로 잘 연관되지 않으므로 추적검사를 통한 치료방침의 변경은 추천되지 않는다.

자가면역뇌염 증세가 의심되고, '가능 자가면역뇌염(possible autoimmune encephalitis)'의 진단기준에 맞는 환자들의 상당수는 항체가 검출되지 않는다. 이는 아직까지 그 병에 관련된 항체를 발견하지 못했거나, 항체매개가 아닌 자가면역뇌염일 가능성이 있으며, 항체음성자가면역뇌염(seronegative autoimmune encephalitis)의 임상 경과는 항체매개자가면역뇌염과 다른 질병경과와 치료반응을 보인다.

참고문헌

1. Bien CG, Vincent A, Barnett MH, et al. Immunopathology of autoantibody-associated encephalitides: clues for pathogenesis. Brain 2012;135:1622-38.

2. Byun JI, Lee ST, Jung KH, et al. Effect of immunotherapy on seizure outcome in patients with autoimmune encephalitis: a prospective observational registry study. PLoS One 2016; 11: e0146455

3. Byun JI, Lee ST, Jung KH, et al. Prevalence of antineuronal antibodies in patients with encephalopathy of unknown etiology: Data from a nationwide registry in Korea. J Neuroimmunol 2016;293:34-8.

4. Dalmau J, Graus F. Antibody-mediated encephalitis. N Engl J Med 2018;378:840-51.

5. Dalmau J, Geis C, Graus F. Autoantibodies to synaptic receptors and neuronal cell surface proteins in autoimmune diseases of the central nervous system. Physiol Rev 2017;97:839-87.

6. Darnell RB, Posner JB. Paraneoplastic syndromes involving the nervous system. N Engl J Med 2003;349:1543-54.

7. Kim TJ, Lee ST, Moon J, et al. Anti-LGI1 encephalitis is associated with unique HLA subtypes. Ann Neurol 2017;81:183-92

8. Lee WJ, Lee ST, Byun JI, et al.. Rituximab treatment for autoimmune limbic encephalitis in an institutional cohort. Neurology 2016;86:1683-91

9. Lee WJ, Lee ST, Moon J, et al. Tocilizumab in autoimmune encephalitis refractory to rituximab: An institutional cohort study. Neurotherapeutics 2016;13:824-32

10. Lim JA, Lee ST, Moon J, et al. New feasible treatment for refractory autoimmune encephalitis: low-dose interleukin-2. J Neuroimmunol 2016;299:107-11

11. Lim JA, Lee ST, Moon J, et al. Development of the clinical assessment scale in autoimmune encephalitis (CASE). Ann Neurol 2019;85:352-8.

12. Shin YW, Lee ST, Shin JW, et al. VGKC-complex/LGI1 antibody encephalitis: clinical manifestations and response to immunotherapy. J Neuroimmunol 2013;265:75-81.

13. Shin YW, Lee ST, Park KI, et al. Treatment strategies for autoimmune encephalitis. Ther Adv Neurol Disord 2018;11:1-19

14. Thompson J, Bi M, Murchison A, et al. The importance of early immunotherapy in patients with faciobrachial dystonic seizures. Brain 2018;141:348-56.

2

이우진

항NMDA수용체뇌염의 병태생리 (Pathophysiology of anti-NMDA receptor autoimmune encephalitis)

1 | 서론

항N-methyl-D-aspartate (NMDA)수용체뇌염은 자가면역뇌염의 가장 흔한 원인이며, 특징적인 임상 양상 및 난소기형종과의 연관성이 알려져 있어, 이를 기반으로 병태생리 기전에 대한 가장 많은 연구가 이루어졌다. 항NMDA수용체뇌염의 기전에 대한 이해는 항NMDA수용체뇌염의 임상 증상 발현의 원인 및 현재 사용되는 표준 치료법의 근거를 이해하는 기틀이 되며, 다른 원인에 의한 자가면역뇌염의 기전을 이해하는 데에도 적용될 수 있다.

2 | NMDA수용체의 구조 및 기능

1) 구조

NMDA수용체는 α-amino-3-hydroxy-5-methyl-4-isoxazolepropionic acid (AMPA)와 카이네이트수용체(kainate receptor)와 함께 신경 세포에 존재하는 세 종류의 이온glutamate수용체(ionic glutamate receptor) 중 하나이다. NMDA수용체는 GluN1, GluN2 및 GluN3의 소단위(subunit)로 이루어진 이질복합체이다. 대부분의 NMDA수용체는 2개의 GluN1과 2개의 GluN2 소단위를 가지고 있다. 이 중 2개의 GluN1 소단위는 모든 NMDA수용체에 공통적으로 존재하며, 2개의 GluN2 소단위의 일부는 GluN3

으로 대체될 수 있다. GluN1은 GRIN1 유전자의 대체접합(alternative splicing)에 의하여 8개의 서로 다른 동형(isoform)으로 분류된다. GluN2에는 네 개의 서로 다른 소단위(A-D)가 있으며, GluN3에는 두 개의 서로 다른 소단위(A와 B)가 있다. GluN2와 GluN3는 6개의 서로 다른 유전자에 의해 부호화(encoding)된다. NMDA수용체는 GRIN1유전자의 대체접합에 의한 GluN1 동형과 GluN2, GluN3 소단위의 여러 가지 구성에 의해 다양한 기능을 나타낼 수 있다. GluN1은 L-glycin, D-serin과 결합하고 GluN2는 glutamate와 결합한다. NMDA수용체는 gluatamate와 glycin(또는 D-serin)이 결합할 때 활성화되며, NMDA에 의해서도 특이적으로 활성화될 수 있다. NMDA수용체가 활성화되면 비선택적양이온통로가 열리게 되며, 결과적으로 나트륨(Na^+)과 소량의 칼슘(Ca^{2+}) 이온은 세포 내로, 칼륨(K^+)은 세포 밖으로 이동하게 된다(그림 2-1).

2) 기능

NMDA수용체는 대뇌 전반에 광범위하게 분포하나, 특히 해마(hippocampus), 줄무늬체(striatum), 꼬리핵(caudate nucleus), 소뇌(cerebellum) 등 기억과 의식, 운동 등을 관장하는 구조물에 높은 농도로 존재한다. NMDA수용체는 세포 간 신호 전달 뿐만 아니라, 시냅스 형성 및 시냅스가소성(synaptic plasticity)을 중추적으로 담당하며, 따라서 NMDA수용체는 중추신경계의 발달, 학습 및 기억에 매우 중요한 역할을 한다.

A   **B**

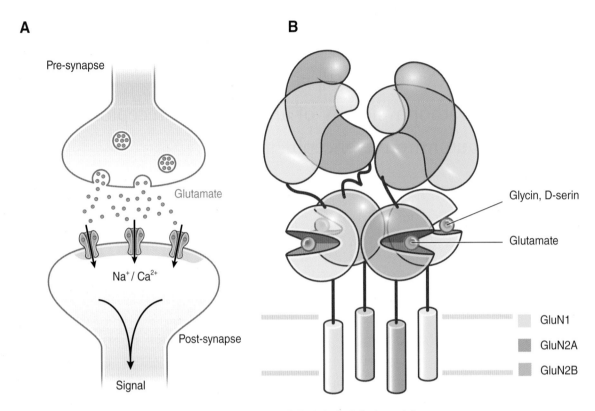

그림 2-1 **NMDA수용체의 기능(A) 및 구조(B)**

NMDA수용체의 기능저하는 시냅스가소성을 손상시키거나, NMDA수용체에 의해 매개되는 억제신경전달(inhibitory neurotransmission)체계에 교란을 일으킴으로써 병증을 유발할 수 있으며, 반대로 NMDA수용체의 과활성은 Ca^{2+} 유입에 의한 흥분독성(excitotoxicity)을 유발할 수 있다. 이로써 NMDA수용체의 기능 이상은 뇌전증, 파킨슨병, 알츠하이머병, 자폐증, 조현병 등 다양한 중추신경계 병에 관여한다.

3 ｜ NMDA수용체항체의 작용기전

항NMDA수용체뇌염을 일으키는 자가면역 항체는 NMDA수용체의 GluN1 소단위의 amino terminal region에 대한 면역글로불린G (immunoglobulin G, IgG)이다. 이 항체는 중추신경계 외부에서 생성되거나, 혈액뇌장벽(blood−brain barrier)을 통과한 항체 생성형질세포(antibody producing plasma cell)에 의해 생성된다. 항NMDA수용체 항체의 첫 번째 작용기전은 쥐의 해마 뉴런이나 NMDA수용체를 발현하는 HEK293세포에 환자의 항NMDA수용체 항체를 주입하는 in vitro실험 및 쥐 뇌실 내에 환자의 항NMDA수용체 항체를 주입하는 수동 주입(passive transfer) in vivo 동물 모델을 통해 밝혀졌다. 항NMDA수용체항체는 NMDA수용체의 교차결합(cross−link)을 유발하고, NMDA수용체가 시냅스 표면에 안정적으로 위치할 수 있게 해 주는 시냅스 단백질인 epherin B2(EPHB2)와의 상호 작용을 억제한다. 이를 통해 NMDA수용체를 세포 내로 이동시키거나(receptor internalization), 시냅스 바깥으로 이동시킴으로써, NMDA수용체에 의해 매개되는 세포 간 신호 전달 체계에 기능적 이상을 유발하게 된다(그림2-2). 최근에는, 항NMDA수용체항체가 NMDA수용체를 세포 내로 이동시키기 전 일시적으로 시냅스 내 NMDA수용체를 활성화시키며, 이를 통해 심한 경련, 이상운동, 긴장증 등을 유발할 수 있다는 기전이 제시되었다.

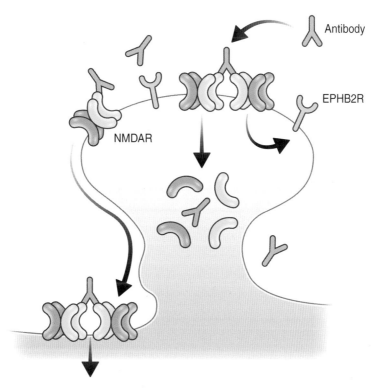

그림 2-2 NMDA수용체 항체의 작용기전

항NMDA수용체항체는 NMDA수용체의 교차결합를 유발하고, NMDA수용체의 안정성을 유지하여주는 epherin B2(EPHB2)와 상호 작용을 억제한다. 이를 통해 NMDA수용체를 세포 내로 이동시키거나, 시냅스 바깥으로 이동시킴으로써, NMDA수용체에 의한 신호 전달 체계에 기능적 이상을 유발한다.

항NMDA수용체항체의 두 번째 작용기전은 보체활성화(complement activation) 및 T세포 관련 면역의 활성화이다. NMDA수용체 IgG은 IgG1 아형으로, 이는 항leucine-rich glioma inactivated-1(LGI1)항체 및 항contactin-associated protein-like 2(CASPR2)항체의 아형이 IgG4인 것과 대비된다. IgG1 아형은 IgG4 아형에 비해 Fcγ receptor (FcγR)에 대한 친화력(affinity)이 높으며, 보체를 활성화하고, T세포에 의한 면역 기전을 촉발함으로써, 신경 세포의 손상을 유발할 수 있다.

항NMDA수용체항체에 의한 임상 증상 발현의 주 기전은 억제사이신경세포(inhibitory interneuron)의 기능저하에 의한 뉴런의 탈억제(disinhibition)이다. 항NMDA수용체뇌염의 초기에 나타나는 전형적 임상 증상은 정신과적 증상, 언어장애, 기억력장애, 긴장증(catatonia), 경련 등이 있으며, 이는 NMDA수용체의 기능저하를 그 발병 기전으로 갖는 조현병의 주요 증상과 상당 부분 일치하므로, 이로써 항NMDA수용체항체가 뇌염의 임상 증상을 유발하는 기전에 대한 설명이 가능하다. 피질의 억제사이신경세포는 피라미드

세포(pyramidal neuron)에 대한 광범위하고 복합적인 억제 작용을 하며, 이를 통해 뇌 피질의 흥분(excitatory tone)을 조절한다. 항NMDA수용체항체는 NMDA수용체에 의한 억제사이신경세포의 활성을 억제함으로써, 피질-변연계(cortico-limbic area)에 전반적인 탈억제를 유발한다. 이러한 뇌염 발병 기전은 주로 항NMDA수용체항체의 첫 번째 작용기전인 NMDA수용체내재화(receptor internalization)에 의존한다. 항NMDA수용체뇌염 환자의 뇌 조직을 분석한 연구에서, 보체의 활성화 및 T세포 관련 면역 기전의 증거는 보이지 않았으며, 항NMDA수용체항체 수동 주입 마우스 모델에서도 보체활성화 및 T세포의 침윤 없이도 NMDA수용체의 발현이 감소하였고 및 뇌염의 전형적 임상 증상이 발현되었다. 항NMDA수용체뇌염의 초기 임상 증상이 심한 것에 비해 뇌 자기공명영상(magnetic resonance imaging, MRI)상 이상 소견의 정도가 심하지 않으며, 장기 추적 관찰 시 대부분에서 발병 초기에 관찰되었던 MRI상의 전반적 대뇌 위축이 호전되는 경과는, 신경 세포의 손상을 일으키는 항NMDA수용체항체의 두

번째 작용기전이 작용하지 않았거나 제한적으로만 작용하였기 때문으로 보인다.

반면, 항NMDA수용체항체의 두 번째 작용기전은 중증의 항NMDA수용체뇌염에서 보이는 의식저하, 호흡부전, 자율신경계 장애 및 뇌염의 후기 증상인 실행 기능저하, 충동증, 탈억제, 및 수면 장애 등 발생에 일부 기여할 것으로 추정된다. IgG1 아형 항체에 의해 세포독성T세포를 포함한 염증세포의 침윤 및 보체활성화가 유도되고, 이는 변연계 및 그 주변 뇌 구조물에 염증연쇄반응(inflammatory cascade)을 촉진하며, 신경 세포의 손상을 유발한다. 항NMDA수용체뇌염 환자의 약 20%에서 장기적 예후가 불량하며, 초기 MRI 상 국소신호변화와 진행하는 소뇌의 위축 등 염증기전 활성화 및 신경세포 손상을 반영하는 MRI 지표가 불량한 장기적 예후와 밀접하게 관련되어 있다는 점을 고려할 때, 항NMDA수용체항체의 두 번째 작용기전은 뇌염의 악화 및 장기화에 주요한 영향을 미치는 것으로 추정할 수 있다.

4 | NMDA수용체 뇌염의 유발 인자

1) 난소기형종(Ovarian teratoma)

항NMDA수용체뇌염을 촉발하는 주요 원인 중 첫 번째는 난소기형종(ovarian teratoma)이다. 577명의 항NMDA수용체뇌염 환자들에 대한 대규모 전향적 코호트 연구에 따르면, 207명(35.9%)의 환자에서 난소기형종이 동반되었으며, 난소 외에서 발생한 기형종을 합산할 경우 211명(36.6%)에서 기형종이 동반되었다. 반면, 기형종이 아닌 다른 종류의 종양은 9명(1.6%)에서만 발견되었다. 기형종 환자에서 항NMDA수용체뇌염의 발생 여부에 따른 기형종의 병리학적 소견을 분석한 연구에 따르면, 항NMDA수용체뇌염이 발생한 환자들의 기형종에서는, 항NMDA수용체뇌염이 발생하지 않은 환자들의 기형종에 비해 신경세포 및 교세포를 구성하는 물질이 더 높게 관찰되었으며, 염증세포의 침윤이 더 많았고, 특히 B세포의 발현 비율이 높았다. 종합하면, 기형종에 존재하는 신경세포 및 교세포의 구성 물질 중 NMDA수용체의 구성 물질이 포함되어 있을 것이며, 중추신경계 외부에서 이러한 물질에

노출된 면역 세포가 이를 외부 인자로 인식하여 활성화되고, 면역관용(immune tolerance)을 회피하며, 결국 NMDA수용체를 공격하는 자가항체를 생성하는 B세포의 생성을 촉진시킴으로써 항NMDA수용체뇌염이 발생하게 된다. 실제로, 항NMDA수용체뇌염 환자의 난소기형종에서, 기형종 내 B세포를 비롯하여, 형질세포, 수지상세포(dendritic cell) 등이 밀집하여 3차 림프절 구조(tertiary lymphoid structures)를 형성하고 있음이 확인되었으며, 이 림프절에 침윤하여 있는 B세포를 분리하였을 때, 이 B세포가 in vitro에서 NMDA수용체에 대한 자가 항체를 생성하는 것이 확인되었다.

또한, 44명의 항NMDA수용체뇌염 환자들에 대한 전향적 연구에 따르면, 기형종이 동반된 뇌염 환자의 경우, 그렇지 않은 경우보다 항NMDA수용체항체의 역가(titer)가 약 3배가량 더 높았으며, 혼동(confusion), 초조(agitation), 기억력장애, 의식의 저하 등 뇌염의 제반 증상의 빈도 및 중증도가 더 높았다. 이는, 기형종이 항NMDA수용체항체를 주도적으로 생성하는 하나의 배중심(germinal center) 면역 기관으로 기능함으로써, 항NMDA수용체뇌염의 제반 임상 양상을 악화시킬 수 있으며, 면역치료에 대한 반응을 떨어뜨림으로써 병을 장기화시킬 수도 있음을 의미한다.

2) 단순헤르페스뇌염(Herpes simplex encephalitis)

두 번째 주요 유발 인자는 단순헤르페스뇌염(herpes simplex encephalitis)이다. 99명의 단순헤르페스뇌염 환자를 대상으로 시행한 코호트 연구에서, 단순헤르페스뇌염 발생 이후 전향적 추적 관찰을 한 51명의 환자 중 14명(27.5%)에서 단순헤르페스뇌염의 발생 2–16주 만에 자가면역뇌염이 발생하였으며, 이 중 64%는 항NMDA수용체뇌염이었다. 단순헤르페스뇌염 발생 이후 3주 내 자가면역뇌염 항체가 검출된 경우, 실제로 뇌염이 임상적으로 발생할 확률이 높았으며, 단순헤르페스뇌염 후 발생한 항NMDA수용체뇌염의 경우, 일반적인 항NMDA수용체뇌염에 비해 임상 증상이 중하고, 예후가 불량하였다.

단순헤르페스뇌염이 항NMDA수용체뇌염을 일으키는 기전은 아직 규명되지 않았다. 단순헤르페스뇌염에 의하여 혈액뇌장벽의 손상, 뇌 내 염증세포의 침윤,

뇌 신경세포 및 교세포의 손상 등이 발생하고, 이를 통해 NMDA수용체의 구성 물질이 뇌 내로 침윤한 항원제시세포(antigen presenting cell, APC)에 노출됨으로써 도움T세포(helper T cell)를 활성화할 수 있으며, 결국 항NMDA수용체항체를 생성하는 B세포가 생성된다는 것이 현재까지의 가설이다. 실제로, 쥐 모델 실험을 통해, 단순헤르페스뇌염 발생 이후 NMDA수용체를 공격하는 자가면역 항체가 생성되는 것이 확인되었다.

단순헤르페스뇌염 이후 발생하는 항NMDA수용체뇌염의 불량한 예후는 다음과 같은 기전으로 설명될 수 있다. 첫 번째로, 뇌염 중 발생한 신경손상에 의해 다양한 신경구성 물질이 면역 세포에 노출되고, 따라서 다양한 종류의 자가항체가 생성될 수 있다. 두 번째로, 선행한 HSV 감염에 의해 세포독성T세포(cytotoxic T-cell) 및 보체의 침입, 혈액뇌장벽의 손상, 및 다양한 염증촉진(pro-inflammatory) 사이토카인(cytokine)의 활성화 등 중추신경계 내 염증유발환경이 조성되어 있어, 이차적으로 생성된 자가면역 항체에 의한 추가적 신경손상에 매우 취약할 수 있다.

3) 기타 원인

단순헤르페스뇌염의 경우와 같은 기전으로, 다른 원인에 의한 감염뇌염의 발생 이후에 자가면역뇌염 기전이 촉발될 수 있다. 일본뇌염(Japanese encephalitis) 및 수두대상포진바이러스뇌염(varicella zoster virus encephalitis) 감염 이후 항NMDA수용체뇌염이 발생하였다는 보고가 있다. 또한 항NMDA수용체뇌염 환자의 대부분에서 뇌염의 발병 전 발열 및 상기도감염의 징후가 있었다는 점을 고려할 때, 전신적 감염 등에 의한 염증 반응의 활성화 및 혈액뇌장벽 기능 부전이 항NMDA수용체의 비특이적 유발 인자가 될 가능성도 있다. 따라서, 발병 초기에 감염뇌염으로 확진 되어 성공적으로 치료를 한 이후에도 환자의 임상 증상 및 뇌척수액 검사 소견이 호전되지 않거나 혹은 일시적 호전 이후 다시 악화되는 경우, 항NMDA수용체뇌염 등 자가면역뇌염의 발생 여부에 대한 고려 및 확인이 필요하다.

항NMDA수용체뇌염 환자의 약 5%에서 시신경척수염범주질환(neuromyelitis optica spectrum disorder, NMOSD) 등 중추신경계탈수초질환의 임상적, 영상

의학적 소견이 관찰된다. 항NMDA수용체뇌염과 시신경척수염범주질환은 동시에, 혹은 시간적 차이를 두고 발생할 수 있으며, 실제로 시신경척수염의 원인 항체인 항아쿠아포린4(aquaporin-4)항체나 항수초희소돌기아교세포당단백질(myelin oligodendrocyte glycoprotein, MOG)항체가 발견되기도 한다. 이러한 동반 질환의 발병 기전에 대해서는 밝혀진 바가 없으나, 자가면역질환에 의해 손상된 신경세포 및 교세포의 구성 물질이 면역 세포에 노출되고, 이를 통해 이차적으로 다른 자가면역항체가 발생하는 것으로 추정된다.

이렇듯 여러 유발 원인에 의해 항NMDA수용체뇌염이 발생하며, 그 공통 기전은 항원제시세포가 NMDA수용체 구성 물질을 제2형사람백혈구항원(human leukocyte antigen-II, HLA-II)을 통해 노출하여, 이것이 도움T세포를 활성화시키는 것이다. 환자 개개인의 HLA 종류에 따라 NMDA수용체의 구성 물질과의 적합도가 다를 수 있으며, 따라서 항NMDA수용체뇌염에 대한 취약성이 다를 수 있다. 현재까지 HLA-I B*07:02 대립인자와 HLA-II DRB1*16:02 대립인자 등이 항NMDA수용체뇌염에 대해 취약하다는 보고가 있으나, 이를 확인할 추가적인 연구가 필요한 실정이다.

5 | NMDA수용체 뇌염 모델

지난 십 수년간 항NMDA수용체뇌염의 병태생리에 대한 이해는 상당히 발전하였다. 하지만, 환자의 임상 정보, 혈액, 뇌척수액검사, 병리 검사 및 영상 분석 등으로는 항NMDA수용체뇌염의 발생 기전에 대한 가설을 직접적으로 규명하는 것에 한계가 있다. 따라서 뇌염의 발병 기전을 규명하기 위한 항NMDA수용체뇌염 동물 모델이 필요하며, 이를 구현하기 위한 많은 연구가 진행되었다. 현재 항NMDA수용체뇌염의 마우스 모델은 두 종류이다.

1) 수동 주입(Passive transfer) 모델

환자에게서 추출한 자가항체나 환자의 B세포 혹은 형질세포에서 생성된 단클론항체(monoclonal antibody)를 마우스의 뇌실(cerebroventricular area)에 장기간 주

입함으로써 발병을 유도한다. 이를 통해 쥐의 뇌 세포에서 NMDA수용체의 감소를 확인할 수 있으며, 신경 세포의 장기강화작용(long-term potentiation)이 확연히 감소하며, 행동 평가에서도 기억력 감소, 무의지증, 우울증 등 변연뇌염(limbic encephalitis)의 증상이 유발된다. 이러한 증상은 항체 주입을 중단함으로써 회복되며, NMDA수용체와 상호작용하여 NMDA수용체내재화에 관여하는 EPHB2수용체에 대한 길항제(antagonist)를 함께 주입함으로써 예방된다. 이러한 수동 주입 모델은 이미 형성된 항NMDA수용체항체에 의한 항원-항체 기전의 연구에는 유용하나, 항NMDA수용체항체의 발생 기전 및 항원-항체 반응 이외의 항NMDA수용체뇌염 기전을 연구하기에는 부적합하다.

2) 능동 면역(Active immunization) 모델

NMDA수용체의 GluN1/GluN2 결합체를 리포솜(liposome)에 주입시킨 뒤 마우스 모델에 주입시켜 면역반응을 유발하는 것이다. 이를 통해, GluN1, GluN2의 항원결정인자(epitope)에 대한 자가면역항체가 생성되며, 뇌 내에 염증세포와 항체의 침윤, 미세아교세포(microglia)의 활성화, 신경세포의 손상이 유발되고, 신경세포의 NMDA수용체 감소 및 NMDA수용체 매개 전류가 감소하며, 과잉행동, 경련, 이상 운동, 무기력 등 뇌염의 전반적 증상이 발생한다. 이 모델은 항NMDA수용체항체 생성의 과정 및 항NMDA수용체뇌염의 전반적 발병기전을 재현한다는 장점이 있으나, 실제 환자의 항NMDA수용체항체가 GluN1 amino-terminal domain의 입체구조항원결정기(conformational epitope)에 대한 항체인 반면, 이 모델의 GluN1, GluN2에 대한 자가항체는 그렇지 않다는 단점이 있다. 종국적으로, 능동 면역 방식을 통해 실제 환자의 항NMDA수용체항체와 높은 유사성을 갖는 항체 형석을 유도함으로써, 항NMDA수용체뇌염의 발병 기전을 완전히 반영하는 모델을 개발하는 것이 필요하다.

6 │ 결론

항NMDA수용체뇌염은 자가면역뇌염 중에서도 가장 중요도가 높은 질환으로, 그 병태생리적 기전 역시 비교적 잘 규명되어 있다. 항NMDA수용체뇌염에 대한 몇 가지 유발 원인이 규명되었으나, 아직까지 정확한 발병 기전은 규명되지 않았다. HSV의 유전적 변형, NMDA수용체의 유전적 다양성, 항원전달세포에 의해 발현된 항원을 감작하는 T세포수용체(T-cell receptor)의 유전적 다양성 등, 항NMDA수용체뇌염에 관여할 수 있는 잠재적 인자의 영향을 규명하는 것이 발병에 취약한 환자의 발굴 및 새로운 치료법 개발에 매우 중요하며, 이를 위해서는 항NMDA수용체뇌염 동물 모델의 발전 및 새로운 유전 분석 기법의 도입이 필요하다.

참고문헌

1. Dalmau J, Armangué T, Planagumà J, et al. An update on anti-NMDA receptor encephalitis for neurologists and psychiatrists: mechanisms and models. Lancet Neurol 2019.

2. Dalmau J, Gleichman AJ, Hughes EG, et al. Anti-NMDA-receptor encephalitis: case series and analysis of the effects of antibodies. Lancet Neurol 2008;7:1091-8.

3. Dalmau J, Graus F. Antibody-mediated encephalitis. N Engl J Med 2018;378:840-51.

4. Dalmau J, Tuzun E, Wu HY, et al. Paraneoplastic anti-N-methyl-D-aspartate receptor encephalitis associated with ovarian teratoma. Ann Neurol 2007;61:25-36.

5. Finke C, Kopp UA, Prüss H, et al. Cognitive deficits following anti-NMDA receptor encephalitis. J Neurol Neurosurg Psychiatry 2012;83:195-8.

6. Hughes EG, Peng X, Gleichman AJ, et al. Cellular and synaptic mechanisms of anti-NMDA receptor encephalitis. J Neurosci 2010;30:5866-75.

7. Irani SR, Bera K, Waters P, et al. N-methyl-D-

aspartate antibody encephalitis: temporal progression of clinical and paraclinical observations in a predominantly non-paraneoplastic disorder of both sexes. Brain 2010;133:1655-67.

8. Jones BE, Tovar KR, Goehring A, et al. Autoimmune receptor encephalitis in mice induced by active immunization with conformationally stabilized holoreceptors. Sci Transl Med 2019;11:eaaw0044.

9. Leypoldt F, Höftberger R, Titulaer MJ, et al. Investigations on CXCL13 in Anti-N-Methyl-D-Aspartate Receptor Encephalitis: A Potential Biomarker of Treatment Response. JAMA neurol 2015;72:180-6.

10. Linnoila J, Pulli B, Armangué T, et al. Mouse model of anti-NMDA receptor post-herpes simplex encephalitis. Neurology-Neuroimmunology Neuroinflammation 2019;6:e529.

11. Ma J, Zhang T, Jiang L. Japanese encephalitis can trigger anti-N-methyl-D-aspartate receptor encephalitis. J Neurol 2017;264:1127-31.

12. Makuch M, Wilson R, Al-Diwani A, et al. N-methyl-D-aspartate receptor antibody production from germinal center reactions: therapeutic implications. Ann Neurol 2018;83:553-61.

13. Martinez-Hernandez E, Horvath J, Shiloh-Malawsky Y, et al. Analysis of complement and plasma cells in the brain of patients with anti-NMDAR encephalitis. Neurology 2011;77:589-93.

14. Moscato EH, Peng X, Jain A, et al. Acute mechanisms underlying antibody effects in anti-N-methyl-D-aspartate receptor encephalitis. Ann Neurol 2014;76:108-19.

15. Mueller SH, Färber A, Prüss H, et al. Genetic predisposition in anti-LGI1 and anti-NMDA receptor encephalitis. Ann Neurol 2018;83:863-9.

16. Planagumà J, Haselmann H, Mannara F, et al. Ephrin-B2 prevents N-methyl-D-aspartate receptor antibody effects on memory and neuroplasticity. Ann Neurol 2016;80:388-400.

17. Planagumà J, Leypoldt F, Mannara F, et al. Human N-methyl D-aspartate receptor antibodies alter memory and behaviour in mice. Brain 2015;138:94-109.

18. Shu Y, Qiu W, Zheng J, et al. HLA class II allele DRB1* 16: 02 is associated with anti-NMDAR encephalitis. J Neurol Neurosurg Psychiatry 2019;90:652-8.

19. Titulaer MJ, Höftberger R, Iizuka T, et al. Overlapping demyelinating syndromes and anti-N-methyl-D-aspartate receptor encephalitis. Ann Neurol 2014;75:411-28.

20. Titulaer MJ, McCracken L, Gabilondo I, et al. Treatment and prognostic factors for long-term outcome in patients with anti-NMDA receptor encephalitis: an observational cohort study. Lancet Neurol 2013;12:157-65.

21. Tuzun E, Zhou L, Baehring JM, et al. Evidence for antibody-mediated pathogenesis in anti-NMDAR encephalitis associated with ovarian teratoma. Acta Neuropathol 2009;118:737-43.

신용원

3 항NMDA수용체뇌염의 임상양상 (Clinical features of anti-NMDA receptor autoimmune encephalitis)

1 서론

항N-methyl-D-aspartate (NMDA)수용체뇌염은 아급성으로 시작하며, 초기 정신장애 등 인지기능 장애 및 발작 증상을 보이다가 의식저하와 함께 이상운동, 호흡저하, 자율신경계 기능이상 등 여러 증상이 동반되는 경과를 갖는다. 발병률은 백만 명당 1.5명 정도로 매우 드물며 알려진 유발 요인은 체내 기형종(teratoma) 및 단순헤르페스뇌염(herpes simplex encephalitis)이 있다. 대개 20세 전후에 발병하며 전반적인 남녀 비율은 1:4로 여자의 비율이 매우 높다. 약 40%의 환자에서 종양이 발견되며 이중 거의 대부분은 난소기형종(ovarian teratoma)이다. 일부에서 단순헤르페스뇌염과의 연관되어 있음이 보고되고 있으며, 그 외 감염 후 자가면역뇌염 가능성에 대한 보고가 있으나 뚜렷한 연관성은 규명되어 있지 않다.

2 임상 증상

항NMDA수용체뇌염의 일반적인 진행 단계는 **그림 3-1**과 같다. 초기 전구증상 이후 증상이 발생하여 수주 사이 증상 악화 경과를 보이며 심할 경우 혼수상태에 이를 수 있다. 이후 증상 악화의 속도와 정도 및 회복까지 걸리는 기간은 환자마다 다양하나 회복에는 1-2년가량의 시간이 걸린다. 약 절반에서 전구증상이 보고되며 가능한 증상으로는 두통, 발열 등이 있다. 초

기 90%의 환자에서 정신증상 또는 행동이상이 관찰되며 약 60%의 환자에서 정신증상으로 병이 처음 발현하는 것으로 알려져 있다. 초기 정신증상으로 불안, 불면, 망상, 환각, 편집증, 언어압박(pressured speech), 기분장애, 공격적 행동 등이 있으며, 이후 점차 말수가 줄어들다가 의식이 저하되는 것이 전형적 진행 양상이다. 그 외, 기억장애 등 인지기능 장애와 언어장애, 발작 등이 초기 증상으로 흔하게 나타난다. 소아의 경우 성인에 비해 정신증(psychosis) 보다는 발작이 더 빈번하게 관찰되는 경향이 있다. 의식저하로 진행되면 불수의적 운동 증상이 동반되는 경우가 많으며 주로는 입-얼굴-사지 이상운동증(orofacial-limb dyskinesia)이 관찰되고, 무도느린비틀림운동(choreoathetosis), 근긴장이상자세(dystonic posture) 및 경직(rigidity)이 동반될 수 있다. 자율신경계 기능이상의 경우 빈맥 또는 서맥, 혈압 상승, 체온 상승, 침분비과다(hypersalivation) 및 중추호흡저하(central hypoventilation) 등이 나타날 수 있다. 의식저하가 발생한 이후 자율신경계 기능이상으로 인한 생체징후의 불안정 및 호흡 장애와 심한 이상운동증으로 인하여 약 70%에서 중환자실 치료를 요하게 되며 기관절개술(tracheostomy) 및 인공호흡기 보조를 필요로 하게 되는 경우가 많다. 초기 악화 단계에서 뇌전증지속상태(status epilepticus)로 바로 진행하면서 다수의 항뇌전증약의 사용과 함께 뇌파 모니터링을 요하는 경우도 있다.

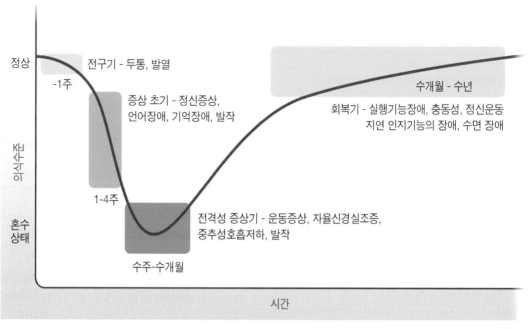

그림 3-1 항NMDA수용체뇌염의 진행 단계

3 │ 진단

항NMDA수용체뇌염의 진단기준은 표 3-1과 같다. 항NMDA수용체뇌염의 주요 임상 증상이 나타난 경우 뇌파 및 뇌척수액검사(cerebrospinal fluid analysis)를 추가로 시행하여 가능 진단기준에 합당한지 확인할 수 있다. 타 질환과의 감별을 위하여 뇌 자기공명영상(magnetic resonance imaging, MRI)을 비롯한 추가적인 검사가 필요하며, 항NMDA수용체항체를 검출함으로써 확정 진단할 수 있다. 단, 혈액 검사만 시행할 경우 약 14% 정도에서는 위음성으로 나오는 것으로 알려져 있기 때문에 항NMDA수용체뇌염이 의심될 경우 뇌척수액을 채취하여 항체의 검출 여부를 확인하는 것이 중요하다. 또한 항NMDA수용체뇌염이 아닌 경우에도 NMDA수용체에 대한 항체가 생길 수 있으므로, 항NMDA수용체뇌염을 시사하는 증상을 동반한 경우에만 진단을 하여야 한다. 임상적으로 항NMDA수용체뇌염 진단을 확정하기 어려운 경우 다른 질환의 감별을 고려해야 한다(표 3-2).

표 3-1 항NMDA수용체뇌염의 진단기준

항NMDA수용체뇌염의 유력(probable) 진단기준
아래 6가지 주요 증상 중 4가지 이상이 3개월 이내에 발생하여야 함.
– 행동이상(정신증상) 또는 인지기능 장애
– 언어장애(언어압박, 발화 감소, 함구증)
– 발작
– 운동이상, 이상운동증, 또는 경직/이상자세
– 의식수준의 저하
– 자율신경계 기능이상 또는 중추호흡저하
이와 함께, 아래 검사 소견 중 최소 1가지 이상이 확인되어야 함.
– 뇌파 이상(국소적 또는 전반적인 서파 또는 비조직화, 뇌전증모양방전, extreme delta brush)
– 뇌척수액검사상 백혈구증가증 또는 올리고클론띠(oligoclonal band)
위 주요 증상 중 3개 이상과 함께 체내 기형종이 확인된 경우.
최근 단순헤르페스뇌염 또는 일본뇌염(Japanese encephalitis)의 병력이 있는 경우 재발성 면역매개신경증상의 가능성에 대한 배제가 필요함.

항NMDA수용체뇌염의 확정(definite) 진단기준

- 항NMDA수용체뇌염의 6가지 주요 증상 중 1가지 이상과 함께 뇌척수액 시료를 포함한 항체검사에서 항NMDA 면역글로불린G(immunoglobulin G, IgG) GluN1항체가 확인된 경우(만약 혈청검사만 가능한 경우 확진 검사를 위해 세포기반분석(cell-based assay)에 더하여 살아있는 신경세포나 조직에서 면역조직화학염색 검사가 추가적으로 필요함.)
- 최근 단순헤르페스뇌염 또는 일본뇌염의 병력이 있는 경우 재발성 면역매개신경증상 가능성에 대한 배제가 필요함.

표 3-2 항NMDA수용체뇌염의 감별 진단

- 중추신경계 감염
- 신경이완제악성증후군(neuroleptic malignant syndrome)
- 패혈증에 의한 뇌병증(septic encephalopathy)
- 대사뇌병증(metabolic encephalopathy)
- 약물 독성
- 뇌혈관질환
- 크로이츠펠트-야콥병(Creutzfeldt-Jakob Disease)
- 뇌전증
- 류마티스질환(전신홍반루푸스(systemic lupus erythematosus), 사르코이드증(sarcoidosis), 기타)
- 클레인레빈증후군(Klein-Levin syndrome)
- 라이증후군(Reye syndrome)
- 미토콘드리아질환
- 선천대사장애

4 | 검사 소견

항NMDA수용체뇌염의 진단 및 감별 진단, 치료계획 수립, 진행 및 예후에 대한 평가를 위해 뇌파, 뇌척수액검사 및 MRI, 양전자단층촬영(positron emission tomography, PET) 등의 영상검사를 시행할 수 있다.

1) 뇌파

뇌파검사에서 거의 대부분의 경우에 이상 뇌파가 확인되며, 국소 또는 전반적 서파와 함께 뇌전증모양방전(epileptiform discharge)이 관찰될 수 있다. 임상적으로 뇌전증지속상태(status epilepticus)가 의심되는 경우 반드시 뇌파를 통한 확인이 필요하다. 항NMDA수용체뇌염에서는 특징적으로 1-3 Hz의 리듬델타활동(rhythmic delta activity)에 20-30 Hz의 베타활동(beta activity)이 올라탄 양상의 extreme delta brush가 관찰될 수 있는데(그림 3-2), 대체로 항NMDA수용체뇌염의 30-60%에서 관찰되는 것으로 알려져 있으며, 특히 의식저하가 진행된 단계의 환자에서 잘 관찰되어 질병의 중증도를 반영하는 지표로 생각되고 있다. 전반적 리듬델타활동(generalized rhythmic delta activity)의 경우 많게는 항NMDA수용체뇌염 환자의 절반에서 관찰되

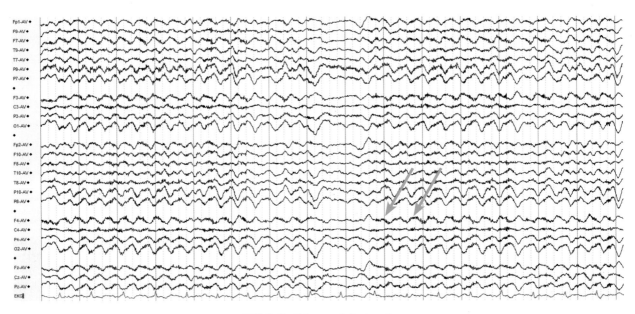

그림 3-2 Extreme delta brush

는 것으로 보고되나 발작과의 연관성은 뚜렷하지 않고 항뇌전증약을 증량하여도 호전되지 않는 경향이 있다. 따라서 뇌전증모양방전을 시사하는 다른 소견이 없다면 리듬델타활동이 관찰되는 것만으로 발작으로 판단해서는 안 된다.

2) 뇌 MRI

대략 60% 정도에서 정상이며, 이상이 있는 경우 내측두엽(medial temporal lobe) 외에도 측두외엽(extratemporal lobe)으로 다양한 부위의 뇌병변이 발생 가능하다. 따라서 이상이 없는 경우에도 항NMDA수용체뇌염을 배제하여서는 안되며, 이상이 있는 경우 다른 질환과의 감별에 활용할 수 있다. 급성기에 F-18불화디옥시포도당(^{18}F-fluoro-2-deoxy-glucose, 18F-FDG)-PET 검사에서 양측 후두부 쪽으로 심한 대사 저하가 관찰되며, 전두엽과 기저핵의 경미한 대사 증가("frontotemporal-to-occipital gradient")가 관찰된다. 회복 초기에 대뇌피질의 전반적인 대사 저하를 보이다가 이후 점차 정상으로 회복되는 특징이 있다. 그러나 이러한 FDG-PET 소견은 진단 또는 예후 평가를 위한 임상 지표로 활용하는 데에는 제한이 있다.

3) 뇌척수액

백혈구 및 단백질의 증가, 올리고클론띠(oligoclonal band)가 관찰될 수 있으나 정상인 경우도 있다. 뇌척수액검사는 항NMDA수용체뇌염을 진단하는 데 필수적인 검사이며 그 밖에 중추신경계 감염의 감별과 함께 예후를 반영하는 지표로 활용이 가능하다.

5 | 치료

항NMDA수용체뇌염이 진단된 경우 가급적 빠른 시일 내 면역치료를 시작하는 것이 필요하다. 질병이 희귀한 만큼 각 치료제의 치료 효과에 대한 근거가 잘 확립되어 있지 않으나 항NMDA수용체의 병리기전 및 후향적 연구를 근거로 하여 면역치료가 추천되고 있으며, 특히 치료를 빨리 시작하는 것이 예후에 도움이 된

다는 것이 후향적 연구를 통해 알려져 있어 빠르고 적극적인 치료가 필요하다. 또한, 체내 기형종이 확인된 경우 이에 대한 제거가 필요하며, 그 외, 항NMDA수용체뇌염에서 발생하는 증상들에 대한 대증적 치료가 필요하다.

1) 1차 치료: 스테로이드, 면역글로불린정맥주사 (intravenous immunoglobulin, IVIg) 및 혈장교환술

스테로이드는 여러 질환에서 광범위하게 사용되는 면역억제제로 항NMDA수용체뇌염에서도 사용되고 있으며, 면역글로불린정맥주사 역시 특히 자가항체를 생성하는 여러 자가면역질환에서 많이 사용되고 있는 면역치료제이다. 스테로이드의 사용으로 염증 과정에서 발현이 증가되는 사이토카인(cytokine), 케모카인(chemokine), 염증효소 및 관련 수용체 등의 발현을 억제하여 광범위한 염증억제효과를 볼 수 있으나, 급성기 감염뇌염과 감별이 어려운 상황에서는 사용에 대한 주의가 필요하다.

2) 2차 치료: rituximab, cyclophosphamide

1차 치료에 반응하지 않는 경우 2차 치료제로 rituximab, cyclophosphamide를 사용할 수 있다. 상당수의 환자에서 면역치료에도 불구하고 진행하여 의식저하 및 운동 증상, 자율신경계 증상이 동반되므로 2차 치료제의 사용을 요하게 된다. Cyclophosphamide의 경우 골수억제(myelosuppression), 불임, 출혈방광염 의 부작용이 있으며 그 자체로 발암성을 지니고 있기 때문에 사용을 자제하는 편이 좋다. 2차 치료에 효과가 없는 경우 tocilizumab 및 다른 면역억제제를 사용할 수 있다.

3) 발작의 조절

발작 조절을 위해 항뇌전증약의 사용이 필요하나 항뇌전증약을 통한 발작조절효과는 크지 않으며 궁극적으로는 면역치료를 통해 발작에 대한 조절이 필요하다. 항NMDA수용체뇌염의 증상에 대한 대증

적 치료 역시 중요하다. 심한 운동증상 조절을 위해 benzodiazepine 등의 사용이 필요한 경우가 많으며, 긴장증(catatonia) 및 다른 정신증상 치료를 위하여 전기경련 요법을 시도하는 경우도 있다. 심장리듬이상에 대해 한시적으로 심박동기(pacemaker)의 사용이 필요한 경우도 있으며 침분비과다에 대해 보톡스 치료를 할 수 있다. 자세한 치료 방법에 대해서는 뇌염의 치료 단원을 참고하기 바란다.

6 | 평가 및 예후

항NMDA수용체뇌염에 대한 임상적 평가 지표로는 수정Rankin척도(modified Rankin Scale, mRS)가 많이 사용되고 있으나, 자가면역뇌염에 특이적인 지표가 아니기 때문에 최근 개발된 Clinical Assessment Scale in Autoimmune Encephalitis (CASE)를 통해 더 세밀한 평가를 할 수 있다. 자세한 것은 [자가면역뇌염 중증도 및 예후 평가 척도] 단원을 참고하기 바란다. 항체역가의 경우 질병의 활동성을 반영하기는 하나 임상 경과 및 중증도와의 상관성이 불완전하므로 임상 평가에 대한 보조 지표로 활용하는 것이 적절하다.

약 80%의 환자에서 mRS 2점 이내의 좋은 예후를 보인다. 약 12%의 환자에서 뇌염이 재발하는 것으로 알려져 있으나, 처음 발병했을 때 보다는 약한 증상의 중증도를 보인다. 나쁜 예후와 관련된 것으로 알려진 임상 지표에는, 중환자실 치료를 받은 경우, 4주 이상 치료가 지연된 경우, 치료 4주 내 임상적 호전이 없는 경우, 운동증상을 동반한 경우, 중추저호흡을 동반한 경우, 뇌척수액내 벽혈구 수가 20개/μL 이상으로 상승한 경우, 뇌MRI상 이상을 보이는 경우 등이 있으며 이를 바탕으로 항NMDA수용체뇌염의 1년 예후를 예측하는 지표인 anti-NMDAR Encephalitis One-Year Functional Status (NEOS) 점수가 개발되어 있다(표 3-3). 항NMDA수용체뇌염의 유병 기간이 1년을 넘는 경우가 많으므로 NEOS 점수는 최종적 예후를 평가하는 지표는 아니며, 치료 회복속도를 예측하는 지표로 활용할 수 있다.

표 3-3 항NMDA수용체뇌염의 예후 측정 지표(NEOS 점수)

임상 특성	NEOS score 점수
중환자실 치료를 요함	1
치료 4주 후 임상적 회복이 없음	1
증상 발생 후 4주 내 치료를 하지 않음	1
MRI상 이상 소견	1
뇌척수액 백혈구)20개/μL	1

MRI 상에서 전반적인 뇌의 위축이 보이는 경우 총 재원일수의 증가, 호흡기 치료의 필요성 증대 및 합병증 발생 등이 증가하나, 이러한 뇌의 위축은 가역적인 변화로 나쁜 장기적 예후와는 유의미한 관련이 없는 것으로 생각되고 있다. 하지만, MRI상 소뇌의 위축이 동반된 경우 나쁜 장기 예후와도 연관이 있음이 보고되어 있다.

뇌파에서 extreme delta brush가 확인된 경우, 총 재원일수 및 지속적 뇌파 모니터링 기간이 늘어날 수 있음이 보고되어 있다. 그 외, 초기 뇌척수액검사에서 올리고클론띠를 보이는 경우 그렇지 않은 환자와 비교하여 전반적으로 질환의 중증도가 높고, 치료 저항성을 가지며, 중환자실 치료 필요성이 늘어나고, 총 재원일수가 증가하는 경향이 있다.

항NMDA수용체뇌염은 면역치료 없이도 자기제어성 경과(self-limiting course)를 보인다는 보고도 있으나, 수개월에서 수년에 이르는 유병 기간 및 상당한 신경학적 후유증, 사망 가능성을 고려할 때 조기에 면역치료를 하는 것이 추천된다. 또한 여러 운동증상 및 발작, 중추호흡저하, 심장리듬이상 등이 적절히 치료되지 않은 경우 이에 따른 이차적 합병증 발생 위험이 있으므로 이에 대한 집중적 모니터링 및 적극적인 대증치료가 필요하다. 대부분 호전되는 경과를 보이나 예후는 환자마다 다르며, 소아를 대상으로 한 연구에서 회복된 이후에도 지속적 피로감 호소와 실행능력 저하가 상당수에서 확인되었음이 보고되었다. 뇌염으로 인한 발작은 뇌염이 호전되면서 함께 호전되며, 대부분 2년 내에 발작이 소실되고 항뇌전증약을 중단할 수 있다.

참고문헌

1. Al-Diwani A, Handel A, Townsend L, et al. The psychopathology of NMDAR-antibody encephalitis in adults: a systematic review and phenotypic analysis of individual patient data. Lancet Psychiatry 2019;6:235-46.

2. Balu R, McCracken L, Lancaster E, et al. A score that predicts 1-year functional status in patients with anti-NMDA receptor encephalitis. Neurology 2019;92:e244-52.

3. Dalmau J, Armangué T, Planagumà J, et al. An update on anti-NMDA receptor encephalitis for neurologists and psychiatrists: mechanisms and models. Lancet Neurol 2019;18:1045-57.

4. Dalmau J, Gleichman AJ, Hughes EG, et al. Anti-NMDA-receptor encephalitis: case series and analysis of the effects of antibodies. Lancet Neurol 2008;7:1091-98.

5. Graus F, Titulaer MJ, Balu R, et al. A clinical approach to diagnosis of autoimmune encephalitis. Lancet Neurol 2016;15:391-404.

6. Gresa-Arribas N, Titulaer MJ, Torrents A, et al. Antibody titres at diagnosis and during follow-up of anti-NMDA receptor encephalitis: a retrospective study. Lancet Neurol 2014;13:167-77.

7. Iizuka T, Kaneko J, Tominaga N, et al. Association of progressive cerebellar atrophy with long-term outcome in patients with anti-N-methyl-D-aspartate receptor encephalitis. JAMA Neurol 2016;73:706-13.

8. Jeannin-Mayer S, André-Obadia N, Rosenberg S, et al. EEG analysis in anti-NMDA receptor encephalitis: Description of typical patterns. Clin Neurophysiol 2019;130:289-96.

9. Kayser MS, Titulaer MJ, Gresa-Arribas N, et al. Frequency and characteristics of isolated psychiatric episodes in anti-N-methyl-d-aspartate receptor encephalitis. JAMA Neurol 2013;70:1133-39.

10. Lee WJ, Lee ST, Moon J, et al. Tocilizumab in autoimmune encephalitis refractory to rituximab: an institutional cohort study. Neurotherapeutics 2016;13:824-32.

11. Lim JA, Lee ST, Moon J, et al. Development of the Clinical Assessment Scale in Autoimmune Encephalitis. Ann Neurol 2019;85:352-8.

12. Schmitt SE, Pargeon K, Frechette ES, et al. Extreme delta brush: A unique EEG pattern in adults with anti-NMDA receptor encephalitis. Neurology 2012;79:1094-100.

13. Titulaer MJ, McCracken L, Gabilondo I, et al. Treatment and prognostic factors for long-term outcome in patients with anti-NMDA receptor encephalitis: an observational cohort study. Lancet Neurol 2013;12:157-65.

14. Yuan J, Guan H, Zhou X, et al. Changing brain metabolism patterns in patients with ANMDARE: serial 18F-FDG PET/CT findings. Clin Nucl Med 2016;41:366-70.

김태준

4 항LGI1뇌염 (Anti-LGI1 encephalitis)

1 | 개요

항leucine-rich glioma inactivated 1(LGI1)뇌염은 인지기능 저하, 발작 및 다양한 정신적 이상 증상을 특징으로 하는 자가면역뇌염이며, 전체 자가면역뇌염 중 항N-methyl-D-aspartate (NMDA)수용체뇌염 다음으로 두 번째로 흔하다. 급성 또는 아급성으로 진행하며 중년 남성에서 호발한다. 안면위팔근긴장경련(faciobrachial dystonic seizure, FBDS)과 저나트륨혈증(hyponatremia)이 항LGI1뇌염에서 특징적으로 발생하며 약 60-70%의 환자에서 관찰된다. 뇌척수액검사는 정상인 경우가 많고, 뇌자기공명영상(magnetic resonance imaging, MRI)에서는 측두엽의 T2 고신호강도가 흔히 발견되며 종양은 거의 동반되지 않는다. 일반적인 면역요법에 반응이 좋아 예후도 다른 종류의 자가면역뇌염에 비해 좋은 편이다.

항LGI1뇌염의 발생률은 연간 인구 백만 명 당 약 0.5-0.8명으로 추정된다. 50-60대가 대부분이며 남성이 약 60-80%를 차지한다. 난소기형종(ovarian teratoma)과 관련 있는 항NMDA수용체뇌염이 젊은 여성에서 잘 발생하는 것과 달리, 항LGI1뇌염이 중년 남성에서 잘 발생하는 이유는 구체적으로 밝혀지진 않았다. 유전적 소인으로 특정 HLA 아형을 갖고 있는 환자에서 중년기에 어떠한 환경적인 촉발요인이 자가면역반응을 유발할 것으로 추정된다.

2 | 병인

1) 항LGI1항체의 발견

LGI1단백은 주로 해마와 대뇌피질의 신경세포에서 분비되어 시냅스막의 disintegrin and metalloproteinase22/23(ADAM22/23) 단백과 상호작용하여 α-amino-3-hydroxy-5-methyl-4-isoxazolepropionic acid (AMPA)수용체를 조절하는 역할을 한다(그림 4-1). LGI1의 유전자 변이가 청각 증상을 특징으로 하는 보통염색체우성 외측두엽뇌전증을 일으킨다는 것이 2002년 처음 밝혀지면서 LGI1은 국소뇌전증(localized epilepsy)의 원인 유전자로 먼저 주목을 받았다. 2000년대 초반 전압작동칼륨통로(voltage-gated potassium channel, VGKC) 자체에 대한 항체가 자가면역뇌염을 일으키는 것으로 오해되었다(항VGKC항체뇌염). 당시 알려진 항VGKC항체뇌염의 주요 임상 증후군은 신경근긴장증(neuromyotonia), 모반증후군(Morvan's syndrome)및 변연뇌염(limbic encephalitis)의 3가지였다. 하지만 2010년 유럽의 각기 다른 두 연구진에 의해 실제로는 항LGI1항체가 항VGKC항체뇌염 중 절반 이상을 차지하며, 다음으로 항contactin-associated protein-like 2(CASPR2)항체가 흔히 발견된다는 것이 밝혀졌다. LGI1과 CASPR2는 VGKC복합체를 구성하는 단백질들로, 실제로 VGKC에 대한 항체만 있는 경우는 빈도가 매우 낮음이 밝혀져서 정확하고 구체적인 질환 분류가 이루어졌다. 항LGI1뇌염은 변연뇌염이 대부분이며 CASPR2뇌염은

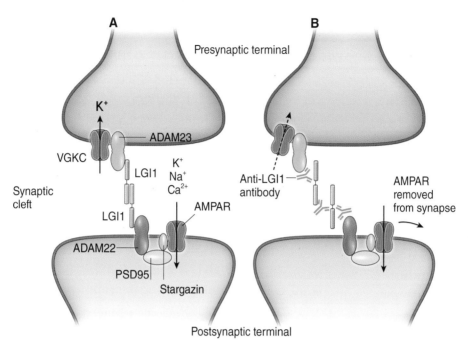

그림 4-1 LGI1단백의 시냅스 내 위치와 역할(A) 및 LGI1 항체의 작용기전(B)

근긴장증과 모반증후군이 흔한 증상으로 두 자가면역뇌염은 임상양상으로 서로 구분되는 특징이 있다.

2) LGI1단백과 항체

항LGI1항체로 인해 항LGI1뇌염의 증상이 발생하는 기전은 환자의 항체를 이용한 세포 실험 및 동물 실험을 통해 밝혀졌다. 항LGI1뇌염 환자의 뇌척수액에서 얻은 항체분비세포와 B세포에서 항LGI1 면역글로불린G (immunoglobulin G, IgG)가 만들어지며 주로 IgG4 아형이다. 이러한 항LGI1 IgG는 LGI1의 두 소단위인 LRR과 EPTP1 영역에 모두 작용할 수 있고 그 결과 LGI1과 ADAM22/23의 결합을 방해한다. 즉 시냅스후막의 ADAM22과 LGI1 결합에 영향을 주어 AMPA수용체 수가 감소할 뿐 아니라, 시냅스전막의 ADAM23과 LGI1 작용을 방해하여 VGKC-Kv1.1통로가 감소하여 신경흥분이 항진된다. 특히 해마에서 이러한 변화는 시냅스가소성에 결함을 일으킨다. 정리하면, 항LGI1항체가 시냅스전과 시냅스후에서 LGI1을 통한 신호전달에 지장을 주어 신경흥분이 증가하고 시냅스가소성이 감소하여 기억력저하 등의 뇌염 증상이 발생하는 것이다.

3) HLA 유전자

항LGI1뇌염 환자의 면역유전학적 원인은 국내 연구에서 최초로 밝혀졌다. 항LGI1뇌염 환자의 약 90%가 특정 사람백혈구항원(human leukocyte antigen, HLA) 아형인 HLA-DRB1*07:01-DQB1*02:02을 가지고 있음이 확인되었으며, 이와 같은 결과가 여러 인종과 지역에서 재확인되었다. 이는 발견된 특정 HLA 아형을 갖고 있는 환자의 항원제시세포가 LGI1의 특정 영역 또는 유사한 항원에 높은 친화도로 반응하여, 항원을 T세포에 제시하고, 이후 연쇄적인 면역반응을 일으키는 것으로 생각할 수 있다.

3 증상

1) 일반 증상

항LGI1뇌염의 증상은 수일에서 수주 동안 진행하며 아급성인 경우가 급성에 비해 더 흔하다. 변연뇌염 증상과 이상운동, 경련이 가장 특징적이다(표 4-1). 전형적인 변연계 증상이나 정신증상 또는 경련이 발생하기 전에 FBDS 또는 심장무수축과 같은 심장신경증 전조증상이 수개월 전부터 발생할 수 있음이 확인되었다(그림 4-2).

표 4-1 항LGI1뇌염의 흔한 증상들

구분	상세 증상	발생 빈도
변연계 증상		90–100%
	기억력저하	70–100%
	지남력 저하, 혼동	50–90%
운동 증상	FBDS	30–80%
뇌전증발작		80–100%
	의식유지 국소발작	40–70%
	의식소실 국소발작	40–50%
	강직간대발작	20–60%
	뇌전증지속상태	10–20%
말초신경 증상		20–50%
	자율신경계 이상	10–50%
	통증	10–20%
정신증상		60–90%
	이상 행동, 성격변화	30–90%
	환시, 환청	20–40%
	수면 장애	20–60%
	기분장애	10–40%

FBDS, faciobrachial dystonic seizure

2) FBDS와 경련

FBDS는 다른 자가면역뇌염에서는 관찰되지 않는 항LGI1뇌염의 특징적인 소견으로 항LGI1뇌염의 약 30–80%에서 발생하며, 인지기능 저하 등 뇌염증상 발생에 선행하는 증상으로 알려졌다. FBDS는 안면과 상완의 갑작스러운 근수축 증상을 말하며 주로 3초 이내로 짧게 끝난다. 편측 또는 양측에서 증상이 발생할 수 있고, 안면과 상완뿐 아니라 다리 움직임도 동반하는 경우가 있다(그림 4-3). 발생 기간 초기에는 하루 평균 50회 정도로 매우 높은 발생 빈도를 보인다. 공포, 소리지름 또는 의식변화가 동반되는 경우가 있다. 자세의 변화나 감정 또는 소리와 같은 자극에 의해 발생하기도 한다. 각성 중뿐 아니라 수면 중에도 발생한다. 뇌전증발작(epileptic seizure)과 구분이 어려운 경우도 있으며, FBDS에서 증상이 시작하여 전형적인 뇌전증발작으로 진행하는 경우도 있다.

FBDS이 뇌전증발작인지 이상운동질환(movement disorder)인지, 그리고 근원이 피질(cortex)인지 또는 피질하구조(subcortex)인지에 대한 오랜 논란이 있어 왔다. FBDS은 뇌영상상 기저핵(basal ganglia)이상과의 관련성이 있고, 대부분에서 발작파가 동반되지 않으며, 항경련제에 대한 반응이 매우 떨어진다는 점에서 이상운동증으로 여겨졌다. 하지만 의식변화나 뇌전증발작과 이상 뇌파를 동반한다는 점, 그리고 FBDS 직전 반대쪽 전두엽에서 극서파가 선행한다는 연구 결과를 고려하여 FBDS가 피질 기원 증상일 것이라 주장하는 의

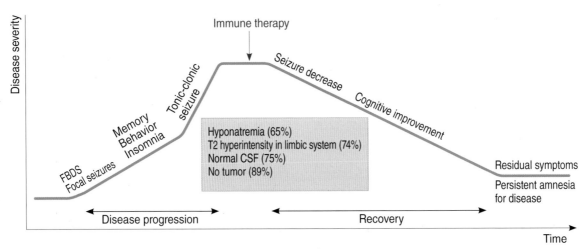

그림 4-2 항LGI1뇌염의 시간에 따른 전형적인 증상 양상

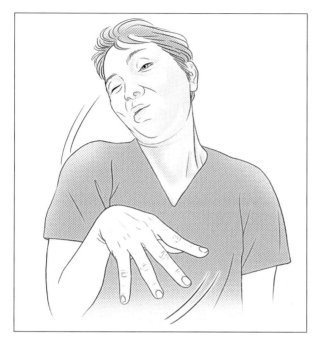

그림 4-3 안면위팔근긴장경련(faciobrachial dystonic seizure, FBDS)의 모식도

견이 대두되었다. FBDS의 발생기전에 대해 기저핵의 병인적 역할, 피질-피질하 네트워크 등과 관련하여 추가적인 연구가 필요하다.

FBDS 뿐 아니라 뇌전증발작도 항LGI1뇌염에서 매우 흔히 발생하는 증상으로, 항LGI1뇌염의 약 80-90%의 환자에서 뇌전증발작이 동반된다. 변연계 증상 또는 측두엽뇌전증이 발작의 주된 양상으로, 상복부에서 차오르는 느낌, 몸의 떨림, 저림, 온도변화와 같은 감각 증상이나, 자동증, 경련, 소리지름 및 근긴장과 같은 운동증상이 발생할 수 있다. 10-20%의 환자에서는 뇌전증지속상태(status epilepticus)도 발생할 수 있다.

3) 항LGI1뇌염의 정신증상

항LGI1뇌염 중 대부분의 환자가 인지기능의 저하를 호소하며, 주로 단기기억장애나 지남력장애가 흔하다. 또한 다수의 환자에서 환시, 환청, 수면 장애, 기분 장애, 성격변화와 같은 정신증상이 관찰된다.

4 │ 검사 결과

1) 혈액 및 뇌척수액검사

항LGI1뇌염 환자 중 약 60%의 뇌척수액에서 항LGI1 항체가 발견되며, 혈액에서는 약 80%에서 발견되므로 항체 확인을 위해서는 혈액과 뇌척수액을 함께 검사하는 것이 권장된다. 항체역가(antibody titer)의 변화와 환자의 예후는 상관 관계가 낮았다. 동반 자가항체로 항VGKC항체가 높은 정도로 함께 발견되거나 항thyroid peroxidase (TPO) 항체가 발견되는 경우가 있다.

증상 초기에 약 절반의 환자에서 저나트륨혈증이 있다. 항LGI1항체가 항이뇨호르몬을 분비하는 시상하부 뇌실결핵(paraventricular nucleus) 신경세포에 결합하여 항이뇨호르몬 분비 장애를 일으켜 수분저류로 인한 저나트륨혈증이 발생한다고 알려져 있다.

뇌척수액검사 결과는 대부분의 환자에서 정상이다. 약 20%의 환자에서 뇌척수액 압력이 상승한다. 80% 이상의 환자에서 뇌척수액의 백혈구 수치가 정상(<5개 /μL)이다. 절반 정도의 환자에서는 뇌척수액의 단백질 수치가 증가한다.

2) 뇌영상검사

항LGI1뇌염의 40-60%에서 MRI상 측두엽의 T2 고신호강도가 발견되며, 해당 이상 소견은 양측에서 발견되는 경우가 흔하다. 일부의 환자에서는 기저핵의 T2 고신호강도와 T1 저신호강도가 관찰되기도 한다(그림 4-4). 추적검사에서 해마의 위축이 대부분 관찰되는데, 치아이랑(dentate gyrus) 위축은 패턴 구분 능력, Cornu Ammonis 3구역 (CA3) 국소 위축은 삽화기억, CA1 위축은 인식기억저하와 관련되어 있음이 알려졌다.

60-80% 환자에서 F-18 불화디옥시포도당(^{18}F-fluoro-2-deoxy-glucose, ^{18}F-FDG)-양전자방출단층촬영(positron emission tomography, PET)상 이상이 관찰되어, FDG-PET은 MRI보다 더 민감한 검사로 판단된다. 주로 기저핵의 대사 증가 소견이 관찰된다. 운동피질, 측두엽, 소뇌, 후두엽의 대사 증가 또는 전두엽의 대사 감소 소견도 가능하다(그림 4-4). 증상 호전과 함께 FDG-PET상 이상 소견 역시 호전되는 것으로 알려져 있다.

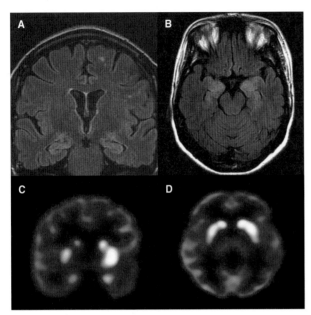

그림 4-4 LGI1뇌염 환자의 MRI, PET 소견
양측 내측두엽의 T2 고신호강도 관찰되며(A, B), FDG-PET상 기저핵, 측두엽의 대사 증가가 관찰된다(C, D).

3) 뇌파검사

FBDS중 뇌파는 대부분 정상이지만, 5-10%에서는 서파나 뇌전증모양방전(epileptiform discharge)이 동반되는 경우도 있다. FBDS을 정확히 확인하기 위해서는 팔과 다리에 근전도 전극을 추가로 부착하고 장시간비디오뇌파감시(video electroencephalography monitoring)를 시행하는 것이 도움이 된다.

항LGI1뇌염 환자의 발작기(ictal) 뇌파 특징은 대부분 양쪽 또는 한쪽 전두엽-측두엽에서 뇌전증모양방전이 발생한다는 점이다. 뇌전증모양방전은 감각 또는 운동 경련증상과 동반하거나 증상을 동반하지 않는 경우도 있다. 약 20-30%의 환자에서 발작간기(interital)에 양측 또는 일측 측두엽에서 뇌전증모양방전이 관찰되었다. 일부 환자에서는 전두엽 또는 두정엽에서 뇌전증모양방전이 관찰되기도 한다. 절반 이상에서 배경파의 전반적 또는 국소적 서파가 관찰된다. 종합하면, 해마를 포함한 변연계, 내측두엽 및 감각운동피질을 포함한 영역에서 뇌전증모양방전이 발생하는 것으로 이해된다.

4) 종양

항LGI1뇌염과 종양과의 관계는 다른 뇌염에 비해 적다. 항LGI1뇌염 환자에서 종양은 10% 이하에서 드물게 발견된다. 특별히 자주 발견되는 종양은 분명하지 않고 흉선종, 신경내분비암, 유방암, 식도암, 전립선암, 폐암, 신장암 등이 보고된 바 있다.

5 │ 치료와 예후

1) 치료

다른 자가면역뇌염과 마찬가지로 대부분의 환자에서 면역치료가 필요하다. 고농도 스테로이드와 면역글로불린정맥주사(intravenous immunoglobulin, IVIg)를 일차치료로 사용하는데, 일차치료에 대부분 좋은 반응을 보인다. 한 종류의 치료만으로도 호전되는 경우가 많지만 두 치료를 함께 사용하는 경우 더 효과적임이 알려졌다. 17명의 환자를 대상으로 한 무작위대조연구에서 면역글로불린 주사가 위약에 비해 발작 감소에 유의하게 효과적임이 밝혀졌다. 일차치료에 반응이 없는 경우 rituximab이 효과적인 이차치료로 주로 사용된다.

항뇌전증약은 FBDS에 큰 효과가 없으나, 발작에 대한 치료로 일반적으로 투여하게 된다. 항뇌전증약의 효과는 제한적이며 부작용을 고려하여 신중하게 사용할 필요가 있다. 그 이유는 다른 자가면역뇌염과 비교하여 항LGI1뇌염은 항뇌전증약으로 인한 부작용 발생 빈도가 30% 이상으로 높기 때문이다. 주로 방향족고리 구조를 가진 항뇌전증약인 carbamazepine, oxcarbazepine, phenytoin, lamotrigine을 사용할 경우 피부발진이 절반 이상의 환자에서 발생한다. Levetiracetam은 이상 행동과 정신증상을 악화시킬 수 있어 유의해야 한다. 항뇌전증약은 1년 이상 유지하며, MRI 변화가 있는 경우 더 오랜 기간 유지하는 것이 좋다.

2) 예후

항LGI1뇌염 환자의 전반적인 예후는 좋으나, 대다수에서 인지기능 회복이 더딘 편이다. 면역치료에 대한 반응으로 FBDS가 먼저 소실되고 인지기능은 뒤늦게 호전되는데 인지기능 회복이 충분하지 않아 약 35% 경우에서만 이전 직업으로의 복귀와 모든 일상 생활 수행이 가능한 것으로 알려져 있다. 인지기능 회복 부전의 정도는 해마의 위축과 관련이 있는 것으로 알려져 있다. 이러한 항LGI1뇌염의 예후는 주된 항체가 IgG4 아형이라는 것과 관련 있다. 즉 IgG4가 Fcγ수용체와 결합력이 약하여 예후는 좋을 수 있으나 보체 생성과 신경세포 손상을 일으켜 해마의 위축 등과 같은 영구적인 손상을 일으킬 수 있다. 이는 IgG1을 주로 매개로 하는 항NMDA뇌염에서 뇌염의 증상이 심하지만 대부분 가역적인 것과 대조적이다.

증상 발생 시점으로부터 치료가 늦을 경우 예후가 좋지 않다. 사망률은 2년 내 10-20% 정도로 알려져 있으며, 주로 뇌전증지속상태 또는 감염 등과 같은 합병증에 의한 것으로 알려져 있다. 약 20-30% 환자에서 뇌염이 재발하며, 이 경우 면역치료를 추가할 필요가 있고, 재발한 경우라도 면역치료에 대한 반응은 좋다. 재발은 첫 증상으로부터 6개월 이내에 흔하나 발병 후 8년째에 재발하는 경우도 있다.

참고문헌

1. Ariño H, Armangué T, Petit-Pedrol M, et al. Anti-LGI1–associated cognitive impairment: Presentation and long-term outcome. Neurology 2016;87:759-65.

2. Aurangzeb S, Symmonds M, Knight RK, et al. LGI1-antibody encephalitis is characterised by frequent, multifocal clinical and subclinical seizures. Seizure 2017;50:14-7.

3. Binks S, Varley J, Lee W, et al. Distinct HLA associations of LGI1 and CASPR2-antibody diseases. Brain 2018;141:2263-71.

4. de Bruijn MAAM, van Sonderen A, van Coevorden-Hameete MH, et al. Evaluation of seizure treatment in anti-LGI1, anti-NMDAR, and anti-GABA B R encephalitis. Neurology 2019;92:e2185-96.

5. Dubey D, Britton J, McKeon A, et al. Randomized Placebo-Controlled Trial of Intravenous Immunoglobulin in Autoimmune LGI1/CASPR2 Epilepsy. Ann Neurol 2020;87:313-23.

6. Finke C, Prüss H, Heine J, et al. Evaluation of Cognitive Deficits and Structural Hippocampal Damage in Encephalitis With Leucine-Rich, Glioma-Inactivated 1 Antibodies. JAMA Neurol 2017;74:50.

7. Gadoth A, Pittock SJ, Dubey D, et al. Expanded phenotypes and outcomes among 256 LGI1/CASPR2-IgG-positive patients: LGI1/CASPR2-IgG + Patients. Ann Neurol 2017;82:79-92.

8. Irani SR, Alexander S, Waters P, et al. Antibodies to Kv1 potassium channel-complex proteins leucine-rich, glioma inactivated 1 protein and contactin-associated protein-2 in limbic encephalitis, Morvan's syndrome and acquired neuromyotonia. Brain 2010;133:2734-48.

9. Irani SR, Michell AW, Lang B, et al. Faciobrachial dystonic seizures precede Lgi1 antibody limbic encephalitis. Ann Neurol 2011;69:892-900.

10. Kim TJ, Lee ST, Moon J, et al. Anti-LGI1 encephalitis is associated with unique HLA subtypes: HLA Subtypes in Anti-LGI1 Encephalitis. Ann Neurol 2017;81:183-92.

11. Kornau H, Kreye J, Stumpf A, et al. Human Cerebrospinal Fluid Monoclonal LGI1 Autoantibodies Increase Neuronal Excitability. Ann Neurol 2020;87:405-18.

12. Lai M, Huijbers MG, Lancaster E, et al. Investigation of LGI1 as the antigen in limbic encephalitis previously attributed to potassium channels: a case series. Lancet Neurol 2010;9:776-85.

13. Li L, Ma C, Zhang H, Lian Y. Clinical and electrographic characteristics of seizures in LGI1-antibody encephalitis. Epilepsy Behav 2018;88:277-82.

14. Morano A, Fanella M, Giallonardo AT, et

al. Faciobrachial Dystonic Seizures: The Borderland Between Epilepsy and Movement Disorders. Mov Disord Clin Pract 2020;7:228-9.

15. Navarro V, Kas A, Apartis E, Chami L, et al. Motor cortex and hippocampus are the two main cortical targets in LGI1-antibody encephalitis. Brain 2016;139:1079-93.

16. Petit-Pedrol M, Sell J, Planagumà J, et al. LGI1 antibodies alter Kv1.1 and AMPA receptors changing synaptic excitability, plasticity and memory. Brain 2018;141:3144-3159.

17. Shin YW, Ahn SJ, Moon J, et al. Increased adverse events associated with antiepileptic drugs in anti-leucine-rich glioma-inactivated protein 1 encephalitis. Epilepsia 2018;59:108-12.

18. Shin YW, Lee ST, Shin JW, et al. VGKC-complex/LGI1-antibody encephalitis: Clinical manifestations and response to immunotherapy. J Neuroimmunol 2013;265:75-81.

19. van Sonderen A, Petit-Pedrol M, Dalmau J, et al. The value of LGI1, CASPR2 and voltage-gated potassium channel antibodies in encephalitis. Nat Rev Neurol 2017;13:290-301.

20. van Sonderen A, Thijs RD, Coenders EC, et al. Anti-LGI1 encephalitis: Clinical syndrome and long-term follow-up. Neurology 2016;87:1449-56.

 선우준상

5 기타 자가면역뇌염
(Other autoimmune encephalitis)

1 | CASPR2

Contactin-associated protein-like 2 (CASPR2)는 leucine-rich glioma inactivated 1 (LGI1)과 함께 전압작동칼륨통로(voltage-gated potassium channel, VGKC)와 복합체를 구성하는 단백질이며, 동시에 항VGKC자가항체의 타겟 항원이다. LGI1단백이 주로 중추신경계에 분포하는 것과는 달리, CASPR2단백은 중추신경계와 말초신경계에서 모두 발현하며, 이 차이는 두 자가면역항체와 관련된 신경학적 증후군의 임상적 차이와도 관련 있다. LGI1항체와 비교하면 CASPR2항체에 의한 자가면역 신경학적 증후군은 발생 빈도는 적지만, 중추신경계와 말초신경계를 모두 침범하는 더 폭넓은 임상 스펙트럼을 보인다.

CASPR2단백은 7번 염색체에 존재하는 CNTNAP2 유전자에서 발현되며, 기능적으로 neurexin IV superfamily에 속하는 세포부착분자이다. CASPR2단백은 contactin-2단백과 함께 막횡단축삭복합체(transmembrane axonal complex)를 형성하는데, 이는 유수(myelinated)신경에서 근곁결절(juxtaparanode) 부위에 VGKC가 군집하도록 하는 역할을 한다(그림 5-1). CASPR2 유전자를 제거한 knock-out 마우스에서는 VGKC가 근곁결절에 모여있지 않고 축삭 전반에 걸쳐 확산되는 결과를 보인다. 따라서, VGKC의 기능이상으로 인한 신경의 과흥분 또는 란비어결절(node of Ranvier)에서의 신경전도의 불안정이 항CASPR2항체증후군에서 흔히 관찰되는 말초신경과흥분(peripheral nerve hyperexcitability) 발생의 주된 기전일 것으로 생각된다. 또한 CASPR2는 중추신경계의 억제사이신경세포(inhibitory interneuron)의 신경연접 형성에도 관여하며, 이는 CASPR2항체 관련 증후군에서 관찰되는 뇌전증 발작의 발생과 관련되어 있다. 또한, CASPR2항체가 면역글로불린G4(immunoglobulin G4, IgG4) 아형임을 고려하면, CASPR2항체가 항원의 내재화나 세포독성을 유발하기 보다는, 단백질간의 상호작용을 억제함으로써 CASPR2의 기능저하를 유발할 것으로 추측된다.

항CASPR2항체증후군은 남자(90%)에서 많이 발생하고 호발 연령은 60-70대이다. 주된 임상양상은 변연뇌염(limbic encephalitis)과 모반증후군(Morvan syndrome)이다. 변연뇌염은 기억력저하, 혼돈, 발작, 성격변화와 같이 중추신경계 관련 증상으로 발현되지만, 모반증후군은 중추신경계 증상 외에도 신경근긴장증(neuromyotonia)을 비롯한 말초신경계 증상, 자율신경이상, 불면증 등 폭넓은 임상적 스펙트럼을 보인다. 하지만, LGI1항체에 비해서 CASPR2항체증후군은 변연뇌염으로 발현하는 비율이 적고, 상대적으로 신경근긴장증, 신경병통증 및 말초신경병증과 같은 말초신경계 증상이 더 흔하게 나타난다.

항CASPR2항체증후군은 보통 수개월에 걸쳐 병이 진행하는 것이 일반적인데, 서서히 진행하는 인지기능저하로 발현하는 경우 알츠하이머병과 같은 신경퇴행질환으로 오인될 수 있다. 드물지만 중증근무력증이 동반되며 진행숨뇌마비(progressive bulbar palsy)로 발현하여 운동신경원병(motor neuron disease)으로도 오인될 수

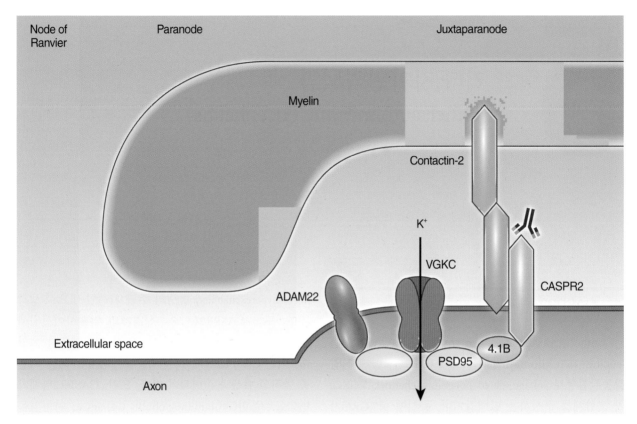

그림 5-1 유수신경(myelinated nerve)에서 CASPR2단백의 역할

있다. 뚜렷한 변연뇌염의 증상 없이 반복되는 뇌전증 발작만으로 발현하는 경우도 드물게 있다. 또한, LGI1 항체증후군과 비교하여 저나트륨혈증은 드물게 발생하지만, 체중감소와 흉선종(thymoma)은 더 흔하게 동반된다. 종합하면, LGI1항체는 인지기능 저하, 정신이상, 뇌전증 발작과 같은 중추신경계 관련 증상이 우세하고, CASPR2항체는 수면장애 및 말초신경계와 자율신경계 침범 증상이 상대적으로 더 흔하게 나타난다(그림 5-2).

뇌척수액검사에서 경미한 수준의 백혈구증가증 또는 단백질증가가 나타날 수 있으나, 대개 정상인 경우가 많다. 뇌 MRI 역시 정상인 경우가 많지만, 양쪽 내측두엽의 고신호강도 병변이 나타날 수 있다(그림 5-3). 종양이 동반되는 경우는 약 20% 정도로 보고되며, 흉선종이 가장 흔하고, 특히 모반증후군이나 신경근긴장증으로 발현하는 환자에서 더 흔히 동반된다고 알려졌다. 따라서, CASPR2항체가 양성으로 확인된 경우 흉부 컴퓨터단층촬영술(computed tomography, CT)을 포함하여 종양에 대한 스크리닝이 필요하다. 확진은 혈

청이나 뇌척수액에서 CASPR2항체를 검출하는 것이며, 주로 세포기반분석(cell-based assay)방법이 이용된다. CASPR2단백을 발현하도록 처리된 세포에 환자의 혈청이나 뇌척수액 샘플을 반응시켜 CASPR2항체가 존재하는 것을 확인할 수 있다(그림 5-4).

면역치료에 대한 반응은 좋은 편으로 약 70-90%에서 효과가 있다고 보고되었다. 38명 CASPR2항체 양성 환자를 분석한 연구에서 73%환자가 수정Rankin척도(modified Rankin Scale, mRS) 2점 이하로 좋은 치료 결과를 보였고, 2년째 사망률은 10%였다. CASPR2항체는 자가면역뇌염의 비교적 드문 원인이지만, 면역치료의 효과가 좋은 점을 고려하면 가능성 있는 환자를 조기에 진단하고 치료하는 것이 중요하다. 임상증상이 매우 다양하게 나타날 수 있으나, 특히 뇌염 증상과 함께 신경근긴장증 또는 원인이 불분명한 말초신경병증이 동반된 경우 CASPR2항체의 가능성을 의심해볼 수 있다.

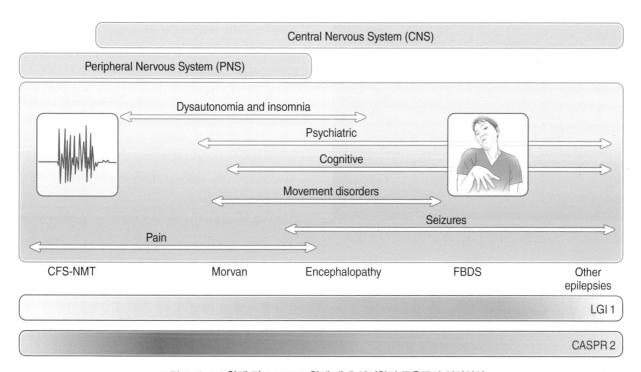

그림 5-2 LGI항체 및 CASPR2 항체 매개 신경학적 증후군의 임상양상
CFS-NMT, cramp fasciculation syndrome – neuromyotonia; FBDS, faciobrachial dystonic seizure

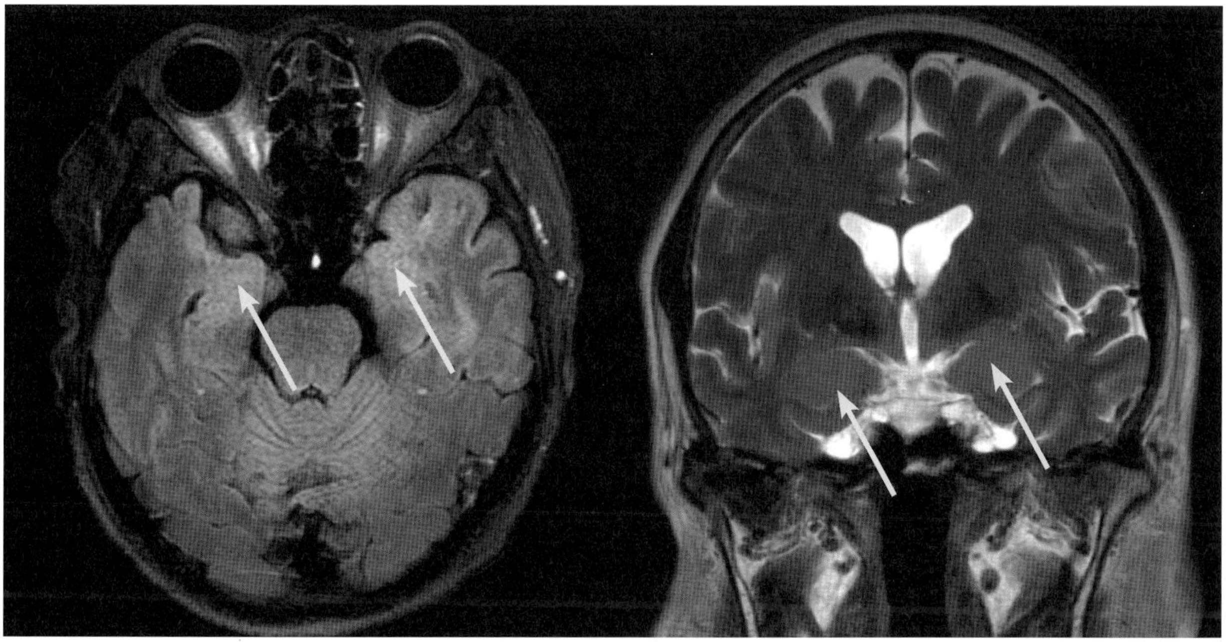

그림 5-3 항CASPR2뇌염 환자의 뇌 자기공명영상
FLAIR (fluid attenuated inversion recovery) 영상과 T2강조영상에서 양측 내측두엽의 고신호강도 병변이 관찰된다.

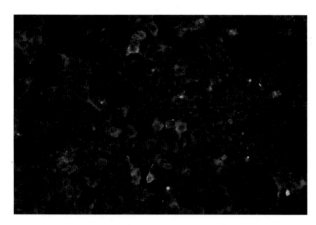

그림 5-4 항CASPR2항체에 대한 세포기반분석 양성 결과

2 | AMPA receptor

α-amino-3-hydroxy-5-methyl-4-isoxazole-propionic acid (AMPA)수용체(AMPA receptor, AMPAR)는 이질사합체(heterotetramer) 구조의 리간드작동이온통로(ligand-gated ion channel 또는 ionotropic receptor)로 GluR1부터 GluR4까지 네 가지가 소단위(subunit)가 존재한다. 그 중 GluR1과 GluR2 소단위는 기능적으로 장기신경가소성(long-term neural plasticity)과 관련이 있으며, 항AMPAR항체의 타겟이 되는 항원이다. AMPAR은 해부학적으로 해마, 기저핵, 편도, 후각피질 등에 주로 분포하며, AMPA를 통한 신호 전달이 억제되면 학습 및 기억능력이 저하된다. 자가항체가 AMPAR에 작용하는 기전은 항N-methyl D-aspartate (NMDA)수용체항체와 비슷하게 수용체내재화(receptor internalization)를 통하여 세포막에 존재하는 수용체를 감소시키고 기능저하를 초래하는 것이다.

AMPAR항체는 2009년 10명의 변연뇌염환자에서 처음 보고되었고, 이후로 35명 정도가 추가로 보고되었을 정도로 드문 자가면역뇌염의 원인 항체이다. 여성에서 호발하며, 발별 연령대는 23세에서 87세까지 매우 다양하다. 주로 신생물딸림증후군(paraneoplastic syndrome)으로 흉선종, 소세포폐암(small cell lung cancer), 유방암과 관련이 있다. 임상양상은 고전적인 변연뇌염으로 급성 또는 아급성의 혼돈, 지남력장애 및 기억상실 등 변연계를 침범하는 뇌병증이 수주 동안 진행한다. 정신병적 증상이 동반될 수 있으며 급속

진행치매(rapidly progressive dementia)의 형태로 발현하기도 한다. 일반적인 변연뇌염에 비해서 상대적으로 뇌전증 발작은 드물다.

MRI는 FLAIR 영상에서 양쪽 내측두엽의 고신호강도가 약 80% 환자에서 관찰되며, 초기에 MRI가 정상이지만 추적영상에서 병변이 관찰되는 경우도 있다. 뇌척수액검사에서 경미한 백혈구증가증(6-75개/mm³)과 단백질 증가(50-100 mg/dL)가 주로 관찰되나, 정상인 경우도 드물지 않다.

면역치료에 대한 반응은 전반적으로 좋은 편이나, 종양이 동반된 환자 또는 다른 신생물딸림 자가항체가 같이 검출되는 환자에서 불량한 예후를 보인다. 드물지 않게 재발이 발생하는데, 종양이 동반되지 않은 변연뇌염 환자에서 재발이 더 흔하고, 재발변연뇌염은 추가적인 면역치료에 대한 반응이 더 불량하다. 하지만, 나중에 발표된 22명의 AMPAR항체 자가면역뇌염 환자 연구에서는 재발률이 4.8%(1/21)로 낮은 결과를 보였다. 항암치료 및 rituximab 등 적극적인 면역치료를 한 환자군에서 재발률이 유의하게 낮았기 때문에, 재발한 환자군은 상대적으로 초기 면역치료가 불충분했을 가능성이 있다.

3 | GABA_B receptor

Gamma-aminobutyric acid (GABA)는 중추신경계의 대표적인 억제신경전달물질이다. GABA와 결합하는 수용체는 $GABA_A$수용체($GABA_A R$)와 $GABA_B$수용체($GABA_B R$) 두 가지가 있다. 이 중 $GABA_A R$는 이온통로의 개폐를 직접적으로 조절하는 ionotropic 수용체인 반면, $GABA_B R$는 metabotropic 수용체로 G-단백을 통한 신호 전달기전으로 기능을 한다. $GABA_B R$는 이질이합체(heterodimer) 구조로 $GABA_{B1}$과 $GABA_{B2}$ 두 가지 소단위가 있는데, $GABA_B R$자가항체는 $GABA_{B1}$을 타겟으로 결합한다. 기능적으로 $GABA_{B1}$은 리간드 결합, $GABA_{B2}$는 세포내 신호 전달을 담당한다. $GABA_B R$항체는 수용체내재화를 직접적으로 유발하지 않으나, $GABA_B R$의 신호 전달기능을 억제함으로써 증상을 나타낸다. $GABA_B R$는 중추신경계 전반에 걸쳐 분포하지만 해마, 시상, 소뇌에서 가장 많이 발현된다.

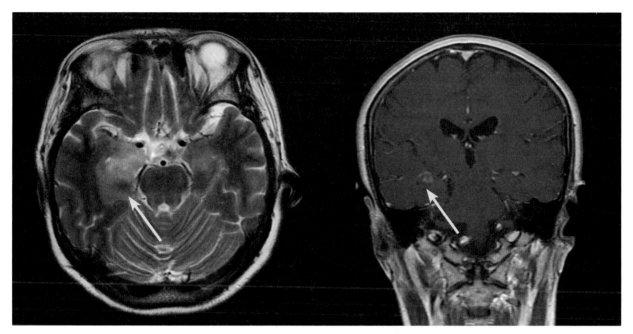

그림 5-5 항GABAbR뇌염 환자의 뇌 자기공명영상
우측 내측두엽의 T2 고신호강도 병변과 국소적인 조영증강이 관찰된다.

동물 모델에서 유전적으로 또는 약물을 통해 $GABA_BR$를 억제하면, 변연뇌염과 유사한 질병표현형이 유발되는데, 이는 $GABA_BR$항체의 병원성(pathogenicity)을 뒷받침하는 증거이다.

$GABA_BR$항체는 2010년 15명의 자가면역변연뇌염 환자가 처음 보고되었고, 이후 연구에서 약 60명의 환자들이 추가로 보고되었다. 인구학적 특성은 남녀 비율은 거의 비슷하고, 연령 분포는 16세부터 85세까지 다양하다. 약 60% 환자에서 소세포폐암이 발견된다. 주된 임상소견은 고전적인 변연뇌염과 난치성뇌전증이며, 대개 일회성(monophasic)의 경과를 보인다. 드물게 약 10%정도에서 소뇌실조 증상을 보인다. 뇌 MRI는 약 2/3에서 한쪽 또는 양쪽 내측두엽의 T2 고신호강도 병변이 관찰되고(그림 5-5), 뇌척수액검사는 약 90%에서 백혈구증가와 단백질증가가 관찰된다. 뇌파는 약 75%환자에서 측두엽의 뇌전증모양방전(epileptiform discharge) 또는 서파가 관찰된다. 핵의학 검사인 F-18 불화디옥시포도당 양전자방출단층촬영(^{18}F-fluoro-2-deoxy-glucose positron emission tomography, FDG-PET)결과 약 60% 환자에서 내측두엽의 대사 증가 또는 전반적인 피질의 대사 감소 등의 이상소견이 관찰된다(그림 5-6). $GABA_BR$항체 외에 Hu,

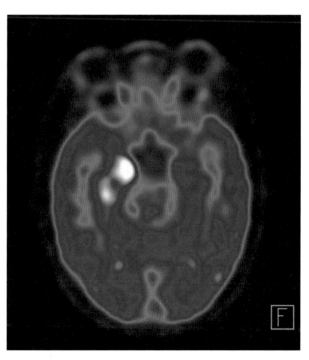

그림5-6 항GABA$_B$수용체뇌염 환자의 18-fluoro-deoxyglucose positron emission tomography (FDG-PET)결과
우측 내측두엽 병변에서 대사항진이 관찰된다.

GAD65(glutamic acid decarboxylase 65), N형 전위작동칼슘통로(N-type voltage-gated calcium channel), SOX1 등

에 대한 자가항체가 40-50% 환자에서 동시에 검출된다. 약 75% 환자에서 면역치료에 반응을 보이며, 소세포폐암이 동반되지 않은 환자에서 상대적으로 예후가 좋다.

4 Glycine수용체

Glycine수용체(Glycine receptor, GlyR)는 GABA수용체와 더불어 중추신경계의 대표적인 억제신경전달물질에 대한 수용체이다. 주로 뇌간과 척수에서 억제성 신호조절에 관여한다. GlyR은 ionotropic 수용체로 리간드가 결합하면 세포 내로 염화이온(chloride)이 유입되어 과분극(hyperpolarization)을 유발한다. GlyR의 소단위는 네 가지의 α1-4 소단위와 하나의 β 소단위가 존재한다. GlyR는 다섯 개의 소단위로 구성되며 세 개의 α1과 두 개의 β 소단위 조합, 또는 네 개의 α1과 한 개의 β 소단위 조합으로 이뤄진다.

GlyR의 기능이상으로 인해 발생하는 대표적인 증상은 hyperekplexia로 외부자극에 의해 유발되는 과다놀람반응(excessive startle response)이고 뒤따라서 근육의 경직이 발생한다. 약물로 GlyR를 억제하면 경축(rigidity)과 통증을 유발하는 심한 근경련(cramp), 과다놀람반응이 유발된다. GlyR항체에 의한 신경학적 증후군에서 이와 유사한 표현형을 보이며, 면역치료에 의해서 증상들이 호전되는 점은 GlyR항체가 질병을 유발하는 원인임을 시사한다. GlyR항체는 수용체에 결합하면 보체를 활성화시키고 GlyR의 수용체내재화 및 분해를 유발한다.

GlyR항체와 관련된 대표적인 신경학적 증후군은 경축과 근간대경련 동반 진행뇌척수염(progressive encephalomyelitis with rigidity and myoclonus, PERM)이다. PERM은 기본적으로 강직증후군(stiff-person syndrome)과 유사하지만, 뇌간 침범 증상이 추가적으로 나타나고 질병의 중증도가 더 심하다. 강직증후군과 PERM은 GAD65항체 또는 amphiphysin항체에서 발생하는 것이 먼저 알려졌고, 이후 연구에서 GlyR항체가 새로운 원인항체로 발견되었다. 45명 환자를 분석한 연구에서 남녀비율은 비슷하고 발생연령은 1세부터 75세까지(중앙값 50세) 분포했다. 발병은 대개 급성(20%) 또는 아급성(51%) 경과를 보였고, 가장 흔한

임상증상은 강직증후군의 주된 특징인 경축과 근경련(목, 몸통, 사지를 침범)으로 질병 초기에 약 70%에서, 병이 진행하면 약 80% 환자에서 관찰된다. 그밖에, 뇌간 침범 증상으로 안구운동장애와 구마비가 각각 40-60% 빈도로 관찰된다. 과다놀람반응은 40-55%, 자율신경이상은 30-45% 환자에서 관찰된다.

뇌 MRI에서 이상은 약 1/3에서 보이고, 백질병변, 측두엽 고신호강도병변, 소혈관질환 등 다양한 패턴으로 나타난다. 뇌척수액세포증가증(cerebrospinal fluid pleocytosis) 또는 단백질증가는 60%에서 관찰된다. 약 10% 환자에서는 항GAD65항체가 같이 검출된다. 종양은 약 25%에서 동반되는데 흉선종과 유방암 등을 포함한다. 대개 면역치료에 반응이 좋아서 치료 후 재발은 약 10% 정도로 보고된다.

참고문헌

1. Carvajal-Gonzalez A, Leite MI, Waters P, et al. Glycine receptor antibodies in PERM and related syndromes: characteristics, clinical features and outcomes. Brain 2014;137:2178-92.

2. Hoftberger R, van Sonderen A, Leypoldt F, et al. Encephalitis and AMPA receptor antibodies: Novel findings in a case series of 22 patients. Neurology 2015;84:2403-12.

3. Irani SR, Alexander S, Waters P, et al. Antibodies to Kv1 potassium channel-complex proteins leucine-rich, glioma inactivated 1 protein and contactin-associated protein-2 in limbic encephalitis, Morvan's syndrome and acquired neuromyotonia. Brain 2010;133:2734-48.

4. Irani SR, Gelfand JM, Al-Diwani A, et al. Cell-surface central nervous system autoantibodies: clinical relevance and emerging paradigms. Ann Neurol 2014;76:168-84.

5. Kim TJ, Lee ST, Shin JW, et al. Clinical manifestations and outcomes of the treatment of patients with GABAb encephalitis. J

Neuroimmunol 2014;270:45-50.

6. Lai M, Hughes EG, Peng X, et al. AMPA receptor antibodies in limbic encephalitis alter synaptic receptor location. Ann Neurol 2009;65:424-34.

7. Lancaster E, Dalmau J. Neuronal autoantigens--pathogenesis, associated disorders and antibody testing. Nat Rev Neurol 2012;8:380-90.

8. Lancaster E, Huijbers MG, Bar V, et al. Investigations of CASPR2, an autoantigen of encephalitis and neuromyotonia. Ann Neurol 2011;69:303-11.

9. Lancaster E, Lai M, Peng X, et al. Antibodies to the GABA(B) receptor in limbic encephalitis with seizures: case series and characterisation of the antigen. Lancet Neurol 2010;9:67-76.

10. Poliak S, Salomon D, Elhanany H, et al. Juxtaparanodal clustering of Shaker-like K+ channels in myelinated axons depends on CASPR2 and TAG-1. J Cell Biol 2003;162:1149-60.

11. Sunwoo JS, Lee ST, Byun JI, et al. Clinical manifestations of patients with CASPR2 antibodies. J Neuroimmunol 2015;281:17-22.

12. van Sonderen A, Arino H, Petit-Pedrol M, et al. The clinical spectrum of CASPR2 antibody-associated disease. Neurology 2016;87:521-8.

 신혜림

6 세포내 자가항체매개뇌염
(Intracellular autoantibody-mediated encephalitis)

1 | 서론

자가면역뇌염은 다양한 자가면역 기전에 의하여 발생하는 뇌염으로, 크게 자가항체(autoantibody)의 표적 항원에 따라 세포내 항원에 작용하는 경우와 신경전달 물질 조절에 관여하는 신경세포막 단백질을 공격하는 경우로 분류할 수 있다. 이 중 자가항체가 세포내 항원에 작용하는 경우를 세포내 자가항체매개뇌염이라 하며, 세포자멸사(apoptosis) 및 T세포에 의한 이차면역반응이 발생하므로 면역치료에 대한 반응이 떨어진다. 반면 세포내 자가항체매개뇌염은 일반적으로 각종 종양과 연관되어 있을 가능성이 높으며, 따라서 면역치료와 더불어 동반된 종양의 진단과 치료가 필요하다. 본 장에서는 이와 같은 세포내 자가항체매개뇌염의 발병기전 및 다양한 자가항체매개뇌염의 종류에 대하여 소개하고, 진단 방법 및 치료법에 대하여 알아보고자 한다.

2 | 발병기전

1) 세포면역(Cellular immunity) 반응

세포내 자가항체에 의한 자가면역뇌염의 발병기전은 과거 연구에서 주로 T세포와 연관된 세포면역반응에 의하여 발병하는 것으로 알려져 있다. 자가항체는 세포내 항원을 표적으로 하므로, 일반적으로 세포내 단백질이나 핵에 직접 작용하여 신경세포의 퇴행과정에 관여

하기 어렵다. 종양세포의 항원 제시 및 원인이 밝혀져 있지 않은 자극 등에 의하여 자가항원에 특이적인 T세포가 활성화되면, 혈액뇌장벽(blood-brain barrier)을 통과하여 중추신경계 내에서 신경세포의 손상과 자멸사를 유발하게 된다. 실제로 자가면역뇌염의 신경세포 퇴행과정을 현미경으로 관찰하면, 많은 도움T세포(helper T cell, CD4$^+$)와 세포독성T세포(cytotoxic T cell, CD8$^+$) 침범이 동반되어 있는 것을 확인할 수 있다.

이와 더불어 도움T세포가 B세포를 활성화하여 형질세포로 분화한 세포들이 자가항체를 생성하며, 일부는 혈액뇌장벽을 통과한다. 중추신경계 내에서 일부 자가항체는 세포내로 이동하여 동물 실험 모델 및 부검 뇌조직에서 세포내에 발견되며, 신경세포의 자멸사를 유발하게 된다.

2) 체액면역(Humoral immunity)반응

자가항체는 자가면역뇌염의 진행과정에서 발견되는 표지자로, 항원이 세포내에 존재하므로, 자가항체 자체에 의하여 직접적으로 발병하기가 어려울 것으로 생각하였다. 그러나, 일부 연구에서 면역글로불린G(immunoglobulin G, IgG)의 영향으로 인하여 자가항체가 세포내로 이동하며, 발병기전에 연관된다는 주장이 제기되었다. 그 예로 소뇌변성을 유발하는 것으로 알려진 Yo자가항체 동물 실험에서, Yo자가항체를 복강내 주입한 결과 IgG의 영향으로 인하여 자가항체가 푸르킨예세포(Purkinje cell)내에 관찰되었다. 즉, 자가항

체가 직접 세포내로 이동하여 세포사멸 등 발병기전에 관여할 것으로 추정할 수 있다. 그러나 동물 실험에서 자가항체를 주입했을 때 자가면역뇌염이 유발되지 않았으며, 세포내 자가항체매개뇌염의 경우 혈장교환으로 자가항체를 제거하는 것이 효과적이지 않다는 점을 고려할 때 자가항체 단독으로 발병기전에 미치는 영향은 크지 않을 것으로 생각된다.

3 | 세포내 자가항체매개뇌염의 종류 및 특징

세포내 자가항체매개뇌염의 종류와 임상적인 특징을 표 6-1에 간략하게 정리하였다.

이중, 비교적 흔한 종류의 세포내 자가항체매개뇌염을 간략하게 소개한다.

표 6-1 세포내 자가항체매개뇌염 및 신경학적 증후군

자가항체	항원	역학적 특징	관련 신경학적 증후군	흔하게 동반되는 종양	치료 반응
Hu (ANNA-1)	ELAVL (Hu)	남성(75%) 중간연령 63세	말초신경병증(대부분 감각신경), 자율신경병증, 변연뇌염(limbic encephalitis), 뇌척수염, 소뇌변성	소세포폐암, 신경내분비종양, 흉선종	치료 효과 좋지 않음
Ri (ANNA-2)	NOVA 1, 2 (Ri)	여성(66%) 평균연령 65세	뇌간뇌염, 안구간대경련–근간대경련(opsoclonus–myoclonus), 소뇌변성, 뇌척수염, 이상운동질환, 경련	유방암, 소세포폐암, 부인암	치료 효과 좋지 않음
ANNA-3	불명	발병연령 8–83세	말초신경병증, 소뇌변성, 뇌척수염, 뇌간뇌염, 변연뇌염	소세포폐암	치료 효과 좋지 않음
Zic4	Zic4	남성>여성 중간연령 67세	소뇌변성	소세포폐암	일부 치료 효과 있음
Anti-Ma (PNMA-1)	PNMA1 PNMA2	여성>남성 중년에 발병	소뇌변성, 뇌간뇌염, 변연뇌염, 기억력 저하	유방암, 폐암, 대장암, 신장암, 비호지킨림프종	젊은 연령은 1/3 정도에서 치료 효과 있음
Anti-Ta (PNMA-2)	PNMA2	남성>여성 중간연령 34세(남) >64세(여)	변연뇌염, 뇌간뇌염, 소뇌변성, 기면병 유사 증상	고환암, 생식세포암, 유방암, 폐암, 비호지킨림프종	치료 효과 좋지 않음
SOX1 (AGNA)	SOX1	여성>남성 평균연령 57.5세	Eaton–Lambert증후군, 소뇌변성, 변연뇌염, 말초신경병	소세포폐암	일부 치료 효과 있음
Amphiphysin	Amphiphysin	남성(60%) 평균연령 64세	강직증후군(stiff–person syndrome), 뇌척수염, 말초신경병	유방암, 난소암, 소세포폐암	일부 치료 효과 있음
Yo (PCA-1)	CDR2	여성>남성 젊은 성인–노인	소뇌변성(90%), 말초신경병증(10%)	난소암, 유방암	일찍 치료하는 경우 치료 효과 좋음
PCA-2	불명		뇌간뇌염, 변연뇌염, 소뇌변성	소세포폐암	
anti-Tr/DNER	DNER		소뇌변성	호지킨림프종	
CV2/CRMP5	CRMP-5	남성, 여성 고령	말초신경병증, 자율신경병증, 소뇌변성, 기저핵염증(무도병, 파킨슨병), 시신경염, 망막병증, 치매, 경련	소세포폐암, 흉선종, 갑상선암	치료 효과 좋지 않음
Recoverin (anti-CAR)	Recoverin		망막신경병증	소세포폐암, 자궁내막암, 자궁경부암, 난소암	치료 효과 좋지 않음
GAD65	GAD65	여성 (82%) 중간연령 58세	강직증후군, 소뇌변성, 변연뇌염, 뇌간뇌염, 경련	드묾; 흉선종, 유방암	치료에 잘 반응함

AGNA, antiglial neuronal nuclear antibody type 1; ANNA, antineuronal nuclear antibody; CAR, cancer–associated retinopathy; CDR2, cerebellar degeneration protein 2; CRMP–5, collapsin response mediator protein–5; CV2, crossveinless–2; DNER, Delta–notch like growth factor related receptor; GAD65, 65 kDa isoform of glutamic acid decarboxylase; PCA, Purkinje cell antibody; PNMA, paraneoplastic Ma antigens

출처 : 대한신경과학회. 신경학. 3판. 서울:범문에듀케이션. 139–43. 2017 Gaspard N. Autoimmune Epilepsy. Continuum (Minneap Minn) 2016;22:227–45.; Lancaster E. Paraneoplastic disorders. Continuum (Minneap Minn) 2015;21:452–475.; Pittock SJ, Palace J. Paraneoplastic and idiopathic autoimmune neurologic disorders. Autoimmune Neurology. Cambridge: Elsevier;133:165–83.

1) 항Hu항체뇌염

항Hu항체는 말초신경병증, 자율신경병증, 변연뇌염(limbic encephalitis), 소뇌변성 등 다양한 신경학적 증후군을 유발하며, 말초신경병 중에서도 특히 감각신경병증이 가장 흔하다. 중추신경계를 침범하는 경우, 변연뇌염, 신생물딸림소뇌변성(paraneoplastic cerebellar degeneration), 뇌척수염이 발병할 수 있다. 뇌 MRI에서 내측두엽을 침범하거나 전반적인 신호 변화가 나타나며 뇌척수액검사에서도 백혈구증가증(pleocytosis) 및 단백상승과 같은 이상을 동반하는 경우가 많다.

항Hu항체뇌염은 남성에서 많이 발명하며(75%), 발병연령의 중간값이 63세로 비교적 높다. 또한 종양이 동반된 확률이 높으며 특히 소세포폐암의 유병률이 높다(50-60%). 면역치료의 효과가 비교적 떨어지고, 치료 및 예후에 원인 종양의 치료가 특히 중요하므로 동반된 종양의 진단과 치료가 반드시 필요하다.

2) 항Ri항체뇌염

항Ri항체뇌염은 뇌간뇌염(brainstem encephalitis), 신생물딸림소뇌변성, 뇌척수염 등 다양한 신경학적 증후군으로 발병할 수 있다. 항Ri항체뇌염은 특히 뇌간을 잘 침범하므로, 안구간대경련-근간대경련(opsoclonus-myoclonus), 뇌신경마비, 삼킴장애 등의 증상이 동반될 수 있으며 특히 안구간대경련-근간대경련 증상이 특이적이다. 연관된 종양은 소세포폐암과 유방암이 가장 흔하며 대부분 면역치료에 대한 반응이 좋지 않다.

3) 항Ma항체뇌염

항Ma항체뇌염은 변연뇌염, 기억력저하, 소뇌변성, 안구운동마비 등을 유발할 수 있으며, 항Ma2항체뇌염과 밀접하게 연관되어 있다. 일반적으로 중년에서 발병하며, 유방암, 폐암, 대장암, 신장암, 비호지킨림프종 등 다양한 종류의 종양과 연관되어 있다. 면역치료에 대한 반응은 좋지 않다.

4) 항Ma2항체(항Ta항체)뇌염

항Ma2항체는 항Ta항체라고도 불리며, 변연뇌염, 뇌간뇌염, 소뇌변성 등을 유발할 수 있다. 특징적으로 기면병 및 허탈발작(cataplexy)과 유사한 증상이 나타날 수 있는데, 주간졸음증이 동반된 항Ma2항체뇌염 환자의 뇌척수액 히포크레틴-1(hypocretin-1)을 측정한 결과 히포크레틴-1이 검출되지 않아 자가면역작용이 히포크레틴의 감소에 연관되었을 것으로 추정할 수 있다. 항Ma2항체뇌염은 젊은 남성에서 발병하는 경우 생식세포종양과 연관된 경우가 많으므로, 진단된 경우 고환암에 대한 검사를 하는 것이 중요하다. 뇌MRI에서는 내측두엽이나 뇌간 등의 신호 변화를 동반하는 경우가 많으며 이는 임상적인 중증도와 비례한다. 면역치료에 대한 반응은 항Hu항체뇌염보다는 좋은 것으로 알려져 있다.

5) 항amphiphysin항체뇌염

항amphiphysin항체뇌염은 약 80%에서 악성 종양과 동반되며, 폐암(소세포폐암)과 연관된 경우가 가장 흔하고, 유방암이나 악성 흑색종과 연관되어 발병하는 경우도 있다. 신경학적 증상은 말초신경병증, 변연계뇌염 등의 뇌병증, 강직증후군(stiff-person syndrome), 람베르트-이튼근무력증후군(Lambert-Eaton myasthenic syndrome, LEMS), 뇌신경마비 등으로 발현할 수 있다. 항amphiphysin항체뇌염은 항Hu항체, 항Ri항체, 항CRMP-5항체 등과 동반될 수 있으며 동반되는 경우 항amphiphysin항체뇌염의 임상적인 특징과, 다른 항체 연관 뇌염의 임상적인 특징을 동시에 나타나게 된다. 면역치료에 대한 반응은 비교적 있으나, 종양이 동반된 경우가 많아 예후는 좋지 않다.

6) 항Yo항체뇌염

항Yo항체뇌염은 대부분 여성에서 발병하며, 소뇌변성을 일으키는 경우가 가장 많다. 소뇌변성으로 인하여 실조증과 보행장애가 발생하고 특히 체간 실조증을 유발하는 것이 특징적이다. 항Yo항체는 약 90%가 유방암 혹은 난소암과 동반되어 발병하며, 종양은 신경학적 증상이 발생한 직후 진단되는 경우가 가장 많다.

7) 항glutamic acid decarboxylase (GAD) 65항체뇌염

항GAD65항체뇌염은 강직증후군으로 발병하는 경우가 가장 흔하며, 그 외에 신생물딸림소뇌변성, 변연계뇌염, 뇌간뇌염, 혹은 경련으로 발병할 수 있다. GAD65는 세포내 연접단백질로 신경세포 연접부의 작용에 반응하여 억제신경전달물질인 gamma-aminobutyric acid (GABA)를 생성한다. 항GAD65자가항체는 GAD65단백질 내에서 다양하게 인식되며, 간혹 $GABA_B$수용체자가항체나 AMPA수용체자가항체와 함께 발견되므로 세포막 자가항체와의 상호 작용에 의하여 다양한 신경학적 증후군으로 발현하는 것으로 생각된다.

또한 항GAD65자가항체는 1형당뇨병 환자에서도 발견되므로, 1형당뇨병 환자에서 검출되었을 때 해석에 주의를 요한다. 1형당뇨병에서 GAD65자가항체의 역가 및 작용기전은 다른 것으로 알려져 있으나, 항GAD65항체뇌염에서 발병 동시 혹은 그 직후에 GAD65 자가항체에 의하여 1형당뇨병이 발병되기도 한다. 항GAD65항체뇌염은 여성에서 더 많이 발병하며(82%), 종양의 동반 빈도는 드문 편이다. 대부분의 세포내 자가항체매개뇌염이 면역치료에 대한 반응이 좋지 않은 것에 비해, 항GAD65항체뇌염은 비교적 면역치료에 효과가 좋은 편이다.

4 │ 진단

1) 진단기준

임상적으로 자가면역뇌염이 의심되는 경우, 신경학적 검진과 뇌척수액검사, MRI 등을 종합하여 우선 자가면역뇌염을 진단하게 된다. 진단기준은 다음과 같다(표 6-2).

표 6-2 가능 자가면역뇌염의 진단기준

1. 아급성(3개월 이내의 급격하게 진행하는)의 단기간 기억 상실, 의식저하, 혹은 정신과적 증상
2. 아래 중 하나를 만족할 것 　1) 새로운 국소적인 중추신경계 이상 　2) 과거 경련질환으로 설명되지 않는 새로운 경련 　3) 뇌척수액검사 상 백혈구증가증(뇌척수액 백혈구 ≥ 5개/mm³) 　4) MRI 검사상 뇌염 의심 소견(T2강조영상에서 내측두엽의 침범이나 회색질, 백질, 혹은 탈수초화나 염증을 시사하는 다발성 변화)
3. 다른 원인에 의한 진단을 배제 가능할 때(감염뇌염, 대사뇌병증, 뇌종양 등)

임상증상 및 혈액검사, 뇌척수액검사와 같은 기본검사 결과상 자가면역뇌염의 진단기준에 합당한 경우 우선적으로 자가면역뇌염을 진단할 수 있으며, 자가항체 검사 등의 추가적인 검사를 종합하여 최종적인 진단을 내리게 된다.

2) 자가항체 검사

자가면역뇌염 환자에서, 특정 자가항체를 확인하는 것은 최종적인 진단에 반드시 필요하며 치료 방침을 결정하거나 예후를 예측하는 데에 중요하다. 예를 들면, 세포내 자가항체매개뇌염의 경우 대부분 면역치료에 대한 반응이 떨어지며, 종양이 동반되어 있는 경우가 많으므로 자가항체의 종류에 따라 일반적으로 잘 동반될 수 있는 종양에 대한 검사 및 원인 종양의 치료가 필요할 것이다.

자가항체는 건강한 사람들에서는 거의 검출되지 않으며, 신경학적 증상이 동반되는 신생물딸림증후군 환자에서 발견되는 경우 매우 특이적이다. 그러나 신경학적 증상이 없는 종양 환자, 특히 소세포폐암 환자에서 발견되는 경우가 있으므로 해석에 유의가 필요하다. 또한, 약 40-50%에 이르는 자가면역뇌염 환자에서는 자가항체가 검출되지 않는 경우가 있으므로 자가항체 검사가 음성이라 하더라도 자가면역뇌염의 진단을 배제해서는 안 된다.

3) 연관된 종양에 대한 검사

자가면역뇌염이 진단된 경우, 원인 종양을 찾기 위한 검사가 반드시 필요하다. 특히 자가항체가 특정 종양과 연관성이 높은 경우 해당 종양에 대한 검사가 이루어져야 한다. 숨겨진 종양을 진단하기 위하여 먼저 전신적인 신체 검진 및 병력 청취가 필요하며, 간단한 선별 검사로서 종양 표지자(tumor maker)를 활용할 수 있다. 예를 들어 항Ma2자가항체뇌염과 같이 생식세포 종양이나 고환암이 동반될 수 있는 자가면역뇌염이 진단된 경우, 혈청 알파태아단백(α-fetoprotein, AFP)과 베타사람융모생식샘자극호르몬(β-human chorionic gonadotropin, β-hCG) 검사가 도움이 될 것이다.

영상검사로는 일차적으로 흉부 및 복부 컴퓨터단층촬영(computed tomography, CT)을 시행하며, CT에서 원인 종양을 확인하지 못한 경우 전신 양전자방출단층촬영(positron emission tomography, PET) 검사를 고려하게 된다. 특히 자가항체 양성인 자가면역뇌염에서 CT가 정상인 경우에도 약 56%에서는 PET 검사에서 원인 종양이 발견되는 것으로 밝혀져 있다.

5 | 치료

세포내 자가항체매개뇌염의 치료는 일반적인 자가면역뇌염의 치료를 따른다. 자가면역뇌염의 치료는 면역치료를 기본으로 하며, 최근 항NMDA수용체뇌염(anti-N-methyl-D-aspartate receptor encephalitis)을 비롯하여 다양한 자가면역뇌염에서 급격하게 발전하고 있다.

면역치료는 크게 일차치료와, 이차치료로 나눌 수 있는데, 우선 일차치료에는 고용량 스테로이드와 면역글로불린정맥주사(intravenous immunoglobulin, IVIg), 혈장교환(plasma exchange)이 해당된다. 고용량 스테로이드는 자가면역뇌염에서 우선적으로 고려되는 치료이나, 기회감염, 혈당 상승, 초조, 불면 등 부작용에 유의가 필요하다. 면역글로불린정맥주사는 자가면역뇌염에서 단독 혹은 고용량 스테로이드나 이차치료제와 함께 투약할 수 있으며 고용량 스테로이드에 비해 비교적 부작용이 적은 장점이 있다. 혈장교환은 자가항체를 효과적으로 제거하며 세포내 자가항체매개뇌염에서도 면역흡착(immunoadsorption) 기전에 의해 치료에 효과가 있는 것으로 알려져 있다.

이차치료로는 rituximab, cyclophosphamide,

tocilizumab 등이 세포내 자가항체매개뇌염을 포함한 다양한 자가면역뇌염에서 효과가 있는 것으로 밝혀졌다. 아직 이차치료 단계로 진행하는 명확한 기준은 없으나, 일차치료에 대한 치료 효과가 불충분하거나, 혹은 임상적으로 이차치료가 필요할 것으로 판단될 경우 빠른 결정을 통해 투약하여 임상적인 호전을 보일 수 있을 것으로 생각된다.

또한, 신생물딸림증후군으로 발병한 자가면역뇌염의 경우 원인 종양의 치료가 필수적이다. 원인 종양이 수술 가능한 경우 수술적 제거가 가장 이상적이며, 원인 종양의 종류에 따라 항암치료나 방사선치료를 요할 때도 있다. 그러나 항Yo항체뇌염과 같이 원인 종양을 치료한 후에도 자가면역뇌염의 호전이 없는 경우도 있으므로 종양 치료에 병행하여 면역치료를 시행하는 것이 추천된다.

참고문헌

1. 대한신경과학회. 신경학. 3판. 서울:범문에듀케이션. 139-43. 2017

2. Arino H, Gresa-Arribas N, Blanco Y, et al. Cerebellar ataxia and glutamic acid decarboxylase antibodies: immunologic profile. JAMA Neurol 2014;71:1009-16.

3. Dalmau J, Gultekin SH, Voltz R, et al. Ma1, a novel neuron- and testis-specific protein, is recognized by the serum of patients with paraneoplastic neurological disorders. Brain 1999;122: 27-39.

4. Gaspard N. Autoimmune Epilepsy. Continuum (Minneap Minn) 2016;22:227-45.

5. Gozzard P, Maddison P. Which antibody and which cancer in which paraneoplastic syndromes? Pract Neurol 2010;10:260-70.

6. Graus F, Keime-Guibert F, Rene R, et al. Anti-Hu associated paraneoplastic encephalomyelitis: analysis of 200 patients. Brain 2001;124:1138-48.

7. Graus F, Saiz A, Dalmau J. Antibodies and neuronal

autoimmune disorders of the CNS. J Neurol 2010;257:509-17.

8. Graus F, Titulaer MJ, Balu R, et al. A clinical approach to diagnosis of autoimmune encephalitis. Lancet Neurol 2016;15:391-404.

9. Greenlee JE, Burns JB, Rose JW, et al. Uptake of systemically administered human anticerebellar antibody by rat Purkinje cells following blood-brain barrier disruption. Acta Neuropathol (Berl) 1995;89:341-5.

10. Höftberger R, Rosenfeld MR, Dalmau J. Update on neurological paraneoplastic syndromes. Curr Opin Oncol 2015;27:489-95.

11. Lancaster E. Paraneoplastic disorders. Continuum (Minneap Minn) 2015;21:452-75.

12. Leypoldt F, Wandinger KP. Paraneoplastic neurological syndromes. Clin Exp Immunol 2014;175:336-48.

13. Overeem S, Dalmau J, Bataller L, et al. Hypocretin-1 CSF levels in anti-Ma2 associated encephalitis. Neurology 2004;62:138-140.

14. Pittock SJ, Lucchinetti CF, Lennon VA. Anti-neuronal nuclear autoantibody type 2: paraneoplastic accompaniments. Ann Neurol 2003;53:580-7.

15. Pittock SJ, Lucchinetti CF, Parisi JE et al. Amphiphysin autoimmunity: paraneoplastic accompaniments. Ann Neurol 2005;58: 96–107.

16. Pittock, S.J., Palace,J. Paraneoplastic and idiopathic autoimmune neurologic disorders. Autoimmune Neurology. Cambridge: Elsevier;133:165-83.

17. Raspotnig M, Vedeler CA, Storstein A. Onconeural antibodies in patients with neurological symptoms: detection and clinical significance. Acta Neurol Scand 2011;191:83-8.

18. Storstein, A., Vedeler, C.A., Paraneoplastic neurological syndromes and onconeural antibodies: clinical and immunological aspects. Adv Clin Chem 2007;44,143-85.

19. Shin YW, Lee ST, Park KI et al. Treatment strategies for autoimmune encephalitis. Ther Adv Neurol Disord 2017;11:1756285617722347.

이우진

원인 미상의(항체음성) 자가면역뇌염
(Seronegative autoimmune encephalitis)

1 | 서론

1) 자가면역뇌염의 유병률 변화

2000년대 중반 이후 새로운 자가면역뇌염 원인 항체가 지속적으로 발견되고, 자가면역뇌염에 대한 임상의들이 전반적 관심이 높아지면서 자가면역뇌염의 발생률이 빠르게 증가하고 있다. 2010년 영국의 지역사회 기반 연구에 의하면 자가면역뇌염은 전체 뇌염의 21%를 차지하여, 전체의 42%를 차지한 감염성 뇌염의 절반 정도였으나, 2018년 미국의 지역사회 기반 연구에서 자가면역뇌염의 유병률은 10만 명당 13.7명으로, 10만 명당 11.6명인 감염뇌염과 비슷하거나 약간 더 흔한 정도로 증가하였다. 자가면역뇌염의 발생률 역시 1995–2005년 10만 명 당 한해 0.4명에서 2006–2015년 10만 명당 한해 1.2명으로 매우 빠르게 증가하였고, 이로써 현재 자가면역뇌염은 뇌염의 가장 주요한 원인이 되었다. 같은 기간 동안 원인 미상뇌염으로 분류되는 비율이 빠르게 감소하였다는 점을 고려할 때, 이러한 변화는 자가면역뇌염의 실제 발생률이 증가했다기보다는, 자가면역뇌염의 진단기준이 정립되고, 진단 기법이 발전하며, 임상의들의 자가면역뇌염에 대한 진단적 고려가 증가하였기 때문으로 보인다.

2) 항체음성자가면역뇌염(seronegative autoimmune encephalitis)

현재까지 20가지 이상의 자가면역뇌염 원인 항체가

알려져 있으나, 임상적으로 자가면역뇌염이 의심되면서도 항체 검사에서는 자가항체가 검출되지 않는 경우가 많다. 이러한 경우 자가면역뇌염을 진단할 수 있는 기준이 정립되지 않아 임상의 및 연구자 간에 상당한 혼선이 있었다. 많은 경우에 '원인미상뇌염'으로 진단되어 적절한 치료를 받지 못하였으나, 2016년 Graus 등에 의해 제안된 진단 지침(guideline)을 통해 원인 자가항체가 검출되지 않더라도 자가면역뇌염을 임상적으로 진단할 수 있게 되었다. 이렇듯 원인항체가 검출되지 않는 자가면역뇌염을 '항체음성자가면역뇌염(seronegative autoimmune encephalitis)'으로 정의하며, Graus 등의 지침에 따르면 항체음성자가면역뇌염은 자가면역변연뇌염(autoimmune limbic encephalitis, ALE), 급성파종뇌척수염(acute disseminated encephalomyelitis, ADEM), 및 항체음성유력자가면역뇌염(seronegative probable autoimmune encephalitis, seronegative probable–AE)의 세 종류로 분류된다.

3) 항체음성자가면역뇌염의 비율

2016년 발표된 단일기간 코호트 연구에 따르면, 항체음성자가면역뇌염의 비율은 전체 자가면역뇌염의 43–65%로 보고되었다. 2018년 발표된 지역사회 기반 연구에 따르면, 항체음성자가면역뇌염의 유병률은 10만 명당 6.6명, 발생률은 10만 명당 연간 0.4명으로, 항체양성자가면역뇌염의 유병률 및 발생률(10만 명당 6.5명 및 10만 명당 연간 0.4명)과 비슷한 수준이었다. 따라서 항체음성자가면역뇌염은 자가면역뇌염뿐만 아니라, 전체 뇌염에서 매우 중요한 원인을 차지한다고 볼 수 있다. 항체양성자가면역뇌염의 병태생리에 대한 이해, 치료법 개발 및 예후 예측은 항N-methyl-D-aspartate (NMDA)수용체뇌염 및 항LGI1(leucine-rich glioma inactivated-1)뇌염 등 주요 자가면역뇌염에 대한 연구를 중심으로 매우 빠르게 발전하고 있다. 허나, 항체음성자가면역뇌염의 경우, 초기에 정확한 진단이 어려우며, 최근까지 진단기준이 정립되지 않았고, 뇌염 발생에 다양한 병태생리가 혼재되어 있는 등의 이유로, 임상 양상, 치료법 및 예후에 대한 임상 자료가 부족한 실정이었다. 항체음성자가면역뇌염의 임상적 스펙트럼은 상당히 넓으며, 항체음성자가면역뇌염이 항체양성자가면역뇌염과 상당히 다른 병태생리 및 임상 양상을 가질 수 있고, 따라서 치료법도 다를 수 있어, 항체음성자가면역뇌염에 대한 지속적인 연구가 필요하다.

2 | 진단

1) 항체음성자가면역뇌염으로 진단되는 원인

임상에서 자가면역뇌염 환자가 항체음성자가면역뇌염으로 진단되는 원인으로 크게 세 가지를 들 수 있다. 첫 번째로, 뇌염의 기전 자체가 자가항체를 생성하는 B세포에 대한 의존도가 낮은 경우, 원인 자가항체가 존재하지 않는 상태에서 자가면역뇌염이 발생할 수 있다(true antibody-negative). 두 번째로, 원인 자가항체가 존재하지만 아직까지 특정되거나, 병인적 역할이 규명되지 않은 상태일 수 있다(unknown antibody). 세 번째로, 진단의 방법 및 기술적 문제로 인해 자가항체 검사의 민감도가 검사실마다 다를 수 있으며, 이로 인해 자가항체를 가지고 있음에도 항체음성자가면역뇌염으로 분류될 수 있다(false negative).

2) 진단 과정

항체음성자가면역뇌염의 진단기준으로, 2016년 발표된 Graus의 진단 지침이 가장 널리 받아들여지고 있다. 이 진단 지침의 가장 중요한 특징은 두 가지인데,

첫 번째는 자가항체의 검출 없이도 항체음성자가면역뇌염의 진단이 가능하도록 기준을 정립하였다는 점이며, 두 번째는 자가면역뇌염의 진단기준에 면역치료에 대한 반응을 제외한 대신 증상 양상, 뇌파, 뇌척수액검사, 뇌자기공명영상(magnetic resonance imaging, MRI) 소견 등 초기 임상 지표들을 통하여 자가면역뇌염을 조기에 진단하는 것이 가능해졌다는 점이다.

(1) 1단계: 가능 자가면역뇌염 진단기준에 합당한가?

항체음성자가면역뇌염의 진단을 위해서는 먼저, '가능 자가면역뇌염(possible autoimmune encephalitis)'의 진단기준을 확인하여야 한다. 이는 첫째, 3개월 내에 급성 및 아급성으로 발생하는 단기기억력의 손실, 의식수준의 변화, 무기력, 성격변화 혹은 정신증상, 둘째, 새로운 국소 중추신경계 이상 징후, 과거 경련질환으로 설명되지 않는 뇌전증발작, 뇌척수액에서 5개/mL 이상의 뇌척수액세포증가증, 뇌염을 시사하는 MRI의 이상 소견 중 한 가지 이상 확인, 셋째, 증상의 다른 원인에 대한 충분한 배제이다. 뇌염의 감별 진단으로 반드시 배제해야 하는 다른 원인에 대해서는 '뇌염의 임상적 접근' 항목에 자세히 기술되어 있다.

(2) 2단계: 자가면역변연뇌염의 진단기준에 합당한가?

'가능 자가면역뇌염'의 진단기준을 충족할 경우, 자가면역변연뇌염의 진단기준에 합당한 지 먼저 확인해 보아야 한다. 자가면역변연뇌염의 진단기준은 첫째, 3개월 내에 급성 및 아급성으로 발생하는 단기기억력의 손실, 경련, 혹은 변연계기능과 관련된 정신과적 증상, 둘째, 뇌 MRI의 T2 혹은 액체감쇠역전회복영상(fluid attenuated inversion recovery, FLAIR)상 양측 내측두엽에 국한된 신호 변화, 셋째, 뇌척수액에서 5개/mL 이상의 뇌척수액세포증가증 혹은 뇌파상 측두엽 부위의 뇌전증모양방전(epileptiform discharge) 혹은 서파 중 한 가지 이상 확인, 넷째, 증상의 다른 원인에 대한 충분한 배제이다. 자가면역변연뇌염의 진단기준을 충족할 경우 자가면역 항체가 검출되지 않더라도 항체음성자가면역으로 진단할 수 있다. 단순헤르페스바이러스(herpes simplex virus, HSV), 사람헤르페스바이러

스6형(human herpes virus-6), 사람면역결핍바이러스(human immunodeficiency virus, HIV), 일본뇌염바이러스(Japanese encephalitis), 신경매독(neurosyphilis), 휘플병(Whipple disease), 뇌전증지속상태(status epilepticus), 뇌교종(glioma) 등의 임상 및 검사 소견이 자가면역변연뇌염과 비슷할 수 있으므로, 이들에 대한 감별 진단이 특히 중요하다.

(3) 3단계: 백질과 심부회백질의 다발성 병변 유무

자가면역변연뇌염의 진단기준을 충족하지 않을 경우, MRI상 탈수초병변을 시사하는 백질(white matter) 및 심부회백질(deep gray matter)의 다발성 병변 유무를 확인하여야 한다. MRI상 탈수초성 병변이 있는 경우, 급성파종뇌척수염의 진단을 고려하여야 한다. 급성파종뇌척수염의 진단기준은 첫째, 재발성이 아닌, 다초점의 염증성 탈수초 기전이 의심되는 중추신경계 병변, 둘째, 발열로 설명되지 않는 뇌병증, 셋째, 뇌 MRI상 백질 혹은 심부회백질에 분포하는 직경 1-2 cm 이상의 경계가 불분명한 미만성 병변, 넷째, 첫 증상 발생 3개월 이후 MRI상 새로운 병변 출현이나 새로운 임상 증상의 발현이 없음, 다섯째, 다른 원인에 대한 충분한 배제이다. 급성파종뇌척수염을 진단할 경우 만성 재발성 탈수초성 중추신경계질환의 원인 항체인 항아쿠아포린4(aquaporin-4, AQP4)항체, 항NMDA수용체항체, 항수초희소돌기아교세포당단백질(myelin oligodendrocyte glycoprotein, MOG)항체 등의 검출 여부를 확인해 보아야 한다.

(4) 기타 다른 감별 질환 배제

급성파종뇌척수염의 진단기준을 충족하지 않을 경우, 항NMDA수용체뇌염, Bickerstaff뇌간뇌염, 항체양성자가면역뇌염, 하시모토뇌병증(Hashimoto encephalopathy)의 진단기준을 차례로 검토하여 이들 질환을 배제한다. Bickerstaff뇌간뇌염은 항ganglioside Q1b (GQ1b)항체, 하시모토뇌병증은 항갑상선항체가 검출되어야 진단 가능하다. 상기 질환이 모두 배제될 경우 항체음성유력자가면역뇌염(seronegative probable-AE)의 진단기준을 검토해 보아야 한다. 항체음성유력

자가면역뇌염의 진단기준은 첫째, 3개월 내에 급성 및 아급성으로 발생하는 단기기억력의 손실, 의식 수준의 변화, 무기력, 성격변화 혹은 정신과적 증상, 둘째, 다른 자가면역뇌염 질환에 대한 배제, 셋째, 혈청 혹은 뇌척수액에서 사가년역뇌염 항체가 검출되지 않으면서 MRI, 뇌척수액검사, 뇌생검 조직검사 중 두 가지 이상에서 자가면역뇌염의 특징적 소견 확인, 넷째, 증상의 다른 원인에 대한 충분한 배제이다. 이 중 세 번째 진단기준은 첫째, MRI상 자가면역뇌염을 시사하는 이상 소견, 둘째, 뇌척수액에서 5개/mL 이상의 뇌척수액 세포증가증, 올리고클론띠(oligoclonal band) 확인, 면역글로불린G (immunoglobulin G)의 상승 중 한 가지 이상, 셋째, 뇌생검 조직검사에서 염증세포의 침윤이 확인 및 종양 등 다른 원인의 배제로 세분화되어 명시되어 있다. 원인불명의 뇌병증 중 상당수가 자가면역 기전일 가능성이 있지만, 이에 비해 항체음성유력자가면역뇌염의 진단기준은 다소 보수적이다. 이는 자가면역뇌염의 진단이 남용되어, 환자들이 정확한 진단의 시기를 놓치고 불필요한 면역치료를 받게 될 위험성을 방지하기 위해서이다. 결과적으로 항체음성자가면역뇌염은 자가면역변연뇌염, 급성파종뇌척수염, 항체음성유력자가면역뇌염의 세 종류로 분류된다(그림 7-1).

3) 감별 진단

항체음성자가면역뇌염의 진단 시 감염뇌염을 충분히 배제하는 것이 중요하다. 결핵뇌염, 세균뇌염은 뇌척수액검사 소견 및 임상 양상으로 비교적 조기에 감별이 가능하나, 바이러스뇌염의 경우 초기 양상이 자가면역뇌염과 비슷할 수 있으므로, 뇌척수액 검체에서 주요 원인 바이러스 중합효소연쇄반응(polymerase chain reaction, PCR)검사를 통한 배제가 필요하다. 또한 웨스트나일바이러스(West Nile virus), 라임병(Lyme disease), 일본뇌염바이러스 등 지역에 따라 특이적 감염 원인을 고려하여야 하며, 임상적으로 의심이 될 경우 16S sequencing 등의 방법으로 감염 원인을 완전히 배제하는 것이 도움이 될 수 있다.

감염 원인 이외에도, 초기에 항체음성자가면역뇌염과 매우 비슷한 임상 양상 및 검사 소견을 보여, 세심한 감별이 필요한 질환이 있다. 본 연구진의 경험에 따

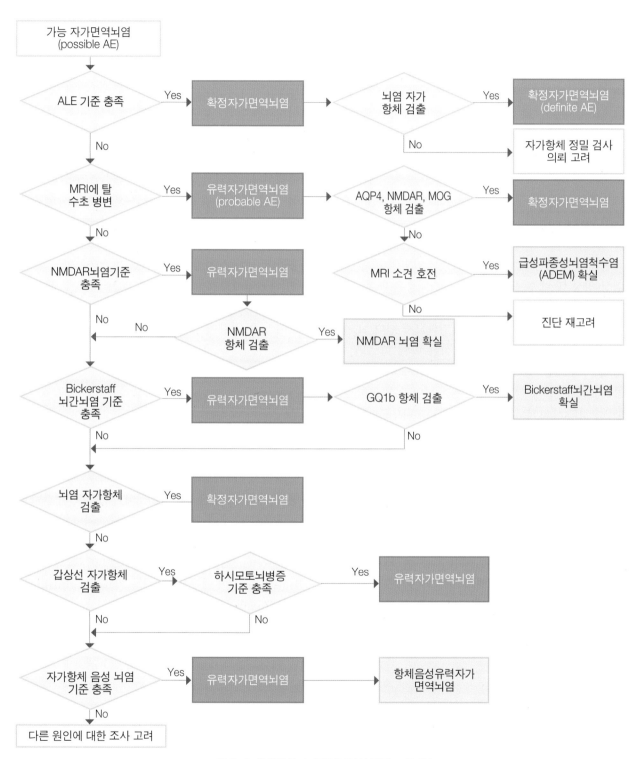

그림 7-1 **항체음성자가면역뇌염의 진단 프로세스**

르면, 중추신경계 종양(예: 림프종, 뇌교종 등), 크로이츠펠트야콥병(Creutzfeldt–Jakob Disease), 원발중추신경계혈관염(primary central nervous system vasculitis) 등

이 아급성 뇌병증, MRI 병변, 뇌척수액 백혈구증가증, 뇌파 이상 등 자가면역뇌염의 주요 소견을 모방하는 경우가 흔하며, 초기 진단이 어려워 자가면역뇌염 추

정 진단 하에 면역치료를 받는 경우가 있다. 초기 MRI 상 병변의 좌우 비대칭이 뚜렷할 경우, 뇌실질 내 MRI 조영증강이 확연한 경우, 면역치료 이후 MRI 상 병변의 악화가 뚜렷한 경우에 자가면역뇌염의 진단을 재고해 보아야 히며, 따라서 복합 면역치료를 했음에도 증상의 호전이 없는 경우에는 MRI 추적 관찰을 통해 병변의 악화 여부를 확인하는 것이 중요하다.

3 | 임상 양상

현재까지 항체 항체음성자가면역뇌염의 특징적인 임상 양상 및 예후에 대하여 알려진 내용은 매우 적다. 따라서 본 집필진의 임상 데이터에 입각하여 항체음성자가면역뇌염의 임상 양상을 설명하고자 한다. 136명의 항체음성자가면역뇌염을 분석한 바에 따르면, 발병 당시의 평균 나이는 42.7세이며, 환자의 성비는 약 1:1이다. 55명의 항NMDA수용체뇌염과 비교하였을 때, 수정Rankin척도(modified Rankin scale, mRS) 점수 및 CASE점수(Clinical Assessment Scale in Autoimmune Encephalitis, [자가면역뇌염 중증도 및 예후 평가 척도] 단원 참고)에 따른 두 질병의 초기 중증도는 비슷한 정도이다. 뇌염의 중증도 평가 지표인 CASE 지표에 따라 뇌염의 증상을 9가지로 분류하여 비교해 보면, 전신위약의 빈도 및 중증도는 항체음성자가면역뇌염에서 더 높은 반면, 이상운동 및 뇌간 기능 이상의 빈도 및 중증도는 낮았으며, 정신과적 질환의 중증도도 더 낮은 경향을 보였다. 항체음성자가면역뇌염의 병태생리는 매우 다양하며, 따라서 항체음성자가면역뇌염은 항NMDA수용체뇌염, 항LGI뇌염 등의 특징적인 임상 경과를 따르지 않고, 다양하고 비특이적인 임상 양상을 갖는 경향이 있다.

항체음성자가면역뇌염에서 뇌척수액검사상 단백질 수치가 더 높으며, MRI의 이상 소견의 빈도도 더 높은데, 이는 항체음성자가면역뇌염의 진단기준에 뇌척수액검사 및 MRI 이상 소견이 포함되어 있기 때문일 가능성이 있다. 항체음성자가면역뇌염의 세 가지 아형간 발병 나이, 성비, 초기 중증도 등에서 뚜렷한 차이는 없었다. 각 아형은 초기 MRI 영상에서 특이적 소견을 보이는데, 자가면역변연뇌염이 다른 두 아형에 비해서 측두엽 이상 소견의 빈도가 높고, 측두엽 외 이상소견의 빈도가 낮았으며, 급성파종뇌척수염은 백질 및 천막하 뇌 부위 침범이 많다.

항체음성자가면역뇌염은 초기에 감염뇌염 및 다른 원인의 뇌병증을 배제하기 힘든 경우가 많으며, 따라서 정맥주사용 항바이러스제, 항생제 등을 초기에 투여 받는 경우가 많다. 항체양성자가면역뇌염과 달리 항체음성자가면역뇌염은 전구 증상이 없거나 짧은 비교적 급성 경과를 갖기 때문에, 면역치료의 시작 시점은 항체양성자가면역뇌염에 비해 더 늦지 않다. 하지만, 진단적 불확실성으로 인해 면역치료를 적극적으로 사용하지 못하는 경향이 있고, 정주 스테로이드 등 일부 일차면역치료제를 사용하지 않는 경우가 많으며, rituximab, tocilizumab 등 2, 3차 면역치료제의 사용 비율이 낮은 경향이 있다(표 7-1).

4 | 치료

1) 면역치료

항체양성자가면역뇌염의 치료법은 항NMDA수용체뇌염을 중심으로 굉장히 빠르게 발전하였다. 병발된 종양에 대한 확인 및 제거와 더불어, 일차면역치료제로 스테로이드, 면역글로불린정맥주사(intravenous immunoglobulin, IVIg), 혈장교환술(plasmapheresis)이 사용되며, 이차 치료제로 rituximab, cyclophosphamide, 삼차 치료제로 tocilizumab, bortezomib, aldesleukin 등이 사용된다. 이러한 단계별 면역치료를 적용할 경우 약 80%에서 mRS 점수 상 좋은 신경학적 기능을 달성하는 것으로 알려져 있다.

항체음성자가면역뇌염에 최적화된 맞춤형 치료 전략은 없으며, 현재로서는 항NMDA수용체뇌염의 치료법을 준용하고 있다. 본 집필진 임상 경험에 의하면, 항체음성자가면역뇌염에서도 복합면역치료가 질병의 치료에 유효하다. 치료를 하지 않고 경과 관찰한 경우에 비해서, 일차면역치료제(스테로이드, 면역글로불린정맥주사)를 사용할 경우, 각 시점에서의 CASE 점수에 의한 질환의 중증도가 유의미하게 향상되며, rituximab 및 tocilizumab을 각각 사용할 경우 추가적 질병 호전 효

표 7-1 항체음성자가면역뇌염과 항NMDA수용체뇌염의 임상 양상, 검사 소견 및 치료 양상 비교

	항체음성자가면역뇌염 (136명)	항NMDA수용체뇌염 (55명)	P 값
발병 연령 (세)	42.7±18.6	26.6±11.5	<0.001
남성 비율(%)	75(55.1)	11(20)	<0.001
발병 시 CASE점수[사분위값]	18[11-22.8]	20[15-24]	0.094
발병 시 mRS점수[사분위값]	5[5-5]	5[4-5]	0.163
발병 시 뇌염 증상 양상			
경련(%)	110(80.9)	50(90.9)	0.835
기억력저하(%)	131(96.3)	53(96.4)	0.188
정신과적 증상(%)	125(91.9)	52(94.5)	0.003
의식저하(%)	114(83.8)	47(85.5)	0.310
언어기능 장애(%)	130(95.6)	53(96.4)	0.360
이상운동/이상긴장증(%)	51(37.5)	42(76.4)	<0.001
보행장애 및 실조증(%)	116(85.3)	46(83.6)	0.899
뇌간 기능장애(%)	83(61.0)	40(72.7)	0.003
근력 저하(%)	97(71.3)	34(61.8)	0.021
CSF 단백질 수치(mg/dL)	73.7±53.6	42±23.9	<0.001
CSF 백혈구 수치(cells/μL)	66.1±258.4	59.2±97.4	0.850
CSF 이상 소견(%)	122(91.0)	42(76.4)	0.039
MRI 이상 소견(%)	122(89.7)	25(45.5)	<0.001
치료 양상			
발병부터 면역치료까지의 기간(일, [사분위값])	9[3.3-16.8]	10[4-31]	0.879
면역글로불린정맥주사(%)	131(96.3)	53(96.4)	0.989
스테로이드(%)	109(80.1)	50(90.9)	0.041
Rituximab(%)	105(77.2)	53(96.4)	<0.001
Tocilizumab(%)	52(38.2)	41(74.5)	<0.001

과가 있음이 확인되었다. 또한 질병 발생 1개월 내의 초기에 복합면역치료를 시행할 경우, 그렇지 않은 경우에 비해 더 명확한 임상적 호전을 기대할 수 있다. 즉, 현재로시 항체음성자가면역뇌염의 최적의 치료는, 자가면역뇌염의 표준면역치료 요법을 조기에 적용하고, 환자의 임상적 호전 여부에 따라 조기에 적극적으로 복합면역치료를 도입하는 것이라고 볼 수 있다.

항체음성자가면역뇌염의 특이적 병태생리는 규명되지 않았으며, 환자에 따라 다양한 병태생리를 가질 가능성이 높다. 따라서 광범위한 작용기전을 갖는 면역치료제를 사용하는 것이 도움이 될 수 있다. 예를 들면, 항체음성자가면역뇌염의 기전은 자가항체를 생

성하는 B세포에 대한 의존도가 낮을 수 있고, 따라서 B세포를 주로 억제하는 면역치료제의 효과가 항체양성자가면역뇌염의 경우보다 상대적으로 적을 수 있다. MRI 병변의 분포 양상, 뇌척수액 내 인터루킨 (interleukin)발현 이상 및 면역세포 표지자의 빌현 조절 정도, 뇌생검 소견 등이 약제 선택에 도움이 될 수 있겠으나, 이에 대해서는 추가적인 연구가 필요하다.

2) 합병증의 관리

항체음성자가면역뇌염 환자들은 여러 내과적 합병증에 취약하며, 의식의 저하 및 경련, 뇌간 기능 감소 등에 의해 초기에 폐렴이 병발하는 경우가 매우 많다. 항체음성자가면역뇌염의 내과적 합병증 중 가장 흔한 것은 폐렴으로, 전체 환자의 약 48%에서 정맥 항생제 치료가 필요한 폐렴이 발생한다. 또 다른 주요 합병증으로는 간기능 이상(27%), 백혈구감소증(23%), 요로감염(15%), 급성신손상(10%) 등이 있다. 폐렴, 신손상, 간기능 이상 등은 비교적 질병 발생 초기에 발생하며, 이는 뇌염 자체의 증상 및 항생제, 항바이러스제 등 다양한 약제의 사용과 관련이 높다. 반면, 백혈구감소증, 요로감염 등은 비교적 질병 발생 후기에 발생하며, 복합면역치료의 사용 및 장기 와상 상태 지속과 관련이 높다.

항체음성자가면역뇌염의 치료 과정에서 여러 합병증이 발생하나, 면역치료와 합병증 발생의 인과관계를 밝혀내는 것은 매우 어렵다. 항체음성자가면역뇌염에 대한 적시적 치료에 실패할 경우, 폐렴, 요로감염, 욕창 등 여러 합병증이 반복적으로 발생하게 된다. 따라서 내과적 합병증에 대한 감시 및 적절한 대처를 시행하면서, 환자의 증상 심각도에 따라 적극적인 면역치료를 유지하여 나가는 것이 필요하다.

5 │ 예후

항NMDA수용체뇌염에 비해 항체음성자가면역뇌염의 예후는 상대적으로 좋지 않다. 2년간 추적 관찰 하였을 때 항NMDA수용체뇌염의 80% 이상에서 좋은 신경학적 기능(mRS점수 2점 이하)을 달성하는 것에 반해, 항체음성자가면역뇌염 환자들 중 약 56%만이 2년 후 좋은 신경학적 기능을 달성하는 것으로 알려져 있다. 항체음성자가면역뇌염의 세 가지 아형 간에 예후의 뚜렷한 차이는 발견되지 않았다(그림 7-2).

항체음성자가면역뇌염의 불량한 예후에는 세 가지 원인이 있을 수 있다. 첫 번째로, 진단적 불확실성으로 인해 면역치료를 적극적으로 시행하지 못하며, 면역치

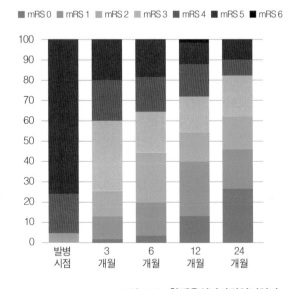

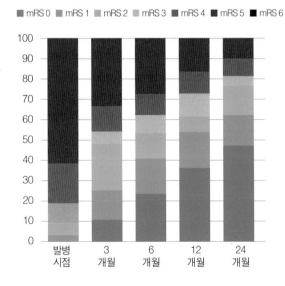

그림 7-2 항체음성자가면역뇌염과 항NMDA수용체뇌염의 임상 경과 및 예후 비교

료에 대한 임상적 반응이 불충분할 경우에도 면역치료를 반복하거나 상위 단계 면역치료를 시도하지 못하는 경우가 있다. 두 번째로, 현재의 치료법이 항체양성자가면역뇌염에서 사용되는 복합면역치료법을 준용한 것이기 때문에, 항체음성자가면역뇌염의 병태생리에 입각한 최적의 치료법이 적용되지 않았을 가능성이 있다. 세 번째로, 항체음성자가면역뇌염의 자체의 특성으로 인해, 면역치료에 대한 반응률이 낮을 가능성이 있다.

본 집필진의 경험에 따르면, CASE 점수에 기초하여, 초기의 질환 중증도가 높을수록, 발병 시 나이가 많을수록, 초기 MRI상 심부회백질에 병변이 있는 경우 임상적 호전이 더디고 예후가 불량하였다. 반면, 항NMDA수용체뇌염의 예후 인자로 알려진 면역치료의 지연, MRI상 이상, 20개/mL 이상의 뇌척수액 세포증가증, 난치성뇌전증지속상태(refractory status epilepticus)의 발생 등은 항체음성자가면역뇌염의 예후와 뚜렷한 관련이 없었다.

종합하면, 항체음성자가면역뇌염의 예후를 향상시키기 위해서는 조기에 감염을 배제하고 자가면역뇌염을 진단하는 것이 중요하며, 환자의 임상 양상 및 여러 예후 인자에 입각한 적극적이고 적절한 면역치료를 유지하며, 치료 중 발생할 수 있는 여러 합병증을 잘 관리하는 것이 중요하다.

6 | 결론

항체음성자가면역뇌염은 새롭게 정의된 질환으로, 뇌염 전체에서도 중요한 임상적 위치를 차지하나, 아직 규명된 바가 적다. 면역치료에 대한 반응의 확인 없이 초기 임상 정보만으로도 항체음성자가면역뇌염을 진단할 수 있으나, 뇌염을 모방할 수 있는 여러 질병에 대한 면밀한 고려가 필요하다. 항체음성자가면역뇌염의 치료법은 정립되지 않았으나, 빠르고 적극적인 복합면역치료가 효과적일 것으로 추정되며, 치료 중 발생할 수 있는 여러 합병증을 잘 관리하는 것 또한 중요하다. 항체음성자가면역뇌염은 환자마다 다양한 병태생리를 가질 것이므로, 이에 대한 생체 지표 및 환자 맞춤형 치료법 개발을 위한 추가 연구가 필요하다.

참고문헌

1. Balu R, McCracken L, Lancaster E, et al. A score that predicts 1-year functional status in patients with anti-NMDA receptor encephalitis. Neurology 2019;92:e244-e52.

2. Dalmau J, Graus F. Antibody-mediated encephalitis. N Engl J Med 2018;378:840-51.

3. Dubey D, Alqallaf A, Hays R, et al. Neurological autoantibody prevalence in epilepsy of unknown etiology. JAMA Neurol 2017;74:397-402.

4. Dubey D, Pittock SJ, Kelly CR, et al. Autoimmune encephalitis epidemiology and a comparison to infectious encephalitis. Ann Neurol 2018;83:166-77.

5. Granerod J, Ambrose HE, Davies NW, et al. Causes of encephalitis and differences in their clinical presentations in England: a multicentre, population-based prospective study. Lancet Infect Dis 2010;10:835-44.

6. Graus F, Titulaer MJ, Balu R, et al. A clinical approach to diagnosis of autoimmune encephalitis. Lancet Neurol 2016;15:391-404.

7. Kelley BP, Patel SC, Marin H, et al. Autoimmune encephalitis: pathophysiology and imaging review of an overlooked diagnosis. AJNR Am J Neuroradiol 2017;38:1070-8.

8. Lee SK, Lee ST. The Laboratory Diagnosis of Autoimmune Encephalitis. J Epilepsy Res 2016;6:45-50.

9. Lee WJ, Lee ST, Byun JI, et al. Rituximab treatment for autoimmune limbic encephalitis in an institutional cohort. Neurology 2016;86:1683-91.

10. Lee WJ, Lee ST, Moon J, et al. Tocilizumab in autoimmune encephalitis refractory to rituximab: an institutional cohort study. Neurotherapeutics. 2016;13:824-32.

11. Lim JA, Lee ST, Moon J, et al. Development of

the clinical assessment scale in autoimmune encephalitis. Ann Neurol 2019;85:352-8.

12. Rosenblum MD, Remedios KA, Abbas AK. Mechanisms of human autoimmunity. J Clin Invest. 2015;125:2228-33.

13. Shin YW, Lee ST, Park KI, et al. Treatment strategies for autoimmune encephalitis. Ther Adv Neurol Disord 2017;11:1756285617722347.

14. Singh TD, Fugate JE, Rabinstein AA. The spectrum of acute encephalitis Causes, management, and predictors of outcome. Neurology 2015;84:359-66.

15. Titulaer MJ, McCracken L, Gabilondo I, et al. Treatment and prognostic factors for long-term outcome in patients with anti-NMDA receptor encephalitis: an observational cohort study. Lancet Neurol 2013;12:157-65.

임병찬

8 소아의 자가면역뇌염
(Pediatric autoimmune encephalitis)

1 서론

최근 세포외벽 항원에 대한 자가항체와 여러 자가면역뇌염의 인과관계가 밝혀지면서, 자가면역뇌염의 진단 및 치료에 새로운 전기가 마련되고 있다. 하지만, 소아에서는 원인 자가항체에 따른 질환별 발생 빈도가 성인과 다르고, 같은 자가항체에 의한 질환이라 하더라도 증상, 치료 반응 및 예후가 차이가 날 수 있어 차별화된 진단 및 치료 전략이 필요하다.

자가면역뇌염은 급성 혹은 아급성으로 진행하는 다양한 신경정신증상이 특징적으로 나타나는데, 소아 연령에서는 성인과 달리 이러한 증상이 비특이적 형태로 나타날 수 있다. 예를 들어 실제 신경 발달이 진행중인 영유아기에는 질환 초기의 행동이나 성격의 미세한 변화를 스스로 표현하는데 한계가 있어 이상증상의 조기발견이 어려운 경우가 있다. 또한, 인지기능의 변화가 언어를 포함한 신경발달의 정체 및 퇴행의 증상으로 나타나기 때문에 유전대사질환 및 자폐스펙트럼장애(autistic spectrum disorder)와 같은 신경발달질환과의 감별이 필요할 수도 있다. 13세 이전의 소아 환자가 정신증(psychosis)이 새로 발생하였다면 정신질환 보다는 자가면역뇌염 등의 내과적인 원인을 감별해 보아야 한다. 일반적으로 소아에서는 인지기능의 변화와 함께, 발작 및 이상운동증(dyskinesia)이 성인에서 보다 더 흔하게 나타난다. 이렇게, 성인과 증상이 차이가 나는 이유는 정상 뇌 발달 과정에 있는 신경회로, 신경수용체의 밀도

와 분포, 수초화의 정도가 각각 다르기 때문일 것으로 추정하고 있다.

영유아를 포함한 소아에서는 바이러스에 의한 다양한 호흡기 및 위장관계 감염이 호발하고, 상기 감염 시기에 인접하여 발작 및 의식변화 등의 증상이 나타나는 것을 종종 관찰할 수 있다. 이들 바이러스의 대부분은 직접 중추신경계를 침범하지는 않기 때문에, 상당수가 바이러스에 의해 활성화된 면역반응(immune-mediated)에 의해 중추신경계의 염증이 발생하고 뇌염 증상이 나타나는 것으로 이해하고 있다. 하지만, 대다수의 소아환자에서 현재까지 알려진 뇌염 자가면역항체가 발견되지는 않으며, 바이러스감염과 관련된 면역반응이 반드시 자가면역기전을 지칭하는 것은 아니어서 정확한 발생 기전 규명을 위한 대한 추후 연구가 필요하다. 실제 항체양성자가면역뇌염, 항체음성자가면역뇌염, 바이러스뇌염 등을 임상증상만을 가지고 구분하기는 어렵기 때문에, 진단에서부터 치료까지 여러 가능성을 모두 고려하여 접근하는 것이 필요하다.

2 진단적 평가

자가면역뇌염이 의심되는 소아에서 진단을 위한 정해진 지침은 없으나, 감염성 뇌염을 비롯한 다양한 원인 감별을 위하여 폭넓게 접근하는 것을 권장하고 있다. 하지만, 환자의 연령과 기저질환, 계절에

따른 바이러스 유행 상황 등에 대한 개별적인 고려도 필요하다(표 8-1). 혈액검사는 전신염증반응의 지표, 전신자가면역반응과 동반되는 자가면역항체, 대사이상 질환을 감별하는데 도움이 된다. 뇌척수액검사를 통해 백혈구증가증(pleocytosis) 및 단백상승을 확인할 수 있다. 하지만, 모든 자가면역뇌염 환자에서 뇌척수액 내 백혈구 및 단백질 수치가 증가하지는 않는다. 계절에 따른 유행과 환자의 여행력 등을 고려하여, 감염성 뇌염의 원인 병원체 감별을 위하여 뇌척수액검사에서 병원체의 배양 및 중합효소연쇄반응(polymerase chain reaction, PCR)을 시행해 볼 수 있다. 뇌자기공명영상(magnetic resonance image, MRI)은 특별한 금기사항이 없는 한 조영제를 사용한 영상을 같이 얻어야 하고, 확산강조영상(diffusion-weighted image)도 포함하는 것이 좋다. MRI결과는 대부분의 소아 자가면역뇌염 환자에서 정상 또는 비특이적인 이상 소견만 확인할 수 있으나, 다른 질환의 감별에 도움이 된다. 예를 들어 정상 MRI가 확인되면 탈수초질환, 종양, 혈관염 등의 질환은 일차적으로 배제할 수 있다. 확산강조영상에서 억제 소견이 관찰된다면 감염뇌염 및 혈관염 등의 가능성도 감별하여야 한다. 뇌파검사는 발작이 동반되어 있는 경우 또는 발작과 이상운동증의 감별이 필요한 경우에 도움이 된다. 신경인지검사는 급성기에는 의식변화 등의 증상에 따라 평가가 어려운 경우가 많아 시행하기 어렵다. 하지만, 소아에서는 대부분의 환자들이 발병 전에는 정상 발달력을 보인 경우가 많아, 치료 후의 경과 판정에 있어서는 도움을 얻을 수 있다. 자가면역항체 검사는 진단에 매우 중요한 요소로 소아에서는 항N-methyl-D-aspartate (NMDA)수용체항체 및 항수초희소돌기아교세포당단백질(myelin oligodendrocyte glycoprotein, MOG)항체를 제외하면 질환 특이적인 자가면역항체는 거의 발견되지 않는다. 항체 검사는 가능하면 뇌척수액 및 혈청에서 동시에 시행하는 것이 위양성 및 위음성 빈도를 줄일 수 있다. 항NMDA수용체항체는 뇌척수액에서 측정하는 것이 민감도가 높으며, 항MOG항체는 혈청에서 측정하는 것이 민감도가 더 높다.

표 8-1 자가면역뇌염이 의심되는 소아 환자에서의 진단적 평가

검사명	평가항목
뇌자기공명영상	Gadolinium 영상, 확산 강조 영상
혈액 검사	– 일반 혈액 검사 – 적혈구침강속도(ESR), C-반응단백질(CRP), ferritin – Vitamin B12, 혈청 젖산(lactate) – 갑상선자극호르몬(thyroid stimulating hormone, TSH), freeT4, anti-thyroperoxidase (TPO) antibody, anti-thyroglobulin (TG) antibody, anti-TSH receptor antibody, fluorescent antinuclear antibody (FANA) – 특정 감염병원체에 대한 혈청검사
뇌척수액검사	– 개방 압력(opening pressure) – 세포 수, 단백, 젖산, 올리고클론띠(oligoclonal band) – 특정 감염병원체에 대한 PCR (enterovirus, herpes simplex virus, varicella zoster virus 등)
호흡기 검사	– 호흡기바이러스 및 mycoplasma PCR을 위한 비인두 면봉 또는 흡인 검사
신경자가항체 검사 (혈청, 뇌척수액)	– 항NMDA수용체항체 – 항MOG항체 – 항GABA$_A$수용체항체

3 | 소아 자가면역뇌염 임상형

1) 항NMDA수용체뇌염

처음 학회에 보고되었을 당시에는 젊은 여성에서 난소의 기형종(teratoma)에 동반된 신생물딸림증후군(paraneoplastic syndrome)으로 인식하였으나, 이후 대규모 환자 연구 결과를 보면 영아에서부터 중장년층에 이르기까지 거의 모든 연령대에 발병하는 것을 확인할 수 있다. 성인과 달리 10세 미만의 소아에서는 남성과 여성의 비율이 거의 비슷하며, 기형종의 빈도도 성인에 비해 매우 낮다. 기형종이 동반되지 않는 소아 연령대 환자의 발병 기전은 아직 입증되지 않았으나, 단순헤르페스뇌염(herpes simplex encephalitis) 이후에 발병하는 환자가 다수 보고되고 있어, 선행하는 바이러스뇌염이 자가면역반응을 유발할 수 있다는 가설이 제기되었다. 최근에는 일본뇌염(Japanese encephalitis)이후에 항NMDA수용체항체 양성 자가면역뇌염이 발생한 증례도 확인되었다. 청소년기 이후에 발병한 환자들은 성인 환자와 거의 유사한 증상 및 경과를 거치기 때문에 비교적 어렵지 않게 진단이 가능하다. 다만 10세 미만의 소아에서는 신경증상이 정신증상보다 더 뚜렷하게 나타나는 경향이 있는데, 발작 및 이상운동증이 동반되는 빈도가 더 높다. 정신증상은 다소 비특이적으로 나타나는 경우도 있어 이유 없이 지속되는 보챔이나 언어기능을 포함한 발달의 정체 및 퇴행으로 나타나기도 한다.

2) 항MOG항체 연관 자가면역뇌염

현재까지 항MOG항체는 급성파종뇌척수염(acute disseminated encephalomyelitis)과 같은 중추신경계의 탈수초질환에서 주로 보고가 되고 있다. 항MOG항체가 발견된 급성파종뇌척수염의 경우 크기가 크고 구모양의 병변과 척수의 여러 분절을 침범하는 형태가 더 흔하다는 보고도 있다. 일반적으로 탈수초질환은 MRI에서 특징적인 백질 침범 소견이 있어 임상적으로 구분이 가능하다. 하지만, 최근에는 비특이적인 뇌염환자에서도 항MOG항체가 동반된 보고가 증가하고 있어 임상적으로 자가면역뇌염이 의심되는 환자에서 항MOG항체의 양성 비율을 평가하는 연구가 필요하다.

3) 하시모토뇌병증(Hashimoto encephalopathy)

항갑상선항체와 동반되어 비특이적인 신경정신증상으로 나타나는 질환군을 현재 하시모토뇌병증으로 분류하고 있다. 자가면역갑상선질환 없이 항갑상선항체만 동반되는 소아도 다수 발견되고 있고, 항갑상선항체가 신경증상을 일으키는 기전도 입증되지 않았다. 따라서, 항갑상선항체가 양성으로 나와도 질환 특이적인 지표로 생각하기 보다는 비특이적인 자가면역반응의 지표로 고려하여야 한다. 발작, 의식변화, 인지기능저하, 정신증, 편집증(paranoia), 이상운동증 등의 다양한 증상이 나타나지만 MRI 및 뇌척수액검사 소견은 대부분의 환자에서 정상소견을 보인다. 항갑상선항체에 대한 원인 기전이 분명하지 않아서 일부에서는 자가면역갑상선염동반 스테로이드반응뇌병증(steroid responsive encephalopathy with autoimmune thyroiditis, SREAT)으로 지칭하기도 한다. 항갑상선항체가 양성 소견이더라도 임상적으로 자가면역뇌염이 의심되면 신경 자가면역뇌염항체 검사를 동시에 시행하는 것을 추천한다.

4 | 자가항체음성자가면역뇌염

자가면역뇌염을 의심하는 대다수의 소아 환자는 신경자가항체가 발견되지 않는 경우가 많고, 바이러스 등의 특정 원인을 밝힐 수 없으며, 성인의 경우처럼 다양한 임상 증후군으로 분류가 어려운 경우가 많다. 최근 자가항체음성 소견이지만 자가면역뇌염을 의심할 수 있는 임상 기준이 제시되었다. 하지만, 소아에서는 MRI 및 뇌척수액의 염증 소견이 뚜렷하지 않은 경우도 많고, 임상 증상도 조금 더 비특이적이어서 소아의 특수한 상황을 반영할 수 있는 기준이 필요하여 최근 수정된 기준이 제시 되었다(표 8-2).

자가항체의 검사 소견을 확인하기 까지는 일정시간이 소요되기 때문에 자가항체검사 이외의 기준을 충족한다면 면역치료를 조기에 시행하는 것을 고려하여야 한다. 이러한 측면에서 소아의 수정된 기준안은 추후 연구에서 임상적 유용성에 대한 검증이 필요하다.

5 | 소아자가면역뇌염의 치료

소아에서는 항NMDA수용체뇌염에 대한 치료연구 결과가 대부분으로 유사 자가면역뇌염환자의 치료에도 경험적으로 적용할 수 있다. 면역글로불린정맥주사(intravenous immunoglobulin, IVIg) 및 스테로이드와 같은 1차 치료제 이외에 rituximab 및 cyclophosphamide와 같은 이차치료제의 소아에서의 안전성 및 치료효과도 다수 보고가 되었다. 혈장교환(plasma exchange)도 소아 항NMDA수용체뇌염에서 효과적으로 사용할 수 있다는 최근의 문헌이 있다. 하지만 모든 기관에서 시행하기 어렵고, 심하게 보채거나 이상운동증이 심한 경우에는 삽입된 중심정맥관의 유지가 어려운 점을 고려하여야 한다. 일차와 이차치료제에도 반응하지 않는

표 8-2 항체음성유력자가면역뇌염(Seronegative probable autoimmune encephalitis) 진단기준

	성인 기준 (Graus et al. 2016)	수정 소아 기준 (Celluci et al. 2020)
신경 염증의 임상 및 부임상 기준	아급성(3개월)으로 진행하는 기억장애, 의식변화 및 정신증상	이전 건강하던 소아에서 급성 혹은 아급성으로 3개월 안에 진행하는 신경 혹은 정신증상
	임상적으로 확립된 자가면역뇌염을 배제(limbic encephalitis, Bickerstaff's brainstem encephalitis, acute disseminated encephalomyelitis)	다음 항목 중 2가지 이상 – 의식변화 또는 뇌파에서 서파 및 발작파 – 국소신경학적장애 – 인지기능 저하 – 급성발달퇴행 – 이상운동증 – 정신증상 – 발작(기존의 발작 질환과 독립된 증상)
	다음 3항목 중 2가지 이상 – 자가면역뇌염을 시사하는 MRI – 뇌척수액 백혈구증가(>5개/mm^3), IgG index증가, 단백상승, 올리고클론띠 – 뇌생검에서 합당한 염증소견이 있으면서 기타진단을 배제하는 소견	다음 항목 중 1가지 이상 – 뇌척수액에서의 염증소견(백혈구>5개/mm^3) 및 올리고클론띠 – 뇌염을 시사하는 MRI – 뇌생검에서 염증소견이 있으면서 타질환을 배제하는 소견
자가면역뇌염 자가항체	혈청 및 뇌척수액에서 자가면역뇌염과 관련된 자가항체가 발견되지 않음	
다른 원인이 배제됨	감염을 포함한 원인이 배제가 됨	

경우에는 면역글로불린정맥주사와 경구스테로이드 혹은 스테로이드펄스치료를 주기적으로 시행하는 유지치료를 고려할 수 있다. 모든 치료에 불응하는 경우 성인과 같이 tocilizumab투여나 척수강내 methotrexate투여를 시도해 볼 수 있으나 소아에서는 아직까지 근거를 뒷받침할 만한 연구 결과는 부족한 실정이다. 항NMDA수용체뇌염의 경우 성인과 유사하게 약 80%의 환자에서 심각한 신경학적 합병증 없이 회복하는 것으로 보고되고 있고, 재발률도 15% 내외로 유사하다.

참고문헌

1. Budhram A, Mirian A, Le C, et al. Unilateral cortical FLAIR-hyperintense Lesions in Anti-MOG-associated Encephalitis with Seizures (FLAMES): characterization of a distinct clinico-radiographic syndrome. J Neurol 2019;266:2481-7.

2. Cellucci T, Van Mater H, Graus F, et al. Clinical approach to the diagnosis of autoimmune encephalitis in the pediatric patient. Neurol Neuroimmunol Neuroinflamm. 2020;7:e663.

3. Dale RC, Brilot F, Duffy LV, et al. Utility and safety of rituximab in pediatric autoimmune and inflammatory CNS disease. Neurology 2014;83:142-50.

4. Dale RC, Gorman MP, Lim M. Autoimmune encephalitis in children: clinical phenomenology, therapeutics, and emerging challenges. Curr Opin Neurol 2017;30:334-44.

5. Dalmau J, Armangué T, Planagumà J, et al. An update on anti-NMDA receptor encephalitis for neurologists and psychiatrists: mechanisms and models. Lancet Neurol 2019;18:1045-57.

6. Dalmau J, Lancaster E, Martinez-Hernandez E, et al. Clinical experience and laboratory investigations in patients with anti-NMDAR encephalitis. Lancet Neurol 2011;10:63-74.

7. Graus F, Titulaer MJ, Balu R, et al. A clinical

approach to diagnosis of autoimmune encephalitis. Lancet Neurol 2016;15:391-404.

8. Patterson K, Iglesias E, Nasrallah M, et al. Anti-MOG encephalitis mimicking small vessel CNS vasculitis. Neurol Neuroimmunol Neuroinflamm 2019;6:e538.

9. Suppiej A, Nosadini M, Zuliani L, et al. Plasma exchange in pediatric anti-NMDAR encephalitis: A systematic review. Brain Dev 2016;38:613-22

10. Titulaer MJ, McCracken L, Gabilondo I, et al. Treatment and prognostic factors for long-term outcome in patients with anti-NMDA receptor encephalitis: an observational cohort study. Lancet Neurol 2013;12:157-65.

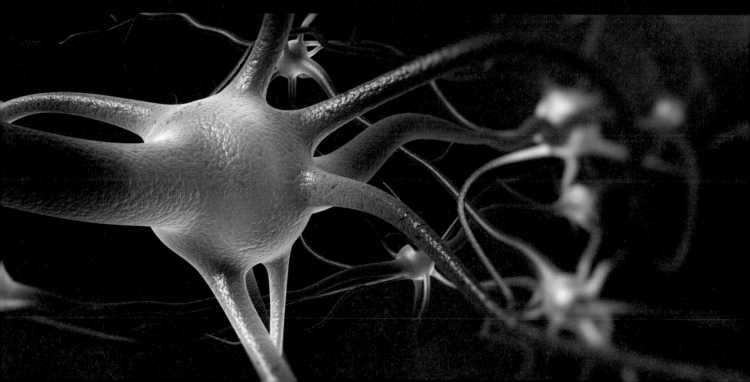

SECTION

8

감염성 뇌염

ENCEPHALITIS

 김영수

중추신경계 감염 질환의 임상적 접근
(Clinical approach to central nervous system infection)

1 | 서론

중추신경계의 감염 질환은 그 다양성에 주목해야 한다. 감염체에 따라 혹은 같은 감염체라도 환자 상태에 따라 다른 경과를 보이기 때문이다. 발병률(incidence rate)의 측면에서 감염체에 따라 흔하기도 하고, 매우 드물기도 하다. 발병 후 경과가 빠르게 악화되기도 하고 느리게 진행하기도 한다. 병의 심각도(severity)에 따라 양성(benign)경과를 갖기도 하고 치명적이기도 하다. 스스로 좋아지기도 하고, 알려진 치료를 적극적으

로 적용했음에도 사망에 이르기도 한다. 또한, 아예 치료 방법이 없는 경우도 있다. 치료가 가능한 경우 신속한 검사와 적극적인 초기 치료가 후유증을 줄이고 빠른 회복의 방법임은 이견이 없을 것이다. 따라서 신속한 진단을 위해 중추신경계 감염의 공통된 특징과 흔한 감염체의 특성을 숙지하는 것이 필요하다. 본 장에서는 중추신경계 감염 환자의 임상적 접근에 대한 기본적 개요와 초기 임상적 소견으로 감별진단에 접근하는 분류법에 대해 기술하고자 한다(그림 1-1).

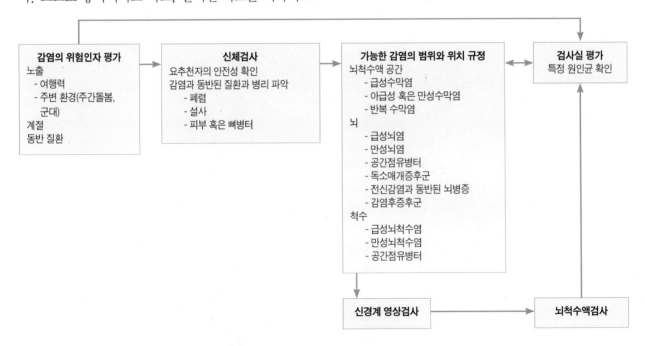

그림 1-1 중추신경계 감염 환자 진단을 위한 평가

2 | 위험인자

중추신경계 감염의 임상적 특징은 발열, 두통, 의식변화로 대표되고, 드물게 국소신경학적증상이 동반된다. 이 4가지 증상은 비특이적으로, 감염 질환이 아닌 신경계 질환에서도 나타날 수 있다. 따라서 임상 소견 외에 감별진단을 위해서 환자의 몇 가지 특성을 확인해야 한다. 먼저, 감염에 노출될 기회가 있었는지, 감염에 취약한 기저 질환이 있는지 등의 기본적인 위험인자(risk factor) 파악이 중요하다. 또한, 신체검사(physical examination)를 통해 감염의 원인증거(clue)를 확인하기도 한다. 감염의 위험인자를 파악하는 과정에서 확인해야 할 정보는 다음과 같다. 중추신경계 감염은 지리적 분포와 계절에 따른 발생 빈도가 다르기 때문에 발생 당시 여행력 확인이 중요하다. 기본 평가에서 감염체 확인이 안되고, 전형적인 경과를 보이지 않는 경우 환자가 외국 여행을 다녀왔는지, 다녀왔다면 어디를 다녀왔는지 확인해야 한다. 여행지역이 적도 근방이나 아프리카, 남아메리카라면 말라리아(malaria), 뎅기(dengue) 감염을, 미국이나 유럽은 웨스트나일바이러스(West Nile virus)같은 지리적 특성을 보이는 아르보바이러스(arboviruses) 감염을 의심해야 한다. 또한 주거지나 근무지에 대한 정보도 필요한데 군인이거나 기숙사에 생활한다면 수막알균감염(meningococcal infection)을 의심하고, 주간보호소(daycare)에서 지내는 소아라면 로타바이러스(rotavirus) 감염을 염두에 두어야 한다. 계절(season)의 경우 쯔쯔가무시병(tsutsugamushi disease)이나 인플루엔자(influenza)와 같이 특정 시기에 주의를 요하는 감염도 있다. 또한 아르보바이러스뇌염(arborviral encephalitis)의 경우 매개곤충(insect vector)의 존재가 있어야 하므로 주로 여름과 가을에 발생한다. 숙주인자(host factor)로 세포매개면역(cell mediated immunity) 장애를 보이는 사람면역결핍바이러스(human immunodeficiency virus, HIV)감염이 있는지, 장기이식 후 면역치료를 받고 있는지 확인하고, 당뇨병이나 알코올중독(alcoholism)이 동반되었는지 파악해야 한다. 이러한 면역저하환자(immunocompromised patients)는 중추신경계 감염에 취약하다.

3 | 신체검사

중추신경계 감염이 의심되는 환자의 경우 신체검사는 필수적이다. 먼저 신체검사를 통해 요추천자(lumbar puncture)의 금기(contraindication)가 없는지 확인한다. 두개내압상승(increased intracranial pressure)의 징후가 있거나 뚜렷한 국소신경학적증상이 있다면 요추천자 전 뇌영상을 확인하여 구조적인 문제가 있는지 파악하고, 요추천자가 안전할지 판단하는 것이 필요하다. 또한 폐렴이나 설사, 피부병변 등 동반된 다른 감염을 시사하는 소견을 파악해야 한다. 이러한 과정이 감염의 근원을 파악하는데 추가적인 정보를 제공할 수 있다. 신경계진찰(neurologic examination)을 통해 주된 감염의 위치가 뇌를 싸고 있는 막이나 뇌척수액공간에 한정되어 있는지, 뇌 실질을 침범했는지, 혹은 척수에 국한되어 있는지 가늠하고 이 소견을 통해 추후 검사를 결정할 수 있다.

4 | 뇌척수액검사

중추신경계 감염은 뇌척수액의 변화를 일으킨다. 정상 성인의 경우 천자 후 측정되는 뇌척수액 압력은 100-180 mmH$_2$O, 소아는 30-60 mmH$_2$O 정도인데 중추신경계 감염 환자의 경우 더 상승하게 된다. 정상적으로 투명하고 무색인 뇌척수액이 감염 시 혼탁해지거나 색깔 변화가 나타나기도 한다. 육안적인 소견 외 검사를 통해 염증세포 수 및 세포 종류, 단백질 수치와 포도당 수치(혈청 농도의 비)를 확인할 수 있다. 또한, 원인이 되는 감염체를 특정하기 위해 염색검사, 배양검사, 항원검사, 중합효소연쇄반응(polymerase chain reaction, PCR)을 이용한 DNA 또는 RNA 증폭, 항체검사 등을 진행할 수 있다. 하지만 경우에 따라서는 이러한 뇌척수액검사에서 변화가 확인되지 않을 수도 있다. 뇌척수액 분석의 큰 진단적 가치에도 불구하고 뇌척수액을 획득하려는 무분별한 시도는 때때로 뇌탈출(brain herniation)을 동반할 수 있고 심할 경우 사망에 이르기도 한다. 앞서 언급한 신체검진을 통해 두개내압상승 징후를 파악하고 안전을 위해서 적절한 뇌영상 검사가 천자 전에 선행되어야 한다. 또한 어렵게 획득한 뇌척수액을 적절한 시기에 검사하지 않거나 보관의 문제가 있을 경우 분석 결과가 무용지물이 될 수 있다.

5 | 신경계 영상검사

중추신경계 감염을 진단하기 위해서는 임상양상과 뇌척수액검사 외에도 영상 소견이 필요하다. 영상검사는 진단에 중요한 정보를 추가적으로 제공하지만, 간혹 감염체를 특정하거나 진단에 확정적인 소견을 보여주기도 한다. 대표적인 경우가 단순헤르페스뇌염(herpes simplex encephalitis), 화농성농양(pyogenic abscess), 고름집(empyema) 등이다. 또한, 중추신경계 감염과 동반된 다른 혈관질환 유무와 수두증(hydrocephalus) 같은 합병증을 확인하고, 약물에 대한 반응을 객관적으로 판단하는 역할도 중요하다. 마지막으로, 영상검사를 통해 감염 위험이 높은 면역저하환자나 다른 감염의 위험이 높은 환자들의 기회감염(opportunistic infections) 평가에도 기여한다.

미국영상의학회(American College of Radiology)가 수막염과 뇌염 의심 환자에서 권유하고 있는 영상 평가는 비조영컴퓨터단층촬영술(non-contrast computed tomography, NCCT)과 조영증강자기공명영상(contrast enhancement magnetic resonance image)이다. 기본적으로 급성기 환자의 경우 생명에 지장을 초래할 수 있는 병변 유무를 빠르게 확인하기 위해 NCCT을 실시한다. 특히 의식변화, 발작, 국소신경학적증상을 동반할 경우 영상 확인은 더 중요하다. CT를 통해 수두증, 뇌부종(cerebral edema), 종괴병변(mass lesion), 뇌출혈 등을 확인하고 요추천자 시 뇌탈출 가능성을 파악하는 데도 도움을 준다. 환자 상태가 안정적이고 시간적 여유가 있다면 조영증강MRI 촬영을 권한다. 연수막염(leptomeningitis), 뇌실염(ventriculitis), 뇌농양(cerebral abscess), 고름집, 감염 질환과 연관된 다양한 뇌경색 등의 감별에 MRI는 더 민감하다. 단지 시간이 많이 걸리고 환자 상태가 불안정 하다면 서둘러 검사를 시행해야 하기 때문에 CT를 먼저 고려해야 한다. 염증과 동반된 뇌혈관합병증(cerebrovascular complication)이 의심될 경우 자기공명혈관조영술(magnetic resonance angiography), 자기공명정맥조영술(magnetic resonance venography), 컴퓨터단층혈관조영술(CT angiography) 등을 고려해야 한다. 그 외 시행할 수 있는 영상검사는 CT나 MRI를 이용한 관류영상(perfusion image), 자기공명분광법(magnetic resonance spectroscopy, MRS), 단일광자방출컴퓨터단층촬영(single photon emission computed tomography, SPECT), 양전자방출단층촬영(positron emission tomography, PET) 등이 있으나 이는 필요에 따라 결정할 수 있겠다. HIV감염 혹은 면역저하환자가 면역치료 중일 경우, 혹은 이식환자의 경우는 CT보다 MRI를 먼저 고려하기를 권유하고 있다.

6 | 임상적 접근: 증후군 인식(Syndrome recognition)

감염 시작부터 판단 시점까지 경과를 통해 급성, 아급성, 만성으로 구분하고, 신체검사를 통해 감염 범위가 뇌척수액공간에 국한되어 있는지, 뇌실질 혹은 척수를 침범했는지 대략적으로 판단할 수 있다. 이를 바탕으로 '증후군 인식(syndrome recognition)' 개념으로 접근하면 좁은 감별 진단의 통로를 비교적 쉽게 지날 수 있다.

1) 급성수막염증후군(Acute meningitis syndrome)

발열과 두통, 눈부심(photophobia), 경부경직(neck stiffness), 의식변화(altered mental status)가 급성으로 발생하고 수시간에서 수일 지속되는 경우가 급성수막염증후군의 대표적인 임상 양상이다. 의식의 변화는 단순 과민상태(irritability)에서 혼수(coma)까지 다양할 수 있고, 연령이 낮을수록 구토와 구역감이 심하다. 특별한 경고증상(warning sign)이 없는 경우가 많고, 상기도 감염이나 설사 등이 수일 전 선행되는 경우가 중요하다. 대표적인 원인은 바이러스와 세균이며, 그 외 비감염 질환으로 전신홍반루푸스(systemic lupus erythematosus, SLE)와 베흐체트병(Behcet's disease) 등이 알려져 있다. 드물게 처치를 위한 약물이나 독성물질 노출에 의한 화학수막염(chemical meningitis)도 가능하다.

2) 급성뇌염증후군(Acute encephalitis syndrome)

급성뇌염증후군은 대뇌피질(cerebral cortex)의 염증성 질환으로, 가장 흔한 원인은 바이러스다. 급성수막염증후군의 원인에 포함된 질환과 많은 부분 겹친다. 또한, 이 두 증후군의 경우 염증의 침범 정도에 따라 임상적으로 나누는 것이므로 그 경계가 명확하지 않다. 두 증후군이 함께 있다고 판단되는 경우 수막뇌염(meningoencephalitis)이라고 부르기도 한다. 염증이 뇌실질을 침범한 양상에 따라 광범위(diffuse)뇌염과 국소(focal)뇌염으로 나눌 수 있는데, 국소뇌염은 바이러스의 친화성(tropism)이 반영된다. 단순헤르페스바이러스(herpes simplex virus)는 측두엽을, 플라비바이러스(flavivirus)의 경우 전각세포(anterior horn cell)에 국한된 염증을 일으키고, 바이러스 외 리케차(rickettsia), 미코플라스마(mycoplasma), 바르토넬라종(bartonella species) 등은 전신 감염의 하나로 중추신경계를 침범한다. 그 외 감염심내막염(infective endocarditis), 휘플병(Whipple disease), 면역저하 환자의 재발톡소플라즈마증(recrudescent toxoplasmosis) 등의 경우 국소 혹은 광범위 급성뇌염이 모두 발병할 수 있다.

3) 아급성 혹은 만성수막염증후군(Subacute or chronic meningitis syndrome)

급성수막염증후군과 달리 증상의 경과가 수주 이상, 월, 길게는 년에 걸쳐 지속되는 특징이 있다. 일반적으로 증상이 변동을 보이는 경우가 많아 재발하는 급성수막염증후군과 감별이 어려운 경우가 있다. 주된 임상 증상은 발열과 두통, 눈부심, 경부경직, 의식변화 등 급성수막염증후군과 동일하며, 증상 발병 후 지속되는 경과에서 차이를 보인다. 증상의 시작도 점진적으로 진행하는 양상이고 선행 요인 또한 명확하지 않다. 발열 정도는 심하지 않고 주 증상 또한 기운이 없고 전반적으로 쳐지는 양상으로만 나타나기도 한다. 국소신경학적결손은 급성수막염증후군에 비해 많은 것으로 알려져 있다. 감별 진단 시 고려해야 할 질환이 많다. 가장 흔한 감염 질환은 결핵(tuberculosis)이며, 그 외 크립토콕쿠스(cryptococcus), 콕시디오이데스진균증(coccidioidomycosis), 히스토플라스마증(histoplasmosis)과 같은 진균 감염(fungal infection), 매독(syphilis)을 포함한 스피로헤타병(spirochetal disease), 라임병(Lyme disease)이 포함된다. 비감염 질환은 사르코이드증(sarcoidosis), SLE, 전신 혹은 원발중추신경계혈관염(systemic or primary central nervous system vasculitis), 종양수막염(neoplastic meningitis) 등이 있다. 치료가 가능한 매독이나 크립토콕쿠스는 혈청학 혹은 항원 검출 검사로 진단 후 빠르게 치료에 들어가야 한다. 결핵의 경우 진단에 시간이 걸리기 때문에 의심되면 경험적으로 결핵약을 사용하고 결과를 기다려야 한다. 드물게 생검(biopsy)이 필요한 경우가 있는데 득과 실을 따져 신중히 결정해야 하겠다.

4) 만성뇌염증후군(Chronic encephalitis syndrome)

급성뇌염증후군과 공유되는 부분이 많다. 발병이 더 점진적이고 발병 후 지속되는 경과도 느리다. 전반적인 임상적 소견도 극적이지 않고 예후도 치명적이지 않다. 심신 약화 상태로 수개월에서 수년간 지속되기도 한다. 욕창이나 관절 구축, 근육 위축 등의 합병증을 동반한다.

5) 공간점유병터증후군(Space occupying lesion syndrome)

공간점유병터증후군 환자는 병변의 위치를 반영하는 국소신경학적결손을 동반하는 것이 가장 중요한 점이다. 인지기능 장애, 위약감, 감각장애, 시각손실 등이 이에 속한다. 발병 초기에는 두통과 구토, 구역감이 간헐적으로 나타나는 정도로 시작하지만 발병 후 경과는 간헐적이거나 단계적으로 악화되어 최대 위기에 도달한다. 위기 상태는 주로 발작이나 혼수 상태와 같은 의식 악화로 대표된다. 단계적인 악화의 속도는 예측할 수 없다. 개입된 치료가 신경손상을 얼마나 줄였는지, 치료 당시 병의 진행 단계는 어떤지에 따라 최종적인 신경학적 결손의 정도와 예후가 결정되기 때문에 빠른 진단과 즉각적인 치료가 중요하다.

6) 독소매개증후군(Toxin-mediated syndrome)

드물지만 미생물 독소가 독특한 신경학적 질환을 일으키고, 중추신경계 감염 질환과 감별이 필요한 경우가 있다. 대표적인 예기 파상풍(tetanus)과 보툴리눔독소증(botulism)이다. 독소매개증후군은 중추신경계 감염 질환의 전통적은 증상인 발열, 두통, 의식저하, 국소신경학적결손을 보일 가능성이 가장 낮다. 예를 들어 보툴리눔독소증 환자는 발열과 의식의 변화가 동반되지 않는다.

7) 전신감염과 동반된 뇌병증(Encephalopathy with systemic infection)

리케차병, 감염심내막염, 장티푸스(typhoid fever), 말라리아, 휘플병 등과 같은 전신 감염 질환은 중추신경계를 침범한다. 일반적으로 임상양상은 전신 감염 증상이 대표적이겠으나 때때로 중추신경계 증상이 나타난다. 드물게 중추신경계 증상만 보이는 경우도 있다. 임상적 소견으로 진단하기에 비특이적인 증상을 보이기 때문에, 중추신경계 감염질환의 전형적인 양상을 따르지 않고 진단이 명확하지 않을 경우 항상 이 증후군을 염두에 두어야 한다.

8) 감염후증후군(Postinfectious syndrome)

이 증후군은 특정 미생물 감염 후 발병한다. 흔하고 사소한 바이러스 감염에서 시작되는데, 선행 감염을 인식하지 못하는 경우도 있다. 선행 감염 후 신경학적 증상이 발생하는데, 드물게 정기적인 예방접종이 원인이 될 수도 있다. 감염후뇌염(postinfectious encephalitis), 감염후뇌척수염(postinfectious encephalo myelitis), 횡단척수염(transverse myelitis) 등이 이에 속한다. 이러한 염증반응은 초기 감염의 원인 미생물이나 항원에 대한 면역반응에 의해 매개된다. 드물게 심각하거나 치명적일 수 있다.

7 | 결론

중추신경계 감염 질환이 의심되는 환자를 진료할 때 먼저 위험인자를 파악하고, 가능한 오랜 시간을 들여 신체검사를 시행해야 한다. 중추신경계 감연 여부는 뇌척수액검사를 통해 확인하므로 신체검사를 통해 요추천자의 금기는 없는지, 천자 전 신경계영상이 필요한지, 영상을 촬영한다면 어떤 종류의 검사가 적절한지 결정한다. 뇌척수액소견과 신경계영상까지 마치고 초기 치료를 결정한다. 이 단계에서 '증후군 인식(syndrome recognition)'을 통해 광범위한 감별진단의 범위를 좁히는 시도는 최종 진단을 결정하는데 도움을 줄 것이다.

참고문헌

1. Beek DVD, Gans JD, Spanjaard L, et al. Clinical Features and Prognostic Factors in Adults with Bacterial Meningitis. N Engl J Med 2004;351:1849-59.
2. Glaser CA, Honarmand S, Anderson LJ, et al. Beyond Viruses: Clinical Profiles and Etiologies Associated with Encephalitis. Clin Infec Dis 2006;43:1565-77.
3. Hasbun R, Abrahans J, Jekel J, et al. Computed tomography of the head before lumbar puncture in adults with suspected meningitis. N Engl J Med 2001;345:1727-33.
4. Kupila L, Vuorinen T, Vainionpaa R, et al. Etiology of aseptic meningitis and encephalitis in an adult population. Neurology 2006;66:75-80.
5. Mailles A and Stahl JP. Infectious Encephalitis in France in 2007:A National Prospective Study. Clin Infec Dis 2009;49:1838-47.
6. Scheld WM, Whitley RJ, Marra CM. Infections of the Central Nervous System, 4TH ed. Philadelphia:Wolters Kluwer. 2014;25-29.
7. Steiner I, Budka H, Chaudhuri A, et al. Viral encephalitis: a review of diagnostic methods and guidelines for management. Euro J

Neurol 2005;12:331-43.

8. Swanson PA II and McGavern DB. Viral diseases of the central nervous system. Curr Opin Virol 2015;11:44-54.

9. Thigpen MC, Whitney CG, Messonnier NE, et al. Bacterial Meningitis in the United States, 1998–2007. N Engl J Med 2011;364:2016-25.

10. Venkatesan A and Geocadin RG. Diagnosis and management of acute encephalitis A practical approach. Neurology: Clinical Practice 2014:206-15.

배은기

2

단순헤르페스뇌염(1형과 2형)
(Herpes simplex encephalitis (type 1 and type 2))

헤르페스(herpes) 감염은 전세계적으로 널리 퍼져 있으며, 역사적으로도 고대 그리스 시대부터 기록이 남아있을 만큼 오랜 시간 동안 인류를 괴롭혀왔다. 'Herpes'의 어원은 그리스어인 herpein이며 '기어가듯이 서서히 진행한다(creeping 또는 crawling)'는 뜻으로 피부병변이 진행하는 모습에서 유래하였다. 단순헤르페스바이러스(herpes simplex virus, HSV) 감염은 피부나 점막 병변으로 가장 많이 알려져 있지만, 신경계, 특히 뇌 실질을 침범하여 뇌염(encephalitis)을 일으킬 수 있고, 이는 바이러스 감염 뇌염의 가장 흔한 원인이

며 진단과 치료가 빨리 시작되지 않으면 심각한 신경학적 장애를 남기거나 사망에 이를 수도 있는 위험한 질환이다. 따라서 임상적으로 관련 증상을 빨리 의심하고 적절한 진단과 치료를 신속히 시작하는 것이 매우 중요하다. 단순헤르페스뇌염은 HSV 이외에도 다양한 인간헤르페스바이러스(human herpes virus, HHV)에 의해 발생할 수 있으나, 이번 장에서는 이 중에서 가장 대표적이고 흔한 HSV1형(HSV1)과 2형(HSV2)에 의한 신경계 감염에 대해 정리하고자 한다.

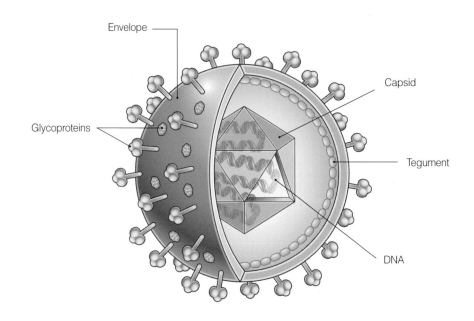

그림 2-1 단순헤르페스바이러스(herpes simplex virus, HSV)의 구조

1 HSV

HHV에는 8 종류의 바이러스가 포함되며 HSV1과 HSV2 외에도 수두대상포진바이러스(varicella zoster virus, VZV, HHV3), 엡스타인-바바이러스(Epstein-Barr virus, EBV, HHV4), 거대세포바이러스 (cytomegalovirus, CMV, HHV5), HHV6, HHV7, HHV8이 있다. 또한 이 바이러스들은 생물학적 성질에 따라 α, β, γ 아형으로 분류할 수 있는데, 이 장에서 다룰 HSV1과 HSV2은 α형에 속한다. HSV1과 HSV2는 거의 70% 정도의 유전체유사성을 보일 정도로 가깝게 연관되어 있다.

HHV 종류들은 큰 이중나선 DNA 중심부를 캡시드(capsid)와 이중 지질막이 둘러싸고 있는 비슷한 구조를 공유하는데, 이 막 속에 있는 당단백질(glycoprotein)에 의해 각각의 바이러스들이 인간의 면역반응을 촉발하는 성질이 결정된다(그림 2-1).

2 역학

HSV는 인간에게 감염이 잘 되도록 진화하여, 인간의 전 생애에 걸쳐 감염이 지속될 수 있고, 치사율이 낮고, 사람 간 전파도 잘 이루어지므로, 전 인구에 광범위하게 퍼져 있다. 지역, 나이, 성별 등에 따라 다소 편차는 있지만, HSV1은 전세계적으로 성인의 80-90%에서, HSV2는 20% 정도에서 혈청양성률(seropositivity)을 보인다. HSV에 의한 뇌염은 흔하지는 않지만, 가장 예후가 나쁜 뇌염 중에 하나로, 전체 바이러스뇌염 중 20% 정도에서 보고되고, 확인된 단일 원인 바이러스로는 가장 흔하다. 계절에 관계 없이 발생하고 성별에 따른 차이도 없으며 전 연령에서 발생 가능하다. 다만 생후 6개월에서 20세까지와 50세 이후의 두 연령대에서 호발하는 경향을 보인다.

3 감염경로

모든 HHV는 일차감염(primary infection) 또는 잠복감염(latent infection)의 활성화(reactivation)를 통해 질환을 일으킬 수 있으며, 그 경과는 크게 숙주의 나이와 면역 상태에 따라 좌우된다. 대개 30% 정도는 일차감염에 의해서(대부분 소아 및 청소년), 70% 정도는 잠복감염의 활성화에 의해서 발생하는 것으로 추정된다. 일차감염이나 잠복감염의 활성화에 의한 경우에 임상 양상의 차이는 알려져 있지 않다. HSV의 일차감염은 사람 사이의 구강 또는 성적 접촉을 통해 손상된 피부나 점막으로 바이러스가 침입하여 이루어진다. 전형적으로 HSV1은 구강 접촉을 통해, HSV2는 성적 접촉으로 전파된다고 알려져 있지만, 최근 문헌에 따르면 감염 경로 및 질환의 발현 양상 측면에서 이 둘은 큰 차이가 없다고 한다. 예를 들면, HSV1이 성기 궤양(genital ulcer)을, HSV2가 반복적인 입술헤르페스(herpes labialis)를 일으키는 원인으로 발견되는 경우가 점점 증가하고 있다. 또한 흔히 HSV1은 뇌염을 일으키고, HSV2는 수막염(meningitis)을 일으킨다고 알려져 있으나, HSV2도 뇌염의 원인일 수 있음이 밝혀져 있다. 일차적으로 피부나 점막을 통해 들어온 바이러스는 말초 신경을 통해 주로 삼차신경절(trigeminal ganglion)이나 후근신경절(dorsal root ganglion)에 들어가서 잠복한다. 바이러스의 일차감염은 주로 10대에서 20대 사이에 발생하나, 재활성화는 일생의 어느 시점에라도 가능하다. HSV가 중추신경계에 침입하는 경로는 다양한데, 후각이나 삼차신경을 통해 직접 전파되는 경로와 원발 부위에서 혈행으로 전파되는 2가지 경로가 대표적이다. 대개 감염 경로를 정확히 파악하기는 어려우나, 안와전두엽(orbitofrontal lobe)이나 측두엽(temporal lobe)에 단순헤르페스뇌염이 호발하는 것을 보면 뇌신경을 통한 직접 전파가 흔히 일어남을 추정해볼 수 있다(그림 2-2).

4 임상증상

치료를 신속히 시행하여 환자의 예후를 호전시키기 위해서는, 뇌염의 임상 증상을 숙지하고 정확한 병력 청취 및 검진을 통해 빠르게 의심하는 것이 중요하다. 단순헤르페스뇌염은 대개 급성(드물게 아급성) 경과를 보이며 뇌염 및 수막염의 대표적인 증상인 두통과 발열 이외에도, 침범하는 뇌 부위에 따라 다양한 임

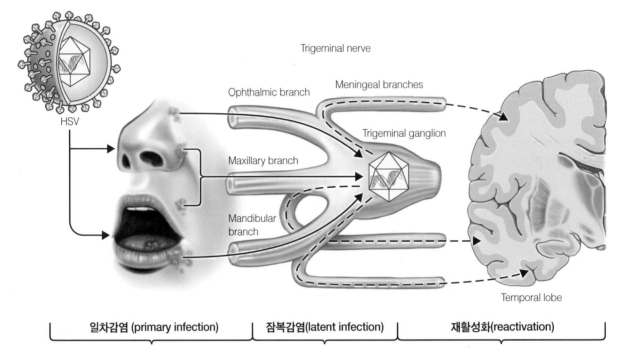

일차감염 (primary infection)	잠복감염(latent infection)	재활성화(reactivation)
바이러스가 피부 혹은 점막을 통해 감각신경, 자율신경에 침투하여 신경절의 신경세포 내로 이동함.	신경절 내에서 바이러스가 증식.	삼차신경절에서 활성화된 HSV가 삼차신경의 meningeal branch를 통해 뇌(측두엽)로 침투.

그림 2-2 HSV뇌염의 가능한 전파 경로.

상 증상이 나타날 수 있다. 흔히 측두엽 및 전두엽을 침범하므로, 단순헤르페스뇌염 환자가 병원을 찾게 되는 주된 증상으로는 경련(32%), 이상행동(23%), 의식소실(13%), 혼돈 및 지남력 상실 등이 흔하다. 기타 증상으로는 발열, 자율신경이상, 삼킴장애 등이 보고되어 있다. 상당수 환자에서는 본격적인 신경계 증상이 나타나기 이전에 상기도 감염이나 전신 감염을 시사하는 전구 증상이 나타나기도 한다.

5 │ 감별진단

일단 뇌염이 의심될 경우, HSV 및 다른 바이러스, 세균, 진균 등 중추신경계 감염 원인들을 먼저 떠올린다. 하지만 특히 비슷한 증상의 과거력, 대칭적인 신경학적 증상, 근간대경련(myoclonus), 자세고정불능증(asterixis), 산증(acidosis) 등이 동반되거나 열이 없는 경우에는 대사(metabolic), 독성(toxic), 자가면역(autoimmune), 패혈증으로 인한 뇌병증

(encephalopathy) 등의 다른 원인들도 의심해보아야 한다. 특히 최근 다양한 증상들이 밝혀지고 있는 항체연관뇌염(antibody-mediated encephalitis)은 특징적으로 아급성 경과(수주-수개월), 입얼굴이상운동증(orofacial dyskinesia), 무도느린비틀림운동(choreoathetosis), 안면위팔근긴장경련(faciobrachial dystonic seizure, FBDS), 난치성뇌전증(intractable epilepsy), 저나트륨혈증(hyponatremia) 등을 보일 경우 의심해볼 수 있다. 따라서 이러한 원인들을 감별하기 위해서는 약물 복용력, 동반 질환, 면역 저하 상태, 여행력, 모기 및 진드기 노출 여부, 피부병변 유무 등을 포함한 자세한 병력 청취 및 신체 검진과 신경학적 진찰이 필요하다.

6 │ 검사

1) 뇌척수액검사

HSV의 신경계 감염을 확인하기 위해서는 뇌척수액

검사가 꼭 필요하며, 이는 세포 수, 단백질 수치, 포도당 수치와 바이러스 DNA 평가를 포함하여야 한다. 세균 및 진균 배양 등을 포함한 다른 뇌척수액검사 항목들도 다른 감염 원인들을 배제하기 위하여 꼭 필요하다. 따라서 과도한 뇌압 상승과 같은 금기 사항이 없다면 요추천자는 가능한 신속히 이루어져야 한다. 전형적인 뇌척수액검사 소견은 표 2-1과 같다. HSV1과 HSV2의 확진 방법으로는 중합효소연쇄반응(polymerase chain reaction, PCR) 검사가 표준이며, 이로 인해 이전의 확진 수단이었던 뇌생검 등의 침습적인 검사가 대부분 대체되었다. HSV PCR 검사는 민감도 96%, 특이도 99%를 보일 정도로 진단적 가치가 높다. PCR은 보통 증상 발현 24시간 이내에 양성 반응을 보이고, acyclovir 치료의 첫 1주일간은 양성으로 남아있을 수 있다. Acyclovir 치료 시 PCR 양성이 언제까지 지속되는지에 대해서는 잘 알려져 있지 않지만, 10-14일간 치료를 지속하면 대개 음성으로 바뀐다고 보고 있다. 드물게 뇌척수액 PCR 양성 소견이 지속되는 경우에는 나쁜 예후를 보였다는 보고들이 있다.

뇌척수액검사 결과 해석 시 꼭 고려해야 할 점은, 질병의 초기나 면역저하 환자에서는 뇌척수액 세포증가증(pleocytosis)이 없거나 위음성 PCR 결과를 보일 수 있다는 것이다. 따라서 임상적으로 가능성이 높다고 생각된다면, 치료를 지속하면서 HSV PCR 검사는 3일에서 7일 안에 반복할 것을 권한다. 또한 치료 중에도 뇌척수액 PCR 검사 결과가 지속적으로 양성이라면, 치료 기간을 연장할 것을 고려해야 한다(그림 2-3).

표 2-1 단순헤르페스뇌염 환자의 전형적인 뇌척수액검사 소견

항목	전형적인 수치
백혈구	25-75개/mm^3 (범위 0-500개/mm^3)
림프구 비율(%)	75-90% (범위 60-98%)
포도당	60-75 mg/dL (약 25%에서는 혈당의 50% 미만으로 감소할 수 있음)
단백질	65-85 mg/dL (약 60-70%에서 단백질 수치가 상승)

2) 자기공명영상

단순헤르페스뇌염 환자의 대부분이 뇌자기공명영상(magnetic resonance image, MRI) 이상 소견을 보이고, 특징적인 이상 소견들이 알려져 있으므로, MRI는 단순헤르페스뇌염 진단에 큰 도움이 된다. 컴퓨터단층촬영술(computed tomography, CT)의 경우 응급실에서 뇌부종, 뇌출혈 감별 등에 도움을 줄 수는 있지만,

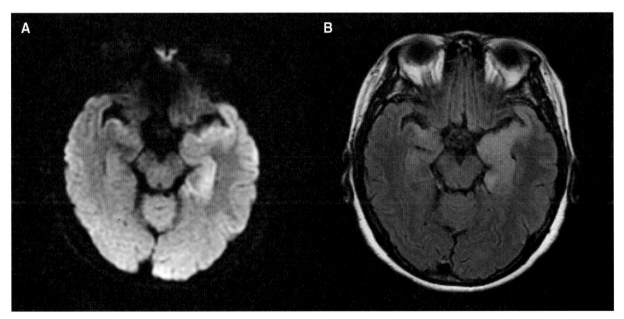

그림 2-3 **좌측 내측두엽에서 고신호강도를 보인 단순헤르페스뇌염 환자의 뇌 MRI**
(A) 확산강조영상(diffusion weighted image) (B) 액체감쇠역전회복(fluid-attenuated inversion recovery, FLAIR) 영상

MRI에 비해 단순헤르페스뇌염 소견을 찾는 민감도는 떨어진다. 특징적으로 단순헤르페스뇌염은 내측두엽에 출혈, 괴사, 부종을 일으키고, 뇌섬(insula), 띠다발(cingulate) 등을 포함한 변연계(limbic system) 및 아래옆전두엽(inferolateral frontal lobe) 등 인근 부위에도 영향을 미칠 수 있다. 따라서 MRI에서는 전형적으로 상기 부위에 T2강조 및 액체감쇠역전회복(fluid attenuated inversion recovery, FLAIR)영상에서 고신호강도를 보인다(그림 2-3). 해마(hippocampus)만 단독으로 침범하는 경우는 드물다. 질환 초기에는 대개 편측 병변을 보이지만 진행하는 경우 반대측까지 침범하기도 한다. 또한 단순헤르페스뇌염 환자의 5%에서는 정상 MRI 소견을 보일 수 있으므로, 영상 소견만으로는 뇌염 진단을 배제하면 안 된다는 사실도 꼭 고려하여야 한다.

3) 뇌파(Electroencephalography, EEG)

단순헤르페스뇌염은 급성 및 만성 경련과 연관이 있으며, 약 80% 이상의 환자에서 뇌파의 이상 소견이 보인다. 뇌파에서 편측 측두엽 부위에 간헐적인 큰 예파와 동반된 서파복합체가 2-3초 간격으로 나타나거나 편측주기방전(lateralized periodic discharges, LPDs)이 보이면 진단 가치가 있는 것으로 알려져 있으나 진단 특이적인 것은 아니다(그림 2-4). 또한 난치성뇌전증지속상태는 단순헤르페스뇌염의 치명적인 증상으로 발생할 수 있으며, 치료가 어렵다. 그러므로 장시간 간헐적인 경련 및 뇌전증지속상태의 확인을 위하여 일부 선별된 환자에서는 장시간 뇌파 감시를 하는 것이 필요할 수 있다.

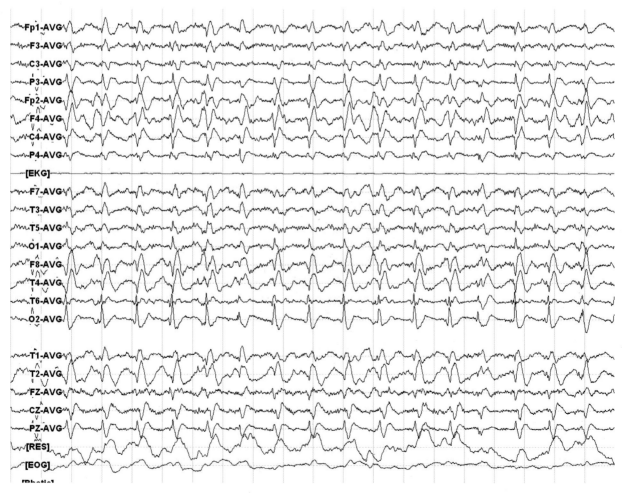

그림 2-4 우측 측두엽에서 편측주기방전을 보인 단순헤르페스뇌염 환자의 뇌파

7 │ 치료

Acyclovir를 가급적 빨리 정맥 내 투여하는 것이 중요하다. 성인에서 추천되는 용량은 14일에서 21일 동안 10 mg/kg을 매 8시간 마다 정맥 투여하는 것이다. 면역저하 환자나 12세 미만의 아동일 경우는 적어도 21일간 유지할 것을 권고한다(그림 2-3). Acyclovir는 대개 안전하게 쓸 수 있는 약제이지만, 신독성을 피하기 위해서는 수분 보충을 충분히 하여야 하고, 크레아티닌청소률이 50 mL/min 미만인 경우는 용량 조절이 필요하다(표 2-2). 또한 특히 고령의 신기능 장애 환자의 경우 acyclovir로 인해 유발된 뇌병증도 보고된 바 있어 단순헤르페스뇌염의 진행과 감별을 요한다. 이 경우에는 acyclovir를 중단하면 빠르게 호전된다. 치료를 지속함에도 불구하고 환자의 임상 증상, 뇌척수액검사 소견이나 뇌영상 소견 등이 나빠질 경우에는 acyclovir 저항성 검사를 고려해야 한다. 특히 이식을 받은 환자의 28%에서까지 HSV1의 티미딘인산화효소(thymidine

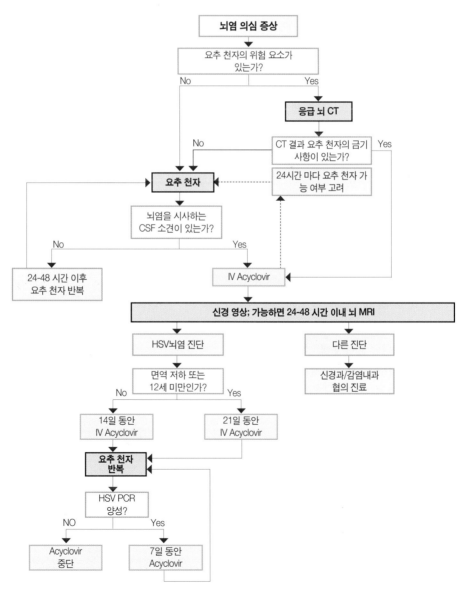

그림 2-5 단순헤르페스뇌염 의심 환자의 진단 및 치료 알고리즘

kinase)나 DNA중합효소의 변이가 발견된 바 있다. 만약 약물 저항성이 확인되면, foscarnet과 같은 다른 치료 방법을 고려할 수 있다.

단순헤르페스뇌염에서 스테로이드제 사용에 대해서는 논란이 있고, 현재 관련한 표준적인 권고 사항은 없다. 하지만 일부 문헌에서는 뇌 부종이 동반된 환자에서 치료 효과가 있었다는 결과가 보고된 바 있다.

표 2-2 **신기능에 따른 acyclovir 용량 조절**

신기능	Acyclovir 용량
정상(크레아티닌 청소율, CrCl>50 mL/min/1.73m²)	10 mg/kg, 8시간 마다
CrCl 25–50 mL/min/1.73m²	10 mg/kg, 12시간마다
CrCl 10–25 mL/min/1.73m²	10 mg/kg, 24시간마다
CrCl<10 mL/min/1.73m²	5 mg/kg, 24시간마다
혈액 투석 시	투석 후 2.5–5 mg/kg 추가 투여

8 | 예후

치료받지 않을 경우 사망률이 70%까지 이를 수 있고, acyclovir로 치료받은 환자 중에서도 38% 정도만이 정상 상태로 회복할 정도로 예후가 좋지 않다. 지속적인 신경학적 후유증으로는 언어장애, 삼킴장애, 기억력저하, 집행기능저하, 이상행동, 인지기능 장애 등이 흔하다. 예후를 예측할 수 있는 인자는 치료 시작 전 환자의 나이, 신경학적 상태, 증상 지속 기간 등이 있다. 특히 환자의 예후는 치료가 얼마나 빨리 시작되는가에 주로 달려있기 때문에, 단순헤르페스뇌염은 의학적 응급 상태로 보고 신속히 진단 및 치료가 진행되어야 한다. 진단적 검사가 진행 중이고 PCR 결과가 나오지 않더라도 임상적으로 강력히 의심된다면 경험적 acyclovir 치료를 일단 시작할 것을 권한다.

9 | 특수 상황

1) 신생아 HSV2뇌염

약 80%의 신생아 뇌염은 HSV2에 의해 발생하며, 대부분 출산 시 모체의 감염된 산도에 노출되어 발생한다. 모체의 바이러스혈증으로 인해 태반을 통해 태아에 감염될 경우 피부, 뇌, 눈, 간, 부신 등 전신적인 감염이 나타나는 반면에, 출산 시 신생아의 점막이 감염에 노출되어 직접 신경계로 전파된 경우에는 주로 뇌염이 발생하게 된다. 피부, 눈, 구강병변은 약 80% 환아에서 보이지만 진단에 특이적인 것은 아니며 세균패혈증 및 수막염에서도 동반될 수 있으므로, 실험실적 검사가 확진에 꼭 필요하다. 엄마나 신생아의 병변, 혈액, 뇌척수액에서 바이러스 PCR 검사를 통해 진단한다. 신경영상에서 보이는 이상 소견은 다양할 수 있으나, 성인과 달리 측두엽에 호발하는 경향은 보이지 않고 전반적인 뇌 실질 침범과 수막의 조영증강이 보이는 경우가 많다. Acyclovir나 vidarabine의 치료 효과가 증명되어 있으나, 안정성과 투약 편의성 때문에 acyclovir가 선호된다. Acyclovir는 10 mg/kg을 8시간마다 투여하며 감염이 피부, 눈, 구강에 국한된 경우는 14일, 전신성이거나 중추신경계 감염인 경우는 21일 동안 투여한다. 치료를 제대로 하더라도 신생아 단순헤르페스뇌염은 예후가 좋지 않아 비교적 높은 사망률을 보이고 신경학적 장애를 남기는 경우가 많다.

2) 단순헤르페스뇌염 이후 발생하는 자가면역뇌염

단순헤르페스뇌염 환자에서 acyclovir 치료가 성공적으로 끝난 이후에는 대부분 재발하지 않으나, 첫 2개월 이내에 신경학적 증상이 재발하거나 악화되는 경우가 5-26% 정도 보고되어 있다. 이는 잠복감염되어 있던 HSV가 재활성화되거나 치료되지 않은 HSV가 남아있는 경우도 일부 있겠지만, 최근 연구들을 통해 단순헤르페스뇌염이 자가면역뇌염을 촉발하여 신경학적 증상의 악화를 초래할 수 있음이 밝혀지고 있다. 이는 이러한 증상이 스테로이드 치료 시 호전되는 것을 보면 간접적으로 짐작할 수 있고, 최근에는 N-methyl D-aspartate (NMDA)수용체 등의 시냅스수용체나 신경표면단백질에 대한 IgG 항체가 환자의 뇌척수액에서 검출되어 직접 입증되고 있다. 이러한 자가면역뇌염이 발생하였을 경우 면역치료를 통해 환자의 증상을 호전시킬 수 있기 때문에, 단순헤르페스뇌염 치료 후 신경학적 증상이 악화되는 경우 빠르게 의심하여 치료를 고려하는 것이 중요하다. 따라서 단순헤르페스뇌염 치료 이후 소아에서는 이상운동증, 성인에서는 정신증을 특징으로 하는 뇌염 증상의 악화가 발생한 경우 자가면역뇌염을 의심해보아야 한다.

참고문헌

1. Armangue T, Spatola M, Vlagea A, et al. Frequency, symptoms, risk factors, and outcomes of autoimmune encephalitis after herpes simplex encephalitis: a prospective observational study and retrospective analysis. Lancet Neurol 2018;17:760-72.

2. Baldwin KJ, Cummings CL. Herpesvirus Infections of the Nervous System. Continuum (Minneap Minn) 2018;24:1349-69.

3. Bradshaw MJ, Venkatesan A. Herpes simplex virus-1 encephalitis in adults: pathophysiology, diagnosis, and management. Neurotherapeutics 2016;13:493-508.

4. Choi R, Kim GM, Jo IJ, et al. Incidence and clinical features of herpes simplex viruses (1 and 2) and varicella-zoster virus infections in an adult Korean population with aseptic meningitis or encephalitis. J Med Virol 2014;86:957-62.

5. Gnann JW Jr, Whitley RJ. Herpes Simplex Encephalitis: an Update. Curr Infect Dis Rep 2017;19:13.

6. Philippe Gelisse, Arielle Crespel, Pierre Genton. Atlas of Electroencephalography Volume 3: EEG Neurology and Critical Care; 124-135.

7. Rabinstein AA. Herpes Virus Encephalitis in Adults: Current Knowledge and Old Myths. Neurol Clin 2017;35:695-705.

8. Soares BP, Provenzale JM. Imaging of Herpesvirus Infections of the CNS. AJR Am J Roentgenol 2016;206:39-48.

9. Solomon T, Michael BD, Smith PE, et al. National Encephalitis Guidelines Development and Stakeholder Groups. Management of suspected viral encephalitis in adults- Association of British Neurologists and British Infection Association National Guidelines. J Infect 2012;64:347-73.

10. Steiner I, Benninger F. Manifestations of Herpes Virus Infections in the Nervous System. Neurol Clin 2018;36:725-38.

11. Steiner I, Benninger F. Update on herpes virus infections of the nervous system. Curr Neurol Neurosci Rep 2013;13:414.

12. Steiner I, Kennedy PG, Pachner AR. The neurotropic herpes viruses: herpes simplex and varicella-zoster. Lancet Neurol 2007;6:1015-28.

13. Tyler KL. Acute. Viral Encephalitis. N Engl J Med 2018;379:557-66.

14. Venkatesan A, Geocadin RG. Diagnosis and management of acute encephalitis: A practical approach. Neurol Clin Pract 2014;4:206-15.

15. Whitley RJ. Herpes Simplex Virus Infections of the Central Nervous System. Continuum (Minneap Minn) 2015;21:1704-13.

김혜윤

3 기타 사람헤르페스바이러스뇌염
(Other human herpesvirus encephalitis)

1 수두대상포진바이러스뇌염

수두대상포진바이러스(varicella zoster virus, VZV)는 헤르페스바이러스과(herpesviridae)에 속하는 DNA 바이러스로 직접 접촉이나 공기 매개에 의해 전파되는 높은 전염력을 갖는 바이러스이다. 일차 감염은 주로 소아에서 발생하며 전신의 가려움을 동반한 수포성 발진을 나타내는 질환인 수두로 발현된다. 이후, 척추 신경절 또는 뇌 신경절에 오랜 시간 잠복해 있다가 재활성화되어 침범한 신경분절에 국한된 수포 발진 및 신경근통이 특징적인 대상포진을 일으킨다. VZV의 신경계 침범은 말초 및 중추신경계에서 모두 가능하며, 소뇌염(cerebellitis), 무균수막염(aseptic meningitis), 척수염(myelitis), 시신경염(optic neuritis), 길랭−바레증후군(Guillian−Barré syndrome), 혈관염(vasculitis), 혈관병증(vasculopathy) 및 급성뇌염(acute encephalitis)을 일으킨다. VZV감염의 신경계 침범에 대한 생리학적 기전은 명확하지 않다.

수두대상포진뇌염(varicella zoster encephalitis)은 1차 감염 또는 잠복해 있던 바이러스의 재활성화의 기전으로 발생할 수 있다. 수두대상포진뇌염은 침범 혈관 또는 뇌실질에 따라 큰혈관육아종동맥염(large vessel granulomatous arteritis), 작은혈관뇌염(small vessel encephalitis) 그리고 뇌실염(ventriculitis) 및 수막염(meningitis)으로 나타난다. 수두대상포진뇌염의 병태생리 및 기전은 명확하지 않으나 혈류를 따라서 침범하거나 VZV가 잠복해 있던 신경절로부터 직접 전파될 것으로 보인다. 수두대상포진뇌염의 임상증상은 발열, 두통, 진행하는 의식저하와 함께 착란, 발작 및 국소신경학적결손 증상이 나타날 수 있다. 수두대상포진뇌염은 단순헤르페스뇌염(herpes simplex encephalitis)과 임상증상이 유사하다. 하지만, 특징적인 피부병변 및 병력 청취로 감별할 수 있다. 수두대상포진뇌염의 약 40%는 뇌신경 침범을 보이며, 그 중 안면 마비를 보이는 안면신경 침범이 가장 흔하다. 뇌척수액검사결과 림프구 비율이 높은 백혈구증가증과 단백질 농도 상승이 관찰되며, 단순헤르페스뇌염의 뇌척수액검사 결과와 비교하여 더 많은 적혈구 수를 보인다. 대부분의 경우 뇌척수액 포도당 농도는 정상이다.

미국감염학회 및 여러 뇌염가이드라인에서는 모든 바이러스뇌염 환자에서 뇌척수액 VZV 항체검사 및 중합효소연쇄반응(polymerase chain reaction, PCR)을 권장하고 있다. PCR에 의한 뇌척수액에서의 VZV의 검출은 중추 신경계 침범에서 매우 특이적이지만, 민감도는 증후군에 따라 다르다. VZV 감염의 중추신경계 합병증을 보이는 일련의 소아환자에서 뇌척수액 PCR은 수막염 83%, 뇌염 25% 및 급성소뇌운동실조증 11%에서 양성이었다. 일부 연구에서, 뇌척수액 내 VZV 부하는 감염의 중증도 및 예후와 연관성이 없었다. PCR의 진단적 한계를 감안하여 뇌척수액 PCR이 음성인 경우, 바이러스 항원에 대한 항체검사(anti-VZV IgG antibodies)가 VZV 혈관병증 확진의 민감도를 높일 수 있다.

수두대상포진뇌염의 뇌신경 영상은 보통 정상이며, 이상이 발견되는 경우도 대체로 비특이적 영상 소견을 보인다. 일부 수두대상포진뇌염에서는 혈관협착증 및 뇌 또는 뇌실 내 출혈 소견을 보이기도 한다. 또, 단순헤르페스뇌염과 유사한 측두엽을 침범한 병변을 보이는 뇌영상 결과가 보고되기도 하였고, 이들 환자에서 뇌파 검사 상 측두엽에 국한된 뇌전증모양방전이 관찰되기도 하였다.

수두대상포진뇌염의 효과적인 치료 요법에 대한 대조군 임상연구는 없으나 급성수두 및 대상포진감염에 acyclovir가 선택 약제이므로 수두대상포진뇌염이 의심되는 경우에도 acyclovir 사용이 권고된다. 권장 용량은 10-15 mg/kg/8hr으로 2주간 유지한다. 일부 전문가집단에서 단순헤르페스뇌염의 치료 용량보다 많은 용량인 15 mg/kg/8hr을 3주간 사용하도록 추천하기도 한다. 면역 저하 환자 또는 재발 감염 환자에서는 장기간 또는 반복적인 acyclovir 치료 및 항바이러스제 정맥 주사 치료 이후 지속적인 경구 약제의 추가 투여가 요구되기도 한다. 일부 보고에서 acyclovir와 foscarnet의 조합이 수두대상포진뇌염의 예후를 개선하고 acyclovir 내성 VZV 균주로 인한 항바이러스제 치료 실패를 예방할 수 있다고 하였으나 이에 대하여는 근거가 미약하여 추가적인 임상 연구가 필요하다.

수두대상포진뇌염에서 corticosteroid의 역할은 명확하지 않다. 영국과 호주의 뇌염 가이드라인에서는 VZV감염의 염증 특성을 근거로 corticosteroid를 보조적 치료로 권고하였다. 특히, 혈관병증이 의심되는 경우는 corticosteroid (prednisolone 60-80 mg/day) 사용이 예후를 개선하는데 도움이 될 수 있다.

수두대상포진뇌염은 자가면역뇌염의 하나인 항 N-methyl D-aspartate (NMDA)수용체뇌염으로의 이행과 관련이 있지만, 단순헤르페스뇌염에서의 자가면역뇌염으로의 이행보다는 드물다. 수두대상포진수막염은 대부분은 양호한 예후를 보이는 반면, 수두대상포진뇌염은 약 60%에서 불량한 예후를 보인다. 3년간 추적 관찰 연구에서 대다수 수두대상포진뇌염 환자들은 신경학적 결손의 후유증이 지속되었다.

2 | 엡스타인-바바이러스뇌염

엡스타인-바바이러스(Epstein-Barr virus, EBV)는 감마헤르페스바이러스로 분류되며 B림프구와 상피세포에 침투하는 DNA바이러스이다. EBV는 전세계에 널리 퍼져 있어 약 90%에서 혈청 양성반응을 나타낸다. EBV는 다양한 임상 질환을 일으키는데 EBV 초회감염에 의한 급성림프구증식질환인 전염단핵구증이 제일 흔하고, 다양한 종양(Burkitt림프종, 비인두상피종양, 위상피종양, 악성림프종) 발생에도 관여되는 것으로 알려져 있다.

침을 통해 바이러스가 침투하면 인두의 상피세포에 감염되고, 국소적으로 증식하여 주변 혈액이나 림프계로 들어가 B림프구를 감염 시킨다. 형질 전환되어 증식하는 B림프구가 증가하면 바이러스에 반응하는 세포독성T림프구가 형성되어 감염된 B림프구를 제거한다. 이 과정에서 T림프구가 과도하게 증식해 비정형림프구의 형태로 단핵구증을 일으키며 전신 림프절을 침범할 수 있다. EBV의 신경 침범에 대하여 일부 연구에서 CD8$^+$세포가 신경조직으로 침윤되어 면역 독성을 유발하여 신경계를 침범한다고 하였으나 EBV의 신경 침범 병인은 명확하지 않다.

EBV뇌염은 유아에서 발생하는 뇌염의 약 5%를 차지 한다. EBV 1차 감염의 20%에서 전신 침범을 보이는데, 그중 약 5%에서 신경계 침범을 보인다. 수막염, 뇌염, 소뇌염, 척수염, 다발신경근염(polyradiculitis)의 형태로 신경계에 침범한다.

EBV뇌염의 진단을 위하여 EBV 특이 항체 검출은 필수적이다. 급성 감염과 연관된 EBV바이러스캡시드항원(EBV-viral capsid antigen, EBV-VCA) IgM, EBV-VCA IgG, 초기 항원(early antigen, EA)에 대한 항체와 잠복 감염과 연관된 엡스타인-바핵항원(EBV nuclear antigen IgG, EBNA) 항체 등을 각각 측정할 수 있다. EBV-VCA IgM과 IgG 항체는 급성기에 나타나서 거의 평생 지속된다. IgM항체는 감염 초기 4주에서 3개월 사이에 나타나므로 초기감염에서 결정적인 진단 방법이 될 수 있다. EBV뇌염의 뇌 영상 소견은 비특이적으로 호발 병변은 알려져 있지 않다. 몇몇 EBV뇌염환자의 뇌자기공명영상의 T2강조영상에서 양측 두정후두부의 고신호강도 병변이 보고되었다. 침범한 뇌실질의 병변에 따라 다양한 임상 증상을 보일 수 있다.

EBV뇌염은 확립된 치료 방법은 없다. 생체외 연구에서 acyclovir, valganciclovir, ganciclovir, cidofovir 등이 실험적으로 효과를 검증하였으나, EBV 감염 치료에 항바이러스제의 효과 또는 임상증상 개선에 대한 객관적인 연구 결과는 충분하지 않다. 하지만, acyclovir는 바이러스 복제를 감소시키고 비인두바이러스의 중복 감염 예방의 이점이 있어 이를 근거로 EBV뇌염에서 사용할 수 있다. 또, 몇몇 임상경험 논문에서 acyclovir와 corticosteroid가 EBV뇌염의 치료로 추천되기도 한다. 그럼에도 불구하고 EBV뇌염 치료를 위한 항바이러스제 및 corticosteroid의 사용을 뒷받침할만한 근거는 여전히 부족하다.

EBV감염의 예후는 특별한 치료 없이 호전되는 경우에서부터 사망에 이르기까지 다양하다. 최근 문헌 검토에 따르면 신경계 침범 증상을 보이는 EBV감염 환자의 70%는 완전히 회복되고 20%가 후유증을 보이고 약 10%가 사망한다고 하였다. EBV뇌염은 영상 진단에서 대뇌피질, 백질을 침범한 경우는 좋은 예후를, 시상 및 뇌간을 침범하는 경우는 그에 비해 나쁜 예후를 보인다. 하지만, 뇌 영상이 예후를 판단하는 근거로 제시되기 위해서는 좀더 연구가 필요하다.

3 | 거대세포바이러스뇌염

거대세포바이러스(cytomegalovirus, CMV)는 사람헤르페스바이러스(human herpesvirus) 중 가장 큰 바이러스로 제5형 사람헤르페스바이러스이다. CMV는 널리 퍼져 있으며, 전세계적으로 다양한 CMV감염이 발생한다. CMV감염은 정상면역개체에서는 무증상 또는 자가치유질환이나, 면역저하개체에서는 대장염, 폐렴, 드물게 뇌염 등의 심각한 임상 증상을 야기한다. CMV감염은 수년간의 잠복기를 거쳐 재활성화 되며, 숙주의 T림프구 반응이 질병이나 인위적인 면역 억제에 의해 저하되어 다양한 임상증상을 보이는 다양한 증후군이 나타난다. 특히, 장기 이식 후 면역 억제 상태에서 만성적으로 항원 자극을 받는 경우 CMV는 재활성화되어 증상을 일으킬 수 있다. CMV는 반복적이고 지속적인 밀접 접촉, 수평 또는 수직 전파가 가능하다. 성

접촉에 의한 전파 시 정액 또는 질 분비물에 CMV는 무증상 보균 상태로 잠복기를 갖는다. 수혈, 장기 이식 등에 의한 전파도 보고 되었다. 임상 양상은 전파 경로 및 감염 연령에 따라, 수직 전파로 태아기 감염되는 선천성 CMV감염, 분만시 산도 또는 모유 등을 통해 감염되는 주산기 CMV감염, 영유아기 이후 정상면역상태에서 발생하는 CMV단핵구증, 고형장기이식 및 골수이식을 받은 경우 및 사람면역결핍바이러스(human immunodeficiency virus)감염 등의 면역 저하 환자에서 발생하는 CMV감염으로 분류할 수 있다.

CMV뇌염은 면역 저하 환자에서 발생하는 뇌염의 약 30%를 차지하는데 뇌신경기능이상, 안구진탕, 의식저하, 혼미 및 기면 등의 다양한 임상 증상을 보인다. 하지만 이는 CMV뇌염에서의 특이적인 소견이 아니기 때문에 임상 증상 만으로 진단하기는 어렵다. CMV뇌염 진단을 위하여 뇌척수액 PCR 또는 CMV특이 IgM 항체 검출 및 세포 배양 등의 방법이 사용된다. 진단 민감도는 CMV IgM보다 CMV PCR이 더 높다고 알려져 있다. CMV감염 진단의 민감도 및 특이도를 높이기 위하여 이 중 두 가지 검사를 보완적으로 시행하도록 권고한다.

CMV뇌염의 신경 영상 소견은 비특이적이다. 일부 CMV뇌염 환자의 뇌자기공명영상에서 뇌실막밑(subependymal)조영증강과 함께 뇌실 확대 소견이 보고되었으나, 진단을 위한 특징적인 신경 영상 소견으로 보기는 어렵다.

CMV뇌염의 치료를 위하여 현재까지는 gancyclovir (5 mg/kg/8hr)를 4주간 사용하는 것이 권고되고 있다. 사람면역결핍바이러스감염 환자나 이식을 받은 환자와 같이 면역 저하를 보이는 경우에서 발생한 CMV뇌염에서 ganciclovir와 foscarnet의 병용 치료를 권고 하기도 한다. 병용 투여 시 foscarnet은 40 mg/kg/8hr의 용량으로 사용하며, 부작용으로 전해질 이상 및 신부전 발생위험이 있어 면밀한 관찰이 요구된다.

4 | 사람헤르페스바이러스뇌염-6,7

사람헤르페스바이러스(human herpesvirus6, 7 HHV6, 7)은 CMV와 함께 베타헤르페스바이러스로 분류된다. 원발성 HHV6,7감염은 대개 유년기 동안 발생하는

데 HHV6는 2세까지 3/4에서 감염되고 3세 이후 대부분의 유아가 항체를 갖게 된다. HHV6는 돌발피진 (exanthem subitum), 뇌염, 수막염, 간염, 감염단핵구증(infectious mononucleosis) 및 면역 저하 환자에서 폐렴, 간염, 골수기능저하를 일으킨다고 보고되었다. 또, 다발경화증, 만성피로증후군 등이 HHV6감염 관련 질환으로 알려져 있다. HHV7 초회 감염은 HHV6 감염과 유사한 임상 증상을 보이며, 돌발피진, 만성 활동EBV감염양증후군(chronic active EBV infection-like syndrome) 및 뇌염을 보이나, 증상의 발현빈도가 HHV6로 인한 감염에서 보다 낮으며 좀더 고령에서 발병하는 것으로 알려져 있다. 때문에 HHV7감염이 초회 감염인지 과거 감염되어 잠복기를 거쳐 재활성화된 것인지를 결정하기 어려운 경우가 많다. HHV7에 의한 뇌척수염은 초회 감염 또는 재활성화와 면역반응의 조합이 병인일 것으로 생각된다.

HHV6,7뇌염은 2세 미만의 영유아 또는 사람면역결핍바이러스감염 환자, 조혈모세포이식 및 고형장기이식을 받은 환자 등 비정상 면역을 보이는 경우에서 발생한다. 이식을 받은 환자에서 기억저하, 혼돈, 발작, 저나트륨혈증의 임상 증상을 보인 변연계를 침범한 HHV6 뇌염이 보고된 바 있다. 면역 저하 환자에서의 HHV뇌염의 임상 증상은 감염원이 HHV7인 경우가 HHV6인 경우에 비하여 좀더 심각하다고 보고되었다. HHV6,7 뇌염 환자에서는 종종 뇌파검사에서 뇌전증모양방전이 기록되며 뇌영상검사에서 변연계 및 측두엽의 침범이 보고되었다. 그러나 이러한 임상 증상 및 임상 검사가 HHV6,7뇌염에서 특이적이라 보기는 어렵다.

HHV6 및 HHV7의 혈청 유병률이 성인 집단에서 매우 높고, 숙주 염색체에 HHV6,7 DNA가 통합되어 있을 가능성이 있다. 또, HHV7는 정상 뇌조직에서도 빈번히 발견되어 뇌척수액 내 HHV7 PCR은 낮은 양성 예측치를 보인다. 때문에, HHV뇌염 진단을 위하여는 뇌척수액 내 PCR이 양성인 경우 확진을 위하여 혈청 PCR 음성 여부를 확인하도록 한다.

HHV6,7뇌염의 선택 약제 및 치료 기간에 대한 확립된 지침은 없지만, 일반적으로 ganciclovir (5 mg/kg/12hr)와 foscarnet (60 mg/kg/8hr)의 병용 투여를 권고한다. 이들 약제의 신독성 및 전해질 이상 등의 부작용을 고려 하여 사용을 결정하여야 한다.

HHV6감염은 내측두엽뇌전증과 중추신경계탈수초질환 및 다발경화증(multiple sclerosis) 발현의 유발인자로 작용할 수 있다는 보고가 있으나 그 연관성 및 병인에 대하여는 추가 연구가 필요하다.

참고문헌

1. Akkoc G, Kadayifci EK, Karaaslan A, et al. Epstein-Barr Virus Encephalitis in an Immunocompetent Child: A Case Report and Management of Epstein-Barr Virus Encephalitis. Case Rep Infect Dis 2016;7549252.

2. Andrei G, Trompet E, Snoeck R. Novel Therapeutics for Epstein-Barr Virus. Molecules 2019;24:997.

3. Azizyan A, Albrektson JR, Maya MM, et al. Anti-NMDA encephalitis: an uncommon, autoimmune mediated form of encephalitis. J Radiol Case Rep 2014;8:1-6.

4. Choi R, Kim GM, Jo IJ, et al. Incidence and clinical features of herpes simplex viruses (1 and 2) and varicella-zoster virus infections in an adult Korean population with aseptic meningitis or encephalitis. J Med Virol 2014;86:957-62.

5. Di Carlo P, Trizzino M, Titone L, et al. Unusual MRI findings in an immunocompetent patient with EBV encephalitis: a case report. BMC Med Imaging 2011;11:6-9.

6. Gershon AA, Breuer J, Cohen JI, et al. Varicella zoster virus infection. Nat Rev Dis Primers 2015;1:15016.

8. Gilden D, Cohrs RJ, Mahalingam R, et al. Neurological disease produced by varicella zoster virus reactivation without rash. Curr Top Microbiol Immunol 2010;342:243-53.

9. Gilden D, Nagel MA, Cohrs RJ. Varicella-zoster. Handb Clin Neurol 2014;123:265-83.

10. Linnoila JJ, Binnicker MJ, Majed M, et al. CSF herpes virus and autoantibody

profiles in the evaluation of encephalitis. Neurol Neuroimmunol Neuroinflamm 2016;3:e245-e53.

11. Lizzi J, Hill T, Jakubowski J. Varicella Zoster Virus Encephalitis. Clin Pract Cases Emerg Med 2019;3:380-2.

12. Martelius T, Lappalainen M, Palomäki M, et al. Clinical characteristics of patients with Epstein Barr virus in cerebrospinal fluid. BMC Infect Dis 2011;11:281-6.

13. Mashima K, Yano S, Yokoyama H, et al. Epstein-Barr Virus-associated Lymphoproliferative Disorder with Encephalitis Following Anti-thymocyte Globulin for Aplastic Anemia Resolved with Rituximab Therapy: A Case Report and Literature Review. Intern Med 2017;56:701-6.

14. Nagel MA, Gilden D. Update on varicella zoster virus vasculopathy. Curr Infect Dis Rep 2014;16:407.

15. Parra M, Alcala A, Amoros C, et al. Encephalitis associated with human herpesvirus-7 infection in an immunocompetent adult. Virol J 2017;14:97-101.

16. Pender MP, Burrows SR. Epstein-Barr virus and multiple sclerosis: potential opportunities for immunotherapy. Clin Transl Immunology 2014;3:e27-e37.

17. Razonable RR, Hayden RT. Clinical utility of viral load in management of cytomegalovirus infection after solid organ transplantation. Clin Microbiol Rev 2013;26:703-27.

18. Ross SA, Novak Z, Pati S, et al. Overview of the diagnosis of cytomegalovirus infection. Infect Disord Drug Targets 2011;11:466-74.

19. Stahl JP, Azouvi P, Bruneel F, et al. Guidelines on the management of infectious encephalitis in adults. Med Mal Infect 2017;47:179-94.

손효신

일본뇌염
(Japanese encephalitis)

1 │ 역학

일본뇌염은 치명적인 바이러스뇌염의 하나로, 작은 빨간집모기(*Culex tritaeniorhynchus*)를 매개로 일본뇌염바이러스(Japanese encephalitis virus, JEV)에 의해 발병하는 인수공통감염병이다. 세계적으로는 매년 30,000-50,000명 이상의 감염 사례가 보고되고 있으나, 한국, 중국, 일본, 태국, 베트남을 비롯하여 인도네시아, 말레이시아와 같은 열대지역까지 포함하는 아시아의 많은 나라에서 특징적으로 분포한다. 역학 요인은 농경사회, 살충제 사용, 가축업(특히 돼지가 바이러스 증폭에 중요한 숙주인 것으로 알려져 있다) 등에 의한 것으로 여겨진다.

한국에서는 1960년대 후반까지 일본뇌염이 매년 1000 사례 이상 보고되며 치사율이 40% 이상인 중요한 신경계감염질환 중 하나로 알려져 있었다. 1983년부터 15세 미만 소아, 청소년을 대상으로 일본뇌염 사백신 예방 접종 사업이 시작되었고, 2002년 처음 소개된 생백신 예방 접종 사업은 2014년부터 시작되었다. 국가 주도하의 효과적인 예방접종정책 덕분에 예방 접종 이후 대한민국에서의 일본뇌염 발병률은 2000년대 들어서 인구 10만명당 발생률이 0.02 미만으로 감소하는 성공을 보였으나 최근 2011년, 2017년을 제외하고 2010년부터 일본뇌염 발병률이 매년 10만명 당 0.03-0.07로 증가하는 통계를 보였다(그림 4-1). 특히, 기존 일본뇌염 백신 접종의 대상이 되지 못했던 40대 이상의 중장년층에서 발병이 증가하는 것으로 나타났다. 이는 백신 접종의 대상이 되지 않았던 연령군이 일본뇌염바이러스 감염에 취약할 가능성을 보이며, 질병의 효과적인 예방을 위하여 전 연령층에 대한 일본뇌염백신 접종을 고려할 필요가 있다.

2 │ 병태생리

일본뇌염바이러스는 세인트루이스뇌염바이러스(Saint Louis encephalitis virus), 머레이밸리뇌염바이러스(Murray valley encephalitis virus), 웨스트나일바이러스(West Nile virus)와 함께 플라비바이러스(flaviviruses)의 한 부류이며, 크기가 작고 피막이 있는(enveloped) 단일가닥(single strand) RNA 바이러스로 크기는 약 11 kb이다.

일본뇌염바이러스 감염의 경우 대부분은 무증상으로, 실제 감염자 중 0.01-4.0%에서만 증상을 보인다. 바이러스에 감염된 모기가 사람을 물게 되면 말초에서 증폭되는데 진피 조직과 림프절이 중요한 역할을 하는 것으로 동물실험에서 확인되었다. 이어서 바이러스혈증을 일으키고 이 때 드물게 혈액에서 바이러스가 검출되는 경우도 있으나 바이러스혈증의 기간은 짧고 역가 또한 낮아 결과 해석에 주의를 요한다. 뇌부검 면역조직염색에서 뇌조직 내 전반적으로 확산된 감염 소견은 중추신경계로의 감염 통로가 혈행성 경로임을 시사하며, 혈관내피세포를 통한 수동전달(passive transfer)과 혈관 주변의 대식세포(macrophage)와 관련 효소들이 감염의 전이 기전으로 추측되고 있으나 바이러스가 혈액뇌장벽(blood-brain barrier)을 통과하는 기전은 아

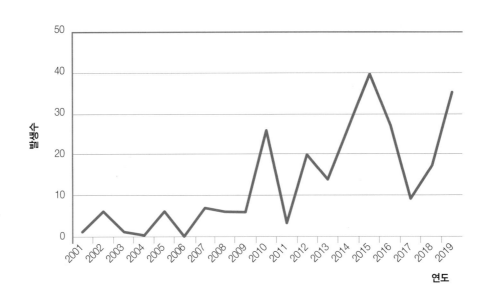

그림 4-1 국내 일본뇌염 발생자 수의 변화

직 밝혀지지 않았다.

일본뇌염바이러스 감염이 뇌염을 일으키고 질병이 진행하는 데에는 면역반응이 중요한 역할을 하는 것으로 여겨진다. 최근 실험실 연구에서 일본뇌염바이러스는 세포질그물(endoplasmic reticulum)을 자극하고 신경세포의 세포자멸사(apoptosis)를 유도하는 것으로 알려져 그와 관련된 물질들과 기전에 대한 연구가 진행되고 있다.

3 | 임상 소견

일본뇌염바이러스 감염의 대부분은 무증상이나, 약 1-2주의 잠복기를 거쳐 비특이적인 전신무력감, 두통, 발열, 구역, 구토를 호소하는 것부터 시작하여 혼돈, 의식저하까지 다양한 범위의 신경학적 증상을 보이며 심한 경우 사망에 이를 수 있다. 다른 바이러스 뇌염과 마찬가지로 발작이 질병의 초기 증상일 수 있고 일본뇌염의 경우 소아에서는 85%, 성인에서는 10%에서 나타난다고 보고되며, 지속되는 발작이나 뇌전증지속상태(status epilepticus)의 경우 나쁜 예후와 관련된 것으로 알려져 있다. 국소신경학적 결손 또한 동반

될 수 있는데, 시상(thalamus)과 기저핵(basal ganglia), 중뇌(midbrain)를 주로 침범하여 복시, 떨림, 경축, 전신의 근육긴장항진, 이상운동증 등이 나타날 수 있다. 호흡 패턴의 변화, 동공반사 이상, 안구머리반사(oculocephalic reflex) 이상이 동반되는 경우 뇌간 침범을 시사하며 나쁜 예후를 나타내는 소견이 될 수 있다.

일본뇌염 환자의 5-20%에서 급성이완마비(acute flaccid paralysis)가 나타나는 것으로 보고되고 있는데, 일본뇌염바이러스에 감염된 환자에서 뇌염 증상이 나타나기 전 일부에서 짧은 기간의 발열기 이후 급속하게 진행하는 급성이완마비가 선행하는 경우도 있다. 이 중 약 30%는 뇌염으로 진행하며 그 외 대부분은 급성이완마비만 나타난다. 마비는 하나 혹은 하나 이상의 상하지를 침범하며 상지 보다는 하지마비가 흔하고 대부분은 비대칭적이다. 신경전도검사에서는 복합근활동전위(compound muscle action potential, CMAP)의 진폭이 감소된 소견을 보이며, 근전도검사에서는 탈신경(denervation) 소견이 관찰되어 척수전각세포(spinal cord anterior horn cell) 침범을 시사한다.

4 | 검사와 진단

환자들의 약 50% 이상에서 뇌척수액검사 결과 뇌척수액 압력은 상승되어있다. 중등도의 뇌척수액세포증가증(10-100개/mm³)이 흔하고, 다른 바이러스의 중추신경계감염과 마찬가지로 림프구가 대다수이나, 질병의 초기에는 다형핵백혈구가 우세하거나 뇌척수액 세포증가증이 뚜렷하지 않을 수 있기 때문에 검사 해석에 유의하여야 한다. 뇌척수액검사의 다른 소견으로는, 경미한 단백질 상승이 확인되며 뇌척수액 포도당은 정상인 경우가 많다.

일본뇌염바이러스에 특이적인 생물학적 표지자는 없으며, 현재 대한민국 질병관리본부에서는, 첫째, 일본뇌염에 합당한 임상 경과를 보이며 둘째, 검체(혈액, 뇌척수액)에서 일본뇌염바이러스 분리 또는 특이유전자가 검출되는 경우 셋째, 회복기 혈청의 항체가가 급성기에 비하여 4배 이상 증가하는 경우 넷째, 효소결합면역흡착측정법(enzyme-linked immunosorbent assay, ELISA)을 이용하여 특이 면역글로불린M(immunoglobulin M, IgM)항체 검출 및 그 외 시험법으로 양성인 경우 일본뇌염 확진 환자로 판정하고 있다. 발병 수일 후 뇌척수액에서 시행하는 IgM 특이항체검사의 민감도와 특이도는 95% 이상이며 급성기 혈청에서 IgM 항체 양성이 확인되는 경우 추정진단으로, 회복기 혈청에서의 특이 항체 추적검사를 진행, 항체 상승 여부를 확인한다. 특이항체검사는 검사실마다 차이가 있으나 현재 대한민국 질병관리본부에서 시행하는 항체 검사는 결과 보고까지 약 2-3주 소요된다.

컴퓨터단층촬영술(computed tomography, CT) 검사에서 조영증강이 되지 않는 저음영의 병변이 편측 혹은 양측 시상, 기저핵, 중뇌, 교뇌, 연수에 나타날 수 있으나 일부 환자에서는 정상일 수도 있고 질병초기에는 병변이 뚜렷하지 않은 경우가 많아 자기공명영상(magnetic resonance image, MRI)이 더 민감하고 유용한 검사이다. 병변은 T2강조영상에서 고신호로 나타나며, T1과 T2강조영상에서 혼합된 신호를 보이는 경우 출혈이 동반된 병변을 시사한다. 양측 시상을 침범한 소견은 일본뇌염의 특징적 소견이며(그림 4-2), 앞서 언급된 부위 외 대뇌피질, 소뇌에서도 병변을 관찰할 수 있나. 단순헤르페스뇌염(herpes simplex encephalitis)은 진측두엽 부위를 주로 침범하여 영상검사가 두 질환의 감별에 큰 도움이 된다.

5 | 치료

현재까지 예후를 개선하고 질병에 대한 근본적인 치료는 확립되어 있지 않으며, 보존적인 치료가 대부분이다. 발작이 나타나는 경우 항뇌전증약물 치료를 진행하고, 의식저하와 동반된 호흡부전의 경우 인공호

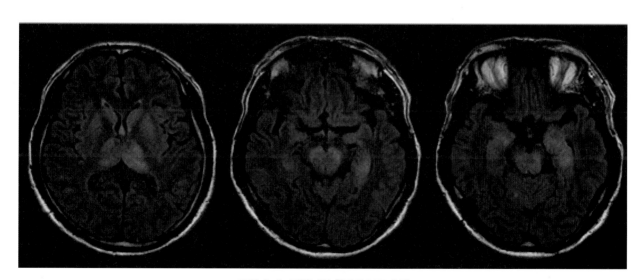

그림 4-2 일본뇌염 환자의 MRI 소견
액체감쇠역전회복(fluid-attenuated inversion recovery, FLAIR) 영상에서 양측 시상과 기저핵, 내측두엽, 중뇌의 고신호병터가 관찰된다.

흡기, 중환자실 치료가 적극적으로 필요하다. 한때는 스테로이드 치료를 고려하기도 하였으나, 40명의 환자를 대상으로 한 무작위대조연구에서 위약과 비교하여 dexamethasone 치료는 뚜렷한 효과를 나타내지 못하였다. 플라비바이러스 중 하나인 웨스트나일바이러스 치료에 시도되었던 면역글로불린정맥주사(intravenous immunoglobulin, IVIg)나, 바이러스 감염에 대하여 선천면역체계조절로 항바이러스 활성을 유도하는 interferon과 같은 면역치료제들이 시도되고 있으며, 바이러스의 복제주기를 직접적으로 억제할 수 있는 ribavirin 등 항바이러스제 역시 치료에 시도되고 있으나 이환 기간을 단축하고 예후를 개선하는지에 대한 여부는 향후 추가적인 연구가 필요한 상황이다.

6 | 예후

일본뇌염의 사망률은 약 30%에 가까우며, 생존하는 환자의 50% 이상은 호흡근마비, 주시마비, 사지위약, 정신증(psychosis) 등 심한 신경학적 후유증으로 삶의 질이 저하된다. 하지만 최근 중환자의학, 재활의학의 발달, 진료의 질 상승과 더불어 의료진의 조속한 판단과 진단기술의 발달로 급성기 회복 후 예후 개선을 위한 많은 노력이 진행되고 있다.

참고문헌

1. 대한신경과학회. 신경학. 3판. 서울:범문에듀케이션. 729–34. 2017

2. 이혁진, 이은주, 최우영, 외. 2018년 국내 일본뇌염 실험실 검사 현황. 주간 건강과 질병. 2019;12:1260-6.

3. Erlanger TE, Weiss S, Keiser J, et al. Past, present, and future of Japanese encephalitis. Emerging infectious diseases. Emerg Infect Dis 2009;15:1-7.

4. Hsieh JT, Rathore AP, Soundarajan G, et al. Japanese encephalitis virus neuropenetrance is driven by mast cell chymase. Nat commun 2019;10:1-4.

5. Korea Centers for Disease Control and Prevention. Infectious disease statistics system [in Korean]. 2019 [cited 2020 Feb 27].

6. Kumar R, Tripathi P, Baranwal M, et al. Randomized, controlled trial of oral ribavirin for Japanese encephalitis in children in Uttar Pradesh, India. Clin Infect Dis 2009; 48:400-6.

7. Růžek D, Dobler G, Niller HH. May early intervention with high dose intravenous immunoglobulin pose a potentially successful treatment for severe cases of tick-borne encephalitis? BMC Infect Dis 2013;13:306-12.

8. Sohn YM. Japanese encephalitis immunization in South Korea: past, present, and future. Emerg Infect Dis 2000;6:17-24.

9. Solomon T. Viral encephalitis in southeast Asia. Neurol Infect Epidemiol 1997;2:191-9.

10. Solomon T, Dung NM, Kneen R, et al. Japanese encephalitis. J Neurol Neurosurgery Psychiatry 2000;68:405-15.

11. Solomon T, Dung NM, Wills B, et al. Interferon alfa-2a in Japanese encephalitis: a randomised double-blind placebo-controlled trial. Lancet 2003;361:821-6.

12. Strauss, Ellen G., and James H. Strauss. Viruses and human disease. 2nd edition. USA: Elsevier, 2007

13. Sunwoo JS, Lee ST, Jung KH, et al. Clinical characteristics of severe Japanese encephalitis: a case series from South Korea. Am J Trop Med Hyg 2017;97:369-75.

14. Sunwoo JS, Jung KH, Lee ST, et al. Reemergence of Japanese Encephalitis in South Korea, 2010–2015. Emerg Infect Dis 2016;22:1841-3.

15. Umenai T, Krzysko R, Bektimirov TA, et al. Japanese encephalitis: current worldwide status. Bull World Health Organ 1985;63:625-31.

16. Wang Q, Xin X, Wang T, et al. Japanese encephalitis virus induces apoptosis and

encephalitis by activating the PERK pathway. J Virol 2019;93:e00887-19.

17. Yun SI, Lee YM. Japanese encephalitis: the virus and vaccines. Hum vaccin Immunother 2014;10:263-79.

김근태

5 인플루엔자 관련 뇌염/뇌병증
(Influenza—associated encephalitis/encephalopathy)

1 서론

1) 인플루엔자바이러스란?

통상적으로 인플루엔자(influenza)는 인플루엔자바이러스 감염에 의한 상기도 감염 질환을 일컫는 말로서, 발열, 두통, 기침, 콧물, 인후통, 근육통, 관절통, 피로감 등을 주 증상으로 한다. 원인 균인 인플루엔자바이러스는 리보핵산(ribonucleic acid, RNA) 바이러스 중에 오르토믹소바이러스과(orthomyxoviridae)에 속한다. 오르토믹소바이러스는 7가지가 있는데, 이 중에서 인플루엔자바이러스 A, B, C, D형의 4가지는 척추동물에서 감염을 일으킬 수 있으며, A, B, C형이 인간에 감염이 가능하다. 특히 A형은 인수공통 감염이 가능하며, B는 사람에게만 감염을 일으키고, C는 대부분 특별한 증상이 없고 유행 발생과 무관한 것으로 알려져 있다. 우리나라를 포함한 북반구에서는 주로 10월에서 4월까지의 기간에 유행하는 경향이 있다. 인플루엔자바이러스 감염증에서 약 1/3은 무증상이며, 주로 경증의 호흡기 감염을 일으키지만 드물게 심한 호흡기 질환 또는 합병증을 동반하는 전신 질환으로 나타나기도 한다. 잠복기는 24에서 72시간, 전파 가능 기간은 증상 발현 1일 전부터 증상 발현 후 약 7일까지로 알려져 있다.

2) 인플루엔자바이러스의 구조

인플루엔자바이러스는 약 80–120 nm의 직경을 가진 구형 또는 타원형이며, 표면에는 적혈구응집소(hemagglutinin, HA)와 뉴라민산가수분해효소(neuraminidase, NA)로 구성된 10–14 nm의 돌기(spike)가 표면에 돌출된 모양으로 존재한다(그림 5–1). 당단백질(glycoprotein)은 HA와 NA로 구성되어 있는데, HA:NA는 약 4:1에서 5:1로 구성되어있다. HA는 숙주의 호흡기 상피에 결합하는 부착단백질로 작용하며, NA은 세포막으로부터 바이러스를 절단하여 바이러스의 자가 응집을 방지하면서 세포로부터 방출을 촉진한다. 현재까지 HA는 18종, NA은 11종의 아형이 발견되었으며, 이 당단백질의 조합으로 인플루엔자바이러스의 종류를 분류한다(예: H1N1, H3N2, H3N2, H5N1 등).

3) 변이

인플루엔자바이러스의 유전체(genome)는 분절된 음성가닥(negative sense) RNA이며, 인플루엔자바이러스 A형과 B형은 공통적으로 존재하는 필수 단백과 몇 개의 부수적인 단백으로 발현한다. 여기서 필수 단백은 HA, NA, 핵단백질(nucleoprotein), 기질단백질1(matrix 1 protein, M1), 기질단백질2(matrix 2 protein, M2), 비구조단백질1(non–structural protein 1), 비구조단백질2(non–structural protein 2, nuclear export protein이라고 불리기도 한다), 중합효소(polymerase), 중합효

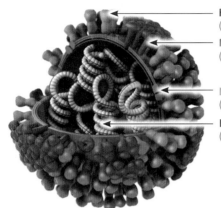

그림 5-1 A형 인플루엔자의 구조(바이러스입자)
출처(https://www.cdc.gov/flu/about/viruses/types.htm)

소베이직1(polymerase basic 1, PB1), 중합효소베이직 2(polymerase basic 2, PB2) 등이 있다. 잘 알려져 있듯이, 이 중에서 HA는 수용체가 결합하는 위치, NA는 세포 표면의 시알산(sialic acid)을 절단하는 기능, M1과 M2는 바이러스의 지지 구조 등의 의의를 갖는다. 그 외에도 다양한 추가적인 단백들이 발견되었으며, 세부적인 역할에 대해서 연구가 진행되고 있다.

이렇게 다양한 인플루엔자바이러스의 단백에 대한 유전자는 8개로 조각난 RNA에 담겨있다. RNA가 조각난 상태는 유전자의 재배열을 가능케 하므로, 두 개 이상의 균주에 감염된 숙주에서 재배열이 일어나면 새로운 조합의 바이러스가 탄생하게 된다. 이러한 경우가 항원대변이(antigen shift)이며, 인플루엔자바이러스의 대유행(pandemic)과 관련된다. HA나 NA의 유전자에 점상돌연변이(point mutation)가 축적되면 몇몇 아미노산의 변화가 발생하는데, 항원소변이(antigen drift)라고 한다. 이것은 계절에 따른 인플루엔자유행(epidemic)에 관련된 것으로 알려져 있다.

2 | 본론

1) 역학과 예후

인플루엔자바이러스관련뇌염/뇌병증(influenza-associated encephalitis/encephalopathy)은 드물지만 높은 사망률과 심각한 합병증을 초래한다. 일본, 대만, 북

미, 그리고 유럽 등에서 보고된 바에 의하면 노인과 5세 미만의 영유아, 임산부 등에서 발생 위험이 높은 것으로 알려져 있다. 1998-1999년에 일본 후생성에서 시행한 단면 연구에서는 217명의 환자 중에서 179명(82.6%)이 5세 미만의 어린이였으며 58명(26.7%)이 사망하고 56명(25.8%)에서 신경학적 후유증이 남았다. 그 후에 인플루엔자바이러스 감염이 확인된 148명을 분석한 연구가 있는데, 여기서 121명(81.8%)이 5세 이하의 어린이였으며 전체의 87.8%가 인플루엔자바이러스 A형이었다. 사망은 47명(31.8%)에 이르고, 50명(27.7%)의 환자는 신경학적 후유증이 남았다. 이 환자들의 뇌염 또는 뇌병증 증상은 호흡기 증상 발생 후 약 1.5일만에 나타났다. 또 다른 연구에서는 1994년부터 2002년까지 8번의 절기 동안 일본 홋카이도에서 발생한 89가지 사례를 분석하였는데, 5세 이하의 어린이가 70명(78.7%)이였으며 사망은 33명(37.1%), 신경학적 후유증은 33명(37.1%)에서 관찰되었다. 영국에서 2011년부터 2013년까지 진행된 다기관 연구에서는 25례를 분석하였는데, 13명(52.0%)은 5세 이하의 어린이였고 이 중에 6명은 인플루엔자바이러스 감염 전부터 신경학적 이상이 있었다. 전체 환자 중 21명(81.0%)은 인플루엔자바이러스 A형이었으며, 4명(15%)은 B형이었다.

2) 증상

인플루엔자바이러스관련뇌염/뇌병증에서는 발열, 기침, 콧물, 인후통 등의 감기 증상과 함께 중추신경계 병변을 시사하는 증상이 나타난다. 열발작은 인플루엔자바이러스 감염으로 입원한 어린이의 약 20%에서 발생하는 가장 흔한 형태이다. 그밖에 증상은 의식장애, 인지기능 장애, 행동장애, 그리고 운동 또는 감각 능력의 마비 등으로 다양하다.

3) 중추신경계 침범

인플루엔자바이러스의 중추신경계 침범 기전으로, 신경경유침범(transneural invasion)이 제안되었다. 고병원성의 인플루엔자바이러스인 H5N3를 이용한 동물연구에서, 비강 또는 혈액으로 인플루엔자를 감염시킨 후

뇌세포를 분석했을 때, 대식세포와 림프구가 침착된 것이 확인되었다. 흥미로운 것은, 신경친화성이 있으며, 신경축삭을 통해 역행성전파(retrograde axonal transport)가 된다는 점이다. 즉, 체내에 침투한 인플루엔자바이러스의 항원은 비강이나 기관 또는 폐 등의 장기보다 미주신경(vagus nerve)이나 삼차신경(trigeminal nerve)의 신경절(ganglion)에서 먼저 검출된다. 한편, H5N1을 사용한 동물 실험에 의하면, 인플루엔자바이러스가 뇌에 침투한 후에는 신경세포(neuron)와 미세아교세포(microglia)에서 인플루엔자바이러스의 항원이 발견되지만 별아교세포(astrocyte)에서는 검출되지 않았다.

인플루엔자바이러스가 중추신경계에 침투한 이후에는 통상적인 바이러스 뇌염과 마찬가지로 혈관내피세포, 별아교세포, 신경세포의 세포자멸사(apoptosis)가 일어난다. 일반적인 바이러스뇌염과 마찬가지로 인플루엔자바이러스에 의하여 중추신경계에서는 인터루킨-1(interleukin-1, IL-1), IL-6, IL-8, 또는 종양괴사인자-α (tumor necrosis factor-alpha, TNF-α) 등과 같은 염증촉진 사이토카인(proinflammatory cytokine)의 증가가 일어나고, 사이토카인폭풍(cytokine storm)을 유발하면서 뇌염과 뇌병증의 임상 양상이 발생하는 것으로 보인다. 한편, RANBP2라는 특정 유전자의 변이를 가진 가족에서 반복적인 바이러스뇌염이 발생한 점으로 보아 유전적 소인이 관여하는 가능성도 제안된 바가 있다.

인플루엔자바이러스가 중추신경계에 일으키는 뇌염이나 뇌병증의 형태로는 열발작, 급성운동질환 등의 증후군부터 가역적후두부뇌병증증후군(posterior reversible encephalopathy syndrome), 급성괴사뇌병증(acute necrotizing encephalopathy), 급성출혈백질뇌병증(acute hemorrhagic leukoencephalopathy) 등의 형태가 알려져 있으며, 출혈성 쇼크와 뇌병증이 동반되는 경우나 척수염 또는 소뇌염 등이 보고된 바 있다. 후기 합병증으로는 파킨슨양증후군과 기면뇌염(encephalitis lethargica) 등이 알려져 있다.

4) 진단 및 검사

인플루엔자바이러스 검출법의 종류는 다양한데, 인플루엔자바이러스 단백의 검출, 인플루엔자바이러스 핵산의 입증, 배양검사, 혈청검사 등이 있다. 호흡기 증상이 있는 환자에서는 주로 코나 목의 점막에서 검체를 채취하여 신속세포분석(rapid molecular assay)을 시행하여 인플루엔자바이러스의 단백을 검출하는 것이 30분 이내에 신속하게 결과를 확인할 수 있으므로 임상에서 가장 많이 쓰이는 방법이며, 역전사중합효소연쇄반응(reverse transcription polymerase chain reaction, RT-PCR)은 민감도와 특이도가 가장 높은 검사로서 약 2-6시간이 소요된다. 배양검사는 양성 결과는 2-10일, 음성 결과는 2-3주가 소요되므로 역학연구에서 주로 사용된다. 혈청검사는 인플루엔자 특이 면역글로불린G (immunoglobulin G, IgG)를 급성기와 회복기에서 각각 측정하는 방법으로서, 두 번 채취해야 하는 문제가 있어 연구 목적으로 사용된다.

5) 치료

심하지 않은 발열이나 호흡기 증상을 보이는 인플루엔자바이러스 감염에서 치료는 대증 치료이다. 뇌염이나 뇌병증 등이 의심되거나 진단된 경우에는 항바이러스제를 사용해야 한다. 바이러스 감염이므로 이차적 세균 감염이 없다면 항생제는 효과가 없다. 항바이러스제 중에서 M2억제제인 amantadine과 rimantadine은 A형 인플루엔자에 효과가 있으나 최근에 amantadine에 내성이 확인되었으며, amantadine에 내성을 가진 인플루엔자바이러스는 rimantadine에도 내성이 있으므로 M2억제제는 사용이 권고되지 않는다. NA억제제로서 oseltamivir와 zanamivir, peramivir 등이 있는데, 이들은 시알산유사체(sialic acid analogue)로서 인플루엔자바이러스의 NA를 억제하여 감염된 세포로부터 새로 생성된 바이러스의 방출을 방해하는 기전을 갖고 있다. Oseltamivir는 1세 이상에서 경구로 투여하는 약물이며 zanamivir는 건조분말제제로 7세 이상에서 경구로 흡입한다. Zanamivir는 천식 환자에서 기관지 수축을 유발하거나 악화시킬 수 있으며, oseltamivir는 오심이나 구토를 일으킬 수 있어 주의를 요한다. Peramivir는 정맥으로 주사한다. 인플루엔자바이러스관련뇌염/뇌병증에서 발생하는 여러 가지 사이토카인의 방출을 포함한 면역반응에 대해서 저체온치료와 스테로이드 정맥주사와 같은 방법이 소개되기도 하였으나, 아직 그 효과에 대한 근거는 부족하다.

6) 예방

우리나라는 인플루엔자에 대해서 국가예방접종 지원 사업을 시행하고 있다. 이에 따라, 6개월에서 12세까지 어린이와 만 65세 이상의 고령자는 무료로 예방접종을 받을 수 있다. 2019-2020년부터는 임신부가 무료 접종 대상에 포함된다. 우리나라 질병관리본부의 최근 통계에 따르면, 2018-2019 절기의 대상자에서 인플루엔자 예방접종률은 어린이가 약 73.5%, 65세 이상에서는 약 84.3%였다. 우리나라 질병관리본부의 지침에 따르면, 인플루엔자바이러스에 대한 예방 접종은 우리나라의 유행 시기를 고려했을 때 10월부터 11월 사이에 접종을 고려할 수 있으며 12월 이전에는 접종해야 한다.

인플루엔자바이러스 감염을 예방하기 위해서 가장 효과적인 방법은 예방 접종이다. 예방 접종을 시행한 바이러스의 종류와 유행하는 바이러스가 잘 일치된다면, 불활성화 백신을 접종하여 48%의 예방 효과를 기대할 수 있다. 과거에는 인플루엔자 A형 중에서 H3N2, H1N1, 그리고 B형 등의 3가지 인플루엔자바이러스 항원을 포함하는 3가 백신이 사용되었으나, 현재는 두 가지의 인플루엔자바이러스 B형을 포함하는 4가 백신을 많이 접종하고 있다. 우리나라 질병관리본부에 의하면, 2019-2020 절기의 우선 접종 권장 대상은 인플루엔자바이러스 감염 시에 합병증 발생 가능성이 높은 고위험군, 고위험군에게 인플루엔자바이러스 감염을 전파시킬 위험이 있는 대상자, 그리고 집단생활로 인한 인플루엔자 유행 방지를 위해 접종이 권장되는 대상자로 나뉘어 있으며, 이를 정리하면 표 5-1과 같다.

표 5-1 인플루엔자바이러스 예방 접종 권장 대상(질병관리본부 고시 제2019-1호)

인플루엔자바이러스 감염 시 합병증 발생이 높은 대상자(고위험군)
- 65세 이상 노인 - 생후 6개월 - 59개월 소아 - 임신부 - 만성폐질환자, 만성심장질환자(단순 고혈압 제외) - 만성질환으로 사회복지시설 등 집단 시설에서 치료, 요양, 수용 중인 사람 - 만성 간 질환자, 만성 신장 질환자, 신경-근육질환, 혈액-종양 질환, 당뇨환자, 면역 억제제 복용자, 60개월-18세의 아스피린 복용자 - 50-64세 성인: 인플루엔자 합병증 발생의 고위험 만성질환을 갖고 있는 경우가 많으나 예방접종률이 낮아 포함된 대상으로, 65세 이상의 노인과 구분됨

고위험군에게 인플루엔자바이러스를 전파시킬 위험이 있는 대상자
- 의료기관 종사자 - 6개월 미만의 영아를 돌보는 자 - 만성질환자, 임신부, 65세 이상 노인 등과 함께 거주하는 자

집단생활로 인한 인플루엔자 유행 방지를 위해 접종이 권장되는 대상자
생후 60개월-18세 소아 청소년

조류인플루엔자 대응 정책
- 조류인플루엔자 대응 기관 종사자 - 닭, 오리, 돼지 농장 및 관련 업계 종사자

3 | 결론

인플루엔자바이러스 관련 뇌염/뇌병증/뇌병증는 인플루엔자바이러스에 의한 호흡기 증상에 비하여 드물지만 위중한 질환으로서, 높은 사망률과 나쁜 예후를 보여줄 수 있지만 예방접종이 가능한 감염병이다. 어린이, 고령의 노인, 임산부, 만성질환자에서 뇌염과 뇌병증의 발생 위험이 높은 것으로 알려져 있으며, 특히 우리 나라에서 인플루엔자바이러스가 유행하는 10월부터 4월까지의 기간에서는 고열을 동반한 뇌염 또는 뇌병증에서 인플루엔자바이러스 감염의 가능성을 고려할 필요가 있다. 인플루엔자바이러스는 잠복기가 짧고, 감염 후 하루 또는 이틀 안에 뇌염과 뇌병증이 발생할 수 있기 때문에, 유행에 대한 적절한 감시 체계와 예방 접종이 중요하겠다.

참고문헌

1. 질병관리본부. 예방접종도우미. https://nip.cdc.go.kr/irgd/index_n.html

2. Bohmwald K, Gálvez NMS, Ríos M, et al. Neurologic Alterations Due to Respiratory Virus Infections. Front Cell Neurosci 2018;12:386.

3. Bouvier NM, Palese P. The biology of influenza viruses. Vaccine 2008;26 Suppl4:D49-53.

4. Ferguson NM, Cummings DA, Cauchemez S, et al. Strategies for containing an emerging influenza pandemic in Southeast Asia. Nature 2005;437:209-14.

5. Centers for Disease Control and Prevention. Influenza (Flu). https://www.cdc.gov/

6. Dou D, Revol R, Ostbye H, et al. Influenza A Virus Cell Entry, Replication, Virion Assembly and Movement. Front Immunol 2018;9:1581-98.

7. Ghedin E, Sengamalay NA, Shumway M, et al. Large-scale sequencing of human influenza reveals the dynamic nature of viral genome evolution. Nature 2005;437:1162-6.

8. Hosseini S, Wilk E, Michaelsen-Preusse K, et al. Long-Term Neuroinflammation Induced by Influenza A Virus Infection and the Impact on Hippocampal Neuron Morphology and Function. J Neurosci 2018;38:3060-80.

9. Jackson ML, Chung JR, Jackson LA, et al. Influenza vaccine effectiveness in the United States during the 2015-2016 Season. N Engl J Med 2017;377:534-43.

10. Jang H, Boltz D, McClaren J, et al. Inflammatory effects of highly pathogenic H5N1 influenza virus infection in the CNS of mice. J Neurosci 2012;32:1545-59.

11. Jang H, Boltz D, Sturm-Ramirez K, et al. Highly pathogenic H5N1 influenza virus can enter the central nervous system and induce neuroinflammation and neurodegeneration. Proc Natl Acad Sci U S A 2009;106:14063-8.

12. Kalil AC, Thomas PG. Influenza virus-related critical illness: pathophysiology and epidemiology. Crit Care 2019;23:258-64.

13. Kasai T, Togashi T, Morishima T. Encephalopathy associated with influenza epidemics. Lancet 2000;355:1558-9.

14. Keane JA, McKimm RJ, David CM. Perihepatitis associated with pelvic infection: the Fitz-Hugh-Curtis syndrome. N Z Med J 1982;95:725-8.

15. Landau YE, Grisaru-Soen G, Reif S, et al. Pediatric Neurologic Complications Associated With Influenza A H1N1. Pediatr Neurol 2011;44:47-51.

16. Miner JJ, Diamond MS. Mechanisms of restriction of viral neuroinvasion at the blood-brain barrier. Curr Opin Immunol 2016;38:18-23.

17. Nobusawa E, Sato K. Comparison of the mutation rates of human influenza A and B viruses. Journal of Virology 80;7:3675-78.

18. Simon M, Hernu R, Cour M, et al. Fatal influenza A(H1N1)pdm09 encephalopathy in immunocompetent man. Emerg Infect Dis 2013;19:1005-7.

19. Steininger C, Popow-Kraupp T, Laferl H. Acute encephalopathy associated with influenza A virus infection. Clin Infect Dis 2003;36:567-74.

20. Shi Y, Wu Y, Zhang W, et al. Enabling the 'host jump': structural determinants of receptor-binding specificity in influenza A viruses. Nat Rev Microbiol 2014;12:822-31.

21. Shinya K, Shimada A, Ito T, et al. Avian influenza virus intranasally inoculated infects the central nervous system of mice through the

general visceral afferent nerve. Arch Virol 2000;145:187-95.

22. Varki A, Gagneux P. Multifarious roles of sialic acids in immunity. Ann N Y Acad Sci 2012;1253:16-36.

23. Wang GF, Li W, Li K. Acute encephalopathy and encephalitis caused by influenza virus infection. Curr Opin Neurol 2010;23:305-11.

24. Wikepedia. Influenza. https://en.wikipedia.org/wiki/Influenza

문혜진

6 기타 희귀 또는 신흥 뇌감염
(Other rare or emerging brain infections)

최근 세계적인 인구 증가, 기후변화, 인간−동물의 서식지 공유 증가 등으로 사람과 동물 사이에 상호 전파되는 병원체에 의해 발생하는 이른바 인수공통감염병(zoonosis)이 새롭게 발생하거나 크게 증가하고 있다. 그뿐 아니라, 해외여행의 증가와 농축산물 교역의 증가로 해외 유행 감염병의 국내 유입 또한 쉽게 이루어지고 있다. 이에 우리나라에서는 '감염병 예방 및 관리에 관한 법률(법률 제16101호)'에 따라 국내에서 새롭게 발생하였거나 발생할 우려가 있는 감염병, 또는 국내 유입이 우려되는 해외 유행 감염병을 제4군 법정감염병으로 지정하여 관리하고 있다. 여기에는 스무 가지에 달하는 다양한 감염증이 포함되나, 본 장에서는 신경계의 침범이 주 증상이거나 동반된다고 확인된 진드기매개뇌염, 중증열성혈소판감소증후군, 지카바이러스감염증, 코로나바이러스감염증−19를 설명하고자 한다.

1 진드기매개뇌염(Tick−borne encephalitis)

진드기매개뇌염이란 플라비바이러스 속(*Flavivirus Genus*)에 속하는 진드기매개뇌염 바이러스에 의한 감염증으로, 주로 신경계를 침범하여 뇌수막염, 뇌염, 척수염을 일으킨다. 1931년 오스트리아에서 첫 증례가 보고되었으나 1937년에야 진드기매개뇌염 바이러스가 분리되었다. 3가지 아형(시베리아형, 유럽형, 극동형)이 있으며, 아형별로 매개진드기, 임상 양상 및 예후에 차이를 보인다. 우리나라에서는 작은소피참진드기

(*Haemaphysalis longicornis*), 개피참진드기(*Haemaphysalis flava*), 일본참진드기(*Ixodes nipponensis*) 등에서 진드기매개뇌염 바이러스가 분리된 바 있다. 현재까지 국내에서 진드기매개뇌염으로 확진된 증례는 보고된 바 없으나, 원인미상의 뇌염 중 일부가 진드기매개뇌염일 가능성이 있어 제4군 법정감염병으로 지정되었다.

주로 감염된 진드기가 사람을 물 때 침(saliva)을 통해 감염되는데, 감염된 가축을 도축하는 과정에서나, 감염된 가축에서 얻어진 유제품(예: 우유, 치즈)을 살균하지 않고 섭취할 때도 감염될 수 있다. 진드기는 바이러스의 매개종(vector)이자 저장소(reservoir)의 역할을 하며, 쥐와 같은 작은 설치류가 일차증폭숙주(primary amplifying host)가 된다. 사람간 전파는 매우 드물게 발생하며, 수혈, 장기이식, 수유를 통한 전파 가능성이 보고되었다.

진드기매개뇌염은 프랑스 서부에서 일본 북부까지, 러시아 북부에서부터 알바니아까지, 유럽−러시아−극동아시아를 포함하는 지역에서 발생한다. 연간 약 5,000−13,000 증례가 보고되고 있는데, 러시아의 발생 건수가 가장 높다. 대부분은 진드기가 활발한 4월부터 11월의 시기에 발생하는데, 숲이 있는 곳에서의 야외활동이 주요 위험인자이다.

약 2/3는 무증상감염이다. 진드기에 물린 경우 잠복기는 약 8일(4−28일)로 알려져 있으나, 유제품 섭취로 인한 경우는 3−4일로 더 짧다. 환자의 약 1/3은 진드기에 물린 사실을 기억하지 못한다. 유럽형의 경우는 약 일주일간의 발열, 피로감, 두통, 근육통이 있는 첫 번째 바이러스혈증기(viremic phase), 2−7일간의 무증

상기 후 나타나는 신경계 증상기의 2상(biphasic)의 임상양상을 보이는 경우가 흔하고, 시베리아형과 극동형은 중간의 무증상기 없이 단상(monophasic)의 임상양상을 보인다. 신경계 증상기는 가벼운 수막염부터 중증의 뇌염, 척수염까지 다양한 양상으로 나타난다. 성인 환자의 절반에서는 발열, 두통, 오심, 구토, 목경축(nuchal rigidity)이 있는 수막염이, 약 40%에서는 뇌전증 발작, 구음장애, 감각이상, 운동마비, 이상운동, 운동실조, 인지기능 저하, 정신병적 증상을 포함하는 뇌수막염이 발생한다. 드물지만 4-15%에서 척수염이 나타날 수 있는데, 대개는 수막염과 동반되며, 운동신경의 이완마비 형태로 나타나고, 말초신경이나 신경뿌리 침범도 잘 동반된다. 시베리아 아형에서는 부분뇌전증지속상태(epilepsia partialis continua)가 나타난 만성형이 보고된 바 있다. 뇌염후증후군(post-encephalitis syndrome)이 35-58%에서 보고되는데, 인지기능저하, 우울, 두통, 청력 및 시력저하, 균형장애 등이 가장 흔한 증상이다. 치명률은 극동형이 가장 높아 20-40%에 이르고, 유럽형과 시베리아형은 약 2% 정도로 알려져 있다.

감별진단으로는 무균수막염, 다양한 감염뇌염(예: 웨스트나일바이러스뇌염, 일본뇌염, 단순헤르페스뇌염 및 기타 사람헤르페스바이러스뇌염), 다른 진드기 유래 감염(예: 라임병, 진드기 매개 리케치아병 등)이 있다.

혈액, 뇌척수액, 뇌조직에서 바이러스가 분리될 때, 바이러스 특이 유전자가 검출될 때, 특이 IgM 항체가 검출되거나 회복기 혈청 항체가가 급성기에 비해 4배 이상 증가될 때 확진되며, 국내에서도 질병관리본부에서 검사를 시행하고 있다.

진드기매개뇌염에 대한 특별한 치료법은 없다. 원인 미상의 뇌염의 경우 반드시 진드기매개뇌염을 의심해야 하며, 헤르페스뇌염이 배제되기 전까지는 신속히 정맥 acyclovir의 투약을 시작하여 유지한다. 발열, 두통, 구토, 발작에 대한 대증적 치료를 시행한다. 두개내압 상승의 증후가 있을 때에는 두개내압 감시, 체온 조절, 가능하다면 지속적 뇌파 감시가 권유된다. 스테로이드를 비롯한 면역요법이 유효하다는 근거는 아직 없다.

백신은 매우 진드기매개뇌염의 발병지역에서 매우 효과적이다. 유럽과 러시아에서 허가, 시판되고 있으며, 아직 우리나라에서는 사용할 수 없다. 위험국가를

여행할 때에는 숲이 있는 곳에서의 야외활동을 자제하며, 진드기에 물리지 않도록 기피제를 사용하는 것이 권유된다. 유제품 섭취 시 저온 살균 처리된 제품을 확인하여야 한다.

2 중증열성혈소판감소증후군(Severe fever with thrombocytopenia syndrome, SFTS)

중증열성혈소판감소증후군은 Bunyaviridae과의 신종 phlebovirus인 중증열성혈소판감소증후군바이러스(SFTS virus)에 의한 감염증으로, 2006년 중국에서 첫 증례가 보고된 후, 2009년 중국 내 여러 지역에서 집단 발병이 알려졌고, 이후 2010년에 원인 바이러스가 분리되었다. 이후 2012년에는 일본과 대한민국에서도 확진 증례가 보고되어 현재까지는 중국, 일본, 대한민국에서만 발생이 보고되었다. 미국에서는 Heartland virus라고 하는 유전적으로 유사한 바이러스가 중증열성혈소판감소증후군과 유사한 임상양상의 감염병을 일으키는 것이 보고된 바 있다.

진드기매개뇌염과 유사하게 SFTS바이러스에 감염된 진드기가 사람을 물어 감염되며, 국내에서는 작은소피참진드기가 주요 매개종이 된다. 전체 작은소피참진드기의 약 0.5% 이하만이 SFTS바이러스에 감염된 것으로 나타난다. 개피참진드기, 뭉뚝참진드기(Amblyomma testidunarium), 일본참진드기에서도 SFTS바이러스가 분리되었다. 들쥐, 새, 다람쥐, 양, 소 등 다양한 척추동물을 흡혈하는데, 방목하는 동물에서 항체 양성률이 높은 것으로 알려져 있다. 드물지만 환자의 혈액이나 체액에 노출되어 사람간 전파도 가능하다.

중국에서는 2010년부터 2017년까지 총 13,154명이 발생하여 이중 약 4.3%(566명)가 사망하였다. 일본에서는 2013년부터 2018년까지 약 400명이 발생하였고, 치명률은 16.4%로 중국보다 높게 보고되었다. 국내에서는 2012년 8월 첫 환자가 보고되어 2013년부터 제4군 법정감염병으로 관리하고 있다. 2013년 36례 보고 이후 지속적으로 발생이 증가하여 2017년에는 259명에 달하였으며, 이후 다소 감소하였으나 연간 200건 이상이 보고되고 있다. 2020년 5월까지 누적 1,097명이 발생하였고 이중 216명이 사망하여 국내치명률은

19.7%이다. 주로 5월-10월에 발생하고 있으며, 50대 이상 고령층에서의 발생수가 많다.

진드기 교상(bite)의 흔적은 28.4%에서 발견되고, 인지하는 것은 14.5%에 불과해 진드기 교상의 인지나 흔적이 없더라도 임상양상을 토대로 의심하고 진단적 검사를 시행하는 것이 중요하다.

잠복기는 대략 4일에서 15일정도이며, 38도-40도에 달하는 고열이 대부분의 환자에게 나타나 3일에서 10일 까지도 지속된다(발열기). 오심, 구토, 설사, 근육통, 두통, 전신무력감 등이 동반된다. 이후 1-2주간 다발장기부전이 진행되는데, 림프절병증, 출혈경향, 혈소판감소, 백혈구감소, 간수치 상승, 단백뇨, 혈뇨 등의 증상이 나타난다. 신경계 증세가 주된 대표적 임상 양상이 수막염이나 뇌염인 진드기매개뇌염과는 달리, 중증열성혈소판감소증후군에서는 두통을 제외한 신경계증세는 중증의 감염에서만 동반되며, 무감동, 구음장애, 혼동, 혼수 등 다양하게 나타날 수 있다. 증상 발현부터 사망까지 9일, 대부분은 2주 이내 사망하는 것으로 알려져 있다.

혈액, 뇌척수액, 뇌조직에서 바이러스가 분리될 때, 바이러스 특이 유전자가 검출될 때, 회복기의 혈청 항체가가 급성기에 비해 4배 이상 증가될 때 확진되며, 국내에서도 질병관리본부에서 검사를 시행하고 있다.

중증열성혈소판감소증후군에 효과적인 특이적 치료제나 백신은 없으며, 대증적 치료를 시행한다. 신증후군출혈열(hemorrhagic fever with renal syndrome) 환자에서 ribavirin 투여가 효과를 보였다는 보고가 있어, ribavirin 투여를 시도해보기는 하나 중증혈소판감소증후군에서 확실한 효과가 있다는 임상적 근거는 없다. 일본에서 인플루엔자치료제인 favipiravir를 이용하여 효과를 보았다는 연구가 있었으나 추가 연구가 필요하다. 스테로이드를 비롯한 면역치료의 효과는 입증되지 않았다.

3 지카바이러스감염증(Zika virus infection)

지카바이러스감염증이란 플라비바이러스속(*Flavivirus Genus*)에 속하는 지카바이러스에 의한 감염증으로, 숲모기류에 물려 감염이 발생한다. 지카바이러스는 1947년 우간다 지카숲에서 발열이 있는 붉은원숭이로부터 분리되었고, 다음 해 지카숲에서 이 바이러스에 감염된 이집트숲모기(*Aedes aegypti*)가 발견되었다. 1954년에 나이지리아에서 첫번째 인간 감염 증례 3례가 보고된 후, 나이지리아에서 시행된 혈청학적 검사를 통한 연구에서는 약 40%의 성인과, 25%의 어린이에게서 항체가 발견되었다. 이후 약 70여년간 지카바이러스감염증은 가벼운 감기증상 정도를 일으키는 무해한 질환으로 여겨져 왔으나, 2007년 마이크로네시아, 2013년 프랑스령 폴리네시아, 2014년 브라질, 2016년 중앙아메리카로 집단 발병이 확산되면서, 드물지만 심각한 지카바이러스감염증의 합병증이 알려지게 되었다.

2018년 기준 약 73개국가가 현재 유행이 진행 중이거나, 토착화되어 환자가 지속적으로 발생하는 최근 발생국가로, 12개 국가가 유행이 종료되었으나 재유행 가능성이 있는 과거 발생 국가로 분류된다. 모기가 주된 감염경로이나 성접촉이나 수혈, 수직감염 등 사람과 사람 간의 직접 전파 사례도 보고된 바 있다. 우리나라에서는 지카바이러스감염증을 2016년부터 법정감염병 4군으로 지정, 관리하고 있으며, 국내에는 매개종인 이집트숲모기가 서식하지 않아, 현재까지의 발생례는 모두 해외 유입사례였다. 2019년 12월까지 지카바이러스감염증 확진자는 총 34명으로 이중 임산부는 없었다.

평균 잠복기는 2-14일이며, 감염된 환자의 80%는 증상 없이 회복된다. 증상은 일주일 이내로 경미하게 진행되는데 국내 사례에서는, 피부발진(97%), 근육통(68%), 관절통(35%), 발열(32%), 결막충혈(32%) 등이 동반되었다. 대부분은 별다른 합병증 없이 회복되며 치사율은 극히 낮다.

드물게 발생하나 중요한 합병증은 선천성소두증(microcephaly)과 길랭-바레증후군(Guillain-Barré syndrome)을 포함한 신경학적 합병증이다. 선천성 소두증은 신생아의 두위가 출생 시 31.6 cm이하이거나, 평균치에서 2 표준편차 이내로 작을 때 진단되는데, 다운증후군(Down syndrome), 모체의 알코올 섭취, 흡연,

풍진(measles), 톡소포자충 (toxoplasmosis), 거대세포바이러스(cytomegalovirus) 감염 등에 의해서도 발생할 수 있다. 임신 중 지카바이러스에 감염된 경우, 선천성 소두증을 비롯하여 선천성 백내장, 난청, 정신지체, 관절 기형, 사지 근긴장 증가 등을 포함한 선천성지카바이러스증후군이 나타날 수 있다. 임신 중 지카바이러스감염증이 확인 된 여성의 약 5-15%에서 이러한 선천성지카바이러스증후군이 발생하는 것으로 보고된다. 아직 임신하지 않은 여성의 지카바이러스 감염이 미래의 임신에 영향을 미친다는 근거는 뚜렷하지 않다.

지카바이러스감염증의 신경학적 합병증 중 가장 흔한 것은 길랭-바레증후군이며, 드물게 뇌수막염, 척수염이 보고된다. 약 30%는 호흡보조를 요할 수 있으나, 대부분의 경우 심한 후유증 없이 완전히 회복된다. 지카바이러스에 의한 선천성소두증과 길랭-바레증후군의 명확한 병리기전은 아직까지 뚜렷하게 밝혀진 바 없다.

지카바이러스감염증은 급성기 혈액에서 바이러스 혹은 바이러스 특이 유전자, 항체가 분리되거나, 회복기 혈청의 항체가 급성기에 비해 4배 이상 증가하면 진단한다. 선천성지카바이러스증후군은 혈액, 뇌척수액, 조직, 소변, 양수, 제대혈 등의 검체에서 바이러스 특이 유전자 혹은 바이러스가 분리되거나, 바이러스 특이 항체가 검출되면 진단한다. 국내에서는 질병관리본부에서 검사를 진행하고 있다.

지카바이러스에 대한 특이적 항바이러스제는 없으며, 증상에 따른 대증적 요법으로 치료한다. 발열, 두통 등의 치료를 위해서는 acetaminophen을 사용하는 것을 권장한다. Aspirin을 포함한 비스테로이드소염제(non-steroidal anti-inflammatory drugs)는 출혈 증후군의 발생을 증가시킬 수 있어 금기된다. 길랭-바레증후군은 지카바이러스감염증 급성기 후 최대 6주까지도 발생이 가능하므로 모니터링이 중요하다. 예방이 중요한데, 임산부는 가급적 지카바이러스감염증 발생국가로의 여행을 자제하는 것이 좋겠다. 모든 지카바이러스감염증 발생국 여행객은 여행 시 모기에 물리지 않도록 주의해야 하며, 귀국 이후에는 헌혈이 금지되고, 성관계시 6개월간 콘돔을 사용할 것을 권고한다.

4 코로나바이러스감염증-19(2019 coronavirus disease, COVID-19) 및 기타 코로나바이러스감염증

2020년 3월 세계보건기구는 severe acute respiratory syndrome coronavirus 2(SARS-CoV-2) 감염에 의한 호흡기 증후군인 코로나바이러스감염증-19의 세계적 대유행(pandemic)을 선언하였다. SARS-CoV-2, 중동호흡기증후군코로나바이러스(middle east respiratory syndrome, MERS)를 비롯한 코로나바이러스는 주로 호흡기계를 침범하나, 다양한 증례에서 신경계를 침범하는 것이 보고되고 있다.

코로나바이러스감염증-19에서 동반되는 신경계 증상은 두통, 오심, 구토, 어지럼증, 미각저하증, 후각저하증, 및 의식저하까지 다양하다. 한 연구에 따르면 전체 COVID-19 환자의 약 36.4%에서 이러한 신경계 증상이 동반되었다고 하며, 보다 중증도가 높을수록 신경학적 증상이 많이 발생하였다. SARS-CoV-2가 어떻게 신경계로 침범하는지는 확실하게 밝혀져 있지 않으나, 혈행성 전파의 가능성과 체판(cribriform plate) 및 후각망울(olfactory bulb)을 통한 전파의 가능성이 대두된다.

코로나바이러스감염증-19에서 다양한 신경계 질환이 병발하기도 하는데, 급성 다발신경병증(polyneuropathy), 급성뇌염, 뇌혈관질환 등이 보고되었다. 한 연구에 따르면 214명의 COVID-19 환자 중 8.9%에서 미각저하증, 후각저하증, 신경통 등의 말초신경 침범 증세를 보였는데, 이중 가장 흔한 증세는 미각저하증, 후각저하증이었다. 코로나바이러스 감염증-19 이후에 발생한 길랭-바레증후군도 십여 차례 보고되었으며, 면역글로불린 정맥주사(intravenous immunoglobulin, IVIg) 치료가 효과적이었다. 양측 시상, 양측 내측 측두엽 및 뇌섬엽을 침범하는 급성괴사성출혈성뇌염(acute necrotizing hemorrhagic encephalitis)의 증례, 뇌척수액에서 SARS-CoV-2가 분리된 급성뇌염 증례 등도 보고되었다. 코로나바이러스감염증-19의 급성기에 발생한 뇌혈관질환에 대한 다양한 연구들이 속속 보고되고 있다. 공유하는 위험인자 때문인지, SARS-CoV-2가 뇌졸중 발생의 독립적인 위험인자로 작용하는 것인지에 대해서는 추후 정보 수집과 분석이 필요한 상황이다.

중증급성호흡기증후군(severe acute respiratory syndrome, SARS), MERS와 같은 다른 신종코로나바이러스도 COVID-19에 비해서는 드물지만 신경계 침범 증례가 보고된 바 있다. 길랭-바레증후군을 포함한 다발신경병증, 뇌염, 뇌혈관질환에 대한 증례보고가 한두 례씩 있는 정도이다.

참고문헌

1. Carod-Artal FJ. Neurological complications of Zika virus infection. Expert Rev. Anti-infect. Ther 2018;16:399-410.

2. da Silva IRF, Frontera JA, Bispo de Filippis AM, et al. Neurologic complications associated with the Zika virus in Brazilian adults. JAMA neurol 2017;74:1190-1198.

3. Jung M, Kho JW, Lee WG, et al. Seasonal occurrence of Haemaphysalis longicornis (Acari: Ixodidae) and Haemaphysalis flava, vectors of severe fever with thrombocytopenia syndrome (SFTS) in South Korea. J Med Entomol 2019;56:1139-1144.

4. Kim SY, Yun SM, Han MG, et al. Isolation of tick-borne encephalitis viruses from wild rodents, South Korea. Vector Borne Zoonotic Dis 2008;8:7-13.

5. Kim-Jeon MD, Jegal S, Jun H, et al. Four Year Surveillance of the Vector Hard Ticks for SFTS, Ganghwa-do, Republic of Korea. Korean J Parasitol 2019;57:691-698.

6. Kunz C. TBE vaccination and the Austrian experience. Vaccine 2003;21 Suppl 1:S50-55.

7. Lindquist L, Vapalahti O. Tick-borne encephalitis. Lancet 2008;371:1861-1871.

8. Liu Q, He B, Huang SY, Wei F, et al. Severe fever with thrombocytopenia syndrome, an emerging tick-borne zoonosis. Lancet Infect Dis 2014;14:763-772.

9. Mao L, Jin H, Wang M, et al. Neurologic manifestations of hospitalized patients with coronavirus disease 2019 in Wuhan, China. JAMA neurol 2020;77:1-9.

10. Montalvan V, Lee J, Bueso T, et al. Neurological manifestations of COVID-19 and other coronavirus infections: A systematic review. Clin Neurol Neurosurg 2020;194:105921.

11. Muñoz LS, Barreras P, Pardo CA. Zika virus-associated neurological disease in the adult: Guillain-Barré syndrome, encephalitis, and myelitis. Semin Reprod Med 2016;34:273-279.

12. Pielnaa P, Al-Saadawe M, Saro A, et al. Zika virus-spread, epidemiology, genome, transmission cycle, clinical manifestation, associated challenges, vaccine and antiviral drug development. Virology 2020;543:34-42.

13. Poyiadji N, Shahin G, Noujaim D, et al. COVID-19-associated acute hemorrhagic necrotizing encephalopathy: CT and MRI features. Radiology 2020:201187.

14. Silvas JA, Aguilar PV. The emergence of severe fever with thrombocytopenia syndrome virus. Am J Trop Med Hyg 2017;97:992-996.

15. Taba P, Schmutzhard E, Forsberg P, et al. EAN consensus review on prevention, diagnosis and management of tick-borne encephalitis. Eur J Neurol 2017;24:1214-e1261.

16. Weaver SC, Costa F, Garcia-Blanco MA, et al. Zika virus: History, emergence, biology, and prospects for control. Antiviral Res 2016;130:69-80.

17. Yoshii K. Epidemiology and pathological mechanisms of tick-borne encephalitis. J Vet Med Sci 2019;81:343-347.

18. Yoshii K, Song JY, Park SB, et al. Tick-borne encephalitis in Japan, Republic of Korea and China. Emerg Microbes Infect 2017;6:e82.

황성은

결핵 뇌감염
(Tuberculous Infection in the Brain)

중추신경계의 결핵 감염은 결핵수막염(tuberculous meningitis, TBM), 결핵종(tuberculoma), 뇌농양, 척수결핵 등이 있다. 결핵수막염은 결핵 뇌감염의 대표적인 형태로, 뇌척수액과 수막의 결핵균(*mycobacterium tuberculosis*) 감염과 그로 인한 염증 반응으로 일어나는 아급성 수막염(subacute meningitis)이다.

1 | 역학

결핵의 유병률은 지역에 따라 다르고, 연령대나 사람면역결핍바이러스(human immunodeficiency virus, HIV) 감염 여부에 따라 결핵 환자들의 결핵수막염 발생 확률도 달라진다. 2015년 기준으로 전세계 결핵 환자의 수는 약 1,000만 명으로 보고되었고 그 중 15%가 폐외결핵(extra-pulmonary tuberculosis)이었으며, 브라질의 한 연구에서는 결핵수막염이 폐외결핵의 6%를 차지하였다. 직접적인 통계가 없어 위 결과로 볼 때 결핵수막염 환자수는 대략 1년에 10만 명 정도로 추산할 수 있다. 결핵수막염의 위험도가 특히 높은 집단은 소아와 HIV 감염자이며, 남아프리카에서 HIV 감염자들의 수막염 원인을 조사한 결과 57%가 결핵수막염으로 확인된 바 있다.

2 | 병태생리

결핵수막염은 심각한 폐외결핵으로 대부분 폐결핵이 전신으로 전파되어 이차적으로 발생한다. 결핵균은 흡입을 통해 전파되어 폐상피세포를 통과해 폐포대식세포(alveolar macrophage), 중성구(neutrophil), 수지상세포(dendritic cell)를 감염시킨다. 이로 인해 인터루킨12(interlukin-12, IL-12), 종양괴사인자-α (tumor necrosis factor-alpha, TNF-α)를 비롯한 다양한 사이토카인이 분비되고, 림프절에 있는 도움T세포(helper T cell)의 분화를 촉진한다. 도움T세포는 감염 부위에 인터페론-γ (interferon-gamma, IFN-γ), TNF-α를 분비하여 대식세포와 수지상세포를 활성화하고 육아종(granuloma)을 형성해 결핵균을 가둔다. 하지만 면역손상자, 노인 또는 소아 등 일부 환자에서는 활동결핵으로 진행하여 폐조직을 파괴하고 림프절 및 혈액을 통해 다른 장기로의 결핵균 파종이 일어나 폐외결핵을 일으키게 된다.

중추신경계에는 혈액뇌장벽(blood-brain barrier)이 있지만 결핵균은 대식세포나 중성구에 포식되거나 또는 혈액에서 직접 혈액뇌장벽 안으로 침투할 수 있다. 일단 혈액뇌장벽을 통과하면 중추신경계에는 선천면역 기능이 제한되어 있기 때문에 결핵균의 생존과 증식이 지속된다. 이처럼 결핵수막염은 대부분 전신의 파종결핵에 의해 발생하지만, 1930년대 Rich와 McCordock의 부검연구에서는 연막하 또는 수막 근처에 단일 육아종 병변(Rich focus)이 확인되었다. 이처럼 중추신경계에서 단일 병변이 형성된 후에 이 병변이 지주막하공간으로 터지면서 수막염이 시작되는 것으로 추정하였다.

3 | 임상양상

결핵수막염은 비특이적인 전구증상으로 시작해 1-2주 또는 그 이상에 걸쳐 두통, 발열, 구토, 경부경직 등의 전형적인 수막염 증상으로 발전한다. 신체검진 시에 케르니그징후(Kernig's sign), 브루진스키징후(Brudzinski's sign sign)가 나타나며 뇌신경마비(주로 3번, 4번 뇌신경), 반신마비, 하반신마비 등 국소신경학적징후를 보일 수 있다. 치료를 하지 않으면 대부분 의식저하 및 사망에 이르게 된다. 결핵수막염의 임상양상은 결핵균에 대한 면역반응에 영향을 많이 받기 때문에 1세 미만의 소아나 HIV 감염자는 폐결핵 감염 시에 폐외결핵으로의 파종 및 결핵수막염의 발생이 빠르고 흔하게 일어난다.

4 | 진단

1) 뇌척수액검사

결핵수막염의 진단에 있어서 뇌척수액검사가 가장 중요하다. 하지만 결핵수막염에서 두개내압 상승이 동반된 경우가 많아 뇌탈출(cerebral herniation)의 위험이 있으므로 반드시 시신경유두부종 소견이 있는지 확인 후 뇌척수액검사를 시행해야 한다. 일반적으로 뇌척수액 압력은 상승하고 백혈구 수는 150-1,000 개/mm³ 정도로 주로 림프구가 많다. 단백질은 80-200 mg/dL 또는 그 이상으로 상승하고, 뇌척수액/혈장의 포도당 비율은 0.5 미만으로 감소한다. 하지만 이 같은 소견은 아주 전형적인 경우로 질병의 진행 정도나 HIV 동반감염 여부에 따라 다른 양상을 보인다. 결핵수막염 초기에는 림프구와 중성구의 수가 비슷하거나 뇌척수액의 포도당 감소 소견이 보이지 않을 수 있다. HIV가 동반감염되어 있는 경우 백혈구가 전혀 관찰되지 않거나 중성구가 1,000개/mm³ 이상으로 확인되어 급성세균감염과 비슷한 결과를 보이기도 한다.

2) 영상학적 소견

결핵수막염에서 흔히 보이는 영상학적 소견은 뇌바닥수조삼출물(basal cisternal exudate), 수두증(hydrocephalus), 뇌경색, 결핵종 등이 있다. 뇌바닥수조삼출물은 조영전(pre-contrast)컴퓨터단층촬영술(computed tomography, CT)에서도 고신호로 나타나지만 조영증강(contrast-enhanced)CT에서 잘 확인된다. 이 소견은 민감도는 30% 미만으로 낮지만 특이도는 90% 이상으로 높다. 뇌경색과 수두증은 다른 원인으로도 발생할 수 있기 때문에 특이도가 떨어지는 편이지만 뇌바닥수조삼출물, 뇌경색, 수두증이 동반되었는지를 확인하면 95-100%까지 특이도를 높일 수 있다. 자기공명영상(magnetic resonance image, MRI)은 CT보다 더 많은 정보를 줄 수 있는데, 조영증강MRI에서는 작은 연수막결핵종을 더 잘 확인할 수 있고, 확산강조영상(diffusion-weighted image)에서는 초기의 작은 뇌경색도 발견할 수 있다. 하지만 CT와 MRI 모두 초기에는 위와 같은 소견이 잘 나타나지 않기 때문에 한계가 있다. 초기 결핵수막염 환자의 30%는 CT에서 정상 소견을 보이며, 15%는 MRI에서도 정상 소견을 보인다. 또한 소아의 경우 성인에서보다 수두증이 잘 나타나며, HIV가 동반감염되어 있는 경우 뇌바닥수조삼출물의 조영증강 소견이 뚜렷하지 않을 수 있다(그림 7-1).

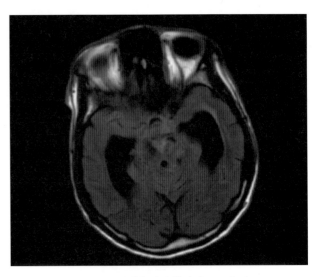

그림 7-1 결핵수막염 환자의 MRI 소견.
교뇌수조의 삼출 및 수두증이 관찰된다.

3) 결핵균의 확인

고전적으로 결핵균의 확인은 Ziehl-Neelsen 염색도 말법과 배양을 통해 이루어져왔다. Ziehl-Neelsen 염색은 감염이 의심되는 부위의 체액이나 조직을 염색 후 현미경을 통해 확인하는 방법으로 빨리 검사할 수 있는 장점이 있다. 하지만 검체의 양이 적어서 결핵균의 수가 많지 않은 경우 확인이 어려워 민감도가 50%를 넘기 어렵다. 특히 수막염의 경우 결핵균의 양이 적은 편으로 민감도가 10-20% 정도인데, 다량(10 mL)의 뇌척수액을 원심분리 후 숙련된 검사자가 30분 이상 현미경을 통해 검사하면 민감도를 높일 수 있다고 알려져 있다. 그러나 도말법을 통해 결핵균의 존재를 확인한다고 해도 항생제 감수성에 대한 정보는 얻을 수가 없다.

결핵균 배양은 일반적으로 도말법보다 민감도가 높다고 알려져 있지만 시간이 오래 걸리는 단점이 있다. 결핵균 배양은 고체 배지와 액체 배지 두 가지를 사용할 수 있는데 고체 배지의 경우 결핵균의 확인에 8주가 필요하고, 그보다 빠른 액체 배지의 경우에도 10일 이상 걸린다. 치료 단락에서도 후술하겠지만 결핵균 검사에 있어서 시간이 오래 걸리는 것은 치료방향을 결정하는 데 있어서 큰 제약이 된다.

이처럼 속도는 빠르지만 민감도가 낮은 도말법과, 민감도는 높지만 시간이 오래 걸리는 배양법만으로는 임상진료에 한계가 있어 핵산증폭기술을 활용한 새로운 진단법이 개발되었다. Xpert® MTB/RIF (Xpert)는 상업화된 결핵균 검사 키트로 90분만에 결핵균 DNA의 존재를 확인함과 동시에 결핵균 치료약제 선택에 있어서 중요한 rifampicin 내성을 일으키는 rpoB 유전자 돌연변이 유무도 확인할 수 있다. 폐결핵 환자들에서 결핵균 배양법과 비교해 Xpert의 민감도는 85%, 특이도는 98%로 보고되었고 2010년 세계보건기구에서는 Xpert를 결핵균의 필수진단으로 활용할 것을 권고하였다. 결핵수막염에서 Xpert의 민감도는 60%, 특이도는 95%로 확인되었다. 하지만 100%에 근접하는 특이도에 비해 민감도는 낮기 때문에 양성예측치는 높지만 음성예측치는 낮다. 따라서 Xpert에서 음성이라고 해서 결핵균 감염 가능성을 배제할 수는 없다.

이어서 개발된 Xpert® MTB/RIF Ultra (Ultra)는 폐결핵 환자에서 결핵균 배양법과 비교해 민감도 88%,

특이도 96%로 보고되었다. 그리고 결핵수막염에서 Ultra의 민감도는 95%, 특이도는 99.3%로 보고된 바 있다. Rifampicin 내성에 대해서는 Xpert와 Ultra 모두 민감도 95%, 특이도 98%로 뚜렷한 차이를 보이지 않았는데, 결핵균의 양이 적을 경우 내성 여부를 알 수 없는 경우도 있다. 다만 핵산증폭에 활용하는 탐색자(probe)의 수가 결핵균의 균주(strain)와 계보(lineage)에 따라 차이가 있기 때문에 민감도와 특이도는 지역에 따라 차이가 있을 수 있다. 최근 베트남의 결핵수막염 환자를 대상으로 Xpert와 Ultra의 검사성능을 배양법과 비교한 연구결과 Xpert는 민감도 81.8%, 특이도 96.9%, Ultra는 민감도 90.9%, 특이도 93.9%로 큰 차이가 없었다.

결핵균의 외벽에 있는 당지질인 M. tuberculosis glycolipid lipoarabinomannan (TB-LAM)을 소변에서 측면유동분석(lateral flow assay, LFA)으로 검출하는 방법도 개발되었다. 이 방법은 특히 CD4$^+$ T세포 숫자가 줄어들수록 민감도가 높아지는데 CD4$^+$ T세포가 100개/mL 미만인 경우 민감도는 56%였다. 하지만 뇌척수액에서 TB-LAM 검사는 민감도가 떨어져 결핵수막염 환자에서의 민감도는 22%로 확인되었다. 최근 개량된 TB-LAM 검사법이 개발되어 민감도가 70%까지 높아졌지만, 아직 결핵수막염에 대해서는 연구가 필요한 상태이다.

4) 숙주 면역반응을 이용한 확인

한편 핵산증폭을 활용한 분자진단 외에 결핵균에 대한 숙주의 면역반응을 통한 진단법도 개발되었다. 그 중 하나로 흔히 사용되는 아데노신탈아미노효소(adenosine deaminase, ADA)는 림프구에서 생성되며 도움T세포의 중요한 조절인자로 결핵수막염 환자에서 높은 수치를 보인다. 뇌척수액에서 ADA를 측정한 10개의 연구에 대한 메타분석 결과 민감도는 79%, 특이도는 91%였다.

인터페론감마분비검사(IFN-γ release assay, IGRA)도 숙주의 면역반응을 이용하는 검사법으로, 결핵균 감염자의 T림프구를 결핵균 특이 항원에 노출시킬 때 분비되는 IFN-γ를 측정한다. IGRA는 혈액에서 78%의 민감도, 61%의 특이도를 보이고, 뇌척수액에서는 77%의 민감도, 88%의 특이도를 보인다. 하지만 IGRA는 검사 비용이 비싸고, 불확실한 결과를 종종 보이며, 다른 종류의 수막염에서도 위양성을 보이는 단점이 있다.

이처럼 결핵수막염의 진단에 있어서 완벽한 표준진단법이 없기 때문에 검사법의 장단점을 고려해 결과를 해석할 필요가 있다. 특히 표준화된 진단법이 없으면 연구 결과 간의 비교가 어렵기 때문에 이를 위해 2010년 임상연구를 위한 사례정의(uniform case definition)가 발표되었다. 이는 전문가의 합의에 따라 정해진 기준이며 임상연구를 목적으로 만들어졌지만 표준화된 의사소통에 사용하기에 용이하다. 진단은 임상양상, 뇌척수액검사, 뇌영상검사, 다른 장기의 결핵여부 등을 종합적으로 고려해 '확실(definite)', '유력(probable)', '가능(possible)', '결핵아님(not TBM)'으로 구분한다.

5 | 치료

결핵수막염 치료는 항결핵제를 근간으로 하고 그 밖에 숙주면역반응에 대한 치료 및 대증치료가 있다.

1) 항결핵제

조기에 항결핵제를 시작하는 것이 결핵수막염 환자의 생존율을 높이는 데 아주 중요하다는 것이 잘 알려져 있지만 약제 종류, 치료용량, 치료기간 등에 대해서는 아직까지 확실한 연구결과가 없다. 따라서 결핵수막염에 대한 항결핵 요법은 폐결핵에서 사용되는 용법을 기본으로 하고 있다. 현재 세계보건기구지침에서는 항생제 감수성이 있는 결핵수막염에 대해 성인과 소아 모두에서 2개월간 rifampicin, isoniazid, pyrazinamide, ethambutol 유지 후 10개월간 rifampicin, isoniazid를 더 사용하도록 권고한다. 치료용량은 결핵수막염에 대해서 확실한 연구결과가 없기 때문에 폐결핵에 준해 다음과 같이 사용하고 있다(표 7-1).

표 7-1 항결핵제 1차약제

약물 종류	일일 용량	혈액뇌장벽 투과율 (CSF/plasma 농도)	부작용
Isoniazid	성인 5 mg/kg (최대 300 mg) 소아 10 mg/kg	80–90%	말초신경병, 간염, 약물상호작용
Rifampicin	성인 10 mg/kg (최대 600 mg) 소아 15 mg/kg	10–20%	가려움, 발진, 간염
Pyrazinamide	성인 25 mg/kg 소아 35 mg/kg	90–100%	발진, 위장장애, 간염, 고요산혈증, 통풍
Ethambutol	성인 15 mg/kg 소아 20 mg/kg	20–30%	시신경병

Rifampicin은 결핵치료에 있어서 가장 중요한 살균(bactericidal) 효과를 가지지만 혈액뇌장벽을 잘 통과하지 못한다. 때문에 폐결핵에서 사용하는 10 mg/kg 보다 고용량을 사용해야 한다는 주장이 있으나 모든 결핵수막염 환자에서 고용량 rifampicin이 도움이 되는지에 대해서는 아직 명확한 근거가 없다. 소아 결핵수막염 환자의 경우 rifampicin을 경구 투여 시 30 mg/kg 또는 경정맥 투여 시 15 mg/kg 이상 사용해야 한다는 약물동력학적인 모델 연구도 있다.

혈액뇌장벽 투과율은 4제 요법 시 4번째 약제를 선택하거나, 약제내성 결핵균의 치료약제를 선택할 때도 중요하다. 보통 4제 요법에서 4번째 약제의 역할은 결핵균이 isoniazid에 내성이 있는 경우 치료 효과를 향상시키기 위함인데, ethambutol의 혈액뇌장벽 투과율은 20% 정도밖에 되지 않는다. 과거에는 streptomycin도 널리 쓰였으나 streptomycin의 혈액뇌장벽 투과율도 10–20%로 낮고, 내성도 흔하며 이독성(ototoxicity)도 있어 현재는 잘 쓰이지 않는다. 2차 약제 중에서는 ethionamide (80–90%)나 moxifloxacin (70–80%), levofloxacin (70–80%) 등이 혈액뇌장벽 투과율이 높고 일부 연구에서 효과를 보였다. 다만 아직까지 ethambutol 대신 4번째 약으로 어떤 약제를 사용해야 하는지에 대한 직접적인 비교 연구는 없다. 현재까지의 연구결과를 정리해 보면 isoniazid에 내성이 없는 경우 4번째 약제는 생존에 영향을 미치지 않지만 isoniazid에 내성이 있는 경우 고용량의 rifampicin (15 mg/kg 이상)을 사용하거나, levofloxacin을 추가로 사용하면 생존을 향상시킬 수 있다.

Rifampicin과 isoniazid 둘 중 하나를 포함해 2가지 이상의 항결핵제에 내성이 있는 경우를 다약제내성결핵균(multidrug-resistant tuberculosis, MDR-TB)이라고 하며, 특히 rifampicin과 isoniazid 모두에 내성이 있는 MDR-TB로 인한 결핵수막염의 경우 사망률이 80% 이상에 달한다. 앞서 언급된 것처럼 결핵균 배양이 오래 걸리기 때문에 약제 내성이 있는지 조기에 발견하지 못하는 점이 높은 사망률의 중요한 원인이다. 최근에는 Xpert의 개발로 빠른 시간 안에 rifampicin 내성에 대해 확인할 수 있게 되었지만 뇌척수액에서는 여전히 그 민감도가 50-60%로 낮고, 다른 약제에 대한 내성 여부는 여전히 빨리 알 수가 없어 아직까지도 약제 선택에 어려움이 있다. MDR-TB로 인한 결핵수막염의 치료 약제에 대해서는 충분한 근거가 없기 때문에 세계보건기구에서는 MDR-TB 폐결핵 치료요법에 따르도록 권고하고 있다. 2차 약제들 중 혈액뇌장벽 투과율이 높은 약제로는 fluoroquinolone (levofloxacin, moxifloxacin), ethionamide, cycloserine, linezolid가 있다.

2) 염증반응 조절

결핵 감염에 대한 인체의 염증반응 조절도 결핵 치료에서 중요한 부분이다. 1950년대부터 염증반응을 줄이기 위한 스테로이드 사용이 시작되었지만 충분한 무작위대조실험으로 그 효과를 확인한 것은 비교적 최근의 일이다. 스테로이드 사용 시 사망률이 낮아지는 것으로 확인되어 세계보건기구에서는 dexamethasone 또는 prednisolone을 항결핵제 투여와 함께 처음부터 시작한 뒤 6-8주에 걸쳐 점차 줄이도록 권고하고 있다. 다만 스테로이드 용량이나 치료 기간에 대해서는 연구가 더 필요하다.

염증반응으로 인한 합병증은 초기 스테로이드를 중단하거나 감량할 때 많이 생기는데 항결핵제 치료 시작으로부터 수주 또는 수개월 후라도 발생할 수 있다. 이를 HIV 감염이 없는 환자에서는 역설적 반응 (paradoxical reaction), 또는 HIV 감염으로 항레트로바이러스치료(antiretroviral therapy, ART)를 받는 환자에서는 면역재구성염증증후군(immune reconstitution inflammatory syndrome, IRIS)이라고 한다. 주된 증상은 발열, 점점 심해지는 두통, 심한 경우 경련이나 의식저하 등이 있다. 결핵종이 가장 잘 알려진 역설적 반응으로 고용량 스테로이드가 치료에 사용된다. 스테로이드에 반응이 없는 경우 thalidomide, 항-TNF약제 (infliximab), IFN-γ 등도 사용해볼 수 있다.

HIV 감염이 동반된 환자의 경우 항레트로바이러스 치료가 도움이 되지만, 항레트로바이러스치료를 받지 않고 있던 결핵수막염 환자에서 항레트로바이러스치료 시작을 바로 해야 하는지는 불분명하다. 항레트로바이러스치료를 일찍 시작하면 다른 기회 감염의 위험을 낮출 수 있지만, IRIS의 위험이 높아지기 때문이다. 항레트로바이러스치료 시작 시기에 대해서는 성인을 대상으로 한 연구 결과도 부족한 상태이며, 소아에 대해서는 연구 결과가 전무하다.

3) 대증치료

이 밖에 두개내압 상승, 수두증, 뇌경색, 저나트륨혈증, 경련 등이 결핵수막염에서 동반되며, 여기에 대한 치료도 중요하다. 수두증은 결핵수막염 환자에서 두개내압 상승의 가장 흔한 원인이다. 약 80%에서는 뇌바닥수조의 삼출물로 인한 교통수두증(communicating hydrocephalus)이 관찰되며, 이뇨제와 반복적인 요추천자를 통해 치료한다. 비교통수두증은 대뇌수도관이나 제4뇌실 구멍의 폐쇄로 인해 발생하며, 이 경우 뇌실복강션트(ventriculoperitoneal shunt)나 내시경적 제3뇌실조루술(endoscopic third ventriculostomy)을 시행해야 한다. CT는 뇌척수액 차단 부위 확인에 한계가 있으며, 환자가 앉은 자세에서 요추 천자 후 10 mL의 공기를 주입해 30분 후 두개 X선 검사로 확인하는 공기뇌촬영(air encephalography)이 가장 좋다고 알려져 있다. 하지만 요추천자 시 뇌탈출증의 위험이 있어 얇은 면(thin-sliced) CT나 뇌척수액흐름(CSF-flow) MRI검사도 사용된다.

수두증이 두개내압 상승의 가장 흔한 요인이지만 혈관성부종(vasogenic edema), 세포독성부종(cytotoxic edema), 뇌압자동조절(cerebral pressure autoregulation) 이상, 고탄산혈증/저탄산혈증, 저나트륨혈증, 높은 체온 등도 두개내압을 높이는 원인이 된다. 따라서 필요시 기계환기, 수액 요법, 두개내압 감시 등을 시행해 적극적으로 두개내압을 조절해야 한다. 약물을 이용한 두개내압 조절은 고장성 약물을 혈관으로 투여해 삼투압 차에 의해 중추신경계의 부종을 줄인다. 전통적으로는 mannitol이 많이 사용되었으나, 최근에는 고장식염수(hypertonic saline)도 동등한 효과를 지니면서 더 안전한 것으로 확인되었다. 그리고 고장식염수를 사용하면 저나트륨혈증의 치료에도 도움이 될 수 있다. 일부 중환자의 경우 두개내압과 조직 내 산소공급 감시를 위해 두개 내 탐색자를 사용한 침습적 감시도 사용할 수 있다.

뇌경색은 결핵수막염 환자에서 장기적인 신경학적 장애를 일으키는 가장 흔한 원인이다. 스테로이드는 뇌경색의 예방에 도움이 되지 않으며, aspirin 추가 처방이 도움이 된다는 보고가 있다. 뇌경색이 발생하면 두개내압의 상승으로도 이어질 수 있어 조기발견이 중요한데 이를 위해 현장에서 사용할 수 있는 좋은 도구가 경두개도플러 검사이다. 경두개도플러는 비침습적으로 주요 뇌동맥의 폐쇄 및 협착 여부를 확인할 수 있고, 중환자실에 환자가 있는 경우에도 검사를 수행할 수 있는 장점이 있다.

저나트륨혈증(혈장 나트륨 〈135 mmol/L)은 결핵수막염 환자의 40-50%에서 발생한다. 저나트륨혈증의 발생기전에 대해서는 염분 소모(salt wasting) 또는 항이뇨호르몬부적절분비증후군(syndrome of inappropriate antidiuretic hormone secretion, SIADH)이 제기되어왔다. 전통적으로 염분 소모의 경우 수액 주입을 통해 치료하고, SIADH의 경우 수액 제한으로 치료하는데 임상적으로 이 둘의 구분은 쉽지 않다.

6 | 예방

결핵수막염의 가장 좋은 예방법은 BCG (Bacille Calmette-Guérin)접종을 통한 결핵 감염의 예방이다. 결핵 환자에게 노출된 소아의 경우 isoniazid나 다른 예방적인 약제 사용도 효과가 있다. HIV 감염자의 경우 항레트로바이러스치료가 가장 효과적인 예방법이다.

7 | 다른 형태의 중추신경계결핵

1) 결핵종

결핵종은 결핵균의 혈행성 파종으로 인해 생기는 육아종(granuloma)으로 뇌실질의 종괴로 관찰된다. 일부에서는 다발성으로 보이며 종양, 뇌농양, 사르코이드증(sarcoidosis), 톡소포자충증(toxoplasmosis), 낭미충증(cysticercosis) 등과의 감별이 필요하다. 병변의 위치에 따라 국소신경학적 징후를 보이는 경우도 있지만 증상을 전혀 유발하지 않을 수도 있다.

2) 척수결핵

척수결핵은 주로 소아에서 많이 생기는 것으로 알려져 있으며, 흉추 부위에서 호발한다. 추간판과 척추체(vertebral body)가 파괴되면 척추후만증(kyphosis)이 발생하며, 신경근(nerve root)이나 척수의 압박으로 인한 신경학적인 증상(예: 하반신마비)이 나타날 수 있다. 기본적으로 항결핵제 치료가 중요하지만 크기가 큰 농양이나 척추후만증이 동반된 경우, 약물치료에 반응이 없는 경우에는 수술적 치료도 고려할 수 있다.

참고문헌

1. Boeree MJ, Heinrich N, Aarnoutse R, et al. High-dose rifampicin, moxifloxacin, and SQ109 for treating tuberculosis: a multi-arm, multi-stage randomised controlled trial. Lancet Infect Dis 2017;17:39-49.
2. Cresswell FV, Davis AG, Sharma K, et al. Recent Developments in Tuberculous Meningitis Pathogenesis and Diagnostics [version 1; peer review: 1 approved with reservations]. Wellcome Open Res 2019;4:164.
3. Davis AG, Rohlwink UK, Proust A, et al. The pathogenesis of tuberculous meningitis. J Leukoc Biol 2019;105:267-80.
4. Dekker G, Andronikou S, van Toorn R, et al.

MRI findings in children with tuberculous meningitis: a comparison of HIV-infected and non-infected patients. Childs Nerv Syst 2011;27:1943-9.

5. Donald PR. Cerebrospinal fluid concentrations of antituberculosis agents in adults and children. Tuberculosis (Edinb) 2010;90:279-92.

6. Donald PR. The chemotherapy of tuberculous meningitis in children and adults. Tuberculosis (Edinb) 2010;90:375-92.

7. Heemskerk AD, Bang ND, Mai NT, et al. Intensified antituberculosis therapy in adults with tuberculous meningitis. N Engl J Med 2016;374:124-34.

8. Marais S, Thwaites G, Schoeman JF, et al. Tuberculous meningitis: a uniform case definition for use in clinical research. Lancet Infectious Dis 2010;10:803-12.

9. Oddo M, Levine JM, Frangos S, et al. Effect of mannitol and hypertonic saline on cerebral oxygenation in patients with severe traumatic brain injury and refractory intracranial hypertension. J Neurol Neurosurg Psychiatry 2009;80:916-20.

10. Patel VB, Theron G, Lenders L, et al. Diagnostic accuracy of quantitative PCR (Xpert MTB/RIF) for tuberculous meningitis in a high burden setting: a prospective study. PLoS Med 2013;10: e1001536.

11. Prasad K, Singh MB, Ryan H. Corticosteroids for managing tuberculous meningitis. Cochrane Database Syst Rev 2016;4:CD002244.

12. Savic RM, Ruslami R, Hibma JE, et al. Pediatric tuberculous meningitis: model-based approach to determining optimal doses of the anti-tuberculosis drugs rifampin and levofloxacin for children. Clin Pharmacol Ther 2015;98:622-9.

13. Seddon JA, Tugume L, Solomons R, et al. The current global situation for tuberculous meningitis: epidemiology, diagnostics, treatment and outcomes [version 1; peer review: 2 approved]. Wellcome Open Res 2019;4:167.

14. Solomons RS, Goussard P, Visser DH, et al. Chest radiograph findings in children with tuberculous meningitis. Int J Tuberc Lung Dis 2015;19:200-4.

15. Thwaites GE, Lan NT, Dung NH, et al. Effect of antituberculosis drug resistance on response to treatment and outcome in adults with tuberculous meningitis. J Infect Dis 2005;192:79-88.

16. Thwaites G, Fisher M, Hemingway C, et al. British Infection Society guidelines for the diagnosis and treatment of tuberculosis of the central nervous system in adults and children. J Infect 2009;59:167-87.

17. Torok ME, Chau TT, Mai PP, et al. Clinical and microbiological features of HIV-associated tuberculous meningitis in Vietnamese adults. PLoS ONE 2008;3:e1772.

18. Wilkinson R, Rohlwink U, Misra U, et al. Tuberculous meningitis. Nat Rev Neurol 2017;13:581-98.

19. Xu HB, Jiang RH, Li L, et al. Diagnostic value of adenosine deaminase in cerebrospinal fluid for tuberculous meningitis: a meta-analysis. Int J Tuberc Lung Dis 2010;14:1382-7.

20. Horne DJ, Kohli M, Zifodya JS, et al. Xpert MTB/RIF and Xpert MTB/RIF Ultra for pulmonary tuberculosis and rifampicin resistance in adults. Cochrane Database Syst Rev 2019;6: CD009593.

안선재

8

리스테리아뇌염
(Listeria encephalitis)

1 | 서론

리스테리아모노사이토제네스(*Listeria monocytogenes*)는 인간에게 감염 질환을 일으킬 수 있는 병원성 세균이다(그림 8-1). 분류학적으로 조건혐기(facultatively anaerobic)의 그람양성막대균이며 숙주 감염 후 세포 내 기생하는데, 특히 신경계를 쉽게 감염시켜 여러 형태의 신경계 질환을 유발할 수 있다. 이 균은 토양, 물, 목초, 그리고 동물의 분변 등 여러 환경에 존재하고 10℃ 이하의 온도에서도 성장할 수 있어 오염된 우유 및 유가공품, 육류 그리고 저온 보존 식품 등을 통해 주로 감염을 일으킨다. 이러한 특성으로 *L. monocytogenes*는 전세계적으로 대형 식중독 사건들의 원인이 되기도 하였다. 리스테리아증(listeriosis)은 이 세균에 의한 숙주의 감염을 뜻하는데, 일반인보다는 신생아, 임산부, 면역저하자, 고령층 등의 고위험군에서 수막염, 패혈증, 유산 및 사산 등의 심각한 임상 질환을 일으킬 수 있기 때문에 주의가 필요하다. *L. monocytogenes*의 중추신경계 감염은 수막염 뿐만 아니라, 마름뇌염(rhombencephalitis), 뇌농양(brain abscess)의 형태로도 나타난다.

2 | 병태생리

1) 전파와 감염

리스테리아는 토양과 식물, 동물의 분변에서 쉽게 동정된다. 균의 전파 경로는 분변-구강경로(fecal to oral)이며 대부분 오염된 식품을 매개로 한다. 사람간 전파는 임산부-태아의 수직 전파 외에는 보고되지 않았다. 리스테리아 감염을 일으키기 위해 필요한 세균의 양은 최소한 104-106 CFU (colony-forming unit) 정도인데 면역저하자에서는 이보다 낮을 것으로 추정된다. 소화기관으로 *L. monocytogenes*가 섭취된 후 신경계 감염을 일으킬 때까지의 잠복기는 증례에 따라 1일에서 최대 14일까지 보고되었다. *L. monocytogenes*는 13개의 항원형(serotype)이 있는데, 그 중 항원형 4b가 병원성 질환과 신경계 감염을 가장 잘 일으키며, 항원형 1/2b도 신경계 감염을 잘 일으키는 것으로 알려져 있다.

2) 병태생리

*L. monocytogenes*는 세포 내로 침투하여, 세포 내에서 살아남고 증식하며, 이후 세포에서 세포로 전파하는 병태생리를 가진다. 세포 내에서 증식하는 이러한 전략은 숙주의 체액면역(humoral immunity)을 피할 수 있게 해준다. 처음 체내로 침투 후 숙주세포의 수용체와 상호작용하는 internalin A와 internalin B 단백을 발현해 세포와 접촉하고 포식작용(phagocytosis)을 유도해 세포 내로 들어간다. 이후 listeriolysin O라는 기공형성독소(pore-forming toxin)단백이 포식작용된 *L. monocytogenes*가 세포 내에서 포식소체(phagosome)에 의해 제거되는 것을 막아주며 균은 숙주 세포의 세포질 내에서 증식하게 된다. 이후 증식된 균은 Act A 단백을

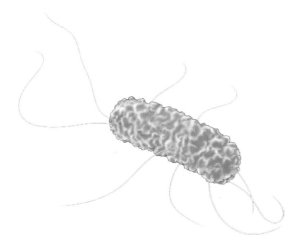

그림 8-1 **Listeria monocytogenes의 모식도**

이용하여 숙주 세포 액틴 중합을 유도하여 세포를 이동시킨다. 그리고 *L. monocytogenes*를 포함한 세포막의 투사(projection)인 슈도포드(pseudopod)가 옆 세포에게 다시 포식되어 세포에서 세포로 감염을 일으킨다.

3) 중추신경계 침투

*L. monocytogenes*는 중추신경계 감염을 잘 일으키는 특성을 가졌다. 이 세균이 중추신경계 편향성을 가지는 이유는 활발히 연구되고 있으나 아직까지 정확한 기전은 밝혀지지 않았다. *L. monocytogenes*가 중추신경계로 침투하는 방법으로 세 가지가 제시된다. 첫째는, 트로이목마(Trojan horse) 모델로 *L. monocytogenes*를 포식한 백혈구를 통해 중추신경계로 들어가는 것이다. 둘째는 혈액 내로 퍼진 균이 직접 혈액뇌장벽(blood-brain barrier)의 내피세포를 뚫고 침입하는 것이다. 셋째는 말초 뇌신경을 통한 경로로 감염을 일으키는 것이다. 구강 조직 등의 대식세포에 포식작용으로 침투한 후 근처의 뇌신경 뉴런을 감염시키고 축삭(axon)을 따라 거꾸로 중추신경계로 침입하는 것이다. *L. monocytogenes* 마름뇌염환자의 부검 결과 염증이 신경핵뿐만 아니라 5, 7, 9, 10, 12번 뇌신경의 축삭에서도 확인되었다. 이러한 경로를 통한 감염을 다른 세균과 달리 *L. monocytogenes*가 마름뇌염을 일으키는 원인으로 보고 있다.

3 │ 역학

오염된 식품을 통한 전파가 *L. monocytogenes* 감염의 주요 경로이다. 식품산업 위생 규제가 강화되면서 전체적인 발생률은 감소추세이나 최근까지도 개발 도상국을 중심으로 대규모 리스테리아 식중독은 종종 발생하고 있다. *L. monocytogenes*는 특징적으로 소아(주로 신생아), 임산부, 고령층, 그리고 만성질환이나 약물로 인한 면역저하 환자에서 감염을 잘 일으킨다. 이 고위험군들이 감염에 취약한 것은 세포매개면역(cell-mediated immunity), 그 중에서도 T세포 면역이 떨어지기 때문이다. T세포 면역력이 저하되는 스테로이드 투여자, 종양괴사인자-α (tumor necrosis factor-alpha, TNF-α)억제제 투여자들은 *L. monocytogenes* 감염 발생률이 훨씬 높고, 사람면역결핍바이러스(human immunodeficiency virus, HIV) 감염 환자들도 감염의 위험이 10-100배가량 높다. 임산부 역시 2형도움T세포(T-cell helper type 2, Th2) 편향성으로 상대적으로 1형도움T세포(T-cell helper type 2, Th1) 면역이 약해지기 때문에 세포 내 기생하는 리스테리아 감염에 취약하다.

중추신경계 감염은 전체 *L. monocytogenes* 감염 중 약 47%에서 나타난다. 2007년 발표된 미국질병통제예방센터(centers for disease control and prevention, CDC)의 통계에 따르면, *L. monocytogenes* 수막염은 인구 10만 명당 0.05명의 발생률을 보이지만, 고위험군으로 가면 감염률은 훨씬 높아진다. 임산부는 10만 명당 12명, 후천면역결핍증(acquired immunodeficiency syndrome, AIDS) 환자의 경우 10만 명당 115명의 발생률을 보였다. 2003-2007년에 미국에서 조사된 전체 세균수막염의 원인 중 *L. monocytogenes*는 3.4%를 차지하며, 전체 병원균 중 5위를 기록했다. 국내에서는 아직 정확한 발생률을 연구한 결과는 없지만, 고위험군을 중심으로 많은 증례 보고와 환자군 연구가 발표되었다. 세균수막염의 원인을 분석한 국내의 한 논문에 따르면 *L. monocytogenes*는 전체 원인균 중 6.7%로 4위를 차지하였다.

4 │ 임상 양상

　L. monocytogenes 감염의 임상 양상은 침습리스테리아증(invasive listeriosis)의 발생여부에 따라서 크게 달라진다. 리스테리아균이 음식 등을 통해시 전파되었으나 단순한 발열성위장관염(febrile gastroenteritis)의 형태로 나타나면 경증의 발열, 설사, 복통, 근육통 등의 증상을 보이며 특별한 항생제 치료 없이 자가 회복할 수 있다. 하지만 침습리스테리아증이 된다면 세균혈증(bacteremia)과 함께 높은 확률로 신경계 감염도 일으킬 수 있다. *L. monocytogenes*에 의한 신경계 감염은 수막염 외에도 마름뇌염, 뇌농양으로도 나타날 수 있으며, 특히 마름뇌염은 *L. monocytogenes*가 특이적으로 유발하는 임상 양상이다.

1) 수막염

　수막염은 *L. monocytogenes*에 의한 중추신경계 감염 중 가장 흔하다. *L. monocytogenes*수막염의 위험 요인으로는 신생아, 고령(50세 이상), 알코올중독/간질환, 당뇨병, 스테로이드치료, 악성종양, 기타 면역억제, HIV/AIDS 등이 있으나, 별다른 위험인자 없이도 발병할 수 있다. *L. monocytogenes* 수막염 증상은 다른 세균수막염과 크게 차이를 보이지는 않는다. 초기증상으로 발열, 두통, 오심이 가장 흔하게 나타나고, 수막자극증상은 약 75%의 환자에서 관찰되나 면역저하 환자에서는 뚜렷하지 않을 수 있다. 세균수막염의 세가지 증상인 발열, 경부경직, 의식변화가 모두 나타나는 것은 전체의 약 43-49%이다. 그 외에 국소신경학적징후(18-37%), 경련(9-12%)이 동반 될 수 있다(표 8-1).

　뇌척수액검사 결과에서 백혈구증가증(pleocytosis, 24-16,000개/mL), 단백질상승 정상 혹은 약간 저하된 포도당 수치를 보일 수 있다. 뇌척수액 그람염색은 매우 낮은 민감도를 보이며 약 23-26%에서만 양성으로 확인된다. 뇌척수액 배양은 가장 확실한 진단법이고 약 80%에서 양성이 확인된다.

　L. monocytogenes 수막염의 임상 증상만으로 다른 세균수막염과 뚜렷하게 구분하기는 쉽지 않다. 하지만 뇌척수액검사에서 다른 세균수막염에서는 비교적 뚜렷한 백혈구증가증 및 포도당 감소가 심하지 않다는 점과, 그람염색에서 대부분 음성이라는 점이 진단의 단서가 될 수 있다.

표 8-1 *L. monocytogenes* 수막염의 임상 양상과 빈도

초기 발현 증상	빈도
발열	90-92%
오심	83%
구토	46%
두통	46-88%
경부경직	71-73%
세균수막염의 전형적인 증상(발열, 경부경직, 의식변화)	43-49%
신경학적 증상	**빈도**
의식변화 (Glasgow Coma Scale Score<14)	70%
국소신경학적징후	18-37%
경련	9-12%
검사실 소견	**빈도**
혈액배양 양성	46-75%
뇌척수액배양 양성	80%
그람염색 양성	28-31%
뇌척수액 백혈구증가증(>999 개/mm³)	37-39%

2) 마름뇌염(Rhombencephalitis)

　마름뇌염은 전체 *L. monocytogenes* 신경계 감염 중 약 10% 정도를 차지한다. 수막염보다 그 발생 빈도는 적지만 *L. monocytogenes*는 마름뇌염의 가장 주된 원인 중 하나이기 때문에 마름뇌염 환자를 진단할 때 항상 *L. monocytogenes* 감염을 생각해야 한다. *L. monocytogenes* 마름뇌염은 수막염과 달리 건강한 성인에서도 발병 가능하다. 후향적 연구 결과 *L. monocytogenes* 마름뇌염 환자 중 약 70%는 특별한 위험인자가 없었다.

　L. monocytogenes 마름뇌염의 임상 양상은 특징적으로 이상성(biphasic) 경과를 보인다. 초기 약 2주 동안 발열, 두통, 오심 및 구토 등의 일반 증상을 보이다가 이후 급격하게 신경학적 증상이 진행하게 된다. 감염과 염증이 뇌간을 주로 침범하기 때문에 신경학적 증상은 주로 뇌간-소뇌 기능 이상을 보인다. 뇌간 기능 이상은 5, 6, 7, 9, 10번 뇌신경마비가 흔하게 발생하며, 반신운동마비 및 감각저하 증상도 보일 수 있다. 소뇌 기능 이상으로 실조증과 운동거리조절이상(dysmetria)이 관찰될 수 있다. 초기 내원 시 두통, 발열 증상이 가장 흔하다. 경부경직은 50% 미만의 환자에서만 관찰되었고, 초기 내원 시 의식변화도 많이 동반

되지 않는다(59%). 이후 진행하는 신경학적 증상으로는 뇌신경마비가 가장 흔하다. 7, 6, 9, 10, 5번 뇌신경 순으로 호발하며, 뇌간에서 침범하는 위치는 중뇌보다 연수와 다리뇌가 많다.

뇌척수액검사 소견은 뇌척수액세포증가증과 단백질 상승이 있으나, 수막염에 비해 그 정도가 미미한 편이고 뇌척수액검사 소견이 정상인 경우도 있다. 그람염색의 민감도 역시 낮고, 뇌척수액 배양의 양성률은 약 50% 정도이다.

3) 뇌농양(Brain abscess)

L. monocytogenes 뇌농양은 신경계 감염 중 10% 미만으로 가장 드물며 주로 면역저하 환자들에게서 간헐적으로 보고되었다. 임상증상은 발열과 두통, 의식변화, 국소신경학적증상이 나타나며 뇌막자극징후는 거의 관찰되지 않는다. 대부분 환자의 뇌척수액검사에서 높은 백혈구증가증과 낮은 포도당 수치를 보인다. 혈액 배양 양성률은 86%로 매우 높은 편으로 진단에 가장 중요한 검사이다. 뇌척수액 배양 양성률은 38%정도로 혈액 배양보다 낮다. 대부분(69%)의 농양은 단일 병변이며, 발생 위치는 시상(thalamus), 교뇌(pons), 연수(medulla) 등의 피질하영역(subcortical area)이 많다. 이 영역들은 다른 세균뇌농양에서는 상대적으로 발생이 드문데, L. monocytogenes 뇌농양이 이 부위에 호발하는 것은 감염경로 때문으로 보인다. 주로 부비동이나 귀 등 인접 구조물에서부터 전파되는 다른 세균뇌농양과 달리 L. monocytogenes 뇌농양은 혈액을 통한 전파로 발생하기 때문이다. 혈액 배양 양성률이 높은 것은 L. monocytogenes 뇌농양의 혈행 전파를 뒷받침 한다.

5 | 진단

L. monocytogenes의 신경계 감염을 진단할 때 가장 중요한 것은 임상 증상과 환자군을 고려하여 질환의 원인균으로 의심하는 것이다. 특히나 임산부, 고령, 당뇨환자, 만성간질환자, 면역저하자 등의 고위험군에서는 항상 L. monocytogenes 감염을 염두에 두어야 한다. L. monocytogenes 수막염이 의심되는 환자들을 정확

히 진단하기 위해서는 배양검사가 포함된 혈액검사와 뇌척수액검사가 필수적이다. 그 외에 컴퓨터단층촬영술(computed tomography, CT), 자기공명영상(magnetic resonance imaging, MRI) 등의 영상검사와 중합효소연쇄반응(polymerase chain reaction, PCR) 검사가 진단에 보조적으로 활용될 수 있다.

1) 검사실 소견

가장 중요한 진단적 검사는 배양검사로 혈액과 뇌척수액 검체는 모두 항생제 투여 전에 채취하는 것이 좋다. 신경계 감염의 양상에 따라서 혈액과 뇌척수액 배양검사의 양성률은 차이가 있다. 혈액 배양검사는 수막염에서 약 45-70%, 마름뇌염에서 약 50%, 뇌농양에서 86%의 높은 양성률을 보인다. 뇌척수액 배양검사는 L. monocytogenes의 신경계 감염 진단의 확진 지표(gold standard)이다. 뇌척수액 배양검사는 수막염에서 약 80%, 마름뇌염에서 약 50%, 뇌농양에서 약 38%의 배양 양성률을 보인다. 그람염색은 민감도가 낮아 진단적 가치가 낮다. 혈액에서는 약 25%, 뇌척수액에서 약 30%의 양성률만 보인다. 뇌척수액의 백혈구 수치, 단백질, 포도당은 감염의 임상적 형태에 따라 달라지며 진단에 참고적으로 사용한다.

2) 영상학적 검사

L. monocytogenes 수막염에서는 뇌CT 촬영 시 특별한 이상을 관찰할 수 없는 경우가 많다. 마름뇌염에서는 뇌CT 검사상 뇌간 부위에 저음영이 관찰 될 수 있다. MRI 검사에서는 뇌간과 소뇌 부위에 T2, 액체감쇠역전회복(fluid-attenuated inversion recovery, FLAIR) 영상상 고신호강도가 관찰될 수 있고(그림 8-2), 조영검사 시 고리모양의 조영증강(ring enhancement)이 나타날 수 있다. 뇌농양의 경우 영상학적 검사 시 내부에 괴사가 동반된 고리모양의 농양벽이 주로 나타나며 큰 농양 주변으로 작은 농양들이 위성처럼 나타나는 경우도 있다.

3) 기타 검사

배양검사는 결과가 나올 때까지 오랜 시간이 소요된다는 단점이 있다. 이를 보완할 수 있는 신속한 검사들이 임상석으로 활용될 수 있다. Listeriolysin O 단백에 대한 항체를 검출하는 것은 발열성 위장관염 형태의 감염에서는 효과적이었으나, 침습리스테리아증에서는 민감도가 낮고 위양성률이 높아 임상적 사용에 제한이 있다. PCR은 여러 감염성 질환에서 빠르고 정확한 진단방법으로 활용되고 있다. *L. monocytogenes* 감염에서 뇌척수액 PCR을 이용해 진단에 성공한 증례들이 많이 보고되고 있으며, 검사 결과도 빠르게 확인할 수 있어 임상적인 활용의 가치가 높다.

6 │ 치료

아직 *L. monocytogenes* 신경계 감염증의 항생제 치료에 대한 무작위 대조군 연구는 없다. 현재까지 추천되는 치료법은 생체외 실험과 동물 모델, 증례 보고들을 참고로 한다. 본 교과서에서는 미국감염병학회(Infectious Diseases Society of America, IDSA)의 추천 요법을 소개한다.

1) 항생제 감수성

Ampicillin과 penicillin은 리스테리아가 거의 내성을 보이지 않으며 치료효과가 좋아 일차치료(first-line therapy) 항생제로 사용된다. 생체내, 생체외 실험에서 ampicillin/penicillin은 aminoglycoside 계열의 항생제와 병용 투여 되었을 때 더 높은 살균력을 보여주었다. Penicillin에 과민성이 있는 환자들에게는 대체로 투여할 수 있는 항생제들이 있다. Co-trimoxazole (TMP-SMX)은 리스테리아 감염에서 ampicillin + gentamycin 조합과 비슷한 항균력을 보여주어 대체 요법으로 사용 가능하다. β-lactamase 억제 효과가 있는 carbapenem계열의 항생제도 리스테리아 살균에는 효과를 보인다. 그 중 imipenem은 경련을 유발할 수 있어 meropenem을 투여하는 것이 좋다. Cephalosporin 계열의 항생제는 리스테리아가 쉽게 항생제 내성을 보

이고 많은 증례에서 치료 실패가 보고되어 일반적으로 사용되지 않는다. 그밖에 quinolone, linezolid는 생체 외외 실험에서는 좋은 결과를 보였으나 아직 임상적인 결과는 제한적이다.

2) 추천 요법

세균수막염이 의심되는 경우는 가능한 빨리 경험적 항생제가 투여되어야 한다. 일반적으로 세균수막염에 사용되는 경험적 항생제 조합에는 vancomycin과 3세대 cephalosporin(예: ceftriaxone)과 함께 ampicillin이 투여된다. 특히나 고령자나 면역 저하자, 신생아 등의 고위험군에서는 리스테리아를 고려하여 ampicillin 투여를 빼놓지 말아야 한다.

L. monocytogenes 감염이 확진되었을 때는, ampicillin을 4시간 간격으로 2 g씩, penicillin은 4시간 간격으로 400만 unit씩 정맥 투여한다. 이때 gentamicin 병용요법을 고려할 수 있다. 대체 요법으로 Co-trimoxazole (TMP-SMX)을 사용할 경우 6시간 간격으로 2.5-5.0 mg/kg를 정맥 투여하고, meropenem을 사용할 경우 8시간 간격으로 2 g 정맥 투여한다. 치료 기간은 수막염에서는 최소 3주 이상, 뇌농양과 마름뇌염에서는 6주 이상의 치료가 권고된다. 충분한 기간 동안 치료하지 않고 항생제를 중단했을 경우 재발의 가능성이 있기 때문에 권고한 기간 이상 충분히 투여해야 한다(표 8-2).

표 8-2 *L. monocytogenes* 수막염에 사용되는 항생제 용량(정상 신기능과 간기능을 가진 성인 기준)

	항생제	투여 경로	하루 총 투여 용량	투여 간격	투여 기간**
표준 치료	Ampicillin	정맥	12 g	4시간	3주 이상
표준 치료	Penicillin G	정맥	24 million units	4시간	3주 이상
병용 치료	Gentamicin*	정맥	3-5 mg/kg	8시간	3주 이상
대체 치료	Co-trimoxazole	정맥	10-20 mg/kg	6-12시간	3주 이상
대체 치료	Meropenem	정맥	6 g	8시간	3주 이상

*신기능 환자에서 용량 조절 필요
**마름뇌염, 뇌농양에서는 6주 이상

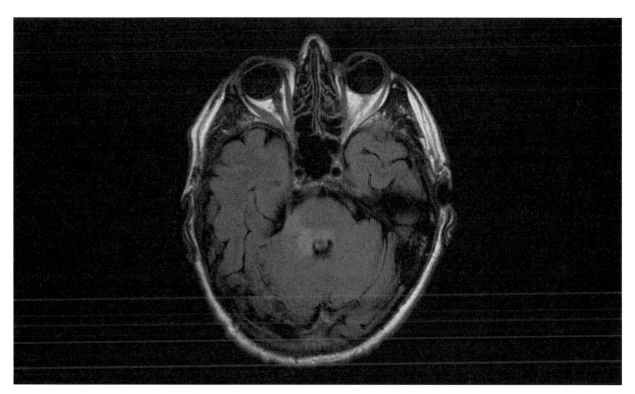

그림 8-2 *L. monocytogenes*에 의한 마름뇌염(rhombencephalitis)
뇌 MRI의 액체감쇠역전회복(fluid-attenuated inversion recovery, FLAIR)영상에서 교뇌 부위의 고신호강도가 관찰된다.

3) 기타 권고 사항

철분 결핍이 리스테리아 증식을 억제한다는 보고와, 수혈 등으로 인한 철분 과잉상태에서 리스테리아가 왕성하게 증식한다는 연구결과가 있어, 리스테리아 치료 중에는 철분 보충을 중단하는 것이 좋다. 세균수막염 환자에서 뇌압의 저하를 위해 스테로이드 치료를 함께 하는 것이 최근 정석적인 치료로 자리잡고 있으나, 아직 *L. monocytogenes* 수막염에서의 이득은 뚜렷하게 연구된 바는 없다. 리스테리아는 T세포 면역 저하시에 왕성하게 증식할 수 있으므로, 스테로이드 투여에 더욱 신중해야 한다.

7 | 예후와 예방

1) 예후

L. monocytogenes 수막염에 의한 전체 사망률은 17-28% 정도이다. 하지만 이 사망률은 환자의 의학적 상태에 따라서 매우 달라지게 된다. 심한 면역저하자에서는 사망률이 58%에 이르고, 그렇지 않은 건강한 성인에서는 11% 정도로 추정된다. 마름뇌염의 경우 36-51% 가량의 더 높은 사망률을 보인다. 사망률과 연관이 있는 요인은 부적절한 항생제 치료, 의식저하 여부, 연령, 패혈증 발생 등이 있다. *L. monocytogenes* 신경계 감염은 치료가 되더라도 반신마비, 뇌신경마비 등의 신경계 후유증이 남는 경우가 많다. 생존자 중에서 신경계 후유증이 발생하는 비율은 수막염은 약 16%이고, 마름뇌염이나 뇌농양(61%)은 더 많은 환자들에서 후유증이 남았다.

2) 예방

이와 같이 감염될 경우 사망률 및 신경계 후유증 발생률이 상당하므로, 일반인은 물론이고 고령자와 면역저하자들은 특히 감염 전 예방이 중요하다. 리스테리아 감염을 예방하기 위해서는 올바른 식품 위생이 가장 중요하다. 날음식 육류는 철저히 가열하여 요리하고, 채소는 철저히 씻고, 저온 살균되지 않은 유제품은 피하는 것이 좋다. 최근에는 즉석 조리 식품들이 많이 유통되는데, 명시된 유통기한이 지난 것은 피해야 한다. 또한 요리 선후로는 항상 깨끗하게 손 씻기와 요리 도구 살균 소독을 철저히 해야 한다. 그 밖에 면역 저하 환자에서 예방적인 항생제 투여 등에 대해서는 뚜렷하게 효과가 입증된 바 없다.

8 | 요약

*L. monocytogenes*는 주로 식품 매개로 병원성 감염을 일으키는 세균으로, 세포 면역이 취약한 면역 저하자, 고령자, 임산부, 신생아들에서 특히 치명적 감염을 유발할 수 있다. 리스테리아는 신경계 감염을 잘 일으키는 특성이 있어, 세균수막염 뿐만 아니라, 마름뇌염, 뇌농양의 형태로 감염 질환을 유발한다. 리스테리아수막염은 전체 세균수막염 원인 중에서 높은 비율을 차지한다. 임상적 진단은 환자의 임상 증상과 함께 혈액검사, 뇌척수액검사 소견을 참고해야 한다. 무엇보다 *L. monocytogenes* 감염을 염두하고 의심하는 것이 중요하다. 치료로는 최소 3주 이상 ampicillin + gentamycin 병합 투여 요법이 추천되고, 환자의 임상 양상과 의학적 상태에 따라 투여 기간과 항생제는 달라질 수 있다. 고위험군에서는 발생시 사망률 및 신경계 후유증 발생률이 높고 식품 위생을 철저히 하는 것이 예방적으로 중요하다.

참고문헌

1. Brouwer MC, van de Beek D, Heckenberg SG, et al. Community-acquired Listeria monocytogenes meningitis in adults. Clin Infect Dis 2006;43:1233-8.

2. Charlier C, Poirée S, Delavaud C, et al. Imaging of Human Neurolisteriosis: A Prospective Study of 71 Cases. Clin Infect Dis 2018;67:1419-26.

3. de Noordhout CM, Devleesschauwer B, Angulo FJ, et al. The global burden of listeriosis: a systematic review and meta-analysis. Lancet Infect Dis 2014;14:1073-82.

4. Mansbridge CT, Grecu I, Li Voon Chong JS et al. Two cases of listeria rhombencephalitis. IDCases. 2017;11:22-5.

5. Drevets DA, Bronze MS. Listeria monocytogenes: epidemiology, human disease, and mechanisms of brain invasion. FEMS Immunol Med Microbiol 2014;53:151-65.

6. Eckburg PB, Montoya JG, Vosti KL. Brain abscess due to Listeria monocytogenes: five cases and a review of the literature. Medicine 2001;80:223-35.

7. Mylonakis E, Hohmann EL, Calderwood SB. Central Nervous System Infection with Listeria monocytogenes. 33 Years' Experience at a General Hospital and Review of 776 Episodes from the Literature. Medicine 1998;77:313-36.

8. Clauss HE, Lorber B. Central nervous system infection with Listeria monocytogenes. Curr Infect Dis Rep 2008;10:300-6.

9. Hamon MA, Ribet D, Stavru F, et al. Listeriolysin O: the Swiss army knife of Listeria. Trends Microbiol 2012;20:360-8.

10. Thigpen MC, Whitney CG, Messonnier NE, et al. Bacterial meningitis in the United States, 1998-2007. N Engl J Med 2011;364:2016-25.

11. Choi MH, Park YJ, Kim M, et al. Increasing Incidence of Listeriosis and Infection-associated Clinical Outcomes. Ann Lab Med 2018;38:102-9.

12. Moragas M, Martínez-Yélamos S, Majós C, et al. Rhombencephalitis: a series of 97 patients. Medicine 2011;90:256-61.

13. Moon, SY, Chung DR, Kim SW, et al. Changing etiology of community-acquired bacterial meningitis in adults: a nationwide multicenter study in Korea. Eur J Clin Microbiol Infect Dis 2010;29:793-800.

14. Disson O, Lecuit M. In vitro and in vivo models to study human listeriosis: mind the gap. Microbes Infect 2013;15:971-80.

15. Pagliano P, Ascione T, Boccia G, et al. Listeria monocytogenes meningitis in the elderly: epidemiological, clinical and therapeutic findings. Infez Med 2016;24:105-11.

16. Amaya-Villar R, García-Cabrera E, Sulleiro-Igual E, et al. Three-year multicenter surveillance of community-acquired Listeria monocytogenes meningitis in adults. BMC infect dis 2010;10:324.

17. Bartt R. Listeria and Atypical Presentations of Listeria in the Central Nervous System. Semin Neurol 2000;20:361-74.

18. Tunkel AR, Hartman BJ, Kaplan SL, et al. Practice guidelines for the management of bacterial meningitis. Clin Infect Dis 2004;39:1267-84.

19. Goulet V, King LA, Vaillant V. et al. What is the incubation period for listeriosis? BMC Infect Dis 2013;13:11.

김광기

스피로헤타뇌염
(Spirochete encephalitis)

1 │ 서론

매독(syphilis), 렙토스피라증(leptospirosis), 라임병(Lyme disease) 등을 일으키는 스피로헤타목의 나선형의 세균들을 칭한다. 급성 감염을 일으키는 세균들과는 달리 만성 증상 혹은 재발 등이 가능하고 진단이 까다로우므로 경험 있는 의사의 임상적인 증상을 바탕으로 한 진단적인 접근이 필요하다. 특히 신경계 침범을 하는 경우가 흔하므로 신경과 의사의 주의가 필요한 질환들이다.

2 │ 매독(Syphilis)

매독균(*Treponema pallidum*) 감염에 의해 발생한다. 대부분의 경우 성적인 접촉을 통해 감염된다. 스피로헤타목에 속하고 트레포네마(*Treponema*) 속 중에 인간 감염을 잘 일으키는 종이다. 중추신경계 감염은 초기에 발병되는 형태와 만성감염으로 발병하는 형태로 나눌 수 있다.

1) 초기 매독

(1) 무증상감염

감염 후 수주 혹은 수개월 안에 발생한다. 뇌척수액 검사 결과 약간의 백혈구 및 단백질의 증가 소견이 관찰될 수 있다.

(2) 증상성 수막뇌염(Symptomatic meningoencephalitis)

감염 1년 이내에 주로 나타나지만 수년 후 발생할 수도 있다. 두통, 오심 구토와 함께 혼돈 상태가 동반된다. 시신경염(optic neuritis), 포도막염(uveitis), 유리체염(vitritis), 망막염(retinitis) 등이 동반되고, 안면신경과 청신경 등의 뇌신경마비 증상이 동반될 수 있다. 무증상 감염에 비해 뇌척수액세포증가증(pleocytosis)과 단백질의 증가가 심하다. 후천면역결핍증후군(acquired immune deficiency syndrome) 환자와 같은 면역 저하 환자에서는 증가되지 않을 수도 있다. 수두증(hydrocephalus)도 유발하며, 혈관의 염증으로 뇌경색 혹은 척수경색을 일으킬 수 있다. 광범위한 경수막염(pachymeningitis)일 수도 있고, 국소적인 고무종(gumma) 형태로 나타날 수도 있다.

(3) 안구매독

후방 혹은 범포도막염이 주 병변이다. 시신경염, 간질성 각막염(interstitial keratitis), 전방포도막염, 망막혈관염(retinal vasculitis) 등이 동반가능하다. 수막뇌염과 동반되기도 한다.

(4) 청신경매독

이명 또는 청각 소실이 발생한다. 수막뇌염과 동반되기도 한다.

(5) 수막혈관신경매독

다른 세균수막뇌염처럼 지주막하 혈관의 염증을 일으키고, 뇌와 척수의 혈전증 및 경색을 유발하여 젊은 환자의 뇌졸중으로 발현되기도 한다. 뇌혈관허혈증(cerebrovascular ischemia)은 급성 혹은 만성으로 나타나기도 하며, 그 증상은 두통, 어지럼증부터 성격변화 등이 수일 혹은 수주 동안 나타나다가 뇌졸중이 발병한다. 컴퓨터단층촬영술(computed tomography, CT)이나 자기공명영상(magnetic resonance imaging, MRI) 등을 이용한 혈관 영상소견은 국소분절의 혈관협착이나 팽창, 완전 폐색 소견 등이 나타날 수 있다.

2) 만기 매독(3차 매독)

발생 가능 시기는 매우 다양해서 1차 감염 후 1년부터 30년 후에 발생할 수 있다.

(1) 심혈관계 매독(대동맥염)

주로 상행대동맥을 침범하고 대동맥과 대동맥판막의 이상을 초래한다.

(2) 고무종매독

후천면역결핍증 환자에서 종종 보고된다. 고무종은 피부와 뼈, 내부 장기들에 생긴다.

(3) 신경매독

① 마비치매(Dementia paralytica)

마비신경매독(paretic neurosyphilis)이라고도 불리며, 치매 증상이 진행하는 질환이다. 질환의 초기에는 잦은 망각이나 성격변화 증상으로 나타나기도 한다. 대부분의 환자들이 기억력 및 판단 장애가 진행함을 경험한다. 그 밖에 우울증, 조증, 혹은 정신병적 증상이 나타나기도 한다. 신경계진찰 결과 구음장애, 안면과 사지 근육의 근긴장 저하, 안면근육, 혀와 손의 떨림증이 나타나기도 한다. 아가일로버트슨동공(Argyll Robertson pupil)등의 특징적 동공 수축 이상이 관찰된

다. 뇌척수액검사결과 염증세포는 $25-75$ 개/μL, 단백질은 $50-100$ mg/dL사이로 관찰된다.

② 척수매독(Tabes dorsalis)

특별히 뒤기둥(posterior column) 및 후신경근(dorsal root ganglion)을 침범하는 질환으로 초기 감염 이후 가장 오랜 평균 20년의 잠복기를 가진다. 예외적으로 3년 후에 발병하기도 한다. 항생제 개발 전에는 가장 흔한 신경매독의 형태였지만, 요즈음에는 흔하지 않다. 전형적인 증상은 감각실조(sensory ataxia)와 칼로 베는 통증이다. 아가일로버트슨 동공 수축이상이 동반된다. 하지의 건반사(tendon reflex)가 소실되고, 뒤기둥 침범으로 진동 및 위치감각 소실이 흔하다. 드물게는 통증감각과 촉각이 떨어지고, 시신경 위축도 동반된다.

③ 비정형 신경매독

위에 기술된 전형적인 신경매독의 여러 형태에 잘 부합되지는 않지만, 뇌척수액 형광매독항체흡수검사(fluorescent treponemal antibody absorption test, FTA-ABS) 검사 양성으로 건반사, 감각 이상 및 동공 수축 이상 소견 등이 동반된다. 단순헤르페스뇌염이나 자가면역뇌염과 비슷한 양상의 증례 보고도 있다.

3) 진단

비트레포네마(non-treponemal) 검사법으로 VDRL검사(venereal disease research laboratory test), 급속혈장레아긴검사(rapid plasma reagin test, RPR)와 트레포네마(treponemal) 검사법으로 FTA-ABS, 매독균입자응집검사(T. pallidum particle agglutination assay, TPPA), 매독균효소면역검사(T. pallidum enzyme immunoassay, TP-EIA), 화학발광면역측정법(chemiluminescence immunoassay, CIA) 등이 있다. 만기 매독환자는 비트레포네마 검사법에서 음성이 나올 수 있으므로 임상적으로 의심되는 경우 트레포네마 검사법을 통해 확인해야 한다. 뇌척수액검사를 해야 하는 경우는 아래와 같다.
(1) 신경학적 혹은 안과적 증상이 있는 경우
(2) 다른 신체 부위에 활동성 3차 매독 감염이 있는 경우
(3) 매독의 단계에 관계 없이 치료에 실패하는 경우

뇌척수액검사의 경우 뇌척수액 VDRL을 뇌척수액 RPR보다 우선한다. 뇌척수액 FTA-ABS가 더 민감하지만 특이도는 떨어진다. 뇌척수액세포증가증과 단백질 증가 소견이 관찰된다. 후천면역결핍증 환자에서 신경매독이 임상적으로 의심뇌는 경우 뇌척수액 VDRL이 음성이어도 뇌척수액세포증가증과 단백질 증가 소견이 관찰되면 신경매독일 수 있다. 이러한 경우 사람면역결핍바이러스뇌염(human immunodeficiency virus)바이러스 자체로 인한 백혈구 및 단백질의 증가가 가능하므로 신경매독의 진단이 어려울 수 있다.

4) 치료

표준 치료는 aqueous crystalline penicillin G 정맥 치료나 procaine penicillin G 근육 주사와 probenecid 경구 투여를 병행하는 방법이 있다. 치료의 성공 여부는 신경학적 증상의 호전 여부와 함께 뇌척수액의 백혈구와 단백질 수치의 정상화를 고려해야 한다.

3 | 렙토스피라증

인수전염병으로 다양한 증상으로 발현한다. 렙토스피라속에 속하는 스피로헤타균에 의해 발병한다. 야생동물과 가축 모두에 감염된다. 설치류가 주요한 감염의 보유숙주가 된다. 작은 동물의 소변이나 오염된 물과 토양에 의해 사람에 전염된다. 균은 중성산도의 오염된 토양과 물에서 수일에서 수개월까지 생존 가능하며, 인간이 이러한 환경에 노출되면 감염된다. 인체의 손상된 피부나 점막, 안구의 결막을 통해 균이 침범한다.

경제적으로 빈곤하고, 위생상태가 불량한 열대지방에서는 풍토병으로 존재한다. 홍수 등에 의해 오염된 물에 대규모 노출이 되는 경우 대규모로 발생하기도 한다. 직업적으로 혹은 야외활동 등으로 오염된 토양이나 물에 노출되는 경우 또는 주거 환경의 감염된 설치류나 애완동물 등에 의해 전파된다.

1) 임상 증상

(1) 임상 증상 및 양상은 매우 다양하다. 대부분의 환자는 경미하거나 자연 치유되기도 하고, 임상 증상이 없기도 하나, 심한 증상으로 사망하는 경우도 있다.

(2) 결막에 광범위 피하출혈이 중요하고 간과되기 쉬운 증상으로 보고되었다. 마른 기침이 25-35%에서 발생한다. 오심, 구토, 설사 등이 50%에서 발생한다. 근육통, 간비대, 비장비대, 림프절병, 인두염, 근육 경직 및 피부발진이 많은 환자에서 발생한다. 관절통, 뼈통증, 인후통, 복통 등이 조금 더 낮은 빈도로 나타난다.

(3) 발병 일주일 이후 뇌척수액검사를 하면 50-85%의 환자에서 무균수막뇌염이 관찰되는데, 직접적인 균주의 침투 보다는 인체의 면역반응에 의한 것으로 생각된다.

(4) 심한 경우 황달과, 신부전, 폐출혈, 급성호흡곤란증후군, 포도막염, 시신경염, 말초신경병증, 심근염, 횡문근융해증 등이 발생할 수 있다.

2) 검사 및 영상 소견

백혈구 수치는 비특이적으로 대개 10,000 개/μL 이하로 나타나나, 300-26,000 개/μL로 다양하게 나타날 수 있다. 혈소판감소증(thrombocytopenia)이 동반되기도 하고, 범혈구감소증(pancytopenia)이 발생할 수도 있다. 저나트륨혈증, 단백뇨, 농뇨 등이 발견된다. 간효소의 상승이 동반되고, 황달이 관찰되기도 한다. 뇌척수액검사를 통해 림프구나 중성구의 증가와 단백 증가 소견이 관찰된다. 흉부방사선검사 결과 초기에 작은 결절이 관찰되며, 진행되면 결절들이 융합된 형태 혹은 젖빛유리음영(ground-glass opacity)으로 관찰된다.

3) 감별 질환

말라리아(malaria), 뎅기열(dengue fever), 치쿤구니아열(chikungunya fever) 등이 비슷한 임상 양상과 풍토병 양상을 보인다. 쯔쯔가무시(tsutsugamushi)도 감별해야 하며, 리케차(rickettsia) 질환도 감별해야 한다. 에르리히증(ehrlichiosis)이 비슷한 형태로 발현될 수 있다. 급성 인플루엔자 감염도 비슷한 형태로 발현될 수 있다. 한타바이러스(hantavirus) 감염증도 신장증상과 함께 폐 증상이 동반되기도 하여 감별 대상 질환이다.

4) 진단

임상적인 의심을 통해 진단을 위한 검사를 시행하는 것이 중요하다. 혈청검사를 가장 흔하게 이용한다. 풍토병 지역에서는 급성 감염 여부를 감별하기가 쉽지 않다. 급성기와 회복기의 혈청을 쌍으로 검사하는 것을 추천한다. 현미경응집검사, 맨눈응집검사, 간접적혈구응집검사 혈청을 이용한 측면유동신속검사법이 있다. 80%에 가까운 민감도와 90% 이상의 특이도를 보인다. 분자 검사로는 실시간중합효소연쇄반응(real-time polymerase chain reaction, real-time PCR), 고리매개등온증폭검사(loop-mediated isothermal amplification, LAMP) 등이 있다. 발병 10일 이내의 혈액과 뇌척수액의 배양검사를 통해 진단할 수 있다.

5) 치료

원칙적으로 대부분의 경우에는 항생제 치료 없이 자연치료 된다. 하지만, 항생제 치료로 유병 기간을 줄일 수 있고, 증상이 심한 경우 항생제 치료가 필요하다. 경미한 증상의 경우에는 doxycycline이나 azithromycin, amoxicillin 경구 요법을 추천한다.

임상 증상이 심한 경우에는 입원해서 penicillin, doxycycline, ceftriaxone이나 cefotaxime 정맥 주사를 통해 치료한다. 치료 과정에서 야리슈-헤르크스 반응(Jarisch-Herxheimer reaction)이 나타날 수 있다. 이는 균주가 혈행에서 갑자기 제거되면서 발생하는 반응으로, 발열, 오한과 저혈압이 나타난다.

4 | 라임병

진드기를 매개로한 스피로헤타인 보렐리아(Borrelia) 감염에 의해 발생한다. 초기국소감염 단계에는 특징적인 피부병변인 이동홍반(erythema migrans)과 함께 전신 증상이 발생하기도 한다. 진드기에 물린 후 한 달 이내 증상이 발생한다. 초기파종감염 단계에는 다발성의 이동홍반과 신경학적 혹은 심장이상이 동반되기도 하며, 국소적 라임병 병력이 선행한다. 만기라임병 단계에서는 간헐적인 혹은 지속적인 관절염이 하

나 혹은 두세 개의 관절(주로 무릎 관절)에 생긴다. 드문 신경학적 문제로 경미한 뇌병증 혹은 다발신경병(polyneuropathy) 등이 생기기도 한다.

1) 초기국소감염단계

이동홍반은 진드기에 물린 자리에 발생하고 물린 후 1-2주 사이에 발생한다. 피로감, 식욕저하, 두통, 경부경직, 근육통, 관절통, 국소림프절병, 발열 등이 나타난다. 적혈구침강속도(erythrocyte sedimentation rate, ESR)상승 소견이 20% 정도의 환자에서 관찰된다. 크레아틴인산화효소(creatine phosphokinase)의 상승과 림프구증가 소견은 덜 흔하게 관찰된다. 간효소의 경미한 상승이 동반하기도 한다.

2) 초기파종감염단계

진드기에 물린 지 수주에서 수개월 사이에 발생하고, 라임병의 첫 발현일 수 있다. 신경학적 혹은 심장의 이상으로 나타난다. 신경학적 이상으로는 림프구성 수막뇌염, 편측 혹은 양측 뇌신경마비, 신경근병(Bannwarth 증후군), 말초신경병증(peripheral neuropathy), 다발성단일신경병증(multiple mononeuropathy) 등 및, 드물게 소뇌실조증과 뇌척수염이 있을 수 있다. 전형적인 세 가지 징후는 수막뇌염, 뇌신경마비, 운동 혹은 감각 신경근병증(radiculopathy)인데, 각각이 따로 나타날 수도 있다. 안면신경이 가장 흔하게 침범되는 뇌신경이다. 심장의 염증으로 인한 심근염(myocarditis)으로 방실차단(atrioventricular block)이 나타나고, 심근심막염(myopericarditis) 등이 발생한다. 결막염, 각막염, 홍채섬모체염, 망막혈관염, 맥락막염, 시신경염, 포도막염 등의 안구 증상이 나타날 수 있다. 피부병변으로 보렐리아림프구종이 나타난다. 직경 수 센티미터의 푸른 빛이 도는 빨간 종창으로 이동홍반보다 늦게 나타나고 더 오래 지속된다.

3) 만기감염단계

감염 후 수개월에서 1-2년 지나서 나타난다. 대관

절, 특히 무릎 관절의 염증이 간헐적 혹은 지속적으로 관찰된다. 신경학적 이상으로 말초신경병증이나 경미한 뇌병증이 발병하기도 한다.

주로 무릎 관절의 부종과 통증이 주증상인 관절염이 발생한다.

신경학적 이상으로 인지기능 장애 등이나, 말초신경병증으로 통증이나 감각 이상이 발생할 수 있다. 피부병변으로 만성위축성선단피부염(chronic atrophic acrodermatitis)이 발병한다.

4) 라임병 후 증후군과 만성 라임병

표준적인 항생제 치료 이후에 발생할 수 있는 두통, 피로감, 관절통 등의 비특이적 증상들을 말한다. 치료 후 수개월 동안 지속된다.

5) 재감염

재감염이 발생할 수 있는데, 원 피부병소와 다른 피부 부위에 이동홍반이 나타나고, 뚜렷한 면역기억반응이 나타날 수 있다.

6) 치료

초기국소감염에는 doxycycline, amoxicillin, cefuroxime이 비슷한 효과를 보인다. doxycycline은 성인에게 100 mg 하루 두 번, amoxicillin은 500 mg 하루 세 번, cefuroxime은 500 mg 하루 두 번 경구 요법으로 보통 21일간 투여한다. 초기 파종 단계에는 안면신경마비 등의 증상에는 국소 항생제를 투여한다. 하지만, 뇌염 등의 환자에게는 ceftriaxone, cefotaxime 등의 3세대 세파 계열 항생제나 penicillin G 등을 정맥 투여하도록 한다. 만기감염에 의한 관절염 등의 경우에는 doxycycline이나 amoxicillin은 한 달간 경구 투여한다. 신경학적 증상이 있는 경우에는 ceftriaxone 정맥 주사 치료법이 선호된다.

참고문헌

1. Asbrink E, Hovmark A, Olsson I. Clinical manifestations of acrodermatitis chronica atrophicans in 50 Swedish patients. Zentralbl Bakteriol Mikrobiol Hyg 1986;263;253-61.
2. Brett-Major DM, Coldren R. Antibiotics for leptospirosis. Cochrane Database Syst Rev 2012; CD008264.
3. Butler T. The Jarisch-Herxheimer Reaction After Antibiotic Treatment of Spirochetal Infections: A Review of Recent Cases and Our Understanding of Pathogenesis. Am J Trop Med Hyg 2017;96: 46-52.
4. Chierakul W, Tientadakul P, Suputtamongkol Y, et al. Activation of the coagulation cascade in patients with leptospirosis. Clin Infect Dis 2008;46:254-60.
5. Clement ME, Okeke NL, Hicks CB. Treatment of syphilis: a systematic review. JAMA 2014;312: 1905-17.
6. Dattwyler RJ, Luft BJ, Kunkel MJ, et al. Ceftriaxone compared with doxycycline for the treatment of acute disseminated Lyme disease. N Engl J Med 1997;337:289-94.
7. French P. Syphilis. BMJ 2007;334:143-7.
8. Goldmeier D, Hay P. Acquired syphilis in adults. N Engl J Med 1992;327:959-61.
9. Guerrier G, Lefevre P, Chouvin C, et al. Jarisch-Herxheimer Reaction Among Patients with Leptospirosis: Incidence and Risk Factors. Am J Trop Med Hyg 2017;96:791-4.
10. Halperin JJ, Luft BJ, Anand AK, et al. Lyme neuroborreliosis: central nervous system manifestations. Neurology 1989;39:753-9.
11. Hook EW, Marra CM. Acquired syphilis in adults. N Engl J Med 1992;326:1060-9.
12. Logigian EL, Kaplan RF, Steere AC. Chronic neurologic manifestations of Lyme disease. N Engl J Med 1990;323:1438-44.

13. Logigian EL, Kaplan RF, Steere AC. Successful treatment of Lyme encephalopathy with intravenous ceftriaxone. J Infect Dis 1999;180:377-83.

14. Nardone A, Capek I, Baranton G, et al. Risk factors for leptospirosis in metropolitan France: results of a national case-control study, 1999-2000. Clin Infect Dis 2004;39:751-3.

15. Ogrinc K, Lusa L, Lotric-Furlan S, et al. Course and Outcome of Early European Lyme Neuroborreliosis (Bannwarth Syndrome): Clinical and Laboratory Findings. Clin Infect Dis 2016; 63:346-53.

16. Rockwell DH, Yobs AR, Moore MB. The Tuskegee Study of Untreated Syphilis; the 30th Year of Observation. Arch Intern Med 1964;114:792-8.

17. Sanchez E, Vannier E, Wormser GP, et al. Diagnosis, Treatment, and Prevention of Lyme Disease, Human Granulocytic Anaplasmosis, and Babesiosis: A Review. JAMA 2016;315:1767-77.

18. Sanford JP. Leptospirosis--time for a booster. N Engl J Med 1984;310:524-5.

19. Steere AC, Schoen RT, Taylor E. The clinical evolution of Lyme arthritis. Ann Intern Med 1987;107:725-31.

20. Strle F. Principles of the diagnosis and antibiotic treatment of Lyme borreliosis. Wien Klin Wochenschr 1999;111:911-5.

21. Suputtamongkol Y, Niwattayakul K, Suttinont C, et al. An open, randomized, controlled trial of penicillin, doxycycline, and cefotaxime for patients with severe leptospirosis. Clin Infect Dis 2004;39:1417-24.

22. Vanasco NB, Schmeling MF, Lottersberger J, et al. Clinical characteristics and risk factors of human leptospirosis in Argentina (1999-2005). Acta Trop 2005;107:255-8.

23. Wasinski B, Dutkiewicz J. Leptospirosis--current risk factors connected with human activity and the environment. Ann Agric Environ Med 2013;20:239-44.

24. Workowski KA, Bolan GA. Sexually transmitted diseases treatment guidelines, 2015. MMWR Recomm Rep, 2015;64:1-137.

10

강경욱

쯔쯔가무시병
(Tsutsugamushi)

1 개요

쯔쯔가무시병(tsutsugamushi, scrub typhus)은 털진드기(mite)를 뜻하는 일본어에서 기원한 것으로 1810년 Hashimoto에 의해 처음 명명되었다. 아시아 태평양 지역 내 러시아 극동지역, 파키스탄, 호주 및 일본을 잇는 삼각형(tsutsugamushi triangle) 안에서 주로 발생하는 것으로 알려져 있으며, 한국, 일본, 중국, 대만, 필리핀, 인도네시아, 말레이시아, 태국, 인도, 파키스탄, 호주, 그리고 파푸아뉴기니등이 호발 지역으로 보고되고 있다(그림 10-1). 매년 백만 명의 새로운 환자가 발생한다고 추정된다. 쯔쯔가무시병의 병원체는 세포내 절대기생 세균인 오리엔티아쯔쯔가무시균(Orientia tsutsugamushi)으로 난소경유전파(transovarial transmission)를 통해 이 세균에 감염된 털진드기 유충이 사람의 몸에 붙어 체액을 섭취하는 과정 중 사람에게 전파시키며, 사람 간 전파는 되지 않는다. 그러므로, 쯔쯔가무시병은 털진드기 유충 번식기와 일치하는 우리 나라 9-11월에 호발하며, 1994년부터 제3군 법정감염병으로 분류되어 보건 당국에서 관리를 하고 있다. 주로 50세 이상에서 발생하며, 털진드기 유충이 많은 산림 개간지, 강둑, 풀밭 같은 수풀환경에 소매가 짧은 옷을 입거나, 돗자리 없이 자리에 앉고, 소변 및 대변을 보기 위해 수풀에 쭈그려 앉는 등의 행위는 감염의 위험을 높인다. 외국과 달리 우리 나라에서는 여성 환자 비율이 높은데, 이는 직업적 노출 환경 및 의복 관습의 차이 때문일 것으로 추정된다.

쯔쯔가무시병의 대표적인 증상은 발열, 두통, 기침, 전신의 림프절병증 등이며, 6-21일의 잠복기를 거쳐 발생한다. 보통 털진드기 유충에 물린 뒤 환자의 피부에 형성되는 통증이 없는 검은 색의 가피(eschar)가 질병 특유증상(pathognomic symptom)으로 알려져 있으나, 증상 발현 수일 전에 발생하기 때문에 환자가 증상을 호소할 때는 비특이적인 병변으로 나타나는 경우가 있고, 검사자의 숙련도에도 영향을 받아서 발견율이 7-80%로 다양하게 보고되고 있다(그림 10-2). 또한, 가피의 발견에는 치료자의 경험과 숙련도뿐 아니라 환자의 피부 색깔 및 증상 발생 후 병원 내원 시점 등 다양한 요소들이 영향을 줄 수 있어 검사실 검사 시행 전에 쯔쯔가무시병을 의심할 수 있는 임상 예측 모델을 제시한 연구자들도 있다. 이들 모델에서는 5개의 예측 인자[연령 ≥ 65세(2점), 최근 바깥 활동(1점), 쯔쯔가무시병 유행기간 중 증상 발생(2점), 근육통(1점), 가피 존재(2점)]들의 점수 합이 4점 이상인 경우 쯔쯔가무시병 진단의 민감도와 특이도가 각각 92.7%와 90.9%였다(표 10-1).

표 10-1 국소감염이 없는 발열(undifferentiated fever) 환자에서 쯔쯔가무시병 예측 모델

진단 요소	점수
연령≥65세	2
최근 바깥 활동	1
쯔쯔가무시병 유행기간 중 증상 발생(9-12월)	2
근육통	1
가피 존재	2
총합	≥4점

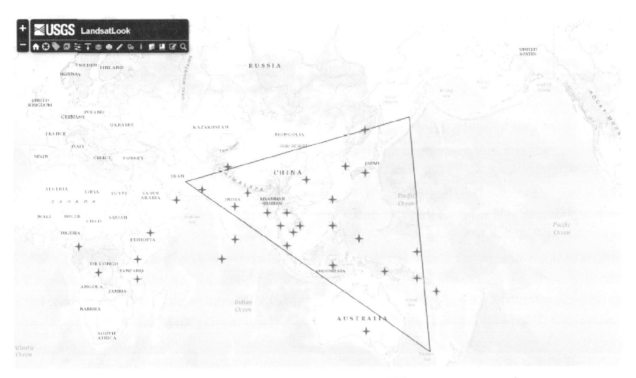

그림 10-1 쯔쯔가무시병이 주로 발생하는 쯔쯔가무시 삼각형(tsutsugamushi triangle)

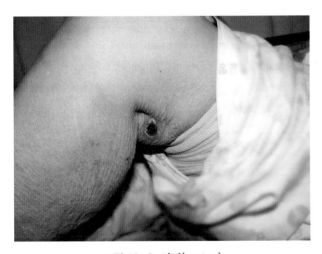

그림 10-2 가피(eschar)

직경 5~20 mm 크기이며, 털진드기 유충에 물린 부위에 형성되며, 주로 복부(허리), 겨드랑이, 가슴 등 주로 몸통 부위에 발생한다.

쯔쯔가무시병이 의심되는 경우 발진이나 가피가 동반되지 않더라도, 정확한 진단을 위해 혈청학적 진단 방법, 유전자 검출법이나 배양법 등을 시행하여야 한다. 현재까지 진단에서 가장 흔히 사용하는 검사실 검사 방법은 혈청학적 검사로 환자의 혈액을 이용

하여 간접면역형광항체법(indirect immunofluorescence assay, IFA), 효소결합면역흡착측정법(enzyme-linked immunosorbent assay, ELISA) 등으로 쯔쯔가무시균에 대한 항체의 존재를 확인하는 것이다. 이러한 항체를 검출하는 혈청검사는 발병 1-2주 이후에 항체가 형성되는 경우가 많으므로, 급성기와 회복기 혈청에서 항체 역가가 4배 이상 상승하거나, 혈청전환(seroconversion)이 발생할 때 확진할 수 있지만, 단일 혈청검사 기준을 정하여 사용한다면 초기 진단에 도움을 받을 수 있다. 반면에 중합효소연쇄반응(polymerase chain reaction, PCR)을 이용한 유전자 검출법은 검체(예: 혈액, 조직, 가피)에서 특이 유전자를 검출하는 방법으로 혈청학적 진단 방법과 달리 항생제 투여에 의해 민감도가 영향을 받을 수 있지만, 신속하게 결과를 확인할 수 있다는 장점이 있으며, 배양법과 함께 확진을 위해 필요한 진단 방법이다.

쯔쯔가무시병은 적절한 항생제(doxycycline, chloramphenicol, azithromycin)를 사용했을 경우 24-48시간 안에 발열이 해소되므로, 다른 질환이 배제가 가능할 시 경험적인 치료가 권유된다.

2 | 신경계 침범

쯔쯔가무시병은 항생제 처방을 통해 쉽게 치료가 가능하지만, 진단이 늦어져 항생제 치료를 받지 못할 경우 증상 발생 후 2주 이내에 폐렴, 급성신부전, 간비대, 부종, 수막염, 뇌염 등 다양한 장기의 기능부전이나 파종혈관내응고(disseminated intravascular coagulation)를 유발하여, 30–70%에 달하는 사망률이 보고되기도 하였다. 쯔쯔가무시균은 피부 감염 후 혈액에 존재하는 단핵구를 통해 혈행을 따라 전신으로 퍼져나가는 것으로 추정하고 있다. 특히, 혈관내피세포에 대한 감염을 통한 국소 또는 전신혈관염과, 대식세포의 면역반응이 다른 장기로의 확산에 주된 역할을 할 것이라고 생각을 하고 있다.

말초신경계와 중추신경계를 포함한 신경계의 침범은 가장 흔한 수막염(meningitis)과 수막뇌염(meningoencephalitis) 형태와 뇌경색, 소뇌염, 두개내혈종, 뇌신경병증뿐 아니라, 다발성단일신경염(mononeuritis multiplex), 상완신경총병증(brachial plexopathy), 척수염, 길랭–바레증후군과 같은 말초신경계 질환으로도 보고되었다.

몇몇 연구에서 수막염 또는 수막뇌염은 쯔쯔가무시병을 진단받은 환자의 12–26%에서 보고되었으며, 대부분 전신 감염 증상을 가지고 있어 사망률이 최대 30%까지 이른다. 우리나라에서 가장 흔한 혈청형인 Boryong이 다른 혈청형에 비해 중추신경계를 잘 침범한다고 알려져 있는데, 가장 흔하게 관찰되는 증상은 발열, 두통, 근육통을 동반한 의식저하이며, 발작이 동반될 수 있다. 뇌척수액(cerebrospinal fluid, CSF) 검사 소견은 바이러스수막염과 유사한 정도의 단핵구 위주의 뇌척수액 세포증가증이 보이고, 약간 상승된 단백질 및 감소 또는 정상 포도당 소견을 확인 할 수 있어 결핵수막염과의 감별이 필요할 수 있는데, 이때 뇌척수액 아데노신아미노기제거효소(adenosine deaminase, ADA)가 도움이 될 수 있다.

뇌영상검사, 특히 자기공명영상(magnetic resonance imaging, MRI)이 진단에 도움이 될 수 있다. 여러 증례 보고에서 혈액뇌장벽 붕괴에 따른 피질하 뇌실 주위 백질병변, 깊은 뇌백질병변 및 피질 병변이 보고되고 있으며, 미세경색 및 부종과 고리조영증강(ring enhancement)병변, 다중결절 실질조영증강(multiple nodular parenchymal enhancement)병변 및 소뇌(cerebellum), 뇌간(brainstem), 조가비핵(putamen), 시상(thalamus), 척수(spinal cord) 등 다양한 구조물의 뇌막 조영증강이 보고되었다.

참고문헌

1. Prakash JAJ. Scrub typhus: risks, diagnostic issues, and management challenges. Res Rep Trop Med 2017;8:73-83.

2. Xu G, Walker DH, Jupiter D, et al. A review of the global epidemiology of scrub typhus. PLoS Negl Trop Dis 2017;11:e0006062.

3. Viswanathan S, Muthu V, Iqbal N, et al. Scrub typhus meningitis in South India--a retrospective study. PLoS one 2013;8:e66595.

4. Bang HA, Lee MJ, Lee WC. Comparative research on epidemiological aspects of tsutsugamushi disease (scrub typhus) between Korea and Japan. Jpn J Infect Dis 2008;61:148-50.

5. Rajapakse S, Weeratunga P, Sivayoganathan S, et al. Clinical manifestations of scrub typhus. Trans R Soc Trop Med Hyg 2017;111:43-54.

6. Jung HC, Chon SB, Oh WS, et al. Etiologies of acute undifferentiated fever and clinical prediction of scrub typhus in a non-tropical endemic area. Am J Trop Med Hyg 2015;92:256-61.

7. 김동민. 쯔쯔가무시병의 임상 특징과 진단. Infection and Chemotherapy 2009;41:315-22.

8. Phillips A, Aggarwal GR, Mittal V, et al. Central and Peripheral Nervous System Involvement in a Patient with Scrub Infection. Ann Indian Acad Neurol 2018;21:318-21.

9. Valappil AV, Thiruvoth S, Peedikayil JM, et al. Differential diagnosis of scrub typhus meningitis from tuberculous meningitis using clinical and laboratory features. Clin Neurol Neurosurg 2017;163:76-80.

10. Hussain M. Scrub Typhus Meningoencephalitis. Meningoencephalitis: Disease Which Requires Optimal Approach in Emergency Manner. London, UK: IntechOpen. 2017.

11. Neyaz Z, Bhattacharya V, Muzaffar N, et al. Brain MRI findings in a patient with scrub typhus infection. Neurol India 2016;64:788-92.

11

양태원

기생충 뇌감염
(Parasitic cerebral infection)

1 원충감염(Protozoal diseases)

1) 톡소포자충증(Toxoplasmosis)

톡소포자충증을 일으키는 톡소포자충(*Toxoplasma gondii*)은 2-5 ㎛ 크기의 작은 세포 내 기생충으로 빠른분열소체(tachyzoite), 조직내낭(tissue cyst), 난모세포(oocyte)의 3가지 형태로 감염을 일으킨다. 덜 익은 육류를 섭취할 때 느린분열소체(bradyzoite)를 함유한 조직내낭을 함께 섭취하거나 오염된 토양, 음식, 물로부터 난포세포를 섭취하는 경우가 가장 흔한 감염경로이다. 그 밖에도 산모가 감염된 경우 태반을 통해 태아가 감염되거나 장기 이식 시 받는 이가 감염되기도 한다.

면역 기능이 정상인 사람에서 발생하는 급성 감염은 무증상이거나 경부림프절병증(cervical lymphadenopathy)과 함께 두통, 권태, 피로, 발열 같은 가벼운 증상이 대부분이다. 면역 기능이 손상된 환자에서는 의식변화, 발작, 뇌신경마비와 같은 중추신경계 증상을 동반하는 경우가 많다. 특히 톡소포자충증은 후천면역결핍증후군(acquired immune deficiency syndrome, AIDS) 환자에서 중추신경계의 대표적인 기회 감염이다. 감염된 산모로부터 태아에게 전파되는 선천감염에서는 뇌석회화(cerebral calcification), 수두증(hydrocephalus), 작은머리증(microcephaly), 맥락망막염(chorioretinitis), 정신운동지연(psychomotor retardation)과 같은 심각한 중추신경계 증상을 초래할 수 있다.

톡소포자충증은 혈청에서 톡소플라스마 면역글로불린G (immunoglobulin G, IgG)의 검출을 통해 진단할 수 있다. IgG는 감염 후 2-3주부터 검출되며, IgM과 함께 측정하면 감염 시기를 추정하는데 도움을 받을 수 있다. 톡소포자충뇌염의 진단을 위해서는 뇌 영상검사가 필수적인데 뇌 컴퓨터단층촬영(computed tomography, CT)나 뇌 자기공명영상(magnetic resonance image, MRI)에서 여러 개의 고리조영증강(ring enhancement) 병터를 관찰할 수 있다(그림 11-1). 특히 후천면역결핍증후군 환자나 면역손상 환자에서는 항체반응이 나타나지 않는 경우도 있어 톡소포자충뇌염의 진단을 위해서 임상 증상의 확인과 함께 뇌영상검사가 반드시 필요하다. 뇌척수액에서 중합효소연쇄반응(polymerase chain reaction, PCR)을 통한 톡소포자충의 검출은 톡소포자충뇌염의 진단에 특이도가 높아 유용하다.

톡소포자충뇌염의 치료에는 pyrimethamine과 sulfadiazine을 함께 사용한다. Pyrimethamine 200 mg을 한 번 복용하고, 이후 매일 50 mg (< 60 kg) 혹은 75 mg (> 60 kg)을 복용한다. Sulfadiazine은 1,000 mg (< 60 kg) 혹은 1,500 mg (> 60 kg)을 매 6시간마다 복용한다. Pyrimethamine에 의해 발생하는 혈액독성(hematologic toxicity)을 예방하기 위해 leucovorin 10-25 mg을 함께 복용한다. 치료에 반응이 없거나 sulfadiazine을 사용할 수 없는 경우 pyrimethamine과 함께 clindamycin 600 mg을 6시간 간격으로 복용하기도 한다. 그 밖에 trimethoprim-sulfamethoxazole이

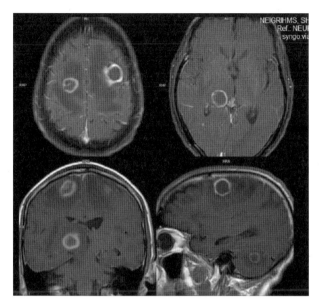

그림 11-1 톡소포자충뇌염 환자의 뇌MRI

오른쪽 시상과 왼쪽 소뇌, 양쪽 대뇌반구에서 여러 개의 고리조영증강 병터와 함께 병터 주변 부종이 관찰된다.
(출처: Barman B, Tiewsoh I, Lynrah KG, et al. Cerebral toxoplasmosis with fever and erythematous macular rash: An initial presentation in an advanced HIV infection. Trop Parasitol 2018;8:41-4.)

나 atovaquone의 투여도 가능하다. 치료에 임상적 호전을 보이거나 뇌영상검사에서 호전을 보이는 경우 6주 이상 유지한다.

2) 말라리아(Malaria)

말라리아는 열원충 속(*Plasmodium*)에 속하는 열대열원충(*Plasmodium falciparum*), 삼일열원충(*Plasmodium vivax*), 사일열원충(*Plasmodium malariae*), 난형열원충(*Plasmodium ovale*), 원숭이열원충(*Plasmodium knowlesi*)에 감염되어 발생하는 급성 열성질환이다. 주로 얼룩날개모기(Anopheles mosquito)를 매개로 사람에게 전파되고, 아프리카, 아시아, 중남미에서 발생한다. 전 세계적으로 매년 약 2억 건 이상의 말라리아 감염이 발생하고 이 중 40만 명 이상이 사망할 정도로 흔하다. 우리나라에서는 1970년대 후반에 완전히 소멸되었으나, 1993년부터 다시 발생하기 시작하여 2000년에는 4,000여 명으로 정점을 보였고, 이후 점차 감소하여

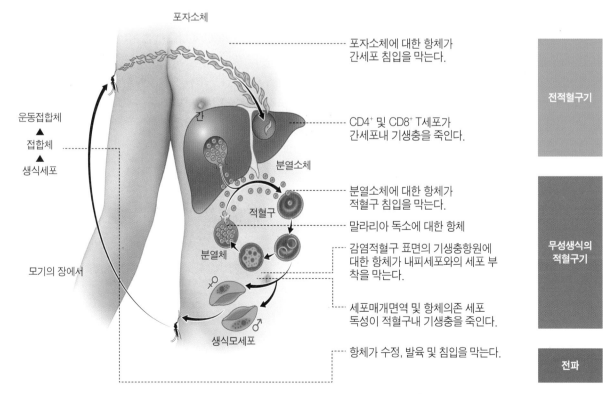

그림 11-2 말라리아 생활사

최근에는 연간 500명 정도 발생한다. 제3군 법정감염병으로 지정되어 있다.

얼룩날개모기가 사람을 물 때 포자소체(sporazoite)가 인체 내로 들어와 혈관을 통해 간으로 이동한다. 간에서 증식 과정을 서치면서 1개의 포자소체가 10,000-100,000개의 분열소체(merozoite)로 발육하고, 감염간세포가 터지면서 분열소체들이 혈류로 흘러든다. 혈류로 들어온 분열소체는 적혈구로 침입하여 영양형(trophozoite)을 거쳐 분열체(schizont)가 된다. 분열체에는 여러 개의 분열소체들이 있는데 적혈구가 파괴되면서 밖으로 나온 분열소체들이 새로운 적혈구에 들어가 감염시킨다. 분열소체 중 일부는 생식모세포(gametocyte)로 발육하여 모기가 사람을 물 때 다시 모기 체내로 들어가 말라리아를 전파시킨다(그림 11-2).

중추신경계 합병증을 동반하는 뇌말라리아(cerebral malaria)는 열대열원충 감염으로 발생하며, 열대열말라리아(falciparum malaria)의 약 2%에서 발생한다. 초기에는 권태, 두통, 근육통, 발열과 같은 비특이적인 증상으로 시작하고, 1-2주가 지나서 혼수, 발작과 같은 심각한 중추신경계 증상들이 나타나는 경우가 많다. 뇌말라리아는 광범위하고 대칭적인 뇌병증을 보이며, 반신마비나 실어증과 같은 국소증상을 보이는 경우는 드물다. 뇌말라리아는 매우 치명적이어서 치료하지 않으면 대부분 사망하고 치료를 하더라도 15-25%는 사망에 이른다.

말초혈액도말에서 적혈구 내 원충의 확인으로 진단할 수 있다. 혈액 검사에서 빈혈과 혈소판감소증이 흔히 관찰된다. 뇌척수액검사에서 개방압이 증가하고, 세포 수와 단백질은 정상이거나 약간 증가될 수 있다. 이중 중합효소연쇄반응(nested PCR)이나 등온유전자증폭법(loop-mediated isothermal amplification assay,

LAMP)과 같은 유전자검출검사를 통해서도 진단이 가능하다.

말라리아가 진단되면 치료가 빠르게 시작되어야 한다. 말라리아 치료에는 qunine, quinidine, artemisinin이 흔히 사용된다. 최근 세계보건기구(World Health Organization, WHO)에서는 열대열말라이아의 치료에 artemisinin 기반 병합 요법(artemisinin-based combination therapies, ACT)을 사용하도록 권장한다(표 11-1).

3) 파동편모충증(Trypanosomiasis)

파동편모충증은 중남미에서 크루스파동편모충(*Trypanosoma cruzi*)에 의해 발생하는 샤가스병(Chagas disease) 혹은 아메리카파동편모충증(American trypanosomiasis)과 중남미와 적도 주변 아프리카에서 감비아파동편모충(*Trypanosoma brucei gambiense*)과 로데시아파동편모충(*Trypanosoma brucei rhodesiense*)에 의해 발생하는 수면병(sleeping sickness) 혹은 아프리카파동편모충증(African trypanosomiasis)이 있다.

샤가스병은 흡혈노린재(reduviid bug)를 통해 전파된다. 급성기에는 대부분 무증상이며 5-10%는 치료를 하지 않아도 호전된다. 나머지는 만성기로 진행하는데 이 중 30-40%는 심근병증이나 소화기능장애를 유발한다. 중추신경계 증상은 급성기에 소아에서 수막뇌염이 드물게 발생하며 이러한 경우 예후가 좋지 않다. 아프리카파동편모충증은 주로 체체파리(tsetse fly)에 물려서 발생한다. 1단계에서는 발열과 함께 림프선이 붓고, 근육통과 관절통이 발생한다. 2단계에서는 두통과 의식 상태 변화, 수면 장애, 구음장애, 보행 장애와 같은 중추신경계 증상을 보인다. 감비아형파동편모충증(Gambiense trypanosomiasis)은 전체의 97%를 차지하

표 11-1 Artemisinin 기반의 표준 치료법

치료제	용량, 기간
Artemether + lumefantrine	80 mg + 480 mg, 하루 두 번, 3일 동안
Artesunate + amodiaquine	200 mg + 540 mg, 하루 한 번, 3일 동안
Artesunate + mefloquine	200 mg + 440 mg, 하루 한 번, 3일 동안
Artesunate + sulfadoxine/pyrimethamine	200 mg, 하루 한 번, 3일 동안 + 1,500/75 mg, 한 번

며 수년에 걸친 잠복기 이후에 증상이 나타난다. 로데시아파동편모충증(Rhodesiense trypanosomiasis)은 전체의 3%를 차지하며 급성으로 발병하여 수주에서 수개월 만에 사망에 이르게 한다.

급성 샤가스병은 혈액에서 충체를 찾아내서 진단하고, 만성 샤가스병은 크루스파동편모충 항원에 결합하는 특이 IgG를 검출함으로써 진단이 가능하다. 아프리카파동편모충증의 진단에는 굳은궤양(chancre)의 체액이나 혈액에서 기생충을 찾아내는 것이 필요하다. 뇌척수액 검사에서 단핵구가 증가하고, IgM이 증가한다. 뇌척수액에서 파동편모충이 발견되기도 한다.

샤가스병의 치료에는 benznidazole과 nifurtimox가 사용된다. Benznidazole은 12세 이상에는 하루에 5 mg/kg, 12세 미만에는 5-7.5 mg/kg의 용량을 2번으로 나누어 복용하고, 30-60일 동안 유지한다. Nifurtimox는 16세 이상에서는 하루에 15 mg/kg, 11-16세에는 12.5-15 mg/kg, 10세 미만에서는 15-20 mg/kg의 용량을 3-4번으로 나누어 복용하고 60-90일 동안 유지한다.

아프리카파동편모충증의 치료는 원인 기생충과 임상단계에 따라 치료가 다르다. 감비아형파동편모충증의 1단계에는 pentamidine 4 mg/kg을 7일 동안 주사한다. 2단계에는 eflornithine 200 mg/kg을 하루 두 번씩 7일 동안 주사하고 nifurtimox 5 mg/kg을 하루 세 번씩 10일 동안 함께 경구 복용한다. 로데시아형파동편모충증의 1단계에는 suramin 4-5 mg/kg을 첫날에 주사하고 이후에는 일주일 간격으로 20 mg/kg를 5주 동안 주사한다. 2단계에서는 하루에 melarsoprol 2.2 mg/kg을 10일 동안 주사한다.

4) 아메바수막뇌염

아메바의 중추신경계 감염은 드물지만 매우 치명적이다. 원발아메바수막뇌염(primary amebic meningoen cephalitis)은 담수에 존재하는 파울러자유아메바(Naegleria fowleri)에 감염되어 발생하는데 주로 건강한 어린이나 청소년에서 발생한다. 후각신경을 통해 뇌로 침범하여 수막뇌염을 일으킨다. 2-5일의 잠복기를 거쳐 맛이나 냄새의 변화와 함께 두통, 발열, 구역, 구토, 빛공포증(photophobia), 수막자극징후가 나타난다. 병이 진행하면

뇌신경마비와 발작, 혼수가 발생한다. 진행이 매우 빨라 대게 발병 일주일 이내에 사망한다.

육아종아메바뇌염(granulomatous amebic encephalitis)은 가시아메바종(Acanthamoeba species)이나 발라무시아만드릴라리스(Balamuthia mandrillaris)에 감염되어 발생한다. 가시아메바종 감염은 주로 면역결핍 환자에서 발생하고, 발라무시아만드릴라리스 감염은 면역 결핍 환자뿐만 아니라 면역 기능이 정상인 사람에서도 발생한다. 의식상태변화, 발작, 발열, 두통, 반마비, 시야장애와 같은 증상으로 시작하고 아급성 혹은 만성 경과를 보인다. 대부분 중추신경계 증상이 나타난 후 1개월 이내에 사망한다.

원발아메바수막뇌염의 진단은 뇌척수액과 뇌 조직검사에서 파울러자유아메바의 배양을 통해 이루어진다. 뇌척수액검사 소견은 급성 세균수막염과 유사하다. 뇌척수액 압력 증가, 다형핵백혈구(polymorphonuclear leukocyte)와 단백질 증가, 포도당 감소가 관찰된다. 육아종아메바뇌염은 뇌생검으로 진단한다. 뇌척수액에서 아메바가 배양된 경우는 거의 없고, 비특이적이지만 약간의 백혈구 증가와 함께 단백질 증가와 포도당 감소가 관찰된다.

원발아메바수막뇌염 환자에서 amphotericin B로 치료하거나 rifampin을 함께 투여하여 생존한 경우가 있으나 전체적인 사망률은 95%에 달한다. 육아종아메바뇌염에 정립된 치료법은 없고, pentamidine, sulfadiazine, flucytosine, rifampin, fluconazole 등의 병합요법으로 치료한 환자들의 증례가 있다.

2 | 연충감염(Helminth, parasitic worms)

1) 선충(Nematodes)

(1) 선모충증(Trichinellosis, trichinosis)

선모충증은 선모충(Trichinella spiralis)에 감염된 돼지고기나 다른 육식동물의 근육을 덜 익힌 채 먹어서 감염된다. 대부분은 무증상이나 섭취한 기생충의 수가 많은 경우에 증상이 발생한다. 섭취한 기생충이 장 점막을 침범함으로써 감염 첫 주에 설사와 함께 복통, 구토

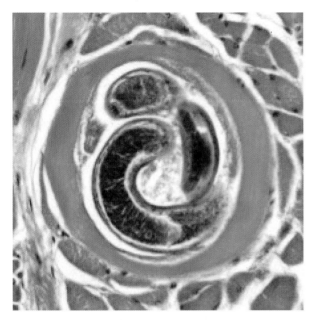

그림 11-3 선모충증 환자의 근육생검
헤마톡실린-에오신으로 염색한 근육 조직에서 피포애벌레가 관찰된다
(400x).
(출처: Centers for Disease Control and Prevention 홈페이지, https://
www.cdc.gov/dpdx/trichinellosis/index.html)

가 발생한다. 감염 2주 째에 유충이 이동하면서 국소 혹
은 전신의 과민반응을 일으켜 결막염, 결막하출혈, 안
구 주위와 얼굴 부종, 점출혈이 발생한다. 드물게 심근
염, 폐렴, 뇌염과 같은 심각한 증상도 발생한다. 중추신
경계를 침범하는 경우 두통, 경부경직, 혼돈이 흔히 발
생하고, 드물게 혼수, 편마비, 실어증도 관찰된다.

근육 생검에서 피포애벌레(피포유충, encysted larva)를
확인해서 진단한다(그림 11-3). 선모충증 환자의 대부분
에서 말초혈액 호산구증가증이 확인되고, 혈청 근육 효
소가 증가된다. 감염 3주 이후부터는 항체검사가 양성
으로 나와 진단에 도움이 된다. 뇌척수액에서 호산구증
가증이나 유충이 관찰될 수 있으나 흔하지는 않다.

선모충증이 진단되면 가능한 빨리 치료를 시작한다.
Albendazole 400 mg을 하루 두 번씩 8-14일 동안 복
용하거나 mebendazole 200-400 mg을 하루 세 번씩 3
일간 복용 후, 추가로 400-500 mg을 하루 세 번씩 10
일 동안 복용한다. 중추신경계, 심장, 폐 증상이 심한
경우 prednisone 30-60 mg/day을 10-15일 동안 항기
생충약과 함께 사용하면 염증이나 부종을 줄이는데 도
움이 된다.

(2) 광동주혈선충증(Angiostrongylosis)

쥐의 폐에 기생하는 광동주혈선충(*Angiostrongylus
cantonensis*)은 사람에서 호산구수막염을 일으키는 주
요 원인이다. 광동주혈선충증은 동남아시아나 태평양
섬에서 자주 발생한다. 광동주혈선충이 생산한 유충은
쥐의 대변으로 배출된다. 사람은 중간숙주인 달팽이를
익히지 않은 채 섭취하거나 중간숙주를 포식한 민물
게, 새우, 어류를 날로 섭취하여 감염된다.

중추신경계 증상은 감염 후 1-35일 후에 나타나는
데 거의 모든 환자가 두통을 호소한다. 경부경직, 구
역, 구토, 감각 이상도 흔히 동반된다. 뇌신경마비, 국
소 마비, 반사 저하는 뇌염이 동반된 경우를 제외하면
드물다. 안구 침범이 있는 경우 결막염, 망막출혈, 망
막박리, 실명이 발생할 수 있다. 또한 뇌척수액검사에
서 백혈구가 증가한다. 림프구가 주로 증가하지만 호
산구가 증가될 수 있다. 대개 단백질 농도는 상승하고
당은 정상이다. 광동주혈선충 특이 항체를 검출하여
진단할 수 있고, 뇌나 뇌척수액에서 유충이 발견되는
경우는 극히 드물다.

(3) 치료

대부분은 자연치유되어 예후가 좋다. 증상의 완화를
위해서 prednisone 60 mg/day을 2주 동안 사용한다.
진통제와 진정제를 사용하거나 반복적으로 뇌척수액
을 뽑아주면 증상 완화에 도움이 된다.

2) 촌충(Cestodes)

(1) 신경낭미충증(Neurocysticercosis)

신경낭미충증은 중남미와 아프리카, 인도에서 흔
하며, 뇌전증을 포함한 신경계 장애를 일으키는 주
요 원인이다. 갈고리촌충(*Taenia solium*)은 두 가지 형
태를 가지는데 중간 숙주인 돼지의 근육에서 낭미충
(cysticercus)으로 존재하고 사람에서는 장촌충(intestinal
tapeworm) 형태로 존재한다. 사람은 덜 익은 돼지고기
에 있는 낭미충을 섭취하여 감염된다.

신경낭미충증의 가장 흔한 임상증상은 발작이다. 발작은 대개 쉽게 조절되고 염증의 호전과 함께 치료되나 일부 석회화된 병변이 있는 경우 항뇌전증약(antiepileptic drug)을 줄이면 발작이 재발하는 경우가 있어 주의를 요한다. 두통도 흔히 발생하며, 수두증으로 뇌압이 증가하면 구역, 구토, 의식상태변화, 시야장애, 어지럼이 발생할 수 있다.

뇌척수액에서 항체를 검출하거나 효소면역이적법(enzyme-linked immunoelectrotransfer blot, EITB)을 이용하여 진단을 할 수 있다. 뇌MRI에서 5-20 mm 크기의 고리모양으로 조영증강되는 여러 개의 병터를 관찰할 수 있다.

1차 치료제는 albendazole로 하루 15 mg/kg을 7일 동안 투여한다. Praziquantel을 하루 50 mg/kg로 14일간 사용하기도 한다. 염증을 조절하기 위해서 corticosteroid를 사용하고, 발작이 있는 경우 항뇌전증약을 함께 사용한다. 수두증이 동반된 경우 수술적 치료를 시행한다.

(2) 스파르가눔증(Sparganosis)

스파르가눔증은 만선열두조충(*Spirometra mansoni*, *Spirometra ranarum*, *Spirometra erinacei*)의 유충에 의한 인체 감염증으로 중국, 한국, 일본과 동남아시아에서 주로 보고된다. 성충은 개나 고양이의 소장에 기생하며, 성충의 알이 분변과 함께 배설되어 담수로 유입된다. 개구리와 뱀이 중간 숙주이고, 사람은 유충에 오염된 검물벼룩(cyclops)이 있는 담수를 마시거나 중간 숙주인 개구리, 뱀을 충분히 익히지 않고 먹어서 감염된다.

소장에서 자란 성충이 장벽을 뚫고 나와 피하조직이나 근육조직으로 이동하면 가려움증과 통증을 동반한 피부밑결절을 관찰할 수 있다. 중추신경계 증상으로 발작, 편마비, 두통이 흔히 발생한다. 뇌스파르가눔증은 혈관염을 유발하여 뇌출혈이나 뇌경색으로 이어질 수도 있다.

진단은 혈청이나 뇌척수액을 이용한 혈청검사가 도움이 된다. 한국에서 개발한 효소결합면역흡착측정법(enzyme-linked immunosorbent assay, ELISA)의 민감도가 80-85%로 보고되었다. 뇌CT나 뇌MRI와 같은 신경영상검사도 도움이 된다. 뇌CT에서는 대뇌백질의

저밀도 음영과 함께 인접한 뇌실의 확장, 조영증강되는 결절병터와 작은 점 모양의 석회화를 관찰할 수 있다. 뇌MRI에서는 T1에서 저신호강도, T2에서 고신호강도를 보이는 병터를 확인할 수 있다.

대개 수술로 성충을 제거한다. 수술이 불가능한 경우에는 praziquantel을 하루 50 mg/kg로 14일 동안 사용한다.

3) 포충증(Echinococcosis)

포충증는 단방조충(*Echinococcus granulosus*), 다방조충(*Echinococcus multilocularis*)이나 보겔씨조충(*Echinococcus vogeli*)에 감염되어 발생한다. 단방조충은 개의 장에 기생하며 2-5 mm로 작다. 개에서 배설된 충란을 중간숙주인 사람이 섭취하면 장내에서 부화한 유충이 장벽을 뚫고 문맥순환으로 들어가 이동한다. 가장 흔하게 침범되는 부위는 간과 폐이며, 뇌로 침범하는 경우는 5% 미만이다. 다방조충의 생활사도 단방조충과 유사하나 중간 숙주가 작은 설치류이고, 종숙주는 여우, 개, 고양이이다. 단방조충은 전세계적으로 널리 분포하는데 특히 지중해연안, 중동, 동아프리카, 남미에서 유행한다. 다방조충은 알프스지역이나 북극권지대에서 유행한다.

간과 폐가 가장 흔히 감염되는 기관이며, 간포충증(hepatic echinococcosis)에서는 복통과 함께 우상복부에서 덩어리가 만져진다. 낭이 파열되거나 포낭액이 새어나가면 발열, 가려움, 두드러기, 호산구증가증이나 아나필락시스가 발생한다. 중추신경계 증상은 주로 커다란 덩어리에 의한 공간점유효과(space-occupying effect)로 두통, 발작, 국소신경학적 이상을 유발한다.

진단은 주로 영상검사를 통해 이루어진다. 단방조충증은 뇌CT나 뇌MRI에서 둥근 모양의 낭병터(cystic lesion)를 관찰할 수 있고, 큰 포낭 속에 있는 여러 개의 딸낭(daughter cysts)이나 원두절(protoscolex)을 관찰하면 진단에 큰 도움이 된다(그림 11-4). 영상검사로 진단이 어려운 경우 효소면역측정법이나 간접혈구응집측정법(indirect hemagglutination assays) 같은 혈청검사의 도움을 받을 수 있다.

중추신경계를 침범한 포충증의 치료는 수술적 치료가 선호된다. 단방조충증은 포자가 터져서 원두절(protoscolex)이 퍼지지 않게 하는 것이 중요하다.

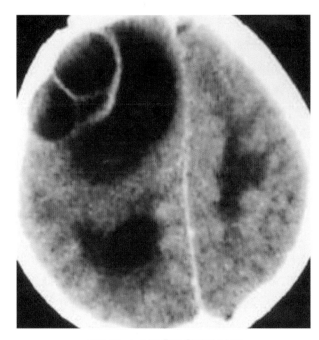

그림 11-4 뇌포충증 환자의 뇌CT
딸낭을 포함한 큰 포낭이 관찰된다.
(출처: Ravalji M, Kumar S, Shah AK, et al. CT and MRI features of the typical and atypical intracranial hydatid cysts: Report of five cases. Indian J Radiol Imaging 2006;16:727-32)

Albendazole 400 mg을 하루 두 번씩 1-6개월 동안 복용하는 것이 도움이 된다. 다방조충증은 수술적 치료 후 2년 동안 albendazole을 복용한다.

3 | 흡충(Trematodes)

1) 주혈흡충증(Schistosomiasis)

주혈흡충증은 세계적으로 2억 명 이상의 감염자가 있는 중요한 열대병으로 사람에 기생하는 주혈흡충은 일본주혈흡충(Schistosoma japonicum), 만손주혈흡충(Schistosoma mansoni), 방광주혈흡충(Schistosoma hematobium), 장간막주혈흡충(Schistosoma intercalatum), 메콩주혈흡충(Schistosoma mekongi)의 다섯 종류가 있다. 일본주혈흡충은 주로 중국, 필리핀, 동남아시아에서, 만손주혈흡충은 아프리카, 서남 아시아, 카리브해, 중동과 남미 지역에서, 방광주혈흡충은 아프리카, 중동과 서남 아시아에서 발견된다.

담수에 있는 유미유충(cercaria)이 사람의 피부를 뚫고 인체 내로 침입한다. 침입한 유미유충은 꼬리가 떨어지면서 유약주혈흡충(schistosomule)으로 변화하고 정맥이나 림프관을 통해 이동하여 폐를 거쳐 간 실질에 정착한다. 간에서 성충으로 성숙한 충체는 종에 따라 특정 정맥계로 이동한다. 만손주혈흡충은 하장 간막정맥(inferior mesenteric vein)에, 방광주혈흡충은 방광과 직장을 둘러싼 정맥총(venous plexus)에, 일본주혈흡충은 상장간막정맥(superior mesenteric vein)에 산다.

주혈흡충증의 임상양상은 크게 3단계로 나타난다. 첫 단계는 유미유충이 피부에 침입하면서 가려움과 발진이 나타나는 유미유충 피부염(cercarial dermatitis)이다. 두 번째 단계는 초기 감염 후 2-8주 뒤에 나타나는 급성 주혈흡충증 혹은 카타야마열(Katayama fever)로 발열, 전신 림프절병증, 간비장비대가 나타나고 말초혈액 내 호산구가 증가한다. 마지막 단계는 만성 주혈흡충증으로 감염된 충체에 따라 다른 증상을 보인다. 중추신경계 침범은 1-2%에서만 일어나고 주로 일본주혈흡충증에 감염되었을 때 자주 발생한다. 대부분 신경학적 증상을 보이지 않으나 두통, 어지럼, 발작, 의식변화를 동반할 수 있다.

소변이나 대변에서 충란을 확인함으로써 확진한다. 말초혈액에서 호산구가 증가할 수 있으나 다른 일반적인 검사 소견은 진단에 큰 도움이 되지 않는다. 뇌척수액에서 림프구 우세의 백혈구증가증이 관찰되고, 일부에서는 호산구 증가를 확인할 수 있다. 단백질 농도가 증가하나 포도당은 대개 정상이다. 혈청학적 검사도 진단에 도움이 되는데 팔콘분석선별시험-효소결합면역흡착측정법(Falcon assay screening test-ELISA, FAST-ELISA)와 효소면역이적법이 높은 민감도와 특이도를 보인다.

뇌주혈흡충증(cerebral schistosomiasis)에는 praziquantel 60 mg/kg을 3회로 나누어 하루 동안 경구로 복용한다. 종괴를 형성한 경우 수술적 치료가 도움이 되고, 부종을 줄이기 위해서 corticosteroid가 사용된다.

2) 폐흡충증(Paragonimiasis)

폐흡충증은 폐흡충(Paranonimus westermani)에 의해 발생하는 질환으로 북미와 유럽을 제외한 세계 여러

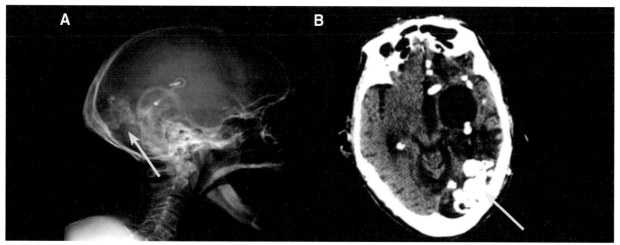

그림 11-5 뇌폐흡충증 환자의 머리X-ray검사와 뇌CT
(A) 머리X-ray검사와 (B) 뇌CT에서 비누거품모양의 석회화가 관찰된다 (화살표).
(출처: SW Han, IH Hwang, SM Kim, et al. Chronic Cerebral Paragonimiasis: Neuroimage Findings Provided a Clue for Paragonimiasis. Journal of Neurocritical Care 2015;8:136-7.)

(cerebral paragonimiasis)는 1% 미만에서 발생하며, 뇌전증과 함께 공간점유병터에 의한 반마비, 실어증, 두통이 발생할 수 있다.

폐흡충증은 객담이나 대변에서 충란을 검출하여 진단한다. 뇌척수액의 백혈구와 호산구가 증가하고 단백질 농도는 증가하며 당은 감소한다. 머리엑스선검사와 뇌CT에서 비누거품모양(soap bubble)의 석회화가 관찰된다(그림 11-5). 혈청검사는 충란이 확인되지 않거나 뇌폐흡충증이 의심되는 경우에 진단에 도움이 된다.

Triclabendazole 10 mg/kg을 하루 동안 두 번 복용하거나 praziquantel 25 mg/kg을 하루 세 번씩 3일 동안 복용한다. 뇌폐흡충증에서 corticosteroid가 염증을 줄이는데 도움이 되고, 뇌수두증이 동반된 경우 수술적 치료가 도움이 된다.

참고 문헌

1. 질병관리본부. 2019년 말라리아 관리지침. 2019.

2. Al-Sherbiny MM, Osman AM, Hancock K, et al. Application of immunodiagnostic assays: detection of antibodies and circulating antigens in human schistosomiasis and correlation with clinical findings. Am J Trop Med Hyg 1999;60:960-6.

7. Chen J, Chen Z, Lin J, et al. Cerebral paragonimiasis: a retrospective analysis of 89 cases. Clin Neurol Neurosurg 2013;115:546-51.

8. Chotmongkol V, Sawanyawisuth K, Thavornpitak Y, et al. Corticosteroid treatment of eosinophilic meningitis. Clin Infect Dis 2000; 31:660-662.

9. Dannemann B, McCutchan JA, Israelski D, et al. Treatment of toxoplasmic encephalitis in patients with AIDS. A randomized trial comparing pyrimethamine plus clindamycin to pyrimethamine plus sulfadiazine. The California Collaborative Treatment Group. Ann Intern Med 1992;116:33-43.

10. Garcia HH. Neurocysticercosis. Neurol Clin 2018;36:851-64.

11. Gottstein B, Pozio E, Nöckler K. Epidemiology, diagnosis, treatment, and control of trichinellosis. Clin Microbiol Rev 2009;22:127-45.

12. Katlama C, De Wit S, O'Doherty E, et al. Pyrimethamine-clindamycin vs. pyrimethamine-sulfadiazine as acute and long-term therapy for toxoplasmic encephalitis in patients with AIDS. Clin Infect

Dis 1996;22:268-75.

13. Seidel JS, Harmatz P, Visvesvara GS, Cohen A, Edwards J, Turner J. Successful treatment of primary amebic meningoencephalitis. N Engl J Med 1982;306:346-8.

14. Tsang VC, Brand JA, Boyer AE. An enzyme-linked immunoelectrotransfer blot assay and glycoprotein antigens for diagnosing human cysticercosis (Taenia solium). J Infect Dis 1989;159:50-9.

15. Tsang VC, Wilkins PP. Immunodiagnosis of schistosomiasis. Screen with FAST-ELISA and confirm with immunoblot. Clin Lab Med 1991;11:1029-39

16. Visvesvara GS, Moura H, Schuster FL. Pathogenic and opportunistic free-living amoebae: Acanthamoeba spp., Balamuthia mandrillaris, Naegleria fowleri, and Sappinia diploidea. FEMS Immunol Med Microbiol. 2007;50:1-26.

17. Watt G, Adapon B, Long GW, et al. Praziquantel in treatment of cerebral schistosomiasis. Lancet 1986;2:529-32.

18. World Health Organization. Control and surveillance of human African trypanosomiasis. World Health Organ Tech Rep Ser 2013;1-237.

19. World Health Organization. Guidelines for the treatment of malaria, 3rd edition. Geneva: World Health Organization; 2015.

20. Zhao BC, Jiang HY, Ma WY, et al. Albendazole and corticosteroids for the treatment of solitary cysticercus granuloma: a network meta-analysis. PLoS Negl Trop Dis 2016;10:e0004418.

12

 선우준상

프리온병
(Prion disease)

1 │ 서론

프리온병(prion disease)은 정상적으로 나선형 구조를 갖는 프리온단백(PrP^C)이 병풍 구조의 비정상 프리온단백(PrP^{Sc})으로 변성되어 발생하는 신경퇴행성질환이다. 1920년대 독일의 신경병리학자 Alfons Jakob과 Hans Creutzfeldt가 비슷한 시기에 프리온병 증례를 처음으로 보고했고, 이들의 이름을 따서 크로이츠펠트–야콥병(Creutzfeldt–Jakob disease, CJD)으로 불리게 되었다. 과거 질병기전이 밝혀지기 전에 프리온병은 전염성(transmissibility)과 긴 잠복기 때문에 천천히 번식하는 바이러스에 의한 감염성 질환으로 생각되었다. 그러나 이후 연구를 통해 원인 물질은 핵산을 포함하지 않는 비정상 구조의 단백질임이 밝혀졌고, 이 업적으로 1997년 노벨 생리의학상을 수상한 Stanley Prusiner는 이를 단백질감염입자(proteinaceous infectious particle)라는 의미로 프리온(prion)이라 명명했다.

프리온병은 전염해면양뇌병증(transmissible spongioform encephalopathy, TSE)이라고도 불리며 비정상 프리온 축적에 의해 뇌가 광범위하게 파괴되며 병리학적으로 스폰지처럼 구멍이 뚫리는 신경질환을 일컫는다. 인간에서 발생하는 프리온병은 다양한 형태가 있으며, 그 중 가장 대표적인 질환이 CJD이다. CJD은 드문 질환으로 발생률은 백만 명당 0.5명에서 1.5명 정도로 추산되며, 미국 인구수 3억 3천만 명 기준으로 매년 약 400명의 환자가 발생한다. CJD는 질병기전에 따라 산

발성(sporadic), 유전성/가족성(genetic/familial), 의인성(iatrogenic) 세 종류로 구분되며(표 12-1), 산발성이 80-95%로 대부분을 차지하고, 유전성은 10-15%, 의인성은 5% 미만을 차지한다. CJD의 기본 병태생리는 정상 프리온단백(PrP^C)이 비정상 프리온단백(PrP^{Sc})으로 변성 후 전파 및 축적되어 신경퇴행(neurodegeneration)을 유발하는 것이다. 산발CJD는 단백의 변성이 자발적으로(spontaneous) 발생함을 뜻하며, 유전성은 20번 염색체의 단완에 존재하는 프리온 유전자 PRNP의 변이로 인해 단백질의 구조적 변성의 감수성이 증가한다. 의인성은 비정상 프리온단백이 감염된 조직(예: 뇌, 뇌척수액, 각막 등)을 통해 전달되어 병이 유발되는 경우로, 각막이식이나 뇌에서 추출된 호르몬의 주입 등에 의해 발생한다. 의인성은 CJD는 2018년까지 국내에서 두 건 보고되었다. 변종(variant) CJD는 변형 프리온의 경우 섭취를 통해 발생하는 질환으로 1996년 영국에서 최초로 보고되었고, 2018년까지 전세계에서 231건이 발생했으며 그 중 77%가 영국에서 발생했고 국내에서 발생한 환자는 없다. 변종 CJD는 병리학적으로 해면양뇌병증을 보이지만, 임상적, 역학적 특징이 산발 CJD와 다르다. 본 장에서는 가장 대표적인 프리온병인 산발CJD를 주로 다루며, 유전성 및 후천성 프리온병은 뒤에서 간략하게 소개한다.

표 12-1 **인간 프리온병의 분류**

분류		기전
Creutzfeldt–Jakob disease (CJD)	Sporadic (85–90%)	자발적
	Familial (5–10%)	유전
	latrogenic (< 5%)	PrP^{Sc} 에 오염된 의료기기의 사용, 오염된 조직의 이식 혹은 추출 물질 주입
Variant CJD (< 1–2%)		Variant CJD 에 감염된 동물의 변형 프리온을 함유한 조직을 경구 섭취
Kuru		식인
Gerstmann–Sträussler–Scheinker Syndrome (GSS)		유전
Fatal familial insomnia (FFI)		유전 혹은 산발성

2 │ 산발 크로이츠펠트–야콥병(Sporadic CJD, sCJD)

1) 임상 양상

sCJD의 대표적인 임상 양상은 급속진행치매(rapidly progressive dementia)이며 동반 증상으로 행동이상, 실조증, 추체외로증상 및 근간대경련(myoclonus)이 있다. 증상 발생 연령은 55세–75세(평균 64세)이고, 남녀 비율은 여성이 1.4:1로 약간 높다. 생존기간이 평균 6개월로 약 90%는 1년 이내 사망하는 빠른 질병 경과를 보인다. 긴 생존 기간과 관련된 인자로 여성, 젊은 나이, PRNP 유전자 코돈 129의 methionine–valine 이형접합체 유전형이 알려졌다. 임상 양상은 대부분은 서서히 시작되어 수주 내지 수개월에 걸쳐 점차 진행하는 신경학적 증상들을 보인다. 초기 증상으로 인지기능 장애가 가장 흔히 발생하며(약 40%), 그 중 인지 영역에 따라 기억력저하가 가장 흔하고, 그 다음으로 실어증, 전두엽/실행기능장애, 혼동(confusion) 순으로 흔히 발생한다. 인지 기능의 저하가 점차 심해지면서, 우울증이나 감정 장애를 포함한 행동이상으로 병원을 찾는 경우가 전형적인 패턴이다. 기타 초기 증상으로 소뇌실조, 전신(constitutional)증상, 행동이상이 각각 약 20% 내외의 비슷한 빈도로 발생한다. 소뇌실조는 대개 보행장애 형태로 발현하며, 초기에는 약 30% 빈도이나 결국에는 약 70%에서 관찰된다. 행동이상은 초조/과민, 우울증, 분노/공격성 순서로 흔하게 발생한다. 전구 증상은 신경해부학적 구분이 어려운 초기 증상들로, 어지럼증, 피로, 기면, 수면장애, 두통, 체중감소 등으로 나타난다. 드물지만, 감각이상(paresthesia), 통증과 같은 감각 증상이 약 10%에서 초기 증상으로 나타날 수 있으며, 시각 증상, 시야장애 및 안구운동장애는 초기에는 7% 정도로 드물지만 병이 진행하면서 30–40%에서 동반된다. 근간대경련은 특히 외부 자극에 의해 반사적으로 나타나며, 전체 환자의 75%에서 발생하지만 질병 초기에는 잘 관찰되지 않는다.

sCJD는 뇌의 여러 영역을 동시다발적으로 침범하기 때문에 임상 증상이 다양하며 경과에 따라 변화무쌍하다. 따라서 여러 신경학적 및 정신과적 질병과의 감별 진단이 중요하면서도 어렵다. 병리학적으로 확진된 sCJD환자 97명의 의무 기록을 조사한 결과, 증상 발현부터 유력(probable) sCJD 임상 진단까지 평균 7–8개월이 걸렸고, 이는 사망 전까지 질병 기간의 68%에 해당한다. sCJD 진단 전에 환자 한 명당 평균 3.8개의 다른 진단(misdiagnosis)을 받았는데, 그 중 바이러스뇌염이 가장 흔했고, 신생물딸림(paraneoplastic)증후군, 우울증, 말초성 어지럼증, 알츠하이머병, 뇌경색 순서로 나타났다. 첫 번째 평가에서 sCJD가 진단된 환자는 18%에 그쳤다.

2) 감별 진단

급속진행치매는 일반적으로 수주에서 수개월 이내에 빠르게 발생하는 치매를 뜻하며, sCJD의 대표적인 임상양상이나 그 밖에도 감별해야 할 다양한 질환들이 존재한다(표 12-2). 연구마다 차이가 있으나, Geschwind등이 발표한 급속진행치매의 원인은 sCJD가 47%, 기타 신경퇴행성질환 15%, 자가면역질환 8%, 감염 질환 4%의 분포를 보였다. sCJD를 포함하여 비가역적인 신경퇴행질환이 많은 부분을 차지하지만, 약 17%는 치료 가능한(treatable) 원인(예: 자가면역, 감염,

표 12-2 급속진행치매의 감별 진단

분류	질병
혈관(vascular)	다발경색치매(multi-infarct dementia), 단일뇌경색치매(strategic infarct dementia), 뇌정맥동혈전증(cerebral venous sinus thrombosis), 뇌아밀로이드혈관병증(cerebral amyloid angiopathy)
감염(infectious)	바이러스뇌염(단순헤르페스바이러스1 등), 사람면역결핍바이러스관련치매(HIV-associated dementia), 신경매독, 결핵수막염, 라임병(Lyme disease), 진균/기생충 감염, 휘플병(Whipple disease)
종양(tumor)	뇌전이, 원발중추신경계림프종(primary CNS lymphoma)
자가면역(autoimmune)	변연뇌염(anti-NMDA receptor, anti-LGI1, paraneoplastic 등), 중추신경계혈관염(CNS vasculitis), 급성파종뇌척수염(acute disseminated encephalomyelitis), 하시모토뇌병증, 전신홍반루푸스, 신경사르코이드증(neurosarcoidosis), 베흐체트병(Behcet's disease)
대사성(metabolic)	비타민결핍(niacin, thiamine, B12), 갑상선저하증, 중증 간기능 및 신기능이상, 교뇌외수초용해증(extrapontine myelinolysis), 급성간헐포피린증(acute intermittent porphyria)
의인성(iatrogenic)	벤조디아제핀, 항암제
신경퇴행(neurodegenerative)	산발 크로이츠펠트-야콥병, 알츠하이머병, 전측두엽치매, 피질기저핵변성(corticobasal degeneration), 루이소체치매(dementia with Lewy bodies), 정상압수두증(normal pressure hydrocephalus)
발작(seizure)	비경련뇌전증지속상태(non-convulsive status epilepticus)

HIV, human immunodeficiency virus; CNS, central nervous system.

대사질환)으로 이들을 감별진단하고 치료하는 것이 임상 의사의 가장 중요한 역할이다. 대표적인 감별 진단은 표 12-2와 같으며, 각 카테고리의 첫 번째 알파벳을 따서 VITAMINS로 다음과 같이 정리할 수 있다. [혈관(Vascular), 감염(Infectious), 종양(Tumorous), 자가면역(Autoimmune), 대사(Metabolic), 의인(Iatrogenic), 신경퇴행(Neurodegenerative) 및 발작(Seizure)].

프리온병을 제외하면 알츠하이머병, 루이소체치매, 전두측두엽치매 등의 신경퇴행질환이 가장 흔한 원인이다. 자가면역뇌염(autoimmune encephalitis)은 수일에서부터 수주 동안 발생하는 인지기능 저하 및 정신 증상이 주된 임상 양상이며, 원인 항체에 따라서 발작, 근간대경련, 추체외로증상, 소뇌실조, 자율신경이상 등 다양한 증상이 나타날 수 있다. 특히 자가면역뇌염은 면역요법을 통해서 치료 가능하며 조기 진단 및 치료가 좋은 예후와 관련되므로, 급속진행치매의 진단과정에서 자가면역항체에 대한 검사는 반드시 필요하다. 기본 검사에 anti-Hu, anti-Ma2, anti-CV2, anti-LGI1, anti-CASPR2, anti-NMDAR, anti-amphiphysin, anti-GAD65 항체를 포함하고, 그 외 anti-AMPAR, anti-GABA$_B$R 항체 등 나머지 항체들은 임상 소견을 종합하여 결정한다.

3) 분자유전학적 아형(Molecular subtype)

sCJD는 PRNP 유전자의 다형성(polymorphism)과 PrP^{Sc}단백 형태의 조합으로 분류한다. PRNP 유전자의 코돈 129는 methionine (M)과 valine (V) 두 종류가 있다. 정상 서양인구집단에서 유전형의 빈도는 MM 38%, MV 51%, VV 11%이나, sCJD 환자군은 MM 69%, MV 13%, VV 18%으로 다른 분포를 보인다. PrP^{Sc}단백은 단백분해효소K (proteinase K) 분해 후 크기에 따라서 21kDa의 1형과 19kDa의 2형으로 구분되어, 결과적으로 총 6개의 조합(MM1, MV1, VV1, MM2, MV2, VV2)이 가능하다. 하지만 MM1과 MV1은 표현형이 동일하기 때문에 하나의 아형으로 통합되고, 반면에 MM2는 피질형(MM2-cortical, MM2C)과 시상형(MM2-thalamic, MM2T)의 다른 아형으로 구분된다. MM1/MV1은 가장 흔한 아형으로 전에 sCJD의 약 40%를 차지하고, 대개 급속진행치매로 발현하여 근

간대경련과 소뇌실조가 약 절반에서 나타나고 실어증과 시각 증상은 약 25%에서 나타난다. VV2는 두 번째로 흔한 아형(약 15%를 차지)으로 소뇌실조가 두드러지고 치매는 상대적으로 늦게 발현한다. 병리에서도 소뇌의 변화가 두드러지고 피질의 침범은 상대적으로 늦게 일어난다. MV2는 약 8%를 차지하며 VV2와 비슷하지만 병의 진행이 더 느리다(MV2 평균 16개월, VV2 평균 6.5개월, MM1/MV1 평균 4개월). MM2T는 드문 아형으로 산발가족불면증(sporadic familial insomnia)이라고 불리는데, 유전성 프리온병인 치명적가족불면증(fatal familial insomnia)과 비슷한 임상양상을 보이기 때문이다. 시상과 아래올리브핵의 위축이 뚜렷하지만 다른 뇌 영역의 변화는 경미한 것이 병리학적 특징이다. MM2C는 피질침범 위주의 아형으로 급속진행치매로 발현하여 실어증과 실행증 등의 고위피질기능의 장애가 흔히 발생하지만, 소뇌는 병의 말기까지 보존된다.

4) 진단

(1) 뇌파(Electroencephalography, EEG)

sCJD의 특징적인 뇌파 소견은 주기예파복합체(periodic sharp-wave complexes, PSWC)로 진단에 중요한 단서를 제공한다. PSWC는 이상(biphasic) 또는 삼상(triphasic) 예파가 단독으로 나타나거나, 극파, 다극파 및 서파가 동반된 예파복합체로 나타날 수 있다. 보통 100-600 ms의 지속시간, 1-2 Hz의 주기를 보이며 PSWC 사이의 간격은 전반저진폭활동(generalized low-amplitude activity)을 보인다. PSWC의 지형적 분포는 양쪽으로 대칭적이면서 전두엽 우위(frontal dominance)를 보이는 것이 전형적이다. 하지만 질병 초기에는 비대칭(asymmetric) 또는 한쪽에 국한된(lateralized) PSWC가 관찰될 수 있다(그림 12-1). sCJD 환자에서 PSWC는 각성 상태에서 뚜렷하고 수면 상태에서 감소된다.

전체적으로, PSWC는 sCJD 환자의 약 2/3에서 관찰된다. 빠르면 증상 발생 약 3주째부터 나타날 수 있으나, 전형적인 PSWC는 질병의 중반 또는 후반기(증상 발생 후 평균 2-3개월째)에 나타난다. 따라서, sCJD가 의심되지만 초기 뇌파 결과가 음성인 경우에는 추

적 뇌파검사가 반드시 필요하다. sCJD의 분자아형에 따른 PSWC의 차이도 있는데, MM 동형접합체 와 MV 이형접합체는 50-75% 빈도로 PSWC가 관찰되나, VV 동형접합체 환자에서는 PSWC가 나타나지 않는다. PSWC가 흔하게 관찰되지만, 실제 임상적인 발작이 발생하는 경우는 15-20% 정도로 드물다. 전형적인 PSWC는 sCJD의 특징적인 소견으로 높은 특이도를 보인다. 하지만, 다른 신경학적 질환에서 sCJD의 PSWC와 유사한 패턴의 뇌파를 보일 수 있음을 염두에 두어야 하며, 대표적으로 다음과 같다.

1) 삼상파(triphasic waves): 간성혼수 또는 대사뇌병증
2) 전반주기방전(generalized periodic discharge, GPD): 무산소(anoxic) 또는 독성(toxic)뇌병증, 비경련뇌전증지속상태(nonconvulsive status epilepticus, NCSE)
3) 편측주기방전(lateralized periodic discharge, LPD): NCSE, 단순헤르페스뇌염 및 일측대뇌병변(예: 뇌경색, 종양 등)

(2) 자기공명영상(Magnetic resonance imaging, MRI)

뇌 MRI는 확산강조영상(diffusion-weighted imaging, DWI)에서 피질과 심부회색질(deep gray matter)을 침범하는 확산제한(diffusion-restricted)병변이 sCJD의 특징적인 소견이다. 진단적 가치는 민감도 92-96%, 특이도 93-94%, 정확도 97%로 sCJD의 임상적 진단에 매우 중요한 역할을 한다. 피질 병변은 뇌이랑(gyrus)을 따라 신호강도이상을 보이며(cortical ribboning), 심부회색질 병변은 대개 꼬리핵(caudate), 조가비핵(putamen) 및 시상(thalamus)에 발생한다(그림 12-2). 전체적으로, 피질 병변이 기저핵 병변보다 흔하며, 약 2/3은 피질과 기저핵에 병변이 동시에 관찰되고, 나머지 1/3은 신호강도이상이 피질에만 나타난다. 질병이 진행하면서 MRI에서 뇌병변의 신호 강도는 점차 증가하고 침범하는 영역이 확장된다. MRI 영상 기법 중 DWI가 액체감쇠역전회복영상(fluid-attenuated inversion recovery, FLAIR)보다 민감도가 높으며, 특히 질병 초기의 신호 강도 이상이 더 잘 확인된다. 하지만

A

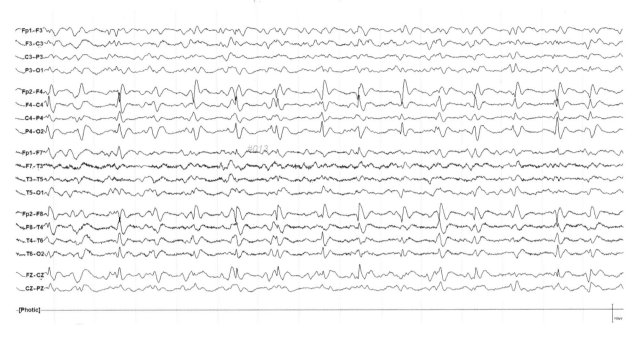

B

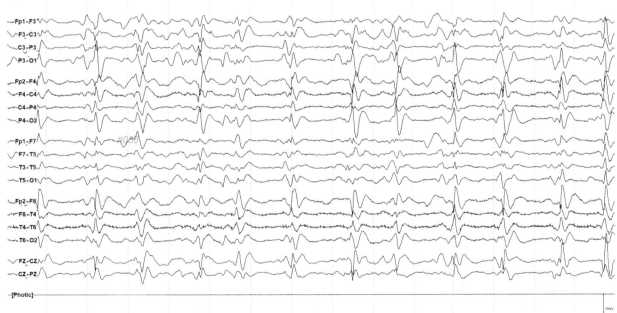

그림 12-1 산발 크로이츠펠트-야콥병 환자의 뇌파

(A) 질병 초기에 시행한 약 1Hz 주기예파복합체(periodic sharp-wave complexes)가 우측 대뇌반구에 국한되어 나타난다. (B) 2주 후에 촬영한 뇌파에서 주기예파복합체의 분포가 반대편 대뇌반구까지 확장되고 주파수는 감소하며, 동시에 배경 활동의 진폭이 감소한다.

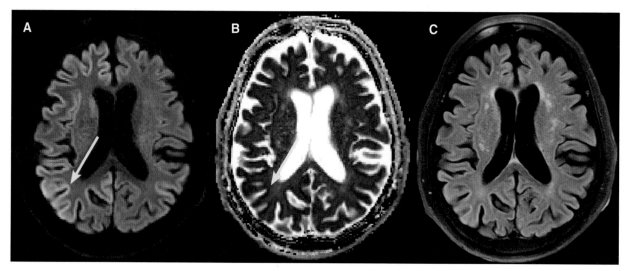

그림 12-2 산발 크로이츠펠트-야콥병 환자의 뇌 자기공명영상

그림 12-1과 동일한 환자로, 확산강조영상(A, B)에서 대뇌피질을 따라 리본처럼 연결되는 확산제한병변이 관찰되며, 뇌파 소견과 동일하게 우측 대뇌반구에서 병변이 뚜렷하다. 반면, 액체감쇠역전회복영상(fluid-attenuated inversion recovery, FLAIR; C) 영상에서는 해당 병변의 신호 강도 이상이 잘 보이지 않는다.

모든 sCJD 환자에서 전형적인 MRI 이상이 관찰되지는 않으며, 특히 VV2 와 MM2의 일부 아형에서 MRI 이상이 상대적으로 드물다.

(3) 뇌척수액(Cerebrospinal fluid, CSF)

sCJD 진단에서 뇌척수액검사는 염증 질환 등 신속진행치매의 다른 원인을 감별하고 동시에 sCJD의 임상적 진단을 뒷받침하는 검사실(laboratory) 증거를 제공한다. 뇌척수액검사의 일반적인 프로필은 대개 정상으로, 백혈구 증가는 대부분 없지만 단백질 수치의 경미한 상승(100 mg/dL 이하)은 약 1/3에서 나타난다. 14-3-3단백은 sCJD 진단에 사용된 대표적인 뇌척수액검사 항목이나, 이는 프리온에 특이적인 단백이 아니라 신경세포손상(neuronal injury)을 반영하는 마커이다. 즉, 진행성 신경손상을 유발하는 질환들, 예를 들어 뇌경색, 뇌염, 뇌종양 및 기타 신경퇴행성질환들에서 위양성이 가능하다. 따라서 sCJD 진단의 민감도는 85-95%로 높지만, 특이도가 상대적으로 낮고 연구 대상군에 따라 40-96%로 다양하다. 뇌척수액 14-3-3단백의 검사 결과는 sCJD의 확진 또는 배제에 사용되지 못한다. 따라서 전반적인 임상 양상이 sCJD 진단을 뒷받침하는 경우에 한해 뇌척수액 14-3-3단백의

진단적 가치가 있다. 미소관연관단백질(microtubule-associated protein)인 타우(tau)단백 역시 sCJD 진단의 뇌척수액 대리(surrogate)표지자로 사용된다. 전체 타우단백(total tau)의 증가는 14-3-3과 비슷한 수준의 진단적 가치를 갖는다. sCJD 환자에서 전체 타우단백의 증가는 알츠하이머병 환자군에 비해 유의하게 높아 감별 진단에 도움이 된다. 반면에 sCJD 환자에서 전체 타우 중 인산화타우(phosphorylated-tau, p-tau)의 비율은 감소하며, 이를 14-3-3단백 결과와 함께 사용하면 진단적 가치를 더욱 높일 수 있다.

뇌척수액에서 PrP^Sc단백을 검출하는 방법으로 real-time quaking induced conversion (RT-QuIC) 검사가 개발되었다. 이는 비정상 PrP^Sc단백이 다른 PrP단백을 변성 및 응집시키는 성질을 이용한 방법으로, 뇌척수액에 극소량으로 존재하는 PrP^Sc단백을 검출할 수 있는 장점이 있어 sCJD 진단에 매우 유용하다. 진단의 민감도가 79-86%, 특이도가 99-100%로 보고되며, 검사실 및 뇌척수액 검체 보관 상태와 상관없이 높은 재현성을 보인다. RT-QuIC의 높은 진단적 가치를 고려하며, 현재 sCJD 진단기준은 신경학적 또는 정신과적 증상이 있으면서 뇌척수액 RT-QuIC 검사가 양성이면 특징적인 뇌파, MRI소견, 14-3-3단백 여부와 무관하게 유력 sCJD 진단이 가능하다(표 12-3).

표 12-3 산발 크로이츠펠트-야콥병 진단기준(2018년 Centers for Disease Control and Prevention)

구분	진단기준	
확실(definite)	조직 생검 혹은 부검에서 PrP^{Sc}에 대한 병리, 면역화학염색, 웨스턴블롯(western blot)을 통한 검출 혹은 scrapie-associated fibril의 확인	
유력(probable)	신경학적 또는 정신과적 증상이 있고 뇌척수액 또는 다른 조직에서 RT-QuIC 검사 양성 혹은 급속진행치매로 발현하고 다음을 모두 만족	
	– 네 가지 임상 양상 중 두 가지 이상 양성 – 검사 소견 중 한 가지 이상 양성 – 다른 진단이 배제됨	
	임상 양상	검사 소견
	– 근간대경련 – 시각 혹은 소뇌 증상 – 추체로/추체외로징후 – 무동함구증(akinetic mutism)	– 전형적 뇌파 소견(주기예파복합체) – 병의 경과가 2년 이하이고 뇌척수액 14-3-3단백 양성 – 뇌 MRI 확산 강조 영상 혹은 액체감쇠역전 회복 영상에서 꼬리핵/조가비핵 혹은 뇌피질(측두엽, 두정엽, 후두엽 중 2군데 이상)에서 고신호강도
가능(possible)	급속진행치매로 발현하고 다음을 모두 만족	
	– 네 가지 임상 양상 기준 중 두 가지 이상 양성 – 검사 소견 기준을 모두 만족하지 못함 – 병의 지속 기간이 2년 이하 – 다른 진단이 배제됨	

RT-QuIC, real-time quaking induced conversion; MRI, magnetic resonance imaging

(4) 신경병리

sCJD의 병리학적 특징은 PrP^{Sc} 단백의 축적과 그에 따른 신경세포 소실과 연접의 손상, 미세아교세포 활성화, 신경아교증, 공포형성(vacuolation) 또는 해면모양변성(spongioform degeneration)이다. 그 중, 병리 진단의 핵심은 신경조직에서 PrP^{Sc} 단백을 면역조직화학염색이나 웨스턴블롯으로 검출하는 것이고, 이를 통해 확실(definite) sCJD 진단이 가능하다.

3 | 유전성 프리온병(Genetic prion disease)

1) 유전 크로이츠펠트-야콥병(Genetic CJD, gCJD)

유전(또는 가족)CJD는 가장 흔한 유전성 프리온병으로, PRNP 유전자의 코돈 102, 178, 200, 210의 점돌연변이나 octapeptide repeat insertion (OPRI) 돌연변이가 주로 발견된다. 임상적으로 sCJD와 구분이 어렵지만, 증상 발현이 더 이른 나이에 시작된다. 흥미롭

게도, CJD의 가족력이 없는 경우가 대부분이다. 뇌파에서 PSWC 소견과 MRI에서 확산제한병변 및 양성 14-3-3단백의 검출은 gCJD의 진단에 도움이 되지만, sCJD와 비교하여 진단적 민감도가 낮다. gCJD의 진단은 확실 또는 유력 CJD 진단을 만족하면서 동시에 확실 또는 유력 CJD에 해당하는 직계가족이 있거나, 신경과적 또는 정신과적 장애가 있으면서 PRNP 유전자의 돌연변이가 확인된 경우이다.

2) Gerstmann-Sträussler-Scheinker Syndrome (GSS)

GSS와 관련된 가장 흔한 PRNP 돌연변이는 Pro102 Leu (102번 코돈이 프롤린에서 류신으로 변이)이며, 임상 증상은 소뇌실조, 진전, 구음장애, 연하 곤란, 추체로 증상, 파킨슨증, 인지기능 저하 등이다. 발병 연령은 20대부터 80대까지 넓으며, 질병 기간 역시 수개월에서부터 10년 이상까지 다양하다. GSS의 신경병리적 특징은 프리온-양성 아밀로이드판(amyloid plaque)과 타우-양성 신경섬유매듭(neurofibrillary tangle)이다.

3) 치명적가족불면증(Fatal familial insomnia, FFI)

유전성 프리온병 중에서 세 번째로 흔하지만, 일반 인구에서 유병율이 3천 명당 한 명 꼴로 매우 드문 질환이다. PRNP 코돈 178의 아스파르트산이 아스파라긴으로 변이되는 D178N 과오(missense)돌연변이와 관련된다. PRNP 코돈 129의 유전형에 따라서 methionine (M)은 FFI의 표현형, valine (V)는 CJD의 표현형을 보인다. 증상 발생 연령은 30-60대이며 일반적인 질병 기간은 1-2년 이다. 비정상적인 각성 및 수면 패턴이 주된 임상 증상으로, 초기에는 과다 수면을 보이면서 정신과적 증상이 동반된다. 병이 진행하면 야간수면다원검사에서 전체 수면시간의 감소, 꿈을 재현하는 듯한 수면 중 이상 행동, 수면 주기의 붕괴 등이 나타나고, 결국에는 지속되는 혼미 상태로 진행한다. 고혈압, 고체온, 빈맥 등의 자율신경이상도 흔히 동반된다. 전체적인 대사량이 증가하면서 체중이 감소한다 (cachexia). 뇌 MRI는 비특이적이나, 양전자방출단층촬영(positron emission tomography)에서 시상과 뇌량 (corpus callosum)의 대사 저하가 관찰된다.

4 │ 후천성 프리온병(Acquired prion disease)

1) 쿠루(Kuru)

파퓨아뉴기니섬의 원주민 집단에서 후전적으로 발생하는 질환이다. 당시 이 지역 원주민의 식인의식 (cannibalism)에 의해 전파되었는데, 사람의 뇌조직과 같은 감염원 섭취와 관련 있다. 1960년대에 식인 의식이 폐지되면서 감염원에 노출된 적이 있는 노인 집단에서 드물게 발생하다가 현재는 멸종되었다. 발병 4개월에서 2년 이내에 사망한다. 진행성의 소뇌실조, 구음장애, 연하 곤란, 진전 등이 주된 증상이고, 인지 기능의 저하는 상대적으로 덜하다.

2) 의인 크로이츠펠트-야콥병(Iatrogenic CJD)

의인CJD는 비정상 프리온단백이 감염된 조직(뇌, 뇌척수액, 각막 등)을 통해 전달되어 병이 유발되는 경우를 뜻하며, 각막 또는 경막 이식이나 환자의 뇌에서 추출된 호르몬의 주입 등에 의해 발생한다. 감염경로에 따라서 경막 이식과 같이 중추신경계로 직접 비정상 프리온단백이 전달되면 임상양상이 sCJD와 비슷하고 병의 진행도 빠르다. 반면에, 성장호르몬 주사와 같이 말초로 감염되는 경우는 평균 잠복기가 12년으로 매우 길고, 임상양상은 소뇌실조가 뚜렷하지만 인지기능 저하는 뒤늦게 발생한다.

표 12-4 │ 산발성과 변종 크로이츠펠트-야콥병의 비교

	산발 크로이츠펠트-야콥병	변종 크로이츠펠트-야콥병
발병 연령	60-70세	20-30세
사망 연령 (중앙값)	68세	28세
임상 양상	급속진행치매로 발현, 초기부터 신경학적 증상과 징후가 나타남	정신증상과 감각 증상이 초기에 나타나고, 신경학적 증상은 뒤늦게 나타남
평균 이환 기간	6개월	14개월
뇌파검사	주기예파복합체(periodic sharp-wave complexes)	비특이적 서파
뇌척수액검사	14-3-3단백 양성	14-3-3단백 양성률 50% 이하
PRNP 129 코돈 유전형	MM 69%, MV 13%, VV 18%	MM 100%
뇌 MRI	꼬리핵, 조가비핵, 시상 및 대뇌피질의 고신호강도 병변	시상베개징후 (pulvinar sign) (90%)
조직 검사	뇌 조직 내 PrP^{Sc} 축적 확인	뇌 조직 혹은 편도 조직 내 PrP^{Sc} 축적

3) 변종 크로이츠펠트-야콥병(Variant CJD, vCJD)

1996년 해면양뇌병증에 걸린 소를 섭취하면서 동물에서 사람으로 전파되는 vCJD가 처음으로 보고되었다. 2018년까지 전세계에서 231건이 발생했으며 그 중 77%가 영국에서 발생했고 국내에서 발생한 환자는 없다. PRNP 코돈 129의 다형성과 관련하여, vCJD는 현재까지 발견된 모든 환자가 예외 없이 MM 동종접합체이다. vCJD는 비교적 젊은 나이에 발병하며(평균 29세) 병의 경과가 평균 14개월로 sCJD보다 길다(표 12-4). sCJD와 달리 정신증상(우울, 불안, 초조, 공격성, 무감동 등)이 초기부터 나타나고, 명확한 신경학적 증상은 평균 6개월 정도가 지나서 나타난다. 흔한 신경학적 증상은 감각 증상으로 팔, 다리의 감각 이상이 흔하고, 빠르게 진행하는 소뇌실조, 전반적인 인지 기능 장애, 소변 장애, 이상운동(근긴장이상, 근간대경련, 무도병 등)이 나타난다. 말기에는 sCJD와 비슷하게 운동 불능 및 무언증의 상태가 되고 증상 발현 후 평균 14개월에 사망에 이른다. 뇌 MRI는 DWI 및 FLAIR 영상에서 양쪽 시상베개(pulvinar)의 신호 강도가 증가하는 시상베개징후(pulvinar sign)가 특징적이며, 약 90% 환자에서 관찰된다. 양쪽 시상베개를 침범하는 뇌병변은 베르니케뇌병증, 중추신경계 림프종, 후맥락동맥경색(posterior choroidal artery infarction)에서도 관찰될 수 있어 임상적인 감별이 필요하다. 뇌파는 비특이적인 서파가 흔하게 관찰되며 신경학적 증상 발현 뒤에도 정상 소견을 보일 수 있다. sCJD에서 특징적으로 관찰되는 PSWC는 vCJD에서는 병의 말기까지도 거의 나타나지 않는다. 뇌척수액 14-3-3단백은 sCJD보다 진단적 민감도가 낮다. 림프망상계를 침범하기 때문에 편도조직검사가 진단에 도움이 된다.

참고문헌

1. Baldwin KJ, Correll CM. Prion Disease. Semin Neurol 2019;39:428-39.
2. Centers for Disease Control and Prevention. 2018 CDC's Diagnostic Criteria for Creutzfeldt-Jakob Disease (CJD). [cited 2020 February]; Available from: https://www.cdc.gov/prions/cjd/diagnostic-criteria.html.
3. Geschwind MD, Shu H, Haman A, et al. Rapidly progressive dementia. Ann Neurol 2008;64:97-108.
4. Paterson RW, Takada LT, Geschwind MD. Diagnosis and treatment of rapidly progressive dementias. Neurol Clin Pract 2012;2:187-200.
5. Paterson RW, Torres-Chae CC, Kuo AL, et al. Differential diagnosis of Jakob-Creutzfeldt disease. Arch Neurol 2012;69:1578-82.
6. Pocchiari M, Puopolo M, Croes EA, et al. Predictors of survival in sporadic Creutzfeldt-Jakob disease and other human transmissible spongiform encephalopathies. Brain 2004;127:2348-59.
7. Rabinovici GD, Wang PN, Levin J, et al. First symptom in sporadic Creutzfeldt-Jakob disease. Neurology 2006;66:286-7.
8. Spencer MD, Knight RSG, Will RG. First hundred cases of variant Creutzfeldt-Jakob disease: Retrospective case note review of early psychiatric and neurological features. BMJ 2002;324:1479-82.
9. Wieser HG, Schindler K, Zumsteg D. EEG in Creutzfeldt-Jakob disease. Clin Neurophysiol 2006;117:935-51.
10. Zerr I, Kallenberg K, Summers DM, et al. Updated clinical diagnostic criteria for sporadic Creutzfeldt-Jakob disease. Brain 2009;132:2659-68.
11. Zerr I, Parchi P. Chapter 9 - Sporadic Creutzfeldt-Jakob disease. In: Pocchiari M, Manson J. Handbook of Clinical Neurology. Vol 153. Elsevier. 2018;155-74.

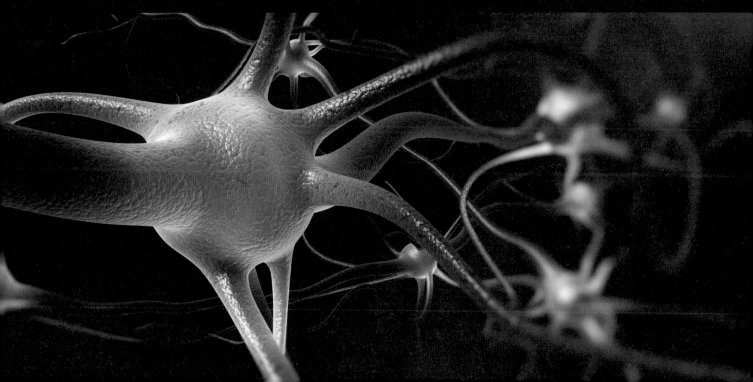

ENCEPHALITIS

박경일

뇌전증, 발작, 뇌전증지속상태에서의 신경염증 (Neuroinflammation in epilepsy, epileptic seizure, and status epilepticus)

1 | 신경염증의 정의

신체 염증반응의 전통적인 개념은, 혈관 확장, 혈관 투과성 증가, 면역세포들의 활성에 따라 나타나는 발열, 통증, 종창, 붉게 변함 등 4가지를 특징으로 한다. 예전에는, 뇌가 '면역특혜지역'으로 인식되면서, 이러한 면역체계와 염증반응의 예외지역으로 생각 되어 왔다. 하지만 20여 년 전부터 신경염증의 개념이 자리잡기 시작하여, 현재는 뇌에도 엄연히 염증반응이 존재한다는 사실이 보편화 되었다.

하지만 뇌질환마다, 염증이 기여하는 정도가 다르다. 뇌염증이 주된 메커니즘이 되는 질환은, 다발경화증이나 자가면역뇌염, 라스무센뇌염(Rasmussen's encephalitis) 등이지만, 그 외의 뇌전증, 뇌졸중, 알츠하이머병, 파킨슨병, 편두통을 포함한 광범위한 신경계 질환의 발생 및 악화에도 면역 및 염증반응들이 상당 부분 관여한다. 염증반응이 대개 해로운 반응으로 인식되고 있으나, 손상을 복구하고자 하는 반응도 동시에 일어나게 되는데, 뇌가 항상성을 유지하려는 노력이라고 볼 수 있다. 넓은 개념의 '신경염증'은, 선천(innate)면역, 적응(adaptive)면역 관련 세포의 말초로부터 유입은 물론, 이와 연관된 전신 또는 뇌 내 염증 매개물질의 증가 및 억제를 모두 포함한다. 이 장에서는 뇌전증과 뇌전증 발작, 뇌전증지속상태에서 뇌염증이 관여하는 신호체계와, 뇌염증 조절이 뇌전증 치료에 부가적 요법으로서의 잠재적 가치에 대해 설명하겠다.

2 | 뇌전증에서 신경염증

뇌전증은, '직접적인 유발 요인이 없는 발작이 두 번 이상의 있는 경우', 또는 '한 번의 발작만 있어도, 추후 발작 재발의 위험도가 큰 상황'으로 정의한다. 뇌전증의 원인은 뇌외상, 뇌졸중, 뇌종양, 뇌전증지속상태, 유전자 이상, 뇌감염, 대사성 질환, 자가면역질환이 있다. 혼돈을 피하기 위해 본 장에서는 뇌전증의 근본적인 병인에 초점을 두기보다는, 뇌전증발생과정(epileptogenesis)주)과 발작발생과정(ictogenesis)주)에 초점을 맞추어 뇌염증을 설명하겠다.

> 주) 뇌전증발생과정(Epileptogenesis): 유전적 소인, 태생학적인 이상, 신경손상 등 이후 자발적인 발작이 일어날 때까지 신경이 과흥분성 네트워크를 만들어가는 과정.
>
> 주) 발작발생과정(Ictogenesis): 발작 직전에 생기는 즉 신경세포의 활동전위가 변동되는 짧은 기간 동안의 변화.

신경염증의 시작이 되는 신호를 첫째, 병원체의 침범에 의한 자극과 둘째, 뇌신경의 자체의 흥분 자극, 두 가지로 나누고, 후자를 '신경원성 신경염증(neurogenic inflammation)'이라고 부르기도 한다. 발작은 후자에 속하며, 신경 활동에 의해 증가된 대사성 요구에 균형을 맞추기 위한, 인체의 반응이다. 하지만 너무 염증이 과도하게 유발되었을 때에는 흥분성이 더욱 증가되고, 세포 손상이 나타나고 뇌전증으로 진행한다(그림 1-1).

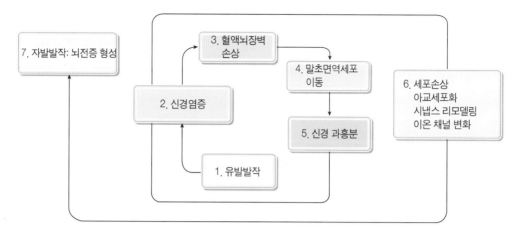

그림 1-1 발작유발 이후 뇌전증형성과정: 신경염증의 관점에서

발작 자극 후, 면역 사이토카인(cytokine)이 증가되고, 뇌내 면역 관련 세포들 즉 미세아교세포(microglia), 별아교세포(astrocyte), T세포, 혈관주위세포(pericyte), 혈관주위대식세포(perivascular macrophage)가 흥분되며, 말초면역세포가 동원되어 일련의 반응을 가중시킨다.

발작과 염증은 서로 악순환의 고리를 형성하는데, 발작이 염증을 유발하고 유발된 염증이 발작의 역치를 낮추어 발작을 쉽게 발생하는 조건을 만든다. '발작발생과정'뿐만 아니라, '뇌전증발생과정'에서 염증 신호의 증가가 관찰된다. 뇌전증과 발작에 기여하는 염증 반응을 첫째, 뇌 안에서 나타나는 반응과 둘째, 느슨해진 혈액뇌장벽을 통해 뇌로 이동하는 말초 염증 반응으로 나누어서 설명하겠다.

1) 뇌 안에서 나타나는 반응

발작 이후 뇌염증에 관여하는 신호는 대개 다음과 같다(그림 1-2).

(1) High-mobility group box 1 (HMGB1) / Toll-like receptor (TLR) / Interleukin (IL)-1β

발작이 생기면, HMGB1이 신경세포로부터 분비되면서 그 수용체인 톨유사수용체4(Toll-like receptor4, TLR4)가 흥분된다. 인플라마솜(inflammasome)이 흥분되어 복합체를 형성하고, 복합체의 일부인 caspase1이 전구인터루킨(proIL)-1β을 IL-1β로 만든다. IL-1β의 분비는 뇌 안에서는 주로 미세아교세포, 별아교세

뇌전증 동물 모델의 이해

뇌전증 동물 모델은 대개 pilocarpine, kainic acid, bicuculline, pentylenetetrazol 같은 화학적 물질을 주입 하거나, 특정 부위에 반복 전기 자극 또는 강한 전기 자극을 주거나, 어린 동물에 뜨거운 온도 자극을 줌으로서 만들어진다. 테스트하고자 하는 물질을 전처치하거나, 발작 유발 직후에 주입하고 나서, 위에서 언급한 여러가지 방법으로 발작을 유발한 후, 나타나는 발작의 강도와 기간, 발생까지의 시간을 측정함으로써 발작 역치(seizure threshold)의 변화를 보고 테스트물질의 발작 억제 효과를 간접적으로 증명한다. 만약 테스트물질을 투여한 그룹에서 인위적으로 유발된 발작이 대조군에 비해 짧거나, 약하거나, 늦게 나타났다면, 이는 발작발생억제(anti-seizure, anti-ictogenic)약으로서의 기대 효과를 보여주는 증거가 된다. 위와 같은 방법으로 실험적으로 일정기간 심한 발작을 하도록 만들거나, 반복 전기자극(electrical kindling)을 주면, 일정 기간이 지난 후에, 유발 자극이 없어도 발작이 일어난다. 테스트물질 투여 후에 이러한 자발발작의 횟수가 줄어들었다면, 이 물질은 뇌전증발생억제("anti-epileptogensis") 약으로서의 효과가 기대되는 것으로 해석하면 된다.

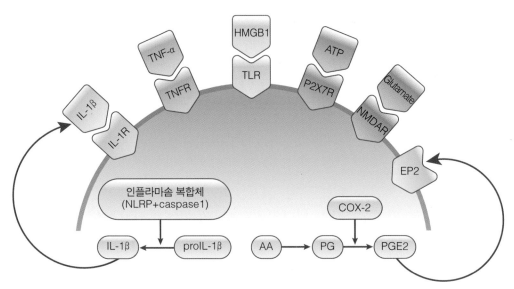

그림 1-2 **발작 후 뇌염증 관여 신호 체계**

포, 혈관내피세포(vascular endothelial cell), 말초혈액에서는 뇌로 이동된 대식세포가 담당한다. 이로 인해 IL-1β의 수용체인 IL-1R가 증가되어 일련의 반응을 더욱 촉진시킨다. 동시에 전사인자인 NF-κB에 의해 염증관련물질의 유전자의 유도를 일으킨다. HMGB1은 핵 내 크로마틴에 붙어서 염증성 유전자를 포함한 다양한 유전자의 전사를 조절하는데 아세틸화되면 세포질로 이동되면서 비로소 염증 반응에 관여한다. 증가된 IL-1β는 별아교세포의 glutamate의 분비를 늘리고, glutamate의 재흡수를 감소시켜서 신경세포를 과흥분상태로 만든다. 또한 IL-1β는 시냅스 후 신경세포의 N-methyl-D-aspartate (NMDA)수용체를 흥분시킴으로써 발작을 유발한다. 이외에도 억제성 신경전달물질인 γ-aminobutyric acid (GABA) 매개성 신경전달을 감소시킨다. 동물실험 결과, 해마 내에 HMGB1을 직접 주사하였을 때 발작이 증가하고, HMGB1항체를 처치하면 발작의 강도가 감소한다. IL-1수용체에 대한 항체를 주입하면 발작의 기간이 짧아지고, 발작이 늦게 발생한다. Caspase1이나 TLR4를 유전적 제

거하면, 발작에 저항성을 가지게 된다. NLRP1 또는 NLRP3 인플라마솜 또는 caspase1의 작은 방해 RNA (siRNA)를 뇌실 내로 주입하였을 때 발작 기간 및 빈도, 신경세포손상을 줄인다. 하지만, 자발발작억제 효과(anti-epileptogenic)에 대한 증거들은 상대적으로 매우 적다. IL-1의 길항제(anakinra)가 신경세포간 시냅스의 가소성에 영향을 주어 뇌전증형성과정에 영향을 줄 가능성이 있다. IL-1β의 증가는 기질금속함유단백분해효소(matrix metalloproteinase, MMP)-9을 증가시켜, 시냅스의 구조 변화를 일으키고, 세포사를 증가시켜 결국 자발발작이 나타나는 환경을 만들 것이라고 설명하고 있지만, 보다 직접적인 기전에 대한 정보는 부족하다.

(2) 퓨린계 신호

IL-1β와 HMGB1의 분비를 증가시키는 또 다른 기전은, 퓨린계 신호체계이다. P2X7수용체는 시냅스전과 후의 신경막에 위치한 수용체로, ATP에 의해 열리

는 이온통로이다. P2X7의 활성도는 발작의 강도와 비례하며, P2X7수용체가 자극되면, 칼슘의 유입과 칼륨의 유출, 인플라마솜이 활성화된다. P2X7길항제나 유전자제거 모델에서 발작이 악화된다는 결과도 있으나, 신경염증을 억제해서 발작을 줄이는 쪽으로 작용한다는 결과가 더 많다. P2X7길항제를 뇌실 또는 정맥주입시, 급성발작 또는 자발적 발작이 감소됨이 확인된 바 있다. P2X7길항제는 사이토카인 분비를 줄이고 별아교세포와 미세아교세포의 활성을 감소시킨다.

(3) Cyclooxygenase-2와 프로스타글란딘

프로스타글란딘은 미세아교세포, 별아교세포, 신경세포에서 cyclooxygenase-1(COX-1) 또는 COX-2에 의해 만들어진다. 그 중 COX-2는 평상시에는 그 분비가 매우 낮은 수준이다가 신경자극 후에는 분비가 급격히 증가되기 때문에, 발작 억제의 치료 목표로 많이 연구되어 왔다. COX-2에 의해 생성된 프로스타글란딘 중, PGF2α, PGD2는 발작을 억제하는 작용을, PGE2는 발작을 유도하는 작용을 한다. PGE2의 수용체에는 EP1, 2, 3, 4가 있는데 특히 이 중 EP2, 3이 신경세포의 흥분과 직접 관련되어 있으며, EP1은 신경독성과 혈액뇌장벽에 관여하여 간접적으로 발작발생에 관여한다. COX-2와 IL-1β는 상호 조절 관계에 있

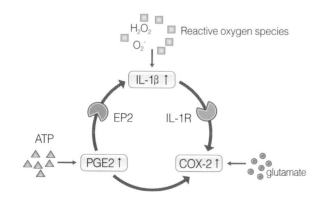

그림 1-3 염증 신호 간의 상호 관계

IL, interleukin; PGE, prostaglandinE; ATP, adenosine triphosphate; COX, cyclooxygenase

는데(그림 1-3), IL-1β를 억제하면 COX-2가 줄어들고 COX-2를 억제하면 IL-1β의 발현이 감소한다. 발작을 1시간 유발시키면, 30분 후부터 COX-2, IL-1β의 발현이 증가하여, 평소의 60배 이상의 증가가 1일까지 지속된다. *In vitro, in vivo* 동물 모델에서 COX-2의 선택적 억제(예: celecoxib, rofecoxib, parecoxib, NS398, nimesulide 등)가 자발발작을 억제하였다. 하지만 급성발작에 효과는 동물 모델에 따라, 치료 시점에 따라 결과가 일정하지 않다. COX-2억제제가, kainic acid 모델에서는 발작을 악화시켰으며, NS398을 kainic acid 주입 전에 투여하면, 신경 세포 보호 효과가 없었지만, 수시간 후에 투입하면, 보호 효과가 나타났다. Aspirin도 pilocarpine을 주기 전에 투여하면 발작이 더 잘 유발되었다. 발작 유발 이후에 나타나는 과도한 염증 신호의 시간 추이를 고려할 때, 유전적 제거 또는, 발작 유발 이전에 투여하는 것이, 이후 투여와 다른 결과가 나타난 사실을 설명할 수 있다. 발작유발 후 1시간 동안은 PGF2α가 PGE2보다 더 우세하여 COX-2의 효과는 발작을 억제하는 방향으로 작용한다. EP2의 작용제(butaprost)는 초기에 투여할 때 신경보호효과가 있고, 차단제는 늦게 투여할 때, 좋은 효과가 나타났다. 그 외에, COX-2 신호의 상위 전구체인 아라키돈산(arachidonic acid)은 phospholipase A2와 monoacylglycerol lipase (MAGL)에 의해 형성되는데, MAGL을 억제하는 물질을 투여하면, 신경염증이 줄어들고, 발작지속기간이 짧아진다. COX-2는 세포바깥으로 약물을 배출하는 P-glycoprotein을 증가시켜서 뇌전증약물효과를 감소시키기도 한다.

(4) 그 외 관련 사이토카인

종양괴사인자-α (tumor necrosis factor-α, TNFα)는 발작 유발 수시간 내에, 빠르게 증가한 후 3일 내로 감소한다. IL-1β와 동일하게, 주로 별아교세포나 혈관내피세포에서 분비가 증가한다. 그 작용은 TNF-α의 형태에 따라 다르며, 1형은 발작을 악화시키는 방향으로 작용하며 2형은 발작을 억제하는 방향으로 작용한다. 미세아교세포가 glutamate 분비를 증가시키고, glutamate수용체 중 한 종류인, α-amino-3-hydroxy-5-methyl-4-isoxazolepropionic acid

(AMPA)수용체를 증가시킨다. GABA수용체를 세포 내로 이동시켜 억제 작용을 줄이는 기능도 있다. 농도에 따라 작용 결과가 다른데, TNF-α를 유전적으로 조금 과발현 시키면 발작 보호 효과가 있으나, 많이 과발현 시키면 발작이 심해진다.

IL-6도 미세아교세포에서 IL-1β, TNF-α와 함께 발작 상황에서 활성이 증가된다. Pilocarpine 모델에서, 발작 후 24시간에 정점에 이른다. 출생 전 IL-6에 노출된 경우 태아의 해마 구조에 변화를 일으키고, 임신 쥐에게 IL-6 자극을 주면, 그 새끼들에서 뇌전증형성이 촉진된다는 결과가 있다. IL-6는 해마신경세포 생성을 줄이고, 아교세포화를 증가시켜 뇌전증형성에 관여하리라 추정된다. 하지만 반대로 IL-6를 유전적 제거하였을 때. 발작 역치가 오히려 낮아진다는 상반된 결과도 있어, 뇌전증치료의 목표로 삼기에는 아직 증거가 부족하다.

(5) 산화스트레스(Oxidative stress)

발작 이후 발생하는 신경염증반응은 산화스트레스 반응과 함께 나타나며 서로를 강화시킨다. 산화스트레스는 HMGB1을 핵 안에서 세포질로 이동시키며, 인플라마솜을 활성화시키며, 염증반응의 핵심조절인자인 NF-κB를 통해 염증을 매개한다. 발작 이후 염증 반응에 관계되는 활성산소는 두 가지이다. 미토콘드리아의 활성산소와, NADPH oxidase의 활성에 의해 생성되는 세포 밖 활성산소이다. 이 두가지 원천은 상호 연결되어 있다. 증가된 과산화물(superoxide, O_2^-)과 과산화수소(hydrogen peroxide, H_2O_2)가 신경세포 손상을 일으킨다. 산화스트레스억제제 투여 시, 미세아교세포의 활성이 감소하고, 염증촉진 사이토카인(예: IL-1β, TNF-α, IL-6)의 분비가 감소한다. 활성산소를 감소시키면 뇌전증 모델에서 인지 기능의 향상이 일어난다는 결과가 있다.

2) 말초염증세포의 동원

백혈구의 동원은 염증 반응의 중심이며 발작 관련 뇌염증에서도 예외는 아니다. Kainic acid로 발작을 유발하면, 말초염증세포는 1-3일까지 서서히 증가되는데, 말초염증세포의 동원이 향후 자발적 발작을 유발

하는데 기여할 가능성을 시사한다. 발작 후 증가된 백혈구부착분자(예: CD44, VCAM-1, ICAM-1)가 느슨해진 혈액뇌장벽을 통해 백혈구의 이동을 돕게 되는데, 자연스럽게 이런 백혈구의 침입은 위에서 설명한 염증 매개물질들의 분비를 늘려, 혈액뇌장벽을 더 악화시킨다. 백혈구를 활성화시키고, 말초로부터 뇌 염증 부위로 이동을 안내하여, 말초 염증과 뇌 염증 반응을 매개하는 신호 물질이 케모카인(chemokine)이다. 그 중, 케모카인CC모티프리간드(chemokine C-C motif ligand, CCL)2, CCL3, CCL4가 난치성측두엽뇌전증 환자의 수술로 적출된 해마조직에서 발견되는데, 이 중에서 CCL2가 가장 연구가 많이 되었다. CCL2는 손상 부위로 단핵구(monocyte), T세포, 자연살해세포, 대식세포와 미세아교세포를 이동시키며, 이는 C-C모티프케모카인수용체(CC motif chemokine receptor, CCR)2라는 수용체를 발현하는 세포에 작용한다. IL-1β의 증가를 유발하고 그에 따른 세포 손상을 일으키나, 발작 형성에 어떤 역할을 하는지는 아직 뚜렷하게 밝혀지지 않았다. 그 외에, CCL3과 CCL5도 백혈구 동원에 관련되어 있으며, 케모카인CXC모티프리간드(chemokine C-X-C motif ligand, CXCL)13과 그 수용체인 CXCR5도 뇌전증형성과정에 관여한다고 알려져 있다. Pilocarpine 동물모델에서 백혈구와 혈관 세포의 연결고리인 혈관 부착 분자(예: VCAM-1, P-selectin)를 차단하였을 때, 급성발작은 물론 자발발작도 억제되었으며 뇌세포 손상을 줄였다. 하지만, 결과가 연구에 따라 다양하게 나타나서 환자에게 해로울지 이로울지에 대한 논란의 여지가 있다. 느슨해진 혈액뇌장벽으로 말초염증세포 뿐 아니라 알부민도 침투하여 발작 유발에 관여한다. 침투한 알부민은, 혈관 주변 별아교세포의 전환성장인자-β(transforming growth factor, TGF-β) 신호체계를 활성화하여 별아교세포의 특유의 기능인 glutamate와 칼륨의 버퍼링 기능을 감소시켜서 신경의 과흥분을 일으켜서, 발작역치를 더 낮춘다고 알려져 있다. 이처럼 혈액뇌장벽의 손상과 발작은 서로 악순환의 고리를 돌게 된다. 혈액뇌장벽이 뇌염증에 대한 보다 자세한 설명은 다른 장을 참고하길 바란다.

3) 기타 조절 인자: 마이크로RNA (microRNA, miRNA)

마이크로RNA는 유전자의 전사(transcription)단계 이후 단계에서 유전자 조절에 관여하는 작은 크기의 RNA이다. 발작 시에 특정 마이크로RNA의 발현 패턴이 변화하여, 발작의 발생 및 조절에 관여하리라 추정된다. 그 중에서 miRNA-146a, miRNA-22, miRNA-155, miRNA-221, miRNA-222 등이 신경염증과 관련되어 있다.

3 | 뇌전증 환자에서의 신경염증

신경염증에서 공통적으로 나타나는 미세아교세포, 별아교세포의 활성화, 혈액뇌장벽의 손상, 말초면역세포의 동원 등이 뇌전증 환자에도 존재한다. 면역반응이 주요 뇌전증의 기전이 아닌, 기타 뇌전증에서도 염증반응이 관계되어 있다는 증거들이 많다. 발작 후 환자 혈액에서, 백혈구 수의 증가하고, 염증촉진 사이토카인(예: IL-1β, IL-6, TNF-α, 등) 수치가 상승한다. 측두엽 절제로 뇌전증이 치료된 경우에, TNF-α와 IL-1β의 농도가 감소되었으며, 혈액뇌장벽이 느슨해지고, 말초염증세포가 뇌로 이동하는 것도 환자 연구에서 확인된 바 있다. 난치성 뇌전증환자의 제거된 뇌전증 병소에서, 몇몇 염증 신호들이 증가되었다. 내측두엽뇌전증 뿐만 아니라 피질이형성증, 결절경화증, 아교신경종양에 의한 신피질(neocortical)뇌전증에서도 확인되었다. 뇌전증 지속상태로 사망한 환자의 부검조직에서도, IL-1β, HMGB1이 해마에서 관찰되었다. 하지만 신경염증이 조절되지 않은 발작의 결과인지, 아니면 발작 악화의 원인 중 하나인지 확실하지 않다. 뇌전증 증후군 별로 설명하겠다.

열감염관련뇌전증증후군(febrile infection-related epilepsy syndrome, FIRES)은 발열 질환 이후에 뇌전증 지속상태가 발생하는 원인 미상의 질환이다. FIRES 환자에서 IL-1β, IL-6, HMGB1이 혈액에서 증가하고 이외에도 IL-6, IL-8, CXCL10, CCL13, CXCL1, CXCL9이 뇌척수액에서 증가한다. FIRES가 아닌 뇌전증지속상태, 다른 만성뇌전증과 비교한 연구 결과, 염증촉진 사이토카인의 분비 양이 달랐는데, 다른 뇌전증 상태와 달리, FIRES에서 염증 반응이 더 관여함을 보여 주었다. FIRES 환자에서 IL-1수용체에 대한 항체 치료가 발작을 감소된다는 결과도 이를 뒷받침한다. 열경련이 지속되는 상태인 열뇌전증 지속상태(febrile status epilepticus)에서도 IL-1, IL-1 수용체길항제(IL-1Ra), IL-6, IL-8이 증가된다.

국소피질이형성증(focal cortical dysplasia) 환자의 뇌조직에서 T세포와 IL-1β, CCL2가 증가되었고, 반대로 IL-1Ra가 감소되었다. 결절경화증(tuberous sclerosis) 환자의 뇌 병소(tuber)에서, 주조직적합복합체(MHC), TLR2, TLR4, RAGE (receptor for advanced glycation end product) 같은 염증성 표지자의 발현이 증가되어 있다. 하지만 대개의 만성 뇌전증에서는, 염증촉진 사이토카인의 변화가 크지 않다. 최근 소아 환자 대상으로 한 난치성뇌전증 환자의 뇌조직 연구에서, 말초유래 골수성 세포(예: 단핵구, 대식세포, 수지상세포)와 함께, CD4[+]도움T세포, CD8[+]세포독성T세포가 발견되었고, 염증을 유발하는 IL-17의 분비가 증가되었다. 세포의 숫자 또한 발작의 빈도와 비례하였다. 반대로, 억제T세포는 효과T세포의 이동과 기능을 억제하여 과도한 면역반응을 억제하는 기능을 하는데, 억제T세포의 숫자가 발작 빈도와도 역비례함을 보아 억제T세포가 면역 기능을 조절을 통해 발작을 억제할 것이라는 추정이 가능하다. 신경염증의 범위는 환자마다 다르고, 뇌전증의 원인 병리마다 다르지만, 향후 공통의 염증 신호 경로를 확인하여, 이를 통해 새로운 치료 전략을 세울 필요가 있다.

4 | 진단적 활용: 생물표지자(Biomarker)의 역할

1) 혈액 표지자

뇌전증형성과정을 막는 치료는 아직 없다. 다만 뇌전증 발작을 멈추는 치료가 현재의 뇌전증 치료일 뿐이다. 뇌전증형성을 막는 치료의 개발을 위해서는 뇌전증형성을 모니터링할 수 있는 수단이 필요하다. 뇌전증형성의 '혈액 표지자'로 HMGB1, IL-1β, TNF-α가 대두된다. 동물 실험에서는 발작 유발 후 잠복기를 지나 자발발작이 나타나는 동물과 자발발삭이 나타나지 않는 동물들이 있는데, 자발발작이 발생하는 동물에서만 HMGB1가 증가되어 있으므로, 뇌전증형성과정의 잠재적 표지자가 될 수 있다. 환자에서도, 유사한 연구 결과가 있다. 해마에서 pilocarpine 유발 발작 이후 24시간에 IL-1β, IL-6, TNF-α가 그 정점에 이르렀다가, 감소하고, 뇌전증 잠복기에 IL-1β와 TNF-α가 다시 증가하는 경향을 보였다. 이외에 sICAM5라는 항염증 단백질이, 난치성 국소뇌전증환자에서 감소되어 난치성뇌전증의 표지자가 될 수도 있겠다. 그 밖에 다른 연구에서 IL-2, IL-8, CCL17도 난치성뇌전증에서 증가되어 있었지만, 비난치성 뇌전증 또는, 정상 대조군과 비교된 결과가 아니어서, 발작 빈도와 연관된 것인지는 뚜렷하지 않다. 열경련 후 보통 5-10%만 측두엽뇌전증이 발생하게 되는데, 해마에서 IL-1β가 증가된 경우에만 측두엽뇌전증으로 발전하여, 뇌전증발생과정의 예측인자로도 의미를 가질 수 있다. 하지만, 서서히 발생하는 인간 뇌전증의 특성상, 염증 신호가 뇌전증발생과정에 미치는 영향을 증명하기는 현실적으로 어렵다.

2) 영상 표지자

(1) Translocator단백질(TSPO) 양전자방출단층촬영 (positron emission tomography, PET)

Translocator단백질(TSPO)은 평소에 약하게 발현하다가, 신경염증반응이 증가되면 함께 증가한다. TSPO에 결합하는 추적자(tracer)는 PK11195, PBR28, DPA-713 등이 있다. 측두엽뇌전증에서 병변과 같은 쪽 뇌에서 신호가 증가되었고, 국소피질이형성증에 의한 신피질뇌전증 환자의 발작 병소에서 TSPO의 결합이 증가되었다. 일부 동물연구에서는 난치성뇌전증을 구별하는데 유용하다는 결과도 있다. 추적자마다 약간씩 결과가 다르고, 유전자 형성에 따라 일부 사람에서는 리간드의 결합력이 낮은

경우도 있어서, 적용에 주의가 필요하다. TSPO는 활성화된 미세아교세포, 별아교세포에서 과발현 되지만, 주로는 미세아교활성의 포지자로 간주된다. 자발발작의 빈도와도 연관성이 관찰되었다. PET 리간드가 더 개선된다면 임상적인 유용성과 확장성이 있을 것으로 기대된다.

(2) 조영증강자기공명영상(Contrast-enhanced MRI)

조영증강자기공명영상은 혈액뇌장벽의 손상을 영상화한 것으로서, 간접적인 뇌염증 관찰 수단이다. 동물을 이용한 조영증강자기공명영상 결과, 느슨한 혈액뇌장벽이 존재하는 곳에 별아교세포와 미세아교세포의 활동이 증가되어 있고, 염증매개물질의 분비가 증가되었다. 사람에서도 뇌외상 이후 조영증강자기공명영상을 이용한 혈액뇌장벽의 손상을 확인한 바 있으나, 영상의 해상도의 한계가 있어, 널리 이용되기엔 한계가 있다.

(3) 자기공명분광분석(Magnetic resonance spectroscopy, MRS)

별아교세포의 활성을 ^{1}H-MRS로 마이오이노시톨 피크를 통해 확인하는 방법이다. 동물실험에서 뇌전증발생과정에서 해마의 마이오이노시톨이 지속적으로 증가됨이 확인되었다.

5 | 뇌전증 환자에서 뇌염증 치료의 효과

뇌전증의 30% 정도는 난치성뇌전증이어서 다른 치료적 접근의 필요성이 항상 존재했고, 염증반응 억제 치료가 그 중 하나로서 주목 받아왔다. 염증성 전달 물질을 목표로 하는 치료에서 고려할 점은, 약물 투여 시점, 약물 용량의 문제뿐 아니라, 뇌전증 원인에 따른 기전이, 또, 약물에 의한 부작용 특히 감염 위험이다.

Casepase1 억제를 통해 IL-1β의 합성을 저해하는 약물(예: VX-765)은, 난치성 환자에서 시도한 소규모 이중맹검, 위약-대조군연구에서, 발작 억제

효과를 보여주었다. IL-1β를 직접 억제하는 약물 (anakinra)의 효과가 FRIES에서 나타난다는 증례 보고가 있다. Anakinra가 난치성 일반 뇌전증에서 효과가 있었다는 보고가 있었으나, 증례 보고 수준으로 그 효과를 일반화하기에는 증거가 아직 부족하다. 선택적 COX-2억제제는 비교적 많은 동물 실험을 통해 발작 억제 효과가 관찰되지만, 아직은 심혈관계 부작용에 대한 우려와, 뇌전증 동물 실험에서 일정하지 않았던 결과로 인해, 뇌전증 치료에 적용한 시도가 없다. 열성경련을 대상으로 한 비교적 대규모 연구(230명)는 ibuprofen의 발작 억제 효과를 증명하지 못했다. 국소뇌전증 환자에서 aspirin을 복용하였을 때 발작 감소 효과를 보았으나, 후향적, 소규모 연구여서, 아직은 결론을 내기엔 이르다. 최근 건강인을 대상으로 COX-2억제제에 의한 뇌파 변화를 본 연구에서 일부 파형의 흥분도가 오히려 일시적으로 증가하는 결과도 있기 때문에, 임상 적용에 유의해야 한다.

그 외, TNF-α항체(예: adalimumab)를 라스무센뇌염 환자에 주었을 때, 발작이 억제된다는 소규모 연구가 있으나, 기타 뇌전증에서의 효과는 역시 미지수이다. 말초혈액 내 백혈구와 뇌혈관세포와의 부착의 억제를 목표로 하는, anti-integrin α4항체는 라스무센뇌염과 다발경화증을 동반한 난치성뇌전증에서 발작 억제 효과를 보였다. 뇌전증 치료에 이미 사용하고 있는 케톤식이, 미주신경 자극술의 효과의 일부를, 염증반응의 억제로 설명하고 있으나, 이러한 치료의 효과를 모두 항염증기전으로 설명하기는 무리이다.

1) 뇌전증지속상태에서 뇌염증 치료

뇌전증지속상태는 30분 이상의 지속된 발작을 특징으로 하나, 임상적으로는 5분 이상 지속되는 경우로 정의한다. 40%는 2개의 발작 약물 치료에도 조절되지 않는 '난치성뇌전증지속상태'이며, 전신마취제 치료에도 조절되지 않는 경우를 '초난치성뇌전증지속상태(super-refractory status epilepticus)'라고 한다. 초난치성뇌전증지속상태 원인 중, 자가면역뇌염이 다수 포함되어 있기 때문에, 항염증치료 즉 면역치

료의 효과가 있을 수 있다. 또한 원인이 확실하지 않은 신생난치성뇌전증지속상태(new onset refractory status epilepticus, NORSE)의 환자에서는, 면역치료를 항상 염두에 두어야 한다. 최근 NORSE 환자를 대상으로 소규모 연구에서 IL-6의 억제가 대조군에 비해 좋은 발작 치료효과를 보았는데 이는 다른 장에서 따로 언급되니 여기서는 다루지 않겠다. 2010년 개정된 유럽 신경과학회 권고사항에도 전신마취에도 반응하지 않는 초난치성뇌전증지속상태에서 스테로이드를 이용한 면역치료제를 고려해야 한다고 언급되어 있듯이, 항염증 치료는 더 이상 실험적인 이야기는 아니다. IL-1에 대한 항체로 류마티스질환의 치료제로 승인되어 있는 anakinra를 초난치성뇌전증지속상태와 FIRES에 피하 반복 주사하여 발작 억제 효과가 있었다는 연구도 있다.

6 | 결론

뇌염증에서 공통적으로 나타나는 미세아교세포와 별아교세포 활성화, 혈액뇌장벽의 손상, 말초 면역세포의 동원 등이 뇌전증 발작에도 존재한다. 또한 아직 일부이긴 하지만 뇌전증환자에서 염증 치료가 발작 억제에 효과가 있었다. 항염증치료는 난치성뇌전증 치료의 보조요법으로서 적용 가능성이 있으나, 라스무센뇌염, FIRES 등과 같은 소위 '면역성' 뇌전증을 제외하고 다른 뇌전증증후군에서는 아직 뚜렷한 증거가 없다. 염증을 주된 기전으로 발생하는 뇌전증 뿐 아니라, 모든 후천성 뇌전증에서 공통적으로 적용되는 목표를 찾는 것이 중요하다. 뇌전증의 병인에 따라 구별하여, 판단하여야 하며, 보편적인 보조요법으로 적용되기까지는 더 연구가 필요하다.

참고문헌

1. Berdichevsky Y, Saponjian Y, Park KI, et al. Staged anticonvulsant screening for chronic epilepsy. Ann Clin Transl Neurol 2016;3:908-23.
2. Du Y, Kemper T, Qiu J, et al. Defining the

therapeutic time window for suppressing the inflammatory prostaglandin E2 signaling after status epilepticus. Expert Rev Neurother 2016;16:123-30.

3. Fabene PF, Navarro Mora G, Martinello M, et al. A role for leukocyte-endothelial adhesion mechanisms in epilepsy. Nat Med 2008;14:1377-83.

4. Henshall DC, Hamer HM, Pasterkamp RJ, et al. MicroRNAs in epilepsy: pathophysiology and clinical utility. Lancet Neurol 2016;15:1368-76.

5. Huang C, Chi XS, Li R, et al. Inhibition of P2X7 Receptor Ameliorates Nuclear Factor-Kappa B Mediated Neuroinflammation Induced by Status Epilepticus in Rat Hippocampus. J Mol Neurosci 2017;63:173-84

6. Jiang J, Yang MS, Quan Y, et al. Therapeutic window for cyclooxygenase-2 related anti-inflammatory therapy after status epilepticus. Neurobiol Dis 2015;76:126-36.

7. Kenney-Jung DL, Vezzani A, Kahoud RJ, et al. Febrile infection-related epilepsy syndrome treated with anakinra. Ann Neurol 2016;80:939-45.

8. Koepp MJ, Årstad E, Bankstahl JP, et al. Neuroinflammation imaging markers for epileptogenesis. Epilepsia 2017;58 Suppl 3:11-9.

9. Kothur K, Bandodkar S, Wienholt L, et al. Etiology is the key determinant of neuroinflammation in epilepsy: Elevation of cerebrospinal fluid cytokines and chemokines in febrile infection-related epilepsy syndrome and febrile status epilepticus. Epilepsia 2019;60:1678-88.

10. Lim JA, Jung KY, Park B, et al. Impact of a selective cyclooxygenase-2 inhibitor, celecoxib, on cortical excitability and electrophysiological properties of the brain in healthy volunteers: A randomized, double-blind, placebo-controlled study. PLoS One 2019;14:e0212689.

11. McElroy PB, Liang LP, Day BJ, et al. Scavenging reactive oxygen species inhibits status epilepticus-induced neuroinflammation. Exp Neurol 2017;298(Pt A):13-22.

12. Rana A, Musto AE. The role of inflammation in the development of epilepsy. J Neuroinflammation 2018;15:144.

13. Ransohoff RM, Schafer D, Vincent A, et al. Neuroinflammation: Ways in Which the Immune System Affects the Brain. Neurotherapeutics 2015;12:896-909.

14. Terrone G, Frigerio F, Balosso S, et al. Inflammation and reactive oxygen species in status epilepticus: Biomarkers and implications for therapy. Epilepsy Behav 2019;101(Pt B):106275.

15. Tian DS, Peng J, Murugan M, et al. Chemokine CCL2-CCR2 Signaling Induces Neuronal Cell Death via STAT3 Activation and IL-1β Production after Status Epilepticus. J Neurosci 2017;37:7878-92.

16. Trinka E, Höfler J, Leitinger M, et al. Pharmacotherapy for Status Epilepticus. Drugs 2015; 75:1499-521.

17. Varvel NH, Neher JJ, Bosch A, et al. Infiltrating monocytes promote brain inflammation and exacerbate neuronal damage after status epilepticus. Proc Natl Acad Sci U S A 2016;113:E5665-74.

18. Vezzani A, Balosso S, Ravizza T. Neuroinflammatory pathways as treatment targets and biomarkers in epilepsy. Nat Rev Neurol 2019;15:459-72.

19. Xanthos DN, Sandkühler J. Neurogenic neuroinflammation: inflammatory CNS reactions in response to neuronal activity. Nat Rev Neurosci 2014;15:43-53..

20. Xu D, Robinson AP, Ishii T, et al. Peripherally derived T regulatory and γδ T cells have opposing roles in the pathogenesis of

intractable pediatric epilepsy. J Exp Med 2018;215:1169-86.

21. Yankam Njiwa J, Costes N, Bouillot C, et al. Quantitative longitudinal imaging of activated microglia as a marker of inflammation in the pilocarpine rat model of epilepsy using [^{11}C]-(R)-PK11195 PET and MRI. J Cereb Blood Flow Metab 2017;37:1251-63.

2

 구용서

면역저하자에서의 뇌염
(Encephalitis in immune compromised patients)

1 | 총론

감염수막염 및 뇌염은 건강한 사람들에게서도 발병하지만, 다양한 이유로 면역체계가 억제된 환자에서 발병하는 경우가 많다. 특히, 면역저하자의 경우 일반인에서 보이지 않는 병원체에 의한 감염이 많아 일반적인 접근 방식과는 다르게 진단하고 치료하여야 한다. 본 장에서는 면역저하자에서 특징적으로 발생하는 뇌염의 종류와 진단 및 치료법에 대하여 자세히 다루고자 한다.

1) 면역저하자란?

면역 기능에 이상이 발생하면 감염에 취약한 상태가 되므로, 면역저하자에서 발생하는 뇌염은 정상적인 면역 기능을 가진 환자와는 다른 양상을 갖는다. 면역결핍은 크게 선천적인 이상에 발생하는 일차면역결핍증(primary immunodeficiency)과 후천적으로 다른 여러 이유에 의해서 발생하는 이차면역결핍증(secondary immunodeficiency)으로 구분한다.

2) 일차면역결핍증

일차면역결핍증은 크게 B세포결핍질환과 T세포결핍질환, 기타 일차면역결핍증으로 분류된다. B세포결핍질환에는 부루톤무감마글로불린혈증(Bruton's agammaglobulinemia), 분류불능형저감마글로불린혈증(common variable-hypogammaglobulinemia), 고면역글로불린M증후군(hyper-immunoglobulin M syndrome)이 있다. B세포결핍이 있으면 초기에 폐렴사슬알균(Streptococcus pneumoniae)나 b형헤모필루스인플루엔자균(Haemophilus influenzae tybe b)과 같은 피막세균(encapsulated bacteria) 감염이 흔하고, 후기에 점막손상으로 인한 포도알균(Staphylococcus), 비피막성 헤모필루스인플루엔자균, 그람음성막대균(gram negative bacilli)과 같은 다른 박테리아에도 잘 감염된다. 또한, 바이러스감염에도 취약한데, 한번 바이러스에 감염된 이후에도 면역이 생기지 않아 반복적인 대상포진이 발생하며, 임상적으로 회복한 이후에도 바이러스가 지속적으로 배출되기도 한다. B세포결핍 환자에서는 면역저혈소판증(immune thrombocytopenia), 자가면역갑상선염(autoimmune thyroiditis), 전신홍반루푸스(systemic lupus erythematosus), 만성소화장애증(celiac disease) 등 다른 자가면역질환도 자주 동반된다.

중추신경계 감염도 호흡기나 소화기계통의 감염에 의해 발생하므로 이에 대한 감염예방을 통해 예방이 가능하다. 호흡기점막이 정상인 경우 면역글로불린정맥주사(intravenous immunoglobulin, IVIg)의 투여가 도움이 되는데, 기관지확장증 환자나 흡연자에게는 큰 도움이 되지 않는다. 또한, penicillin이나 amoxicillin과 같은 피막세균에 대한 예방적 항생제의 사용이 필요하다. 지속적인 설사가 있는 환자에서는 람블편모충(Giardia lamblia)에 대한 감염이 흔하므로 metronidazole 치료가 도움이 된다. 또한, B세포결핍이 있는 환자는 생백신을 투여 받는 것은 금기이다.

T세포결핍질환에는 베어림프구증후군(Bare lymphocyte syndrome), 오멘증후군(Omenn syndrome), 디죠지증후군(DiGeorge syndrome) 등이 있다. 또한, B세포와 T세포 모두의 결핍으로 인한 중증복합면역결핍(severe combined immunodeficiency, SCID)이 있다. T세포는 체액면역 및 세포면역 모두에 관여하므로 T세포 결핍 환자는 박테리아, 바이러스, 진균 등 다양한 감염에 취약하다. 따라서, 예방적 항생제 및 면역글로불린정맥주사 치료, 충분한 영양 공급 등을 통해 감염을 예방하는 것이 중요하며, 거대세포바이러스(cytomegalovirus, CMV)에 대한 노출과 생백신 투여는 피해야 한다.

다른 일차면역결핍증으로는 포식세포의 결핍으로 인한 만성육아종병(chronic granulomatous disease), 백혈구부착결핍증(leukocyte adhesion deficiency), 세디아크-히가시증후군(Chediak-Higashi syndrome)이나, 보체결핍(complement deficiency), 미코박테리아 감염에 취약한 인터페론감마(interferon-γ) 이상, 헤르페스바이러스뇌염에 취약한 톨유사수용체-3(Toll-like receptor-3, TLR-3) 이상 등이 있다. 하지만, 실제 임상에서 일차면역결핍증 환자를 경험하는 일은 드물고, 이에 대한 자세한 언급은 본 교과서의 범위를 넘어서므로 본 장에서는 이차면역결핍증 환자의 중추신경계 감염에 대하여 주로 다루도록 하겠다.

3) 면역결핍증에서의 수막염 및 뇌염의 특징

면역저하자들은 면역체계가 정상적으로 작동하지 않으므로, 수막염 및 뇌염의 임상양상이 일반적이지 않아 진단이 어렵고, 치료법 및 예방법도 많이 다르다. 특히, 같은 질환이라고 하더라도 전구증상이나 특징적인 국소 신경학적 이상 등이 없는 경우가 많다. 예를 들면, 범혈구감소증(pancytopenia)이 있는 면역저하자에서는 감염으로 인한 뇌척수액 세포증가가 관찰되지 않기도 하고, 스테로이드를 사용하는 환자에서는 수막염 및 뇌염에서 흔히 관찰되는 MRI 소견인 수막조영증강(meningeal enhancement)이 관찰되지 않는 경우가 많다. 따라서, 면역저하자에서의 수막염 및 뇌염은 진단 및 치료가 지연되는 경우가 많으므로, 특징적인 임상양상을 인지하고 적극적인 검사 및 치료를 시행하는 것이 환자의 예후에 중요하다.

(1) 감별 진단

면역저하자에서 발생하는 신경학적 이상소견은 감염 외의 다른 다양한 이유로도 발생하므로 감별진단이 중요하다. 예를 들면, 사람면역결핍바이러스(human immunodeficiency virus, HIV)감염 환자에서 발생하는 면역재구성염증증후군(immune reconstitution inflammatory syndrome, IRIS)은 감염수막염 및 뇌염과 치료법이 완전히 반대일 수 있어 주의가 필요하다. 또한, 환자의 기저 질환 및 사용 약물력에 따라 가역적 후두부뇌병증증후군(posterior reversible encephalopathy syndrome), 신생물딸림증후군(paraneoplastic syndrome), 방사선치료 및 항암치료의 합병증 등도 감별 진단으로 고려하여야 한다. 감염수막염 및 뇌염에서 흔히 보이는 뇌영상 소견인 연수막조영증강은 연수막전이(leptomeningeal metastasis) 및 경련 등의 원인으로도 생길 수 있으므로 감별에 유의하여야 한다. 뿐만 아니라, 일반적인 경우에서 병증을 일으키지 않는 드문 병원균이 병을 일으키는 경우가 많고, 여러 병원균이 동시에 감염을 일으키는 경우도 있다. 또한 면역저하자들은 병원균에 대한 치료가 완료되더라도 감염에 대한 취약성은 지속되고 있다는 점을 주의하여야 한다(표 2-1).

① 임상 양상에 따른 감별 진단

면역저하자에서 발생하는 중추신경계 감염에서는 임상양상에 따라 특정 질환을 감별하여야 한다. 뇌실질에 종괴가 관찰될 경우 세균농양, 원발중추신경계림프종(primary central nervous system lymphoma), 유구낭미충증(cysticercosis), 결핵(tuberculosis), 급성파종뇌척수염(acute disseminated encephalomyelitis), 면역재구성염증증후군, 뇌종양 등을 감별하여야 한다. 부비동염이 있는 경우에는 털곰팡이균(mucoraceae), 아스페르길루스(aspergillus), 슈도모나스(pseudomonas) 등을 감별해야 한다. 또한, 백질뇌증이 있는 경우에는 진행다초점백질뇌병증(progressive multifocal leukoencephalopathy), 가역적후두부뇌병증증후군, 면역재구성염증증후군, 급성파종뇌척수염, 약물, 아밀로이드뇌혈관병증(cerebral amyloid angiopathy), 방사선유발백질뇌병증(radiation-induced leukoencephalopathy), 이식편대숙주질환(graft-versus-host disease) 등에 대

표 2-1 **면역저하자의 중추신경계 감염 감별진단**

임상양상	원인균 혹은 원인질환
해부학적 구조	
변연계	사람헤르페스바이러스6형(human herpes virus 6, HHV6), 단순포진바이러스1/2(herpes simplex virus 1/2, HSV1/2), 뇌전증, 항leucine-rich glioma-inactivated 1(LGI-1)뇌염
기저핵	톡소포자충, 엡스타인-바바이러스(Epstein-Barr virus, EBV), 웨스트나일바이러스(West Nile virus, WNV), 동부/서부말뇌염바이러스(eastern/western equine encephalitis, E/WEEV)
뇌간	리스테리아(*Listeria monocytogenes*), 수두대상포진바이러스(varicella zoster virus, VZV), WNV, 트로페리마위플레(*Tropheryma whipplei*), 가역적후두부뇌병증증후군(posterior reversible encephalopathy syndrome, PRES), 베르니케뇌병증(Wernicke's encephalopathy), 삼투탈수초증후군(osmotic demyelination)
척수	VZV, HSV2, WNV, EBV, 세인트루이스뇌염바이러스(St. Louis encephalitis virus), B형간염바이러스(hepatitis B virus, HBV), 림프구성맥락수막염바이러스(lymphocytic choriomeningitis virus, LCMV)
소뇌	VZV, EBV, 미코플라스마(Mycoplasma)
진행경과	
만성	결핵균(*Mycobacterium tuberculosis*)
이상성(biphasic)	LCMV, 록키산홍반열(Rocky Mountain spotted fever, Colorado tick fever)
뇌영상	
종괴 형성	세균농양, EBV, 원발중추신경계림프종(primary central nervous system lymphoma, PCNSL), 결핵균, 유구낭미충증(cysticercosis), 톡소포자충, 발라무시아만드릴라리스(*Balamuthia mandrillaris*), 가시아메바(Acanthamoeba), 갈고리촌충(*Taenia solium*), 급성파종뇌척수염(acute disseminated encephalomyelitis, ADEM), 면역재구성염증증후군(immune reconstitution inflammatory syndrome, IRIS), 방사선치료
백질 침범	진행다초점백질뇌병증(progressive multifocal leukoencephalopathy, PML), VZV, 거대세포바이러스(cytomegalovirus, CMV), EBV, HHV6, HIV, 니파바이러스(Nipah virus), 존커닝햄바이러스(John Cunningham virus, JCV), 홍역(Measles, SSPE), 너구리회충(*Baylisascaris procyonis*)
석회화	CMV, 톡소포자충, 갈고리촌충
수두증	결핵, 크립토콕쿠스(*Cryptococcus*), 콕시디오이데스이미티스 (*Coccidioides immitis*), *Histoplasma capsulatum*, 발라무시아만드릴라리스
뇌실내 조영증강	CMV
뇌농양	황색포도상구균(*Staphylococcus aureus*), 사슬알균(*streptococci*), 장내세균, 노카르디아(*Nocardia*)
척수농양	포도상구균, 사슬알균, 그람음성막대균(enteric gram-negative bacilli)
뇌혈관침범	VZV, 감염심내막염, 털곰팡이(Mucor), 아스페르길루스(Aspergillus), 샤가스병(Chagas), 혈관염, 종양, 혈액응고질환, 방사선치료, 니파바이러스, 리케차(*Rickettsia rickettsia*), 매독균(*Treponema pallidum*)
중추신경계외 감염	
부비동염, 유양돌기염, 이염	털곰팡이(Mucor), 아스페르길루스, 슈도모나스(Pseudomonas), 혐기성세균(anaerobes)
인후염	장바이러스(Enterovirus), 아데노바이러스
결막염	세인트루이스뇌염바이러스, 아데노바이러스
임파선염	LCMV, 볼거리(mumps)
유선염	볼거리
단핵구증	CMV, EBV, 너구리회충
심근염/심낭염	장바이러스, 볼거리, LCMV
고환염	볼거리, LCMV, EBV
이하선염	볼거리, LCMV

폐렴	인플루엔자(influenza), 파라인플루엔자(parainfluenza)
망막염	CMV
피부병변	
소수포 발진	장바이러스, HSV, HZV
반구진발진	EBV, 홍역, HHV6, 록키산홍반열, LCMV, WNV
다형홍반	미코플라스마
자색반	파르보바이러스(parvovirus)
탈모	LCMV
기타 증상	
관절염	LCMV, 파르보바이러스
이상감각	록키산홍반열, LCMV, 광견병(rabies)
떨림, 근간대증	아르보바이러스(arbovirus)
비뇨기 장애	세인트루이스뇌염바이러스, VZV, HBV, LCMV

한 감별이 필요하고, 뇌졸중이 있는 경우에는 수두대상포진바이러스(varicella zoster virus, VZV), 감염심내막염, 털곰팡이균, 아스페르길루스, 혈관염, 종양, 혈액응고장애, 및 방사선유발혈관병증(radiation-induced vasculopathy) 등을 감별해야 한다.

② 침범 부위에 따른 감별 진단

원인 질환에 따라 특징적인 위치에 국소 뇌병변이 발생하기도 한다. 변연계를 침범하는 경우에는 사람헤르페스바이러스 6형(human herpesvirus 6, HHV6), 단순헤르페스바이러스(herpes simplex virus, HSV), 항전압작동칼륨통로(voltage-gated potassium channel, VGKC)항체뇌염, 기저핵을 침범한 경우에는 웨스트나일바이러스(West Nile virus), 말뇌염바이러스(equine encephalitis virus), 엡스타인-바바이러스(Epstein-Barr virus, EBV), 톡소포자충증(toxoplasmosis), 뇌간을 침범한 경우에는 리스테리아(listeria), VZV, 웨스트나일바이러스, 가역적후두부뇌병증증후군, 베르니케뇌병증(Wernicke's encephalopathy), 삼투탈수초증증후군(osmotic demyelination syndrome), 휘플병(Whipple disease), 항Hu뇌염 등에 대한 질환을 감별해야 한다. 척수 침범소견이 있으면 VZV, HSV2, 웨스트나일바이러스, EBV 및 방사선손상에 대한 감별이 필요하다.

2 | 이차면역결핍증의 원인

1) 장기이식(Organ transplantation)

심장, 폐, 간 및 신장 등 장기이식 후 면역반응으로 이식장기가 손상되는 것을 막기 위해 강한 면역억제제를 사용한다. 이식 후 첫 3개월 동안 거부반응이 가장 많이 일어나므로 초기에는 항흉선세포글로불린, alemtuzumab, basiliximab 등의 유도면역억제요법을 사용하고, 이후에는 azathioprine, cyclosporine, mycophenolate mofetil, sirolimus, tacrolimus, 스테로이드 등을 유지용량으로 사용한다. 이식 환자는 면역억제로 인한 다양한 감염에 쉽게 노출되기 때문에 수술 전 위험인자를 확인하여 필요한 백신을 접종하고, 수술 전후에 CMV, 폐포자충(pneumocystis jirovecci), 아스페르길루스 등의 감염에 대한 예방적인 항바이러스제, 항생제, 항진균제 등을 사용한다.

2) 조혈모세포이식(Stem cell transplantation)

악성림프종, 다발골수종, 급성백혈병, 신경모세포종 등 다양한 질환에서 조혈모세포이식을 시행한다. 이식을 받는 조혈모세포에 대한 거부반응을 줄이고 남아 있는 악성 질환에 대한 치료를 위해 전신방사선조사를 시행하거나, busulphan, cyclophosphamide 등 복합 항암화학요법을 사용하는데, 이로 인하여 감염에 취약한 상태가 된다. 최근에는 부작용을 피하기 위해 비 골수제거 이식 방법이 사용되기도 한다.

조혈모세포이식 후에 발생하는 감염에는 다양한 인자가 영향을 미치는데, 제대혈을 이용한 조혈모세포이식은 생착에 오랜 기간이 걸리고, 중성구의 기능이 떨어져 다양한 감염에 쉽게 노출된다. 또한, 이식편대숙주반응 등을 줄이기 위해서 T세포 제거를 하는데, 이러한 경우에는 면역재활성화가 느리며, 감염의 위험이 증가한다. 그 외에도 조혈모세포이식으로 인하여 구강점막염이 잘 발생하는데, 세균, 칸디다(candida) 등이 침투하여 전신감염을 일으킬 수 있다. 또한, 정맥관을 통한 감염에도 취약하다. 조혈모세포의 경우에도 장기이식과 마찬가지로 감염을 막기 위한 예방적인 항바이러스제, 항생제, 항진균제 등을 사용하고, 중성구감소의 기간을 줄이기 위해서 수혈 및 집락자극인자(colony-stimulating factor)를 사용한다.

3) 고형종양(Solid tumor)

일반적으로 고형종양을 치료하기 위하여 수술, 방사선치료, 항암치료 등을 시행하는데, 항암치료는 빠른 생애주기를 가진 세포를 억제하므로, 골수억제 및 점막손상을 일으킨다. 뇌종양으로 수술을 받은 경우에는 세균수막염이 잘 생긴다. 특히, 장기간 스테로이드 사용으로 인한 T세포 면역 기능의 감소가 있는 경우, 상처 회복이 더딘 경우, 방사선치료를 한 경우, 반복하여 개두술(craniotomy)을 시행한 경우 세균수막염이 더 잘 발생한다. 척수강내 항암제 투여, 뇌실외배액 및 자주 사용되는 오마야저장소(Ommaya reservoir)등은 수막염을 일으키는 위험 요소이다. 방사선치료를 하였거나, bevacizumab 및 다른 혈관내피성장인자(vascular endothelial growth factor, VEGF)억제제를 사용하는 경우에는 상처의 회복이 더뎌 상처에 감염이 잘 유발된다. Carmustine을 포함한 고분자 화합물질을 통해 직접 항암제를 중추신경계에 투여하는 경우 심한 뇌염 및 부종, 뇌농양 등이 발생할 수 있다. 또한, 방사선 치료 및 temozolomide의 사용은 단순헤르페스뇌염 및 CMV뇌염 발생의 위험을 높인다. 수술 수년 후에 뇌농양이 생기기도 하는데, 원인균으로는 포도알균이 가장 흔하다.

종양환자에서 사용하는 항암제는 중성구감소증(neutropenia)을 잘 일으키는데, 중성구감소증이 10일 이상 지속되면 기회감염의 위험이 크게 증가한다. 최근에는 종양 치료를 위하여 단일클론항체(monoclonal antibody), 퓨린유사체(purine analogue), 알킬화제(alkylating agent), BCR-ABL 티로신인산화효소억제제(tyrosine kinase inhibitor), 프로테오솜억제제(proteosome inhibitor), 저메틸화작용제(hypomethylation agent)와 같은 다른 면역억제제가 사용되어 감염의 위험을 높인다. 일반적으로 투약 후 10일 이내의 중성구감소증에 대한 예방적 항생제는 권하지 않지만, B형간염바이러스(hepatitis B virus) 보균자에게는 entcavir, tenofovir 등의 약제를 투약한다. 그 외에도 약물의 종류에 따라서 다른 예방적 항생제를 사용하기도 한다.

4) 면역억제제

면역억제제를 사용하는 경우에는 기회감염뿐 아니라, 잠복기에 있는 병원균이 재활성화되어 감염을 일으키기도 하고, 가벼운 감염도 심각한 병증을 발현할 수 있어 위험도가 높아진다. 스테로이드는 진균, 결핵, 주폐포자충 등의 감염위험을 높인다. 비특이적 면역억제제에는 calcineurin억제제인 cyclosporine과 tacrolimus, 그리고 mTOR (mammalian target of rapamycin)억제제인 sirolimus와 everolimus, B세포나 T세포를 억제하는 mycophenolate mofetil이나 종양괴사인자-α (tumor necrosis factor-α, TNF-α)를 억제하고 IL-10 생성을 증가시키는 thalidomide와 lenalidomide 등이 있다. 면역억제제는 EBV, CMV, HSV, VZV, BK virus 등에 인한 감염이나 재활성화 및 세균 감염의 위험을 증가시킨다. 세포독성화학요법에는 azathioprine, cyclophosphamide, dapsone, vincristine, bleomycin, pentostatin, fingolimod, hydroxychloroquine 등이 사용된다. 대사길항제에는 피리미딘 합성을 억제하는 leflunomide, 디히드로엽산환원효소(dihydrofolate reductase)억제제인

methotrexate나 fluorouracil, cytarabine 등이 있다. 세포독성화합요법 및 대사길항제의 사용은 세균 및 진균 감염의 위험을 증가시킨다. 단일클론항체 및 융합단백질과 같은 면역생물학적 치료제를 이용할 경우 첫 1년간 감염의 위험도가 가장 높고 이후에는 점차 감소한다. 결핵 재활성화는 adalimumab, infliximab, certolizumab, golimumab 등의 TNF-α억제제를 사용하였을 때 가장 잘 일어나고, CTLA-4 면역글로불린인 abatacept와 인터루킨-6(interleukin-6, IL-6)를 억제하는 tocilizumab 등에 의해서도 일어나지만, 분화클러스터20(cluster of differentiation20, CD20)에 대한 단일클론항체인 rituximab과 IL-1수용체길항제인 anakinra에서는 위험도가 낮다.

면역억제제를 사용하기 전에 어떤 감염 위험에 대한 스크리닝을 해야 하는지에 대해 정해진 지침은 없다. 하지만, 쓰고자 하는 약물에 따라서 결핵, 비결핵항산균(nontuberculous mycobacteria), HBV, HCV, HIV, 살모넬라, 리스테리아, 진균, 기생충 등에 대한 기존 감염력을 확인하여 기존의 감염이 진행하지 않게 예방해야 한다. 또한, 폐렴사슬알균, 독감, B형간염바이러스, VZV 등에 대한 백신을 확인하여 투약하는 것도 필요하나, 생백신의 투여는 피해야 한다.

5) 혈관염을 포함한 자가면역질환

전신홍반루푸스, 류마티스관절염(rheumatoidarthritis), 다발근육염(polymyositis), 육아종증다발혈관염(granulomatosis with polyangiitis) 등 환자의 약 29%에서 심각한 감염이 발생하고, 그 중 약 24%는 사망에 이르게 된다. 고용량의 스테로이드 치료로 인하여 세포면역 기능이 떨어진 경우 리스테리아, 크립토콕쿠스(cryptococcus), 결핵 등에 의한 수막염이 잘 발생하고, 중성구감소증이 있는 경우에는 아스페르길루스증이나 세균수막염이 더 잘 일어나게 된다. 뇌농양은 세균보다는 아스페르길루스 같은 진균이나 톡소포자충이 원인일 가능성이 높으며, 노카르디아(nocardia), 결핵, 크립토콕쿠스 등에 의해서도 발생할 수 있다. 단순헤르페스뇌염이나 CMV뇌염은 흔하지 않다. 전신홍반루푸스, 베흐체트병(Behcet's disease), 신경사르코이드증(neurosarcoidosis) 자체에 의하여서도 비감염성뇌염

이 발생하고, 이 경우 기회감염으로 인한 뇌염과 감별이 어려우나, 치료 방향은 완전히 다르기 때문에 주의가 필요하다. 추가적인 내용은 본 교과서의 [류마티스질환과 뇌], [뇌혈관염] 부분을 참고하길 바란다.

6) 비장병(Splenopathy)

비장 기능이 저하되거나 비장절제술을 시행한 경우 감염의 위험이 높아진다. 비장 기능이 저하되는 경우로는 궤양성대장염, 골수이식 후 이식편대숙주질환, 비장 방사선 조사, 갑상선기능항진증(hyperthyroidism), 본태혈소판증가증(essential thrombocytosis), 겸상적혈구병(sickle cell disease) 등으로 인하여 비장이 위축된 경우, 겸상적혈구 외 혈색소질환, 사르코이드증, 아밀로이드증, 전신홍반루푸스, 류마티스관절염, EBV감염, 간질환 이로 인한 문맥압항진증, 후천면역결핍증후군(acquired immunodeficiency syndrome, AIDS) 등으로 인하여 비장의 기능이 감소된 경우가 있다. 비장 기능의 감소는 미립자형태의 항원, 옵소닌화(opsonization)된 세균 항원의 제거를 어렵게 하고, 새로운 항원에 대한 체액면역반응의 감소를 유발하며, 당류 항원에 대한 항체 반응을 감소시키는 등 다양한 면역 이상의 원인이 된다. 따라서, 폐렴사슬알균(pneumococcus), 헤모필루스 인플루엔자, 수막알균(meninogococcus), 살모넬라, 다른 사슬알균, 장내구균(enterococcus), 열원충(plasmodium), *Capnocytophaga canimorsus, Babesia microti* 등에 의한 감염이 쉽게 발생한다. 따라서, 비장절제술을 하기 전에 헤모필루스 인플루엔자, 수막알균, 폐렴사슬알균 등 취약한 감염원에 대한 백신 접종을 시행해야 한다. 비장잘제술 이후 면역억제제를 사용 중이거나, 소아 등 특정 환자 군에서는 penicillin 혹은 amoxicillin 등의 예방적 항생제 투여가 필요하다.

7) 저연령 또는 고연령

신생아는 다양한 항원에 노출된 경험이 적고 면역체계도 완전하지 않으므로 후천면역기능이 완전하지 않을 뿐 아니라, 세균에 대한 저항능력, 중성구의 기능, 항원전달세포 기능, 바이러스에 대한 저항능력 등

의 선천면역기능도 떨어져 있다. 따라서, 신생아기에는 다양한 세균 및 바이러스 감염으로 인한 사망률이 높고 백신접종에 대한 효과도 떨어지므로 여러 차례의 접종이 필요하다. 나이가 매우 많은 경우에는 조혈모세포의 수 및 기능이 떨어지며, 특히 골수세포 분화보다는 림프구 분화 능력이 더욱 감소한다. 따라서, 면역억제 치료 등으로 인한 B세포 및 T세포 감소 이후에 호전이 상대적으로 매우 느리게 되어 더욱 주의가 필요하다. 노령으로 인한 면역 기능의 저하로 세균 및 바이러스로 인한 감염에 취약하고, VZV과 같은 잠복 감염의 재활성화가 일어나며, 백신접종 후에도 면역이 잘 생기지 않아서 반복접종이 필요한 경우가 많다.

8) 사람면역결핍바이러스
(Human immunodeficiency virus, HIV) 감염

(1) 역학

HIV 감염 환자는 2018년 전 세계에 3,790만명, 국내에 12,991명이다. 2018년 신규 감염 환자는 1,206명으로 국내에서는 2000년대 초반 연평균 30%정도씩 발생률이 증가하다가 2005-2010년 연평균 2.7%로 증가 추세가 둔화되었고, 최근까지 완만한 증가세를 보이고 있다. HIV 감염으로 인한 사망률은 고활성항레트로바이러스치료법(highly active antiretroviral treatment, HAART) 등으로 점차 감소하고 있다.

(2) 감염 기전

HIV는 CD4수용체와 CCR5나 CXCR4 케모카인수용체에 결합하여 $CD4^+$ T세포를 표적으로 하는 렌티바이러스(lentivirus)이다. 또한, 단핵구(monocyte) 및 수지상세포(dendritic cell)를 표적으로 하기도 한다. 세포에 부착한 이후에는 세포벽과 결합하여 바이러스 RNA가 세포질로 침투하여 바이러스 역전사효소(reverse transcriptase)를 이용하여 이중쇄(double strand) DNA를 생성하고 이것이 세포핵으로 들어가 CD4세포의 DNA와 결합을 한다. 이후 바이러스 단백질인 Tat과 Nef는 바이러스 RNA와 단백질을 생성하며 새로운 바이러스를 형성하며 다른 세포를 감염시키게 된다. 점막세포

및 혈액을 통해 최초로 인체 내에 침투한 바이러스는 일주일이면 림프절에서 발견이 되고, 21일 이후에는 바이러스혈증을 유발한다. 바이러스를 통한 지속적인 T세포의 공격은 결국 T세포의 고갈을 유도하고, 그 자체가 심혈관 질환을 유발하기도 한다.

(3) 분류

HIV감염으로 인한 중추신경계병증은 다양한 방법으로 분류가 가능하다. 먼저, 병태생리학적인 원인에 따라 HIV 감염 자체에 의한 병증, 세포면역의 감소로 인한 병증(예: 기회감염, 종양, 자가면역질환), 고활성항레트로바이러스치료법으로 인한 면역 재활성화 관련 병증, 약물 및 HIV로 인한 합병증으로 분류된다. 또한, 감염 시간에 따라 1) 초급성기: 급성 감염으로 인한 급성뇌염, 무균성수막염, 척수염 2) 초기: 길랭-바레증후군, 만성염증탈수초다발신경병증, 중증근무력증, 급성파종뇌척수염, 다발경화증 유사증후군, 3) 말기: $CD4^+$ T세포 수가 200개/μL 이하로 감소함에 따른 기회감염, HIV관련 치매, 면역재구성염증증후군 등으로 구분할 수 있다. 또한 HIV감염은 신경해부학적으로도 구분하는데, 다양한 질환이 비슷한 해부학적 침범 양상을 보이기도 하고, 한 가지 원인으로 다양한 해부학적 구조를 침범하므로 감별진단이 어렵다. 뇌를 광범위하게 침범한 뇌병증은 HIV관련치매, 급성HIV뇌염, CMV뇌염, 독성-대사성뇌병증 등이 해당된다. 수막염은 무균성, VZV, HSV1, HSV2, CMV와 같은 바이러스성, 결핵, 폐렴사슬알균, 리스테리아, 포도알균(staphylococcus), 매독 등 세균성, 크립토콕쿠스, 칸디다와 같은 진균 원인 뿐 아니라, 수막암종증(leptomeningeal carcinomatosis) 등과 같이 종양으로 인한 경우도 있다. 척수염은 공포척수염 및 횡단척수염이 HIV 자체로 인해 발생한 경우, CMV, VZV, HSV1, HSV2에 의한 경우, 결핵, 매독, 농양 등 세균에 의해 발생하는 경우, 톡소포자충과 같은 기생충에 의한 경우, 종양으로 인한 경우, 파종혈관내응고(disseminated intravascular coagulation) 및 혈관염에 의한 경우, HTLV-1척수병증으로 인한 경우 등이 모두 가능하다. 뇌의 국소부위를 침범한 경우는 진행다초점백질뇌병증(progressive multifocal leukoencephalopathy),

CMV, VZV, HSV 등의 바이러스, 결핵, 노카르디아, 매독 등 세균성 농양, 크립토콕쿠스, 아스페르길루스, 털곰팡이(mucor) 등 진균 원인, 톡소포자충 및 낭미충증 등 기생충, 원발중추신경계림프종(primary central nervous system lymphoma), 신경아교종(glioma), 전이 등의 종양, 급성파종뇌척수염 및 다발경화증 유사증후군 등 자가면역질환, 뇌졸중 등의 가능성을 모두 고려하여야 한다(표 2-2).

(4) HIV감염과 뇌졸중

HIV감염환자에서 다양한 이유로 뇌졸중이 발생할 수 있다. 첫 번째로, 결핵, 매독과 같은 박테리아 감염, 크립토콕쿠스, 칸디다와 같은 진균 감염, VZV, CMV 등의 바이러스 감염이 발생하고, 이들 병원균이 혈관염이나 혈관이상을 유발할 수 있다. 두 번째로, 후천면역결핍증후군 환자에서 발생하는 심근병증, 비세균혈전심내막염(nonbacterial thrombotic endocarditis), 감염심내막염(infective endocarditis) 등으로 인해 심인성 뇌졸중이 발생한다. 세 번째로, 항인지질항체증후군(antiphospholipid antibody syndrome), S단백 결핍, 파종혈관내응고 등으로 인하여 뇌졸중이 발생하고, HIV 자체가 큰 혈관을 침범하여 뇌동맥류를 일으킴으로써 뇌졸중이 발생한다. 또한, 고활성항레트로바이러스치료법중 단백분해효소억제제제(protease inhibitor)는 지질이상 및 인슐린저항 등을 일으킬 수 있다.

3 | 면역저하자에서 발생하는 대표적 감염 및 질환

기본적으로, 면역 기능이 정상인 환자에서 발생할 수 있는 다양한 중추신경계 감염은 면역저하자에게도 모두 발생할 수 있다. 본 장에서는 면역저하자에서 특징적으로 나타나는 감염성 질환을 주로 다루었다.

표 2-2 HIV 감염 환자에서 발생 가능한 질환 분류

일차성 HIV 감염
무균수막염
HIV관련인지기능 장애(HIV-associated neurocognitive disorder, HAND)

기회 감염

바이러스

엡스타인-바바이러스(Epstein-Barr virus, EBV) 및 원발중추신경계림프종(primary central nervous system lymphoma, PCNSL), 존커닝햄바이러스(John Cunningham virus, JCV), 수두대상포진바이러스(varicella zoster virus, VZV), 단순포진바이러스(herpes simplex virus, HSV), 거대세포바이러스(cytomegalovirus, CMV), 사람T세포림프친화바이러스-1(human T-cell lymphotropic virus-1, HTLV-1) 관련 myelopathy, 사람헤르페스바이러스6형(human herpes virus 6, HHV6)

박테리아

폐렴사슬알균(*Streptococcus pneumoniae*), 헤모필루스인플루엔자균(*Haemophlius influenzae*), 살모넬라(*Salmonella*), 결핵균(*Mycobacterium tuberculosis*), 비결핵항산균(nontuberculosis mycobacterium, NTM), 매독(syphilis), 리스테리아(listeria)

진균

크립토콕쿠스(cryptococcus), 아스페르길루스(aspergillus), 칸디다(candida)

기생충

톡소포자충(toxoplasma)

면역재구성증후군

Mycobacteria

MTB, NTM

진균

크립토콕쿠스, 아스페르길루스, 칸디다

기생충

톡소포자충

바이러스

VZV, HSV1/2, CMV, JCV, BK바이러스(BK polyomavirus), 파르보바이러스B19(Parvovirus B19), HIV

1) 바이러스

(1) JC virus

① 질환 및 원인

John Cunningham (JC) virus는 세포면역이 저하된 환자에서 재활성화되며, 중추신경계를 침범하여 진행다초점백질뇌병증을 일으킨다. 진행다초점백질뇌병증은 주로 고형암, 혈액 종양, 전신홍반루프스와 사르코이드증 등 자가면역질환, 중증복합면역결핍 등의 일차면역결핍증, HIV 감염 환자들에서 잘 발생한다. 진행다초점백질뇌병증을 일으키는 면역억제제로는 natalizumab, fingolimod, dimethyl fumarate, rituximab, alemtuzumab, efalizumab 등이 있다.

드물지만 JC virus에 의한 감염이 다른 양상으로 발현하는 경우도 있다. JC virus로 인한 급성수막염은 뇌실질을 침범하지는 않아서 두통, 목경직, 고열 등의 증상만 발생할 수 있다. JC virus로 인한 뇌염은 뇌실질을 침범하여 언어장애, 경련 등의 증상을 일으킨다. 또한, JC virus로 인한 소뇌과립세포병증은 실조증을 유발하지만, 뇌MRI 검사에서는 소뇌의 위축만 관찰되기도 한다.

② 병태생리

JC virus는 주로 구강 또는 호흡기 경로로 전파되며 30–90%의 정상 성인에게도 존재한다. 주로 신장에서 발견되고 40%의 정상 성인에서 소변으로 바이러스가 배출될 정도로 흔하지만, 정상적인 상황에서 중추신경계에 영향을 미치지는 않는다. 면역저하자에서의 진행다초점백질뇌병증은 JC virus의 재활성화가 일어난 상태에서, 바이러스가 유전자의 변형을 통해 신경친화성 형질을 획득한 뒤 중추신경계에 침범하여, 중추신경계의 정상적 면역감시가 작동 되지 않아 바이러스가 희소돌기아교세포(oligodendrocyte)를 감염시킨 상태에서 증식함으로써 발생한다.

③ 진행다초점백질뇌병증의 임상 양상

진행다초점백질뇌병증은 수주에서 수개월에 걸쳐서 중추신경계를 광범위하게 침범하므로, 인지, 시각, 보행, 마비, 언어 등 다양한 기능이상이 나타나고 경련을 동반하기도 한다. 하지만, 시신경 및 척수를 침범하는 경우는 드물다. 뇌자기공명영상(brain magnetic resonance imaging, MRI) 검사에서 특정 혈관 영역을 따르지 않는 백질, 주로 양측 반구 백질이나 소뇌다리를 침범하는 T2 고신호강도 및 T1 저신호강도를 보인다. 일반적으로 부종, 덩이효과(mass effect), 조영증강은 없다. 하지만, 단클론항체의 사용으로 인하여 진행다초점백질뇌병증이 발생한 경우에는 면역 체계가 활성화됨으로써 조영증강이 나타나기도 한다. 진행다초점백질뇌병증의 진단은 임상양상, 특징적인 영상 및 뇌척수액 내 JC virus 유전자의 검출 등으로 이루어진다.

④ 치료

JC virus를 치료하기 위해서 cidofovir, cytarabine, mirtazapine, mefloquine 등의 약물이 시도되었으나, 아직까지 효과적인 치료법은 개발되지 않았다. 따라서, 현재로서는 HIV와 같은 기저 질환을 치료하거나 진행다초점백질뇌병증을 악화시키는 면역억제제의 사용을 줄이거나 중단하는 것이 치료의 주 방침이다. Natalizumab과 같이 긴 반감기를 가진 단일클론항체를 사용한 이후 발생한 진행다초점백질뇌병증의 경우, 약물의 효과가 오래 가기 때문에 혈장교환술 등을 시행하여 면역억제제의 농도를 적극적으로 낮추어야 한다. HIV환자의 1년 생존율은 고활성항레트로바이러스치료법이 개발되기 전 10% 정도였으나, 고활성항레트로바이러스치료법 도입 후 생존율이 50%까지 증가하였다. CD8$^+$ 세포독성T세포가 확인이 되는 경우에는 73%의 생존률을 보이기도 한다.

⑤ 면역재구성염증증후군

진행다초점백질뇌병증이 있는 HIV 감염 환자에서 면역기능이 정상화되면서, T림프구 수 증가로 인해 약 23%에서 면역재구성염증증후군이 발생하며, 단일클론항체를 사용한 환자에서도 면역재구성염증증후군이 발생할 수 있다. 이렇게 진행다초점백질뇌병증 환자에서 면역반응으로 인해 면역재구성염증증후군이 발생하는 현상을 '진행다초점백질뇌병증–면역재구성염증증후군'이라 한다. 일반적인 진행다초점백질뇌병증과는 달리 조영증강, 부종, 덩이효과로 갑자기 일시적인 임상적 악화가 발생하고, 아주 심한 경우에는 뇌탈출(brain herniation) 및 사망에 이르기도 한다. 이러한 경우 HIV 감염 환자에서는 고활성항레트로바이러스치료법의 일시적 중단을 고려할 수 있지만, 고활성항레트로바이러스치료법의 중단은 HIV 돌연변이가 발생을 유발할 수 있으므로 주의가 필요하다. 스테로이드 사용은 HIV 감염 환자에게서 감염을 악화시킬 수 있으므로 주의하여야 한다. 반면, 단일클론항체 사용 중 진행다초점백질뇌병증–면역재구성염증증후군이 발생한 경우에는 스테로이드 사용이 필수적이다.

(2) VZV

VZV 감염의 가장 흔한 증상은 피부분절을 따른 대상포진이다. 면역저하자에서 파종대상포진으로 발생하는 경우가 많고 대상포진후신경통(postherpetic neuralgia)의 위험도 높다. 그 외에도 혈관염으로 인한 뇌경색, 망막병증, 척수경색, 뇌염 및 척수신경병증이 발생하기도 한다. 드물게는 다초점혈관병증(multifocal vasculopathy)을 일으켜 거대세포동맥염(giant cellarteritis)과 유사한 양상을 나타내기도 하며, 이 경우 혈관조영술에서 혈관염에 특징적인 양상이 관찰 되기도 한다. 진단은 뇌척수액검사상 항VZV면역글로불린G (immunoglobulin-G, IgG)항체 혹은 DNA를 확인함으로써 이루어지며, 치료는 acyclovir 800 mg 5회/일, famciclovir 500 mg 3회/일, valaciclovir 1,000 mg 3회/일, ganciclovir 5 mg/kg 2회/일, brivudine 125 mg 1회/일 등 항바이러스제를 1주일 정도 사용한다. 심한 면역저하자인 경우에는 acyclovir 10 mg/kg을 8시간마다 혈관주사로 투여하는 것이 필요하다. 약물에 내성이 있는 경우에는 foscarnet 및 cidofovir 등을 사용한다. 혈관염이 확인된 경우에는 스테로이드를 사용한다. 조혈모세포이식을 받은 환자에서는 예방적으로 valacyclovir를 사용해야 하며, 면역저하자에서는 VZV 생백신을 사용하지 않아야 한다.

(3) CMV

CMV는 건강한 사람들에게는 거의 감염을 일으키지 않는다. 하지만, 면역저하자에서는 감염증의 원인이 되며, 특히 후천면역결핍증후군 환자 중 CD4$^+$ T세포수가 50개/μL 미만인 경우 위험도가 크게 증가한다. CMV뇌염은 전신 감염이 있을 때 함께 나타나는데, 치료를 해도 뇌염 및 망막염은 진행하는 경과를 가지게 된다. 최근 고활성항레트로바이러스치료법의 도입으로 CMV뇌염의 발생률은 크게 줄었다.

① 분류
CMV에 의한 감염은 크게 뇌실염(ventriculitis) 및 미만성소결절뇌염(diffuse micronodular encephalitis)으로 나뉜다. 뇌실염은 뇌실 및 뇌실질의 염증에 의해 의식저하나 혼돈 등 뇌병증이 발생하며, 국소신경학적 증상 및 징후도 동반하는데, 뇌간을 침범하여 안진, 현훈, 실조증, 뇌신경 이상이 관찰되는 경우가 많다. 미만성소결절성뇌염은 혈행성 파종으로 뇌의 회백질에 CMV에 의한 거대세포가 퍼짐으로써, 아급성으로 인지저하, 혼돈, 저나트륨혈증, 뇌간증상 등이 관찰된다.

② 검사 및 치료
CMV뇌염은 특징적인 뇌 MRI 소견이 없고, 뇌척수액 검사에서도 백혈구 증가가 없는 경우도 있어, CMV DNA 검출이 진단에 매우 중요하다. Acyclovir는 CMV에 감염된 세포내에서 반감기가 매우 짧아 CMV뇌염에 효과가 없다. CMV 치료는 관해유도요법으로 정맥 내로 ganciclovir 5 mg/kg을 하루 2회 2-3주간 시행하고 유지요법으로 ganciclovir 5 mg/kg 하루 1회 사용한다. 이외에도 valganciclovir, foscarnet, cidofovir 등을 사용해 볼 수 있다. CMV뇌염은 빠른 진행을 보이는데, 대개는 예후가 매우 좋지 않아 평균 42일만에 사망한다.

(4) HSV1/2

면역저하자에서 HSV뇌염의 임상 양상은 일반인의 HSV뇌염과 비슷하나, 면역저하자에서는 정상인보다 HSV2로 인한 뇌염이 조금 더 많이 관찰된다. 뇌척수액 검사에서 HSV DNA를 검출함으로써 진단하고, acyclovir를 사용하여 치료하지만, 예후는 더 좋지 않다. Acyclovir 치료에 반응이 좋지 않으면 CMV뇌염의 가능성을 고려해야 한다.

(5) HHV6

HHV6은 생후 6개월에서 24개월의 영유아에서 많이 발생하는 돌발피진(exanthema subitum)의 원인이 되는 바이러스로, 정상인에서는 1주일 이내 자연치유가 된다. 하지만, 조혈모세포이식 등으로 인한 면역저하환자에서는 바이러스 복제가 억제되지 않아 뇌염을 유발한다. HHV6의 치료제로 미국식품의약국(Food and Drug Administration) 승인이 된 항바이러스제는 없으나 ganciclovir, cidofovir, foscarnet 등을 사용해 볼 수 있다.

(6) EBV/원발중추신경계림프종

정상인에서 원발중추신경계림프종은 매우 드물고 EBV와 관련이 없으나, 면역저하자에서는 EBV와 관련되어 흔히 발생할 수 있다. 대부분은 국소신경학적 징후를 보이면서, 뇌압상승징후, 의식저하가 있고, 때로는 뇌전증 발작이 동반되기도 한다. 약 40% 환자에서 뇌 영상검사상 다발 병변이 관찰되는데, 주로 천막상부와 뇌실주변에 위치하나 10%에서는 하부천막에서 관찰되기도 한다. 척수 및 수막에 병변이 생기는 경우는 거의 없다. 부종이 동반되고 조영증강이 관찰되는 특징이 있으며, 뇌척수액검사상 EBV DNA가 양성으로 확인된다. 주로 방사선치료와 스테로이드를 사용하여 치료한다. 후천면역결핍증후군 환자에서 예후는 고활성항레트로바이러스치료법을 사용하지 않을 경우 치명적이지만, 고활성항레트로바이러스치료법으로 치료하면 완치되기도 한다.

2) 세균

면역저하자에게서는 결핵, 리스테리아, 포도알균, 녹농균 등의 다양한 원인의 세균뇌염이 발생하고, 심내막염에 의한 이차적 세균감염도 발생한다. 일반적인 세균뇌염의 자세한 설명은 본 교과서의 다른 부분에 자세히 기술되어 있다.

(1) 노카르디아

호기성 방선균(actinomycetes) 중 하나인 노카르디아 뇌염은 면역저하자에서 주로 관찰된다. 노카르디아는 주로 폐렴을 일으키나, 전신 감염이 일어난 경우 약 44%에서 뇌 감염을 일으킨다. 두통, 경련 등 여러 국소신경학적 증상을 일으킬 수 있으며, 뇌농양을 동반할 수 있다. 항생제는 trimethoprim (TMP)-sulfamethoxazole (SMX) 중 TMP 요소가 15 mg/kg/day가 되는 용량으로 하루에 2-4번 나눠 3-6개월간 치료하며 meropenem이나 imipenem을 amikacin과 같이 사용할 수 있다. 뇌농양의 크기가 2 cm 미만인 경우에는 약물 치료를 하며 임상적인 경과가 악화하는 경우나 크기가 2.5 cm보다 큰 경우에는 수술적 치료를

한다. 예후는 불량하며, 전신성 노카르디아증 환자의 64%, 뇌농양이 있는 환자의 100%가 사망하는 것으로 보고되었다.

3) 기생충 감염

면역저하자에서 낭미충증과 톡소포자충 등의 기생충 감염이 흔하게 발생한다. 본 장에서는 면역저하자에게서 흔히 보이는 톡소포자충에 대해서 다루겠으며, 일반적인 기생충뇌염의 자세한 설명은 본 교과서의 다른 부분에 자세히 다루어져 있다.

(1) 톡소포자충(Toxoplasma gondii)

원생동물인 정단복합체충류(apicomplexa)이며, 자궁 내 선천감염이나 면역저하자에서 주로 발생한다. 장기이식환자의 경우 장기 기증자가 톡소포자충에 노출된 병력이 있는 경우, 심장이식을 받은 경우, 예방 약물을 사용하지 않는 경우에서 톡소포자충 위험도가 증가하며, HIV 감염 환자의 경우 CD4$^+$ T세포 수가 100개/μL 이하로 감소하였을 때 위험도가 증가한다. 톡소포자충뇌염은 주로 아급성 경과를 가지고 있고, 두통으로 시작되어 국소신경학적 증상, 경련, 고열이 흔히 동반된다. 뇌압이 증가하면서 구역, 구토, 의식저하가 발생하고, 동반된 맥락망막염으로 시력저하가 발생한다. 뇌 영상검사 주로 피질 및 피질하 부위에 원 모양의 병변이 다발성으로 관찰되며, 병변끼리 합쳐지는 양상도 관찰된다. 기저핵 및, 드물게는 뇌간 및 소뇌에서 병변이 관찰되기도 한다. CT상 병변주위부종, 덩이효과, 조영증강 및 특징적인 'target sign'이 관찰되기도 한다. 치료는 sulfadiazine과 pyrimethamine을 사용하고 약물로 인한 혈액학적 부작용을 예방하기 위해 폴린산(folinic acid)을 사용한다. 만약 sulfadiazine에 반응이 없거나 독성으로 사용하기 어렵다면 pyrimethamine, clindamycin, TMP-SMX를 사용한다. 뇌부종이 있는 경우에는 스테로이드를 사용한다. 치료 2주 후에 뇌영상검사를 통하여 호전 여부를 관찰하고 호전이 없는 경우에는 림프종 등 다른 질환을 감별하기 위해 조직검사를 고려하여야 한다. HIV 감염 환자에서 톡소포자충뇌염이 있는 경우에는 면역재구성염증증후군 예

방을 위해 고활성항레트로바이러스치료법 시행을 치료 2-3주 이후에 하는 것이 좋다. 약 80%의 HIV 감염 환자에서 톡소포자충이 재발하므로 2차예방이 필요한데, pyrimethamine, sulfadiazine, 폴리닌산을 사용하거나 TMP-SMX를 사용한다. 톡소포자충은 주로 고양이과 동물이 종숙주인데, 사람을 포함한 중간숙주에 존재하는 tachyzoite나 bradyzoite 형태의 톡소포자충을 섭취하거나, 고양이 대변에 오염된 난포낭을 섭취하는 것이 주요 감염 경로이다. 따라서, 톡소포자충 감염의 일차 예방을 위해서 고기나 달걀은 완전히 익혀 먹고, 우유도 멸균우유만 섭취를 해야 하며, 과일과 야채도 잘 씻은 후 먹어야 한다. 흙을 만졌을 때에는 잘 씻고, 고양이는 키우지 않아야 한다.

4) 진균 감염

진균에 대한 면역반응은 선천면역과 후천면역이 모두 작용한다. 진균은 특정한 병원체연관분자유형(pathogen-associated molecular pattern, PAMP)을 갖는데, 사람의 탐식세포에서 발현되는 유형인식수용체(pattern recognition receptor, PRR)가 PAMP를 인식하여 각종 사이토카인을 분비하고, 활성산소를 생성하며, 적응면역체계에 진균 항원을 제시하는 역할을 한다. 진균에 대한 적응면역 중에는 1형도움T세포(Th1)와 17형도움T세포(Th17) 등 도움T세포가 매우 중요하며 체액면역도 보조적인 역할을 한다. 면역저하자는 이러한 여러 면역기능의 결함으로 진균 감염에 취약하게 된다. 중추신경계 진균 감염은 주로 수막염, 뇌수두증, 공간점유병소, 뇌졸중, 척수 감염 등의 형태가 있다.

(1) 진균 감염의 치료제의 기전

Polyene계 항진균제인 amphotericin B는 진균의 세포막을 구성하는 ergosterol에 부착하여 이온통로를 생성하여 세포를 죽게 만든다. Pyrimidine계인 flucytosine은 진균 특이적인 효소인 cytosine permease를 통해 세포 내로 들어가며, cytosine deaminase에 의해서 5-flurouracil이 생성되게 함으로써 RNA의 오류를 유발하고, thymidylate synthase를 통해서 DNA 생성을 억제한다. Triazole계 약물

에는 voriconazole, itraconazole, posaconazole 등이 있는데, 진균의 cytochrome P450 효소인 lanosterol 14-α-demethylase를 억제함으로써 lanosterol이 진균 세포막의 구성 물질인 ergosterol로 바뀌는 것을 방해함으로써 치료 효과를 나타낸다. Echinocandin lipopeptides계 약물에는 andidulafungin, caspofungin, micafungin 등이 있는데, 이는 진균의 세포벽에 존재하는 다당류인 (1-3)β-D-glucan의 합성을 억제하여 세포벽의 모양에 변화를 주고 강도를 약하게 함으로써 효과를 나타낸다. Terbinafine은 allylamine계로 ergosterol의 생합성에서 중요한 squalene epoxidase를 억제하여 진균의 세포사를 유발한다(그림 2-1).

(2) 크립토콕쿠스

크립토콕쿠스는 HIV 감염 환자에서 사망률이 높은 진균 감염의 가장 흔한 원인 중 하나이다. 크립토콕쿠스네오포르만스(Cryptococcus neoformans)는 혐기성 세포내 유기체로 다당류 캡슐을 형성하여 포식작용, 항원제시, 림프구 이동, 세포외 소포체의 생성 등을 억제하며, 크립토콕쿠스의 대사물인 melanin과 mannitol은 항산화 작용을 하여 포식세포의 산화작용을 방해한다. 또한, 포식세포가 크립토콕쿠스 균을 삼키더라도 vomocytosis 기전에 의해 대식세포(macrophage) 밖으로 탈출하는 경우도 있다. 크립토콕쿠스는 뇌와 수막(meninges)을 주로 침범하며, 크립토콕쿠스뇌염에서는 아급성의 경과로 두통, 고열, 어지럼증, 기억력 저하, 성격변화, 기면, 혼돈 등의 증상이 발생한다. 안저검사상 유두부종이 잘 관찰되고, 뇌신경마비가 동반되나, 경부경직은 잘 보이지 않는 경우가 많다. MRI 상에서는 기저핵에서 T2 고강도 신호를 보이고, Virchow-Robin 공간의 확장을 보인다(그림 2-2). 뇌척수액 인디아잉크 검사를 통해 진균 캡슐을 확인하거나, 크립토콕쿠스 항원을 확인하여 진단한다. 치료는 amphotericin B 0.7-1 mg/kg을 하루 한 번 혹은 flucytosine 100 mg/kg을 하루 한 번 2주동안 사용함으로써 관해를 유도하고, 공고요법을 위해 fluconazole 400 mg을 하루 한 번 8주 이상 투약한다. HIV 감염 환자의 경우에는 면역재구성염증증후군을 예방하기 위해서 크립토콕쿠스 뇌염 치료 5주 후 증상이 호전될

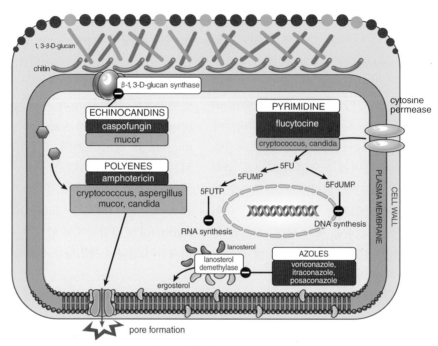

그림 2-1 항진균제의 기전

중추신경계 감염 시 Echinocandin lipopeptides 계열은 진균의 세포벽에 작용하고, pyrimidine계열은 DNA 합성을 억제하며, azole 및 polyene 계열은 세포막에 작용한다.

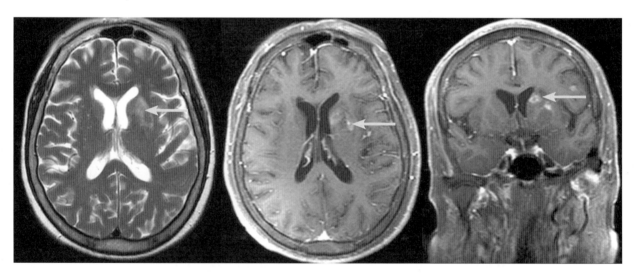

그림 2-2 중추신경계 진균 감염의 대표적 영상 소견

67세 여자 환자로 내원 2개월 전 두통 및 열, 내원 1개월 전 혼돈 및 언어장애가 발생하였다. 뇌척수액검사에서 크립토콕쿠스 항원이 검출되어 크립토콕쿠스 수막염으로 진단하였다. 증상 발생 이후 2개월 후 내원하여 시행한 뇌영상검사에서 꼬리핵(caudate nucleus)과 속섬유막(internal capsule)의 앞다리(anterior limb), 기저핵 중 렌즈핵을 침범하는 고신호강도가 T2에서 관찰되고, 동일 부위에 조영증강이 부분적으로 관찰된다(화살표). 또한, 전두엽에서 피질-피질하 경계부위에서 결절성 조영증강도 관찰된다.

때까지 기다렸다가 고활성항레트로바이러스치료법을 시작하는 것이 좋다. 신장이식을 한 경우에는 신장기능의 악화를 피하기 위해서 amphotericin의 지방 형태 인 liposomal amphotericin B나 amphotericin B lipid complex를 사용하기도 한다.

(3) 아스페르길루스증(Aspergillosis)

아스페르길루스는 사상형(mold) 진균으로 건초, 공사장에서 흙 등 다양한 곳에 널리 분포하고 사람에게 자주 흡입되지만, 실제 질환으로 이어지는 경우는 드물다. 사람에게 질병을 일으키는 균은 *Aspergillus fumigatus*가 가장 흔하고, *Aspergillus flavus*, *Aspergillus niger*, *Aspergillus terreus*, *Aspergillus nidulans* 등도 질환을 일으킨다. 아스페르길루스에 대한 인체 방어에는 중성구가 제일 중요한 역할을 하므로, 중성구감소증이 있을 경우 침습성 아스페르길루스증이 일어난다. 그 외에도 장기이식, 고용량 스테로이드 및 다른 면역억제제의 사용, CD4$^+$ T세포수가 50개/uL 미만인 HIV 감염 등의 경우에도 아스페르길루스증의 위험이 증가한다. 지속적인 고열 및 두통과 동반된 부비동염, 뇌척수액검사상 지속적인 중성구증가가 있는 경우는 임상적으로 아스페르길루스 감염을 시사한다. 국소신경학적 이상소견이나 경련이 동반되기도 하며, 진단을 위해서는 뇌척수액검사상 galactomannan 검출 및 부비동 조직검사 등이 도움이 된다. 뇌동맥류가 잘 발생하고, 후두와를 침범하는 경우가 흔하며, 뇌내출혈이 발생하기도 한다. 치료는 첫 1일간은 정맥 voriconazole 6 mg/kg를 하루 2회 사용하고 voriconazole 4 mg/kg를 하루 2회 유지한다. 환자가 안정되는 경우 voriconazole 200 mg을 하루 2회 경구 투여한다. Voriconazole 사용이 힘든 경우라면 amphotericin B 제제나 posaconazole을 사용할 수 있다. 치료는 임상 증상 및 영상검사 소견이 호전될 때까지 약 6−12주 정도 사용하며, 치료 기간은 질환의 중증도, 치료반응, 기저질환 및 면역 상태에 따라서 다르다. 예후는 사망률이 88%로 매우 불량하다. 예방을 위해서는 주변환경으로부터의 진균 노출을 피하기 위해 공기 정화시스템을 갖추고, 감염의 위험도가 높은 환자에서는 예방적으로 posaconazole, fluconazole, voriconazole 등을 사용한다.

(4) 털곰팡이증

털곰팡이(mucorale) 목에 속하는 진균에 의해 발생하는 기회감염증인 털곰팡이증의 원인 균은 Rhyzopus 속과 Mucor 속에 속한 진균이 가장 흔한데, 공중, 퇴비, 흙 등 생활 주변에서 흔히 존재하나 실제 질환을 일으키는 경우는 드물다. 하지만, 폐포대식세포(alveolar macrophage)나 중성구의 기능이 저하된 면역저하자나 당뇨환자, 혹은 혈액내 철분이 증가된 혈액투석환자나 혈색소증환자는 털곰팡이증 감염에 취약하다. 털곰팡이가 중추신경계를 감염을 일으키는 경우는 드물지만, 중추신경계 감염이 일어날 경우 주로 부비동을 통해 전두엽을 침범함으로써 전두엽뇌경색을 일으킨다. 뇌 CT에서 주변 조영증강을 동반하는 저음영의 병변이 관찰되며, MRI에서는 해면정맥동 및 주변부의 혈전, 안구근육의 침범이 보이기도 한다. 진단은 침범부위의 조직검사 및 배양을 통해 이뤄진다. 털곰팡이증은 빠르게 진행하므로 수술 및 약물 치료가 병행되어야 한다. 약물은 amphotericin B 지방제제를 하루에 5−10 mg/kg로 높은 용량을 사용하거나, polyene−capsofungin 치료를 한다. Amphotericin B가 실패하는 경우에는 posaconazole을 사용한다. 빠른 수술 및 항진균제 사용이 예후에 중요하며, 적절하게 치료 받았을 경우에는 70%의 생존율을 기대할 수 있지만, 치명적인 질환이므로 면역저하자에서는 각별한 주의가 필요하다.

(5) 칸디다증

칸디다는 가장 흔한 효모균으로 구강, 피부, 소화기관, 비뇨기관 등에 정상세균총으로 존재하나, 면역저하자에서는 감염을 일으키는데, 그 중 *Candida albicans*가 가장 흔하다. 칸디다혈증이 있는 환자의 50%에서 중추신경계 감염이 일어나는데, 이 환자들의 사망률이 80−97%로 매우 높다. 그 외에도 뇌수술, 피부감염, 뇌실창냄술 등에 의하여 칸디다뇌염이 발생하는 경우도 있다. 칸디다로 인한 중추신경계 감염은 초기에 고열, 두통, 경부경직, 의식저하, 구토, 시야 이상, 마비, 혼돈 등 비특이적 뇌염의 증상을 나타낸다. 합병증으로서, 뇌농양 및 혈관합병증이 발생할 수 있다. 진단은 뇌척수액검사 및 뇌척수액배양을 통해서 이뤄지는데, 뇌척수액에서 mannan을 검출하는 것이 진단에 도움을 줄 수 있다. 치료는 amphotericin B 지방제제 3−5 mg/kg 및 5−flucytosine 25 mg/kg을 수주간 사용한다. 혈중 flucytosine 농도를 측정하여 40−

60 μg/mL로 유지하도록 한다. 임상증상이 호전되는 경우에 fluconazole 400-800 mg을 하루 한 번 유지한다. Amphotericin B의 지방제제를 쓰기 힘든 환자에서도 fluconazole 400-800 mg을 사용한다. 약물치료 기간은 신경학적 증상, 뇌척수액검사 소견, 뇌영상검사 소견 등이 모두 좋아질 때까지로 한다. 일부 고위험 환자에서는 예방적 항진균제를 사용하는데, 간, 췌장, 소장 등의 이식환자, 최근 복부수술 및 반복적인 장천공이 있는 경우, 이종조혈모세포이식을 받은 환자에게 fluconazole 200-400 mg 1회/일 혹은 amphotericin B 지방제제 1-2 mg/kg을 하루 한 번 사용한다.

5) HIV관련 비감염성 뇌병증

(1) HIV관련인지기능 장애(HIV-associated neurocognitive disorder, HAND)

HIV는 감염 초기에 중추신경계를 침범하지만 질환이 상당히 진행되어 심한 면역 저하 상태가 되어야만 명확한 증상이 나타나기 시작한다. CD4$^+$ T세포가 100개/μL 미만으로 줄어드는 시점에서 증상이 뚜렷해지고, 심한 면역저하상태인 후천면역결핍증후군에서는 약 50%에서 HIV관련치매(HIV-associated dementia, HAD)가 발생한다. HIV관련인지기능 장애는 HIV관련치매뿐만 아니라, 경도인지장애(mild cognitive impairment)와 무증상인지장애(asymptomatic cognitive impairment) 등으로 나누기도 한다. HIV관련인지기능 장애의 병태생리는, HIV에 감염된 대식세포 및 미세아교세포가 활성화되어 신경독성이 있는 바이러스 단백질을 방출하고 이것이 별아교세포를 활성화시켜 세포 외 glutamate 농도를 증가시키고 이것이 생물에너지의 교란을 가져와 수지상세포의 시냅스 가지치기의 이상과 신경세포 손상을 일으키는 것이다. 또한, 전신 염증과 미세아교세포의 이동은 케모카인과 사이토카인을 증가시켜 신경세포의 손상을 일으키기도 한다. HIV관련 인지기능 장애에서 인지기능은 주로 집중력저하, 기억력저하, 정신운동 속도 지연 등이 나타나며 수주 혹은 수개월에 걸쳐서 진행하는 경과를 갖는다. 피질하치매의 양상으로, 실어증(aphasia), 실행증(apraxia), 인식불능증(agnosia) 등 피질치매(cortical dementia)의 증상은 상대적으로 드물지만 전두엽기능 저하는 자주 관찰된다. 운동증상으로는 서동증(bradykinesia), 조화운동불능(ataxia), 과다근육긴장증(hypertonia) 등의 증상이 나타나며, 우울, 정신증, 조증 등 정신과적 증상을 보이기도 한다. HIV관련인지기능장애는 임상적으로 진단하고 다양한 약물, 기회감염질환 등의 감별진단을 고려해야 한다. 뇌영상검사상 뇌위축, 백질변성이 보이고, 자기공명분광분석법(magnetic resonance spectroscopy)에서는 신경세포 감소로 N-acetyl aspartate가 감소되고, 신경아교증(gliosis)의 증가로 choline이 증가한다. 뇌척수액검사에서 면역활성화의 근거인 β2-microglobulin 혹은 neopterin의 증가가 관찰된다. HIV관련인지기능 장애 환자의 기대수명은 1년 미만이며, 주된 치료는 HIV에 대한 고활성항레트로바이러스치료법치료에 머물지만, 다른 보조치료법에 대한 연구가 진행되고 있다.

(2) 면역재구성염증증후군

HIV 환자에서 고활성항레트로바이러스치료법을 시작하면 약 40%의 환자에서 면역재구성염증증후군이 생기고, 1%는 신경계통 면역재구성염증증후군으로 발생한다. 면역재구성염증증후군은 1) 기회감염에 대한 면역반응(예: 결핵, VZV, HSV, B형간염바이러스, C형간염바이러스 등); 2) 자가면역질환(예: 그레이브씨병 등); 3) 면역매개염증질환(예: 사르코이드증 등) 등 3가지 종류로 구분된다. 대부분의 면역재구성염증증후군은 고활성항레트로바이러스치료법 시행 수주 내에 발생하지만, 치료 후 3개월까지는 발생할 수 있고, 드물지만 수년 이후에 발생하는 경우도 있어 주의가 필요하다. 기회감염을 일으키는 모든 균에 의해서 면역재구성염증증후군이 생기지만, 그 중에서도 결핵, 크립토콕쿠스, 진행다초점백질뇌병증 등에서 흔하게 발생한다. 면역재구성염증증후군은 특징적인 진단 방법은 없어 임상적 진단을 해야 하는데, HIV 감염 여부, 고활성항레트로바이러스치료법과의 시간적 연관성, HIV RNA 수치의 감소, 비전형적이거나 과도한 면역반응, 면역기능 회복의 증거(예: CD4$^+$ T세포 수 증가, 양성 결핵피부반응검사 등), 다른 원인에 대한 배제가 이루어진 경우에 면역재구성염증증후군으로 진단한다. 일반적으로 CD4$^+$ T세포 수의 증가가 면역재구성염증증후군과 관련이 되어 있다고는 알려져 있으나, 결핵관련 면역 재구성염증증후군 나 크립토콕쿠스관련 면역재구성염 증증후군에 결핵이나 크립토콕쿠스 항원에 대한 T세 포의 반응이 증가된 것은 아니므로, IL-6나 TNF-α같 은 사이토카인, 케모카인 등이 병태생리에 주된 역할 을 하는 것으로 추정된다(그림 2-3).

T 세포 결핍이 있는 환자에서 감염이 있는 경우에는 선천 면역과 후천 면역 반응의 비동기화로 인하여 T세 포의 재구성 시 지나친 염증이 발생하는 경우가 있다. 대식세포가 완전히 활성화 되기 위해서는 유형인식수용 체(pattern recognition receptor) 등을 통해 세균을 감작하 는 것 뿐만 아니라, IFN-γ 생성 CD4+ T세포와의 상호 작용이 있어야 하며, 그 결과로 TNF와 IL-6와 같은 염 증촉진 사이토카인이 생성된다. 정상적인 면역을 가진 환자에서 감염이 일어나면 대식세포가 세균을 삼키고 CD4+세포가 바로 효과를 발휘하여 병원체를 가둘 수 있게 된다(그림 2-3A). T세포 결핍 환자에게 감염이 일 어나는 경우에는 감염된 골수세포가 세균을 감작할 수 는 있으나 염증촉진 사이토카인을 생성할 정도로 완전 히 활성화가 되지 않는다. 따라서, 감염이 조절되지 않 아 병원체의 수가 많이 늘어나게 되고 감작된 대식세

포가 증가되어 이는 CD4+ T 세포에 대한 면역학적 과 반응을 일으키게 된다. 또한, 면역억제가 사라지고, 항 원특이적인 CD4+ T 세포가 재구성되게 되면 IFN-γ로 인한 T세포 활동이 갑자기 증가하여 감작된 대식세포 가 한꺼번에 활성화된다. 이로 인해 염증촉진 사이토카 인이 과생산되어 면역재구성증후군을 일으키게 된다(그 림 2-3B). 면역재구성증후군을 일으키는 급성 염증 반응 은 T세포 결핍된 환자에서는 일반적으로 일어나지 않는 다. 하지만, 스테로이드 혹은 다른 면역억제제 감량, 고 활성항레트로바이러스치료법 사용 등 다양한 유발원인 으로 IRIS가 갑자기 발생할 수 있다(그림 2-3C).

면역재구성염증증후군은 주로 고활성항레트로바이 러스치료법을 시작한지 4주 이내에 생기고, 결핵이나 진균 감염으로 수막염이 재발하면 뇌압상승 및 두통이 더 심해진다. 결핵, 크립토콕쿠스, 진행다초점백질뇌 병증 등으로 인한 뇌염의 경우 국소 뇌종괴 및 뇌부종 이 진행하고, 국소신경학적 이상 소견 및 경련이 발생 한다. 드물지만 VZV, HSV, CMV 및 HIV 자체의 감 염에 의해서도 증상이 발생하여 HIV관련인지기능 장 애가 심해지는 경우가 있다.

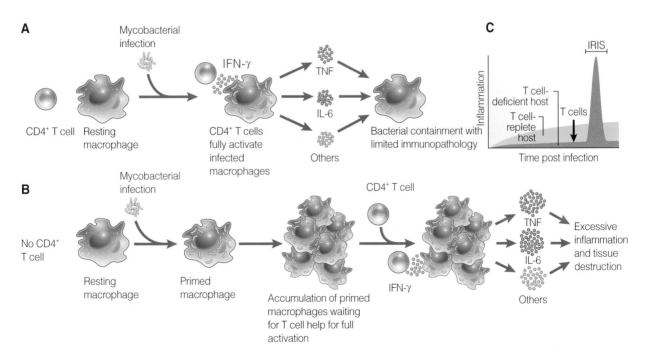

그림 2-3 **면역재구성증후군의 기전**

척수염 및 신경근염(radiculitis)은 VZV, HSV, 결핵 등에 의해서 발생하며 척수내 농양이 크립토콕쿠스관련 면역재구성염증증후군으로 인해 발생하였다는 보고도 있다. 치료로는, 원인균에 대한 치료를 통해 염증반응을 줄여야 하고, 스테로이드를 사용하여 염증을 억제하여야 한다. 일반적으로 고활성항레트로바이러스치료법까지 중단하지는 않는다. 또한, 면역재구성염증증후군이 아닌 결핵의 약물 저항성 때문에 결핵 감염의 증상악화가 되는 경우도 있으므로 진단에 주의가 필요하다. 결핵관련 면역재구성염증증후군에 대한 치료로 prednisone 10–120 mg 1회/일을 투여하는데, 7–8주에 걸쳐서 사용하면서 임상양상에 따라 감량할 수 있다. 스테로이드 투여로 인해 카포시육종(kaposi sarcoma) 및 HSV 재활성화가 발생할 수 있으므로 주의하여야 한다. 또한, 면역재구성염증증후군은 HIV 감염 환자 외에서도, natalizumab 등 면역억제제를 사용하다가 중단한 뒤 나타날 수 있어 주의가 필요하다.

4 결론

본 장에서는 대표적인 이차면역결핍증의 원인 및 병원균에 대해서 살펴보았다. 면역저하자는 중추신경계 감염에 취약할 뿐만 아니라, 일반적으로 발생하지 않는 드문 균에 의한 감염이 많다. 또한, 같은 균이더라도 다른 임상양상을 가지고, 동시에 다양한 균에 의한 감염이 될 수 있는 것이 특징이다. 또한, 면역저하자는 치료 과정 중에 면역재구성염증증후군 등의 합병증이 나타나는 경우도 있어서 완전히 치료가 될 때까지 주의를 기울여야 한다. 면역저하자 환자들의 이환율 및 사망률을 줄이기 위해서는 본 장에서 기술한 면역저하자의 중추신경계 감염에서의 일반적인 접근 방법을 이해하고 환자의 증상과 검사 결과에 맞춰서 진료에 최선을 다해야 한다.

참고문헌

1. Actor JK. Introductory immunology: basic concepts for interdisciplinary applications. 2nd edition. Houston, USA: Academic press. 2019.

2. Bowen LN, Smith B, Reich D, et al. HIV-associated opportunistic CNS infections: pathophysiology, diagnosis and treatment. Nat Rev Neurol 2016;12:662-74.

3. Cohen J, Powderly WG, Opal SM. Infectious diseases: fourth edition. Elsevier. 2017.

4. Daroff RB, Jankovic J, Mazziotta JC, et al. Bradley's neurology in clinical practice: seventh edition. Elsevier. 2012.

5. García-Moncó JC. CNS infections – a clinical approach. London: Springer-Verlag. 2014.

6. Grebenciucova E, Berger JR. Progressive Multifocal Leukoencephalopathy. Neurol Clin 2018;36:739-50.

7. Korfel A, Schlegel U. Diagnosis and treatment of primary CNS lymphoma. Nat Rev Neurol 2013;9:317-27.

8. Nightingale S, Winston A, Letendre S, et al. Controversies in HIV-associated neurocognitive disorders. Lancet Neurol 2014;13:1139-51.

9. Rich RR, Fleisher TA, Shearer WT, et al. Clinical immunology: principles and practice. fifth edition. Elsevier. 2019.

10. Tan CS, Koralnik IJ. Progressive multifocal leukoencephalopathy and other disorders caused by JC virus: clinical features and pathogenesis. Lancet Neurol 2010;9:425-37.

전진선

신생난치성뇌전증지속상태
(New onset refractory status epilepticus)

1 | 서론

신생난치성뇌전증지속상태(new onset refractory status epilepticus, NORSE)는 활동성 뇌전증(active epilepsy)이나 이를 유발할 다른 신경학적 질환이 없는 상태에서 새롭게 발병한 난치성뇌전증지속상태(refractory status epilepticus)를 말한다. 이는 특정 진단(specific diagnosis)이 아닌 임상 증상(clinical presentation)을 뜻하며, 검사상 명백한 급성(acute) 또는 활동성(active) 구조적(structural), 독성(toxic), 또는 대사성(metabolic) 원인이 확인되지 않는 경우이다. NORSE는 현재까지 성인과 소아 각각 약 250개의 증례 밖에 보고되지 않을 정도로 드물지만 치명적인 상태이다. NORSE라는 용어는 2005년 Wilder-Smith 등이 이전 뇌전증 병력이 없던 환자에서 뚜렷한 원인 없이 초난치성뇌전증지속상태(super-refractory status epilepticus)를 보인 환자들의 증례 보고를 하면서 처음으로 사용되었다.

이후 비슷한 상태의 환자들에 대한 증례들이 소아에서 표 3-1과 같은 다양한 용어들로 보고되었다. 대표적으로 소아환자에서 자주 사용되는 용어인 열감염관련뇌전증증후군(febrile infection-related epilepsy syndrome, FIRES)은 난치성뇌전증지속상태가 발생하기 2주에서 24시간 이전에 발열의 병력이 있는 경우를 지칭하며 난치성뇌전증지속상태가 시작된 이후에 발열 유무는 진단에 필수적이지 않다.

표 3-1 다양한 신생난치성뇌전증지속상태 용어들

- Severe refractory status epilepticus due to presumed encephalitis
- Idiopathic catastrophic epileptic encephalopathy presenting with acute onset intractable status
- Devastating epileptic encephalopathy in school-age children (DESC)
- Acute encephalitis with refractory repetitive partial seizures (AERRPS)
- Febrile infection-related epilepsy syndrome (FIRES)
- Fever-induced refractory epileptic encephalopathy of school-age children (FIRES)
- Fulminant inflammatory response epilepsy syndrome (FIRES)

성인에서도 NORSE는 경련 발생 전 열이 먼저 동반될 수 있으나 발열 여부가 진단에 필수적인 사항은 아니다. NORSE와 FIRES가 서로 다른 상태라는 논란도 있으나 연령과 발열 여부를 떠나서 두 상태는 사실상 많은 공통점을 가지고 있다. 따라서 많은 연구자들은 이 두 가지 상태가 서로 완전히 같거나 적어도 서로 같은 범주에 속한다고 보고 있으며, 2018년도 Gaspard 등이 발표한 진단기준에 따르면 FIRES가 NORSE의 하위 범주로 여겨진다.

NORSE는 내원 후 72시간 이내에 원인이 밝혀지지 않는 경우를 이야기하나 밝혀진 원인이 있는 경우도 예외적으로 포함시킨다. 일반적인 경련의 원인인 급성뇌경색(acute stroke), 뇌종양(brain mass), 약물과량투여(drug overdose) 등은 대부분 입원 후 수시간 이내에 병력청취, 혈액검사, 영상검사, 뇌척수액검사를 통해 확인되나, 검사결과 확인에 지연되는 경우가 있을 수 있어 72시간 내에 밝혀지는 원인이 있는 경우는 NORSE의 진단에서 배제된다. 하지만 바이러스성 중추신경계 감염(viral infection of central nervous system)이나 자가면역뇌염(autoimmune encephalitis)으로 원인이 확인되는 경우는, 72시간 이내에 결과가 확인이 되더라도 NORSE의 진단에서 배제되지 않는다. 이러한 정의는 뇌전증지속상태(status epilepticus)의 일반적인 원인인 급성뇌경색, 뇌종양, 약물과량투여 등을 배제할 수 있게 해주고 중추신경계의 바이러스 감염 및 자가면역뇌염은 NORSE의 원인에 포함할 수 있게 해준다.

2 │ 역학

NORSE는 이전 특이 병력이 없던 젊은 성인이나 학령기 아동에서 가장 흔하게 발병하나 60세 이상에서도 발병할 수 있다. 성별 분포는 성인에서는 여자가 높으나 소아에서는 남자가 높다고 보고되었다. NORSE의 발생률(incidence)은 알려진 바가 없으나 난치성뇌전증지속상태의 약 20% 정도로 추정된다.

3 │ 원인

2018년도에 Gaspard 등이 발표한 진단기준에 따르면 NORSE는 원인이 밝혀지지 않았거나, 광범위한 검사 후에야 난치성뇌전증지속상태를 일으킬 수 있는 드문 원인들이 확인된다. 현재까지 약 200여개의 원인이 문헌에 보고되고 있으며 염증성(inflammatory) 또는 자가면역(autoimmune)관련 원인이 약 40%를 차지하고 감염성이나 유전 질환도 보고되어 있다. 가장 흔하게 알려진 원인은 자가면역뇌염으로 이중에서도 항N-methyl-D-aspartate (NMDA)수용체뇌염 항전압작동칼륨통로(voltage gated potassium channel, VGKC)뇌염이 가장 많다(표 3-2).

광범위한 검사를 진행하더라도 성인 NORSE 증례의 반 정도는 원인이 밝혀지지 않는다. 이러한 원인미상(cryptogenic) NORSE의 경우에도 자가면역성 원인을 가진 증례의 임상 특징과 유사한 양상으로 보여 비슷한 발병 기전을 가진 것으로 추측한다. 즉, 몇몇 원인 미상의 NORSE가 아직까지 검사가 불가능한 항체로 인해 발생하는 자가면역뇌염일 가능성이 있다는 것을 시사한다.

성인과 소아에서 뇌척수액의 인터루킨-6(interleukin-6, IL-6)를 포함한 여러 사이토카인(cytokine)이 상승된 것을 확인하였으며, 이는 염증성 원인이 있을 수 있음을 시사한다. 사이토카인의 상승이 NORSE의 원인적 측면에서 의미가 있는 소견인지 경련의 결과로서 발생한 것인지에 대해서는 아직까지 논란의 여지가 있다. FIRES와 드라베증후군(Dravet syndrome)같은 여러 유전자 이상에 의한 열뇌전증증후군(febrile epilepsy syndrome)이 유사한 부분을 가지고 있어 유전자 검사도 원인적 검사로 시도되고 있으나 아직까지 원인이 될만한 유전자변이는 확인된 바가 없다. 최근 연구에서 IL-1수용체길항제유전자(IL1RN) 의 다형성(polymorphism)이 확인되어 NORSE의 병리 기전에서 면역이나 염증이 연관될 가능성을 뒷받침해주고 있다.

표 3-2 **신생난치성뇌전증지속상태의 원인**

범주	비율	흔한 원인들
원인 미상	50%	
염증 또는 자가면역	40%	항NMDA수용체, 항VGKC복합체, 항GABA$_B$수용체, 항GABA$_A$수용체, 항AMPA수용체, 항Glycine수용체, 항GAD, 자가면역갑상선염관련 스테로이드반응뇌병증(steroid responsive encephalopathy with autoimmune thyroiditis, SREAT)
		신생물딸림(paraneoplastic)관련: 항Hu, 항Ma2/Ta, 항CV2/CRMP-5, 항amphiphysin, 항VGCC, 항mGluR5
감염	10%	단순헤르페스바이러스-1(herpes simplex virus-1), 엔테로바이러스(enterovirus), 거대세포바이러스(cytomegalovirus), 대상포진바이러스(varicella zoster virus), 엡스타인-바바이러스(Epstein-Barr virus), 폐렴미코플라스마(*Mycoplasma pneumoniae*), 매독(syphilis), *Bartonella henselae*, Arboviruses (West Nile virus, tick-borne virus)
유전	드묾	Cerebral autosomal dominant arteriopathy with subcortical infarcts and leukoencephalopathy (CADASIL), Mitochondrial encephalopathy, lactic acidosis, and stroke-like episodes (MELAS), POLG1 mutation, SCN1A mutation, PCDH19 mutation

4 | 임상적 특징

성인 NORSE 환자의 약 2/3에서 경련 발생 전에, 비특이적인 위장관계, 상부호흡기질환이나 감기증상이 나타난다. 또한 약 1/3에서 열이 동반된다. 이러한 전구기간(prodromal phase)은 경련과 뇌전증지속상태보다 약 1−14 일정도 앞서서 나타나며 이후 수일간의 무증상 기간이 있게 된다. 경련은 초기에는 짧게 적은 빈도로 나타나지만 수시간에서 수일 안에 빈도가 증가하여 하루에 수백 회까지도 발생하며 뇌전증지속상태로 발전하게 되어 중환자실 입원 및 마취제 사용이 필요하게 된다.

5 | 검사 소견

1) 뇌파

뇌파는 다양하게 나타날 수 있으며 산발성(sporadic) 또는 주기뇌전증모양방전(periodic epileptiform discharges)이 측두엽(temporal lobe)과 전두엽(frontal lobe)을 포함하여 편측(lateralized), 양측 독립적(bilateral independent) 또는 다초점(multifocal)으로 나타난다. 또한, 전반방전(generalized discharge)도 나타난다.

2) 뇌 자기공명영상(Magnetic resonance image, MRI)

약 70%에서 주로 양측으로 변연영역(limbic area)과 신피질영역(neocortical area)에서 액체감쇠역전회복영상(fluid−attenuated inversion recovery image, FLAIR) 및 T2강조영상에서 고신호강도를 보인다고 보고되었다. 기저핵(basal ganglia)과 뇌섬주위(peri−insular) 영역도 이상소견이 있다고 보고되었다. 뇌 MRI를 연속추적관찰을 하게 되면 약 1/3에서 전반적인 뇌 위축이 확인된다. 위 병변들이 NORSE의 특징적인 소견인지 단지 지속되는 경련 활동의 결과인지에 대해서는 아직 명확하시 않다.

3) 뇌척수액검사

1/2에서 2/3의 환자에서 뇌척수액세포증가증(cerebrospinal fluid pleocytosis)을 보이며 단백질 수치가 약간 상승한다. 그러나 이 역시 경련 활동의 결과로 발생할 수 있어 염증이나 감염이 원인이라고 보기는 어렵다.

6 | 진단

NORSE나 FIRES는 병에 특화된 진단적 검사가 없어 일반적인 난치성뇌전증지속상태를 배제할 수 있는 초기 검사들이 내원 72시간 내에 시행되어야 한다. 광범위한 검사를 시행해야 뇌전증지속상태의 드문 원인들을 밝힐 수 있다. NORSE의 원인으로 주로 나타나는 자가면역성 또는 드문 감염성 원인들에 대해서 집중하여 검사를 시행해야 한다. 검사 필수 사항에 대해서는 그림 3−1에 나타내었다.

FIRES는 종종 비교적 예후가 좋은 열난치성뇌전증지속상태(febrile refractory status epilepticus)와 감별이 필요하다. 두 가지를 감별할 수 있는 검증된 검사는 없으나 열뇌전증지속상태의 경우 뇌전증지속상태의 시작 시에 높은 열을 동반하나 FIRES의 경우 경련 발생 2주 이내에 열이 있었던 경우가 더 흔하다.

7 | 치료

일반적으로 항뇌전증약으로 경련 조절이 잘 이루어지지 않는다. 적어도 75%의 환자에서 장기간 마취제(anesthetics) 지속주입(continuous infusion)이 필요하고 경련을 멈추기 위해 긴 시간 동안 뇌파에서 돌발파억제양상(burst−suppression pattern)의 혼수상태(coma)를 만들어야 한다. 하지만 조절된 이후에도 마취제 감량을 시작하면 다시 경련이 재발하는 경우가 많다.

성인 NORSE 환자들의 치료에 관련한 여러 연구들에서 면역치료를 한 경우 조금 더 나은 예후를 보임을 보고하였다. 이는 NORSE에서 원인이 밝혀진 경우 반 이상이 자가면역뇌염이었다는 점에서 면역치료에 효과가 있을 수 있음을 알 수 있다. 특히 NORSE의 조기단

모든 신생난치성 뇌전증지속상태 환자 →	조영제(contrast agent) 사용 자기공명혈관조영술(MRA) 및 자기공명정맥혈관조영(MRV) 포함한 뇌자기공명영상

	혈액 및 소변검사
	일반혈액검사, 전해질검사, 간기능검사, 혈액요소질소/크레아티닌, 소변검사, 적혈구침강속도, C반응단백, 칼슘/마그네슘/인, 암모니아, 포르피린증 검사
	1. 자가면역항체 및 신생물딸림항체검사 LGI-1, CASPR2, Ma2/TaDPPX, GAD65, NMDA, AMPA, GABA$_B$, GABA$_A$, glycine수용체, Tr, amphiphysin, CV-2/CRMP-5, Neurexin-3a, adenylate kinase, anti-neuronal nuclear antibody types 1/2/3 (Hu, Yo, Ri), Purkinje cell cytoplasmic antibody types 1, 2 2. 그 외: ANA, ANCA, 항갑상선항체 등
	1. 바이러스 혈청검사: 인간면역결핍바이러스, 1형/2형단순헤르페스바이러스, 수두대상포진바이러스, 엡스타인-바바이러스, 엔테로바이러스 2. 박테리아 혈청검사: 매독, C.pneumonia, B.henselee, M.pneumonia, C.burneti, shigella, C. psittaci 3. 세균과 곰팡이 염색 및 배양

	뇌척수액검사
	세포수 및 종류, 단백질 및 포도당, 젖산, 면역전기영동, 세포학
	자가면역 항체 및 신생물딸림항체검사, 항GAD항체
	세균과 곰팡이 염색 및 배양, 중합효소연쇄반응(인간면역결핍바이러스, 1형/2형단순헤르페스바이러스, 수두대상포진바이러스, 엡스타인-바바이러스, C.pneumoniae, B.henselae, M.pneumoniae, C.burnetii, shigella, C. psittaci), 매독

	독성검사
	벤조디아제핀, 암페타민, 코카인, 펜타닐, 알코올, 엑스터시, 중금속, 합성대마, 면역저하 환자

선별적 시행 →	면역저하 환자
	1. 혈청검사: 크립토쿠스 IgG, Histoplasma capsulatum IgM과 IgG , Toxoplasma gondii IgG 2. 뇌척수액검사: 호산구, 곰팡이균 은염색, 중합효소연쇄반응(JC 바이러스, 거대세포바이러스, 엡스타인-바바이러스, 사람헤르페스바이러스6형, 엔테로바이러스, 인플루엔자 A/B, 인간면역결핍바이러스, 파르보바이러스), 리스테리아 항체, 홍역 3. 대변검사: 아데노바이러스 및 엔테로바이러스 중합효소연쇄반응

	임상적으로 신생물딸림뇌염 의심 시
	골수생검, 전신 양전자방출 단층촬영(whole body PET-CT), 종양표지자, 골반 초음파와 자기공명영상

	뇌염을 일으키는 특정 균에 노출위험이 있는 경우
	지역적 특색에 따라서 추가적인 혈청검사, 뇌척수액 면역측정법, 중합효소연쇄반응 또는 배양검사 고려(West Nile virus, tick-borne virus, Japanese encephalitis virus 등)

	유전적 이상 의심시
	MERRF, MELAS, POLG1, VLCFA 유전자 검사 ceruloplasmin, 24시간 소변 구리 유전상담

그림 3-1 신생난치성뇌전증지속상태의 진단적 검사

계에서 면역치료를 할 경우 더 좋은 예후를 보이기도 하였다. 이러한 면역치료는 앞선 장에 자세히 기술되어 있는 것처럼 1차 치료와 2차 치료가 있으며 전자는 고용량 스테로이드, 면역글로불린정맥주사 (intravenous immunoglobulin, IVIg), 혈장교환술(plasma exchange)을 포함하며 후자는 rituximab, tocilizumab, tacrolimus, cyclophosphamide, anakinra 등이 포함된다. 그러나 아직까지는 NORSE 에서 면역치료 효과에 대한 전향적 연구는 진행된 바가 없으면 증례보고 수준의 연구들이다.

소아에서는 면역치료의 효과가 성인보다는 적은 것

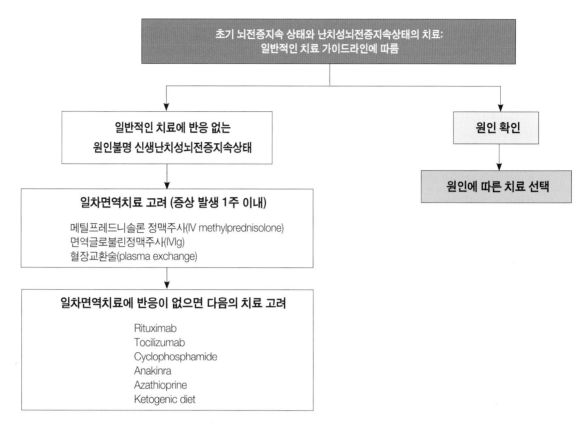

그림 3-2 신생난치성뇌전증지속상태의 치료 가이드라인

으로 보고가 되었다. 여러 면역치료들의 효과가 경련 조절에 효과적이지는 않았으나, 케톤식이(ketogenic diet)는 다소 효과가 있는 것으로 보고되었다. 면역치료와 케톤식이와 더불어 또 다른 치료 옵션으로 33도의 저체온요법(hypothermia)에 대한 보고가 있으나 객관적인 효과 평가를 위해 다수의 환자로 전향적인 연구가 향후 필요할 것이다. NORSE 환자의 치료에 대한 알고리즘은 **그림 3-2**에 제시하였다.

약 12% 정도로 알려져 있고 사망하지 않은 경우에도 대부분 중대한 신경학적 결손이 남게 된다. 장기 예후(long-term outcome)는 대부분 불량한데, 생존자의 약 1/3-1/2에서 인지 장애나 식물상태(vegetative state) 같은 심각한 기능적 결손(functional disability)이 남게 되고 소수의 환자들만이 병전 상태로 회복한다. 나쁜 예후와 관련된 인자는 뇌전증지속상태의 지속 기간과 내과적 합병증 발생 여부로 알려져 있다.

8 | 예후

대부분의 NORSE와 FIRES의 경우 초난치성뇌전증지속상태로 발전하고 이로 인해 중환자실 체류 기간이 길어지며 나쁜 예후를 보인다. NORSE와 FIRES의 중환자실 체류 기간의 정중값(median)은 성인에서는 15일, 소아에서는 20-40일 정도로 보고되고 있다. 사망률(mortality)은 성인에서 약 16-27%이고 소아에서는

참고문헌

1. Appenzeller S, Helbig I, Stephani U, et al. Febrile infection-related epilepsy syndrome (FIRES) is not caused by SCN1A, POLG, PCDH19 mutations or rare copy number variations. Dev Med Child Neurol 2012;54:1144-8.

2. Baxter P, Clarke A, Cross H, et al. Idiopathic

catastrophic epileptic encephalopathy presenting with acute onset intractable status. Seizure 2003;12:379-87.

3. Caraballo RH, Reyes G, Avaria MF, et al. Febrile infection-related epilepsy syndrome: a study of 12 patients. Seizure 2013;22:553-9.

4. Gaspard N, Foreman BP, Alvarez V, et al. New-onset refractory status epilepticus: Etiology, clinical features, and outcome. Neurology 2015;85:1604-13.

5. Hirsch LJ, Gaspard N, van Baalen A, et al. Proposed consensus definitions for new-onset refractory status epilepticus (NORSE), febrile infection-related epilepsy syndrome (FIRES), and related conditions. Epilepsia 2018;59:739-44.

6. Jun JS, Lee ST, Kim R, Chu K, Lee SK. Tocilizumab treatment for new onset refractory status epilepticus. Ann Neurol 2018;84:940-5.

7. Kramer U, Chi CS, Lin KL, et al. Febrile infection-related epilepsy syndrome (FIRES): pathogenesis, treatment, and outcome: a multicenter study on 77 children. Epilepsia 2011;52:1956-65.

8. Mikaeloff Y, Jambaque I, Hertz-Pannier L, et al. Devastating epileptic encephalopathy in school-aged children (DESC): a pseudo encephalitis. Epilepsy Res 2006;69:67-79.

9. Nabbout R, Mazzuca M, Hubert P, et al. Efficacy of ketogenic diet in severe refractory status epilepticus initiating fever induced refractory epileptic encephalopathy in school age children (FIRES). Epilepsia 2010;51:2033-7.

10. Nabbout R, Vezzani A, Dulac O, et al. Acute encephalopathy with inflammation-mediated status epilepticus. Lancet Neurol 2011;10:99-108.

11. Sahin M, Menache CC, Holmes GL, et al. Outcome of severe refractory status epilepticus in children. Epilepsia 2001;42:1461-7.

12. Saitoh M, Kobayashi K, Ohmori I, et al. Cytokine-related and sodium channel polymorphism as candidate predisposing factors for childhood encephalopathy FIRES/AERRPS. J Neurol Sci 2016;368:272-6.

13. Sakuma H, Awaya Y, Shiomi M, et al. Acute encephalitis with refractory, repetitive partial seizures (AERRPS): a peculiar form of childhood encephalitis. Acta Neurol Scand 2010;121:251-6.

14. Sakuma H, Tanuma N, Kuki I, et al. Intrathecal overproduction of proinflammatory cytokines and chemokines in febrile infection-related refractory status epilepticus. J Neurol Neurosurg Psychiatry 2015;86:820-2.

15. Sculier C, Gaspard N. New onset refractory status epilepticus (NORSE). Seizure 2019;68:72-8.

16. van Baalen A, Hausler M, Boor R, et al. Febrile infection-related epilepsy syndrome (FIRES): a nonencephalitic encephalopathy in childhood. Epilepsia 2010;51:1323-8.

17. van Baalen A, Vezzani A, Hausler M, et al. Febrile Infection-Related Epilepsy Syndrome: Clinical Review and Hypotheses of Epileptogenesis. Neuropediatrics 2017;48:5-18.

18. Wilder-Smith EP, Lim EC, Teoh HL, et al. The NORSE (new-onset refractory status epilepticus) syndrome: defining a disease entity. Ann Acad Med Singapore 2005;34:417-20.

김성민

급성파종뇌척수염
(Acute disseminated encephalomyelitis)

1 | 서론

급성파종뇌척수염(acute disseminated encephalomyelitis, ADEM)은 드문 중추신경계탈수초질환으로 동시에 혹은 연속하여 발생하는 중추신경계 내의 다초점(multifocal) 염증성 병변을 그 특징으로 한다. 동시 혹은 연속적인 다초점 병변으로 인하여 환자들의 증상 또한 다발성으로 나타나는 특징이 있다. 과거 급성파종뇌척수염 환자들 중 많은 경우에서 선행감염 혹은 선행 예방접종이 보고되어 선행감염 혹은 예방접종에 의한 2차 자가면역반응의 촉발이 급성파종뇌척수염의 주된 발병기전으로 추정되어 왔다.

2 | 임상 양상

급성파종뇌척수염의 흔한 증상은 성인의 경우 의식변화(consciousness alteration), 과다수면증(hypersomnia), 발작(seizure), 인지기능 장애(cognitive impairment), 반신마비(hemiplegia), 척수염(myelitis)로 인한 사지마비(tetraplegia) 혹은 하지마비(paraplegia), 실어증(aphasia), 그리고 양안 시신경염(bilateral optic neuritis)으로 인한 시력 소실 등이 있으며 이외에 두통, 발열 등 비특이적 증상만 발현하는 경우도 있다.

3 | 진단

1) 병력 및 임상 양상

급성파종뇌척수염은 위와 같은 다초점성 증상들이 동시에 혹은 연속적으로 아급성 경과로 발생할 때 의심하게 된다. 또한 증상 발생 이전 수일 혹은 수주 이내에 감염 혹은 예방접종의 병력이 있을 경우 그 가능성을 더욱 높게 고려할 수 있다. 다만 감염 혹은 예방 접종의 경우 성인의 약 50%, 소아의 60% 정도의 경우에서만 관찰되는 것으로 알려져 있어 감염 혹은 예방접종의 병력이 없더라도 임상적인 증상에 근거한 진단이 필요할 수 있다.

2) 뇌영상검사

대부분(90% 이상)의 환자들이 뇌 혹은 뇌와 척수 자기공명영상(magnetic resonance imaging, MRI)의 이상을 동반한다. 따라서, MRI는 진단의 가장 중요한 검사법으로 유용하게 사용된다. 급성파종뇌척수염의 주된 MRI 소견은 백질(white matter)에 주로 관찰되는 광범위한 T2 신호증강이며, 이러한 병변이 백질의 절반 이상을 광범위하게 침범하는 경우도 드물지 않다. 또한 이러한 초기 MRI상 병변이 급성기 이후 시행한 추적 MRI 영상에서 급속히 호전는 것이 급성파종뇌척수염의 영상학적 특징 중 하나이며(그림 4-1), 이는 MRI의 T2 신호증강 병변들이 장기간 지속, 진행하며 축적되기도 하는 다발경화증(multiple sclerosis)과는 상이한 양상이다.

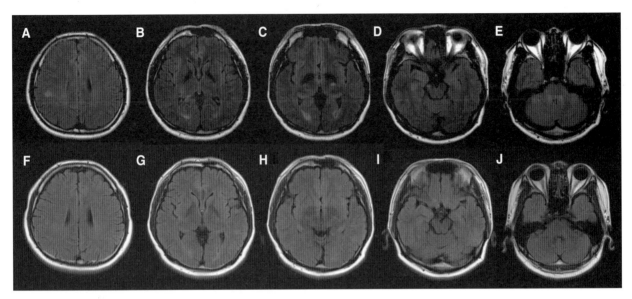

그림 4-1 급성파종뇌척수염의 뇌 MRI 소견

초기 MRI (A-E) 광범위한 T2 신호 증강이 우측 두정엽 피질하부위(A), 양측 시상(B), 속섬유막(internal capsule, C), 중뇌(D), 및 교뇌(E)에서 관찰된다.
1년 뒤 추적 시행한 MRI (F-J)에서 해당 소견이 대부분 호전되었다.

3) 진단기준

급성파종뇌척수염의 진단에는 영상의학적 및 임상적 특징 뿐 아니라 진단기준(diagnostic criteria)도 도움이 될 수 있다. 현재 많이 사용되고 있는 급성파종뇌척수염의 진단기준은 15세 이상의 환자를 주로 대상으로 한 De Seze의 진단기준과 소아 환자를 주 대상으로 한 international pediatric multiple sclerosis study group (IPMSG)의 진단기준이 있다. 다만 현재까지 어떠한 단일 진단기준도 임상 진료 현장에서 충분한 정확도로 급성파종뇌척수염을 진단하고 있지는 못한다. 예를 들어, De Seze의 진단기준은 다발경화증과 급성파종뇌척수염의 감별진단에 있어 80% 정도의 낮은 민감도를 보였으며 이는 임상적으로 급성파종뇌척수염의 진단을 받는 환자 5명 중 1명은 이 진단기준을 만족시키지 못한다는 의미로 해석될 수 있다. 또한 미국의 다기관 연구에 따르면 IPMSG의 진단기준이 소아 환자에서는 70%, 성인 환자에서는 47%의 낮은 진단 민감도를 가진다고 보고하고 있다. 따라서 이러한 진단기준을 실제 임상진료현장에서의 진료용으로 사용하는 데에는 아직 많은 제한이 있는 것으로 판단된다.

4) 뇌 생검

질병의 초기에는 임상적 및 영상학적 소견만으로 급성파종뇌척수염과 뇌종양, 중추신경계혈관염 등을 완전히 구분하기가 어려운 경우가 있어 뇌 생검을 시행하기도 한다. 병리 검사상 급성파종뇌척수염은 종양세포의 침윤이 없이 뇌혈관주변에 심한 대식세포(macrophage)와 림프구(lymphocyte)의 침착을 보이는 특징을 가진다.

4 | 항수초희소돌기아교세포당단백질(myelin oligodendrocyte glycoprotein, MOG)항체

MOG는 중추신경계에만 존재하는 물질로써 이에 대한 자가항체인 항MOG항체는 MOG-뇌척수염(MOG-encephalomyelitis, MOG-EM)이라는 중추신경계 자가면역질환에 매우 특이적인 항체로 알려져 있다. MOG-뇌척수염은 특이하게도 발생 연령에 따라 그 주된 증상이 다르며 성인의 경우에는 재발성 시신경염이 가장 흔한 증상인 데 반해 소아에서는 급성파종뇌척수염이 가장 흔한 증상으로 알려져 있다. 또한 López-Chiriboga 등의 연구에 따르면 소아의 급성파종뇌척수염 환자 중 45% 가량은 혈액 내에 이 항MOG항체를 가지고 있으며, 추적 관찰 시 항MOG항체가 지속적으로 양성인 경우 향후 재발의 위험이 높다. 다만 항MOG항체를 가지는 급성파종뇌척수염이 항MOG항체를 가지지 않는 급성파종뇌척수염과 다른 병리 기전을 가진 독립된 질환인지, 아니면 급성파종뇌척수염 환자들이 첫 발병 이후 이차면역반응에 의해 중추신경계 항원인 MOG에 대한 자가면역성을 획득하는 것인지에 대해서는 추가적인 연구가 필요해 보인다.

5 | 치료

아직까지 급성파종뇌척수염의 급성기 치료로는 일반적인 중추신경계 탈수초성질환들의 치료와 마찬가지로 스테로이드, 면역글로불린정맥주사(intravenous immunoglobulin, IVIg), 혈장교환술(plasmapheresis) 등이 일반적으로 사용된다. 급성파종뇌척수염 환자들을 포함한 중증 중추신경계 탈수초성 환자에 대한 연구에서 스테로이드 치료에 반응을 보이지 않는 심한 환자들도 혈장교환술의 적용 후 의미 있는 증상의 호전을 보였으며 이러한 혈장교환술의 효과는 특히 조기에 (발생 후 15일 이내) 시행하는 경우 효과가 좋았다. 따라서 급성기 스테로이드 치료에도 신경학적 호전이 없는 급성파종뇌척수염 환자들에 대해서 보다 조기에 혈장교환술 치료를 시행하는 것이 장기적인 예후를 향상시킬 수 있을 것으로 추정된다.

6 | 예후

급성파종뇌척수염은 기타의 다른 중추신경계 탈수초질환인 다발경화증 및 시신경척수염범주질환 (neuromyelitis optica spectrum disorder, NMOSD)과 매우 상이한 예후를 가진다. 다발경화증 혹은 시신경척수염범주질환 환자들의 절대 다수에서 재발이 반복되거나 혹은 서서히 병이 진행하는 임상 경과를 가지는 데 반해 급성파종뇌척수염의 상당수는 단발성

(monophasic) 임상 경과를 가지며, 장기간의 추적 관찰 이후에도 재발을 하지 않는 경우가 대부분인 것으로 알려져 있다. 다만 급성파종뇌척수염 환자들에서 장기적 추적 관찰 시 재발의 위험도에 대해서는 아직 여러 연구에 따라 다소간의 차이가 있다. 84명의 소아 환자를 평균 6.6년 동안 추적 관찰한 Tenembaum 등의 연구에 따르면 급성파종뇌척수염을 진단받은 소아 환자 중 약 10%만이 재발을 경험하였다. 허나, 더욱 최근의 연구인 Koelman의 연구에서는 급성파종뇌척수염으로 진단을 받은 환자 중 약 24%의 환자들이 첫 증상 발생 이후 2년 이내에 1회 이상의 재발을 경험한다고 보고한 바 있다. 이러한 차이의 가장 큰 원인으로는 아직 급성파종뇌척수염의 진단에 대한 일관된 진단기준 혹은 생물표지자(biomarker)가 없기 때문일 것으로 추정된다. 다수의 환자들이 경미한 신경학적 장애 이외의 후유증이 없이 좋은 예후를 보이지만 증상이 심한 일부(약 5% 내외)의 환자들에서 사망이 보고되기도 하여 임상적 주의를 요한다.

참고문헌

1. De Seze, J., Debouverie, M., Zephir, H., et al. Acute Fulminant Demyelinating Disease: A Descriptive Study of 60 Patients. Arch Neurol 2007;64:1426-32.

2. Jarius S, Paul F, Aktas O, et al. MOG encephalomyelitis: international recommendations on diagnosis and antibody testing. J Neuroinflammation 2018;15:134.

3. Kim SM, Woodhall M, Kim JS, et al. Antibody to myelin oligodendrocyte glycoprotein in adults with inflammatory demyelinating disease of the CNS. Neurology Neurol Neuroimmunol Neuroinflamm 2015;2:e163.

4. Koelman DL, Chahin S, Mar SS, et al. Acute disseminated encephalomyelitis in 228 patients: A retrospective, multicenter US study. Neurology 2016;86:2085-93

5. Krupp LB, Tardieu M, Amato MP, et al. International

Pediatric Multiple Sclerosis Study Group criteria for pediatric multiple sclerosis and immune-mediated central nervous system demyelinating disorders: revisions to the 2007 definitions. Multiple Sclerosis 2013;19:1261-7.

6. Llufriu S, Castillo J, Blanco Y, et al. Plasma exchange for acute attacks of CNS demyelination: Predictors of improvement at 6 months. Neurology 2009;73:949

7. López-Chiriboga AS, Majed M, Fryer J, et al. Association of MOG-IgG Serostatus With Relapse After Acute Disseminated Encephalomyelitis and Proposed Diagnostic Criteria for MOG-IgG-Associated Disorders. JAMA Neurol 2018;75:1355-63.

8. Tenembaum S, Chamoles N, Fejerman N. Acute disseminated encephalomyelitis: a long-term follow-up study of 84 pediatric patients. Neurology 2002;59:1224-31.

 박진균

5 류마티스질환과 뇌 (Rheumatic diseases in the brain)

1 류마티스질환 및 분류

1) 정의

류마티스(rheumatism)에서 '류마(rheuma)'는 흐름(flow)을 의미한다. 고대시대에서 통풍 관절염이 머리에 있는 '류마'가 흘러내려 관절에서 염증을 일으켜 발병한다고 믿었다. 류마티스질환은 혈류를 따라 흐르는 면역세포의 조절 장애로 인해 발병하는 다양한 질환 중 근골격계를 중점적으로 침범하는 자가면역질환으로 관절염, 결체조직질환, 혈관염 등 200가지 이상의 질환을 포함한다.

2) 기전

염증은 체내 모든 문제를 해결하는 효과적인 방어체계로 염증반응은 문제의 원인이 제거될 때까지 유지된다. 세균, 진균, 바이러스 등 외부 감염 항원이 침입한 뒤 면역기전에 의해 효과적으로 항원이 제거되면 염증반응도 소실된다. 반면, 자가면역질환에서는 자가항원이 소실되지 않아 한 번 시작된 자가면역반응은 대부분 만성염증으로 이어지고, 침범 장기의 손상 및 기능장애를 통해 다양한 임상 증상으로 나타난다. 자가면역반응에 관련된 세포에는 T세포, B세포, 항원제시세포(antigen presenting cell, APC) 등이 있으며 자가항원에 반응하여 만성염증이 시작된다. 즉, 자가항원이 발현되는 장기에서 주로 질병이 발현한다(그림 5-1).

3) 질환의 분류

류마티스질환은 주요 침범 장기에 따라 분류되지만 여러 장기가 동시에 침범되는 수도 있다. 예를 들어, 류마티스관절염에서는 자가면역세포가 주로 관절을 침범하지만, 관절 외 다른 장기도 침범이 가능하다. 드물기는 하지만, 면역세포가 혈관 또는 수막의 자가항원을 인식해서 염증이 발생하면 류마티스혈관염(rheumatoid vasculitis), 류마티스경수막염(rheumatoid pachymeningitis) 등 관절 외 질환이 발생할 수 있다. 그리고 류마티스사이질폐질환(rheumatoid interstitial lung disease)은 류마티스관절염 환자의 10-80%에서 동반된다. 다시 말해, 류마티스관절염은 관절에만 국한된 질환이 아닌, 전신자가면역질환이다. 전신홍반루푸스(systemic lupus erythematosus, SLE)의 경우 B세포가 여러 자가항원에 대하여 자가항체를 형성하여, 여러 장기를 동시에 침범할 수 있다. 또한, 항원-항체 면역복합체가 피부, 신장, 관절 등 여러 장기에 침착하여 2차적 염증을 유발하여 질환 초반부터 다양한 증상이 동반 될 수 있다.

류마티스질환은 전신염증질환으로 한 장기를 단독 침범하는 경우가 적다. 따라서 발열, 피부염, 관절염, 신기능장애 등의 이상소견이 없는 경우 류마티스질환의 가능성은 상대적으로 낮다.

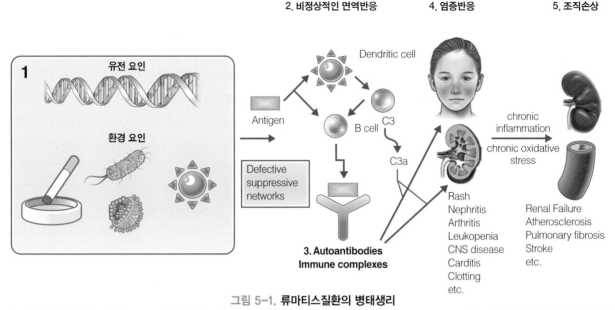

그림 5-1. 류마티스질환의 병태생리

유전과 환경적 요인 → 신생(de novo) 자가항원 노출 → 자가반응 B세포, T세포에 항원제시(antigen presentation) → 자가항체 생성 및 선천면역세포
활성화 → 염증의 지속 → 장기 기능장애 → 임상증상 발생

2 │ 류마티스질환의 진단

1) 초기 진단적 접근

병력청취와 신체진찰 소견을 종합하여 류마티스질환의 가능성을 평가하고 혈액 및 영상의학적 검사 결과를 바탕으로 류마티스질환을 진단한다. 환자의 증상이 염증으로 설명되는지를 기준으로 염증성과 비염증성 질환으로 분류할 수 있다. 외상, 감염 등의 외부 원인 없이 지속되는 만성염증에서는 자가면역질환 가능성을 고려해야 한다. 침범된 장기의 분포를 분석하여 주 침범장기를 기반으로 진단적 접근을 한다. 예를 들면, 피부 및 근육에 만성 염증이 관찰되는 경우 피부근염(dermatomyositis)을 먼저 의심한다.

질환 초기에 나타나는 증상이 비특이적이고 진단기준을 만족시키지 못하는 경우 미분화관절염(undifferentiated arthritis), 미분화결합조직질환(undifferentiated connective tissue disease) 등으로 진단하고 증상을 조절하면서 경과 관찰한다. 이후에 다른 증상이 추가로 나타나 진단기준을 만족하게 되면 류마티스질환을 확진한다. 하지만 영구적 장기 손상을 막기 위해 미분화 단계에서도 치료를 할 수 있다(예: 혈관염이 의심되는 시력 저하 환자에서 진단 전 스테로이드 치료 시작).

2) 자가면역항체 검사

항핵항체(antinuclear antibody, ANA), 류마티스인자(rheumatoid factor, RF), 항인지질항체(anti phospholipid antibody, aPL)는 정상인에서도 양성으로 나오는 경우가 흔하여 위양성(false positive)률이 높은 검사이다. 무증상 환자에서 (약)양성 검사 결과는 임상적 해석이 어려우며, 환자에게 불필요한 불안감만 조성될 수 있다. 따라서 자가항체검사는 임상적으로 특정 자가면역 질환이 의심될 경우에만 시행하여야 한다. 혈관염이 의심되는 경우에 한하여 항중성구세포질항체(antineutrophil cytoplasmic antibody, ANCA) 검사를 시행하고 ANCA 양성인 경우 항myeloperoxidase(항MPO)항체 및 항proteinase3(PR3)항체에 대한 검사를 추가로 시행한다. 혈청 면역글로불린 G4(immunoglobulin G4, IgG4)는 염증 종괴가 있는 경우 검사를 시행한다(표 5-1).

표 5-1 류마티스질환을 의심할 때 흔히 시행하는 검사

검사	비고
일반혈액검사(complete blood count, CBC), 적혈구침강속도(erythrocyte sedimentation rate, ESR), C반응단백질(C-reactive protein, CRP)	
혈청전해질, 간기능검사, 소변검사	
항핵항체 패턴 및 역가, 류마티스인자, 항CCP (cyclic citrullinated peptide)항체	관절염이 주된 증상일 경우
항Ro/La항체, 항ribonucleoprotein (RNP)항체, 항Smith (Sm)항체, 항이중쇄DNA (double strand DNA, ds-DNA)항체, 항Scl-70항체	항핵항체 역가 > 1:80인 경우
Prothrombin time/activated partial thromboplastin time (PT/aPTT), mixing test (aPTT가 연장되었을 때), 항인지질항체(lupus anticoagulant, 항β2-glycoprotein IgM/IgG항체, 항cardiolipin IgG/IgM항체)	항인지질증후군(anti-phospholipid syndrome)이 의심될 경우 (항인지질항체가 양성일 경우 3개월 후 재확인이 필요함)

3 | 류마티스질환의 치료

만성 염증을 유발하는 자가항원을 제거할 수 없으므로, 류마티스질환의 치료는 자가면역세포 활성을 억제함으로써 염증을 완화하는 것을 목표로 한다.

1) 스테로이드

스테로이드는 항염증 효과가 우월하고 단시간에 치료 효과를 보이지만, 장기간 사용시 골다공증, 감염, 백내장, 당뇨병 등 다양한 부작용을 일으킬 수 있어 사용 기간 및 용량을 최소화 한다. 하지만 스테로이드를 감량하면서 질환이 재발하여서 저용량 스테로이드(prednisolone 5-7.5 mg/일)를 장기간 유지해야 하는 경우가 흔하다.

2) 기타 면역치료제

스테로이드에 불응하는 경우 또는 스테로이드를 감량하기 위해 항류마티스약제, 면역억제제, 생물학제제

또는 표적치료제 등의 면역치료제를 추가한다. 질환에 따라 면역치료제에 대한 반응이 다를 수 있어 각 질환에서 효과가 검증된 약제를 사용해야 한다. 면역치료제는 기저 질환에 따라 효과가 없을 뿐 아니라 오히려 기저질환을 악화시킬 수 있다. 예를 들면, 항종양괴사인자-α (tumor necrosis factor-α, TNF-α)제제는 류마티스관절염, 베흐체트병에서 효과가 뛰어나지만, 전신홍반루푸스를 악화시킬 수 있어 금기이다. 또한 동일한 질환에서도 침범 장기 및 중증도에 따라 면역치료제의 종류 및 용량이 다르다(표 5-2).

표 5-2 베흐체트병에서 장기 침범에 따른 치료제 선택

침범 장기	1차 치료제	스테로이드	면역억제제
구강궤양, 성기궤양	colchicine	prednisolone <10 mg/day	–
결절홍반	–	저용량 스테로이드	–
관절염, 관절통	NSAID, colchicine	저용량 스테로이드	AZA
전방 포도막염	–	국소 스테로이드	국소 CsA
후방 포도막염	–	고용량 스테로이드	AZA, CsA, TNFi
혈관병변, 신경병변	–	고용량 스테로이드	CYC, TNFi, AZA

NSAID, nonsteroidal anti-inflammatory drug; AZA, azathioprine; CsA, cylosporine A; CYC, cyclophosphamide; TNFi, TNF-α inhibitor. 저용량 스테로이드(prednisolone <20 mg/day), 고용량 스테로이드(prednisolone >40 mg/day).

4 | 류마티스질환의 뇌병증 분류

중추신경계는 혈액뇌장벽(blood-brain barrier)을 가진 면역특권(immune-privilege) 장기이며, 이를 통해 혈액의 염증매개체 또는 활성화된 면역세포로부터 보호된다. 혈관 손상으로 인하여 혈액뇌장벽이 무너지면 순환 면역세포 및 염증 사이토카인이 혈액으로부터 뇌실질으로 침투하여 뇌염을 유발한다. 질환활성도가 높은 전신홍반루푸스 환자에서도 혈액뇌장벽이 유지되면 중추신경 증상이 발생하지 않지만, 뇌혈관의 혈전 및 염증 등으로 인하여 혈액뇌장벽이 손상되는 순간 전신염

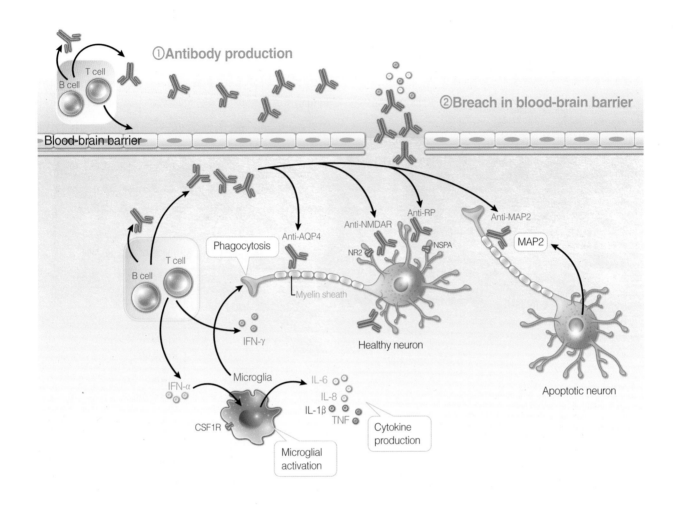

그림 5-2. 중추신경계 염증의 병태생리(이중타격(double-hit) 모델)

이중타격(double-hit) 모델. 1차타격: 자가면역반응의 활성화로 인한 자가항체의 생성. 2차타격: 혈액뇌장벽의 손상으로 자가항체가 뇌로 넘쳐 들어가거나, 뇌실질에 대한 자가항체의 생성. IL, interleukin; TNF, tumor necrosis factor; IFN, interferon.

증이 뇌 실질조직으로 넘쳐들어가(spillover) 중추신경계 증상이 급성으로 발생하는데, 이것이 바로 중추신경계 루푸스이다. 전신홍반루푸스의 전신 질환이 조절되면 중추신경계루푸스증상 또한 호전된다. 뇌실질의 조직이 직접 자가항원을 제공할 경우 T세포는 자가항원을 인식하여 염증촉진(proinflammatory) 사이토카인을 분비하여 뇌 조직 내에서 면역반응을 유도하여 일차자가면역뇌염이 발생한다. 이 경우, 자가면역반응이 자연히 호전 될 가능성은 낮고 대부분 만성뇌염으로 진행하여 영구적 뇌손상 및 사망으로 이어진다(그림 5-2).

류마티스질환은 중추신경을 일차적(원발성) 또는 이차적으로 침범 가능하다. 하지만, 원발중추신경계혈관염(primary central nervous system vasculitis)을 제외하고는 중추신경에만 국한되거나 중추신경계에서 시작하는 류마티스질환은 매우 드물다. 대부분 류마티스질환은 중추신경계를 이차적으로 침범하므로, 류마티스질환을 강력히 시사하는 전신 증상이 없을 경우 류마티스질환에 인한 뇌염의 가능성은 낮다(표 5-3). 류마티스질환의 존재 여부에 대한 판단은 류마티스학적 계통적 문진이 도움이 된다. 전신 증상(예: 발열, 체중감소), 피부, 근골격계 증상이 없으면 류마티스질환의 가능성은 낮다.

표 5-3 **류마티스질환별 동반 중추신경계 증상**

질환	침범 장기	중추신경계 침범 임상 양상
류마티스관절염	관절	혈관염신경병(vasculitic neuropathy), 고리중쇠아탈구(atlantoaxial subluxation)에 따른 경추척수염, 경수막염
전신홍반루프스	피부, 관절, 혈관, 콩팥	무균수막염, 두통, 횡단척수염(transverse myelitis), 무도증(chorea), 자율신경기능이상, 정신증(psychosis), 발작, 뇌졸중(혈관병증, 항인지질항체증후군)
쇼그렌증후군	외분비기관	전신홍반루프스와 비슷 말초신경병, 세섬유신경병(small fiber neuropathy)
피부근염/다발근염	피부, 근육	드묾
전신피부경화증	혈관, 결체조직	드묾
혈관염	혈관	원발중추신경계혈관염 전신혈관염의 중추신경계침범 (secondary CNS involvement of systemic vasculitis)
베흐체트병	피부, 혈관	뇌간뇌염
성인형 Still씨병	발열, 피부, 관절, 림프절, 비장	무균수막염

중추신경질환은 혈관병증과 뇌실질 질환으로 나뉘며, 실질 질환은 다시 백질(white matter) 및 회백질(grey matter) 질환으로 분류된다. 류마티스질환이 뇌의 회백질만 침범하는 경우는 매우 드물다. 혈관병증도 이차적으로 뇌실질의 기능 장애를 초래할 수 있다. 중추신경을 침범한 류마티스질환에서 침범된 뇌실질의 위치 및 분포에 따라 다양한 증상이 나타난다(그림 5-3).

1) 혈관병증(Vasculopathy)

혈관병증은 혈관의 내강이 막혀 해당 혈관이 혈액을 공급하는 부위에 허혈장기손상 및 기능장애가 초래되는 질환을 말한다. 혈관병증은 발병기전에 따라 염증성과 비염증성으로 분류되며, 비염증혈관병증은 동맥경화(atherosclerosis), 혈전(thrombotic) 및 증식혈관병증(proliferative vasculopathy) 등으로 다시 분류된다. 혈관병증은 발병기전에 따라 치료가 달라 정확한 진단이 중요하다.

(1) 혈관염(Vasculitis)

원발중추신경계혈관염은 일차뇌혈관염으로 충추신경계의 혈관만 침범한다. 반면, 거대세포동맥염(giant

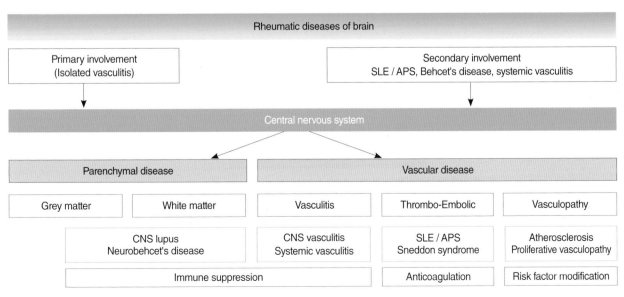

그림 5-3 **중추신경계 침범 류마티스질환의 분류**
CNS, central nervous system; SLE, systemic lupus erythematosus; APS, antiphospholipid syndrome

cell arteritis), 다카야스동맥염(Takayasu's arteritis) 등의 전신혈관염(systemic vasculitis)은 총내경동맥(common carotid artery), 내경동맥(internal carotid artery) 등 두개외동맥(extracranial artery)을 침범하여 간접적으로 뇌허혈증상을 초래할 수 있지만 두개내동맥(intracranial artery)을 직접 침범하는 경우는 드물다.

① 혈관염의 진단적 접근(그림 5-4)

i) 뇌자기공명영상(Magnetic resonance imaging, MRI)
가장 민감도가 높지만 특이도가 낮아 선별 검사(screening)로 용이하다. 인지장애, 국소신경증상등의 뇌기능 저하 증상이 나타나면 MRI에서 해당 부위의 뇌병변이 관찰된다. 즉, MRI가 정상이면 혈관염의 가능성이 매우 낮다.

ii) 뇌척수액검사
혈관염으로 뇌 안의 염증을 일으켜, 뇌척수액에서 세포증가증, 단백질증가 소견이 나타난다. 감염 및 암을 배제하기 위해 필요하며 뇌척수액에 염증소견이 없으면 혈관염의 가능성이 낮다. 1차 뇌척수액검사가 정상이더라도 혈관염 등 염증질환이 강력히 의심되면 뇌척수액검사를 반복한다.

iii) 뇌혈관조영술
여러 혈관을 침범하는 분절 협착-확장-폐쇄(beads on string)의 소견이 특징적이다. MRI의 해상도가 고식적 뇌혈관조영술(conventional angiography)보다 낮아 작은 혈관 침범을 놓칠 수 있으므로 필요한 경우 고식적 뇌혈관조영술을 시행한다.

iv) 뇌생검
특이도가 높지만 국소 병변의 경우 민감도가 낮고, 검사로 인한 뇌 손상 가능성 때문에 혈관염이 의심될 때에만 시행한다. 임상적으로 혈관염이 강력히 의심되는 경우에 시행한 뇌생검에서도 전체의 2/3에서만 실제로 혈관염이 진단되고, 나머지 1/3에서는 림프종, 감염 등이 확인되어, 혈관염을 진단하고 치료를 시작하기 전에 뇌생검은 필수적이다(그림 5-4).

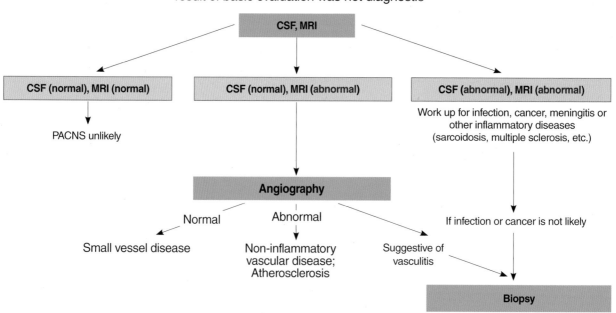

그림 5-4 **혈관염의 진단적 접근**
PACNS, primary angiitis of the central nervous system

② 원발중추신경계혈관염

원발중추신경계혈관염은 뇌의 소동맥 및 중소동맥 혈관벽을 침범하며 병리학적으로 육아종(granuloma) 형성, 림프구 침윤, 또는 괴사를 일으킨다.

i) 증상

혈관내강의 협착 속도에 따라 증상이 급성뇌경색 또는 만성뇌허혈성 증상으로 나타난다. 혈관벽의 염증으로 인해 내피세포가 이차적으로 손상되어 혈관내강에 혈전이 발생하거나, 혈관 파열로 인한 뇌출혈으로 급성뇌경색이 유발될 수 있다. 대부분의 경우 혈관내벽의 염증성 증식으로 인해 혈관이 서서히 폐쇄되어 만성허혈뇌경색이 유발된다. 질환 초기에 두통 등의 비특이적 증상을 호소하나, 다발적인 뇌경색병변이 점차 축적되면서 인지기능 저하 등의 증상이 진행한다. 적절한 치료 없이는 대부분 사망한다.

ii) 진단

영구적 뇌손상을 예방하기 위해 조기 진단이 매우 중요하다. 특히, 위험요인이 없는 뇌경색의 경우 원발중추신경혈관염에 의한 뇌경색의 가능성을 배제하는 것이 중요하다. 혈관염이 의심되는 환자에서는 뇌MRI, 뇌척수액검사, 뇌혈관조영술 등이 필요하다. 선별검사 후 원발중추신경혈관염의 의심될 경우 반드시 확진을 위해 뇌생검을 시행해야 한다. 원발중추신경혈관염에서는 다른 전신혈관염과 달리, 적혈구침강속도, C-반응단백질 등의 전신 염증 지표가 대부분 정상이다.

iii) 치료

고용량 스테로이드 단독 또는 cyclophosphamide 등 세포독성약제를 병용하는 복합 요법이 관해 유도를 위해 추천되며, 약 3-6개월 간 관해 유도 후 최소 1년 이상 azathioprine 등 면역억제제를 포함한 유지 요법이 권유된다.

(2) 비염증혈관병증
(Non-inflammatory vasculopathy)

동맥경화증, 혈전증, 증식혈관병증 등이 비염증혈관병증에 포함된다. MRI 상 뇌경색이 관찰되나, 뇌척수액검사에서 염증 소견이 없다. 뇌혈관조영술에서 뇌혈관의 협착, 폐쇄 소견 및 패턴을 바탕으로 진단한다.

① 동맥경화증(Atherosclerosis)

심혈관질환의 일반적 위험요소(예: 고혈압, 고지혈증, 당뇨병)를 조절한다.

② 항인지질항체증후군(Antiphospholipid antibody syndrome)

혈전성(thrombotic) 및 색전성(embolic) 뇌경색을 모두 유발할 수 있다. 항혈소판제, 항응고제를 유지함으로써 치료한다.

③ 증식혈관병증(Non-thrombotic proliferative vasculopathy, NTPV)

동맥경화의 위험요소가 없는 젊은 뇌경색 환자에서 혈관조영술 상 혈관협착이 관찰되지만 혈전 및 혈관염 소견이 없을 경우 증식혈관병증을 의심해 볼 수 있다. 현재 발병 기전은 규명되지 않았으나, 항인지질항체가 혈관내피세포를 직접 활성화시켜 혈관내벽이 증식하고, 결과적으로 혈관협착 및 혈관폐쇄가 발병하는 것으로 추정된다. 항인지질항체증후군과 달리 혈전이 없어 항응고제치료에 불응하며 현재까지도 표준 치료법이 정립되지 않았다. 항인지질항체 양성 뇌경색 환자에서 혈전성 뇌경색에 대한 배제가 되지 않을 경우 항인지질항체증후군에 준하여 항응고치료를 고려한다.

2) 뇌실질질환(Brain parenchymal disease)

(1) 베흐체트병(Behcet's disease)

① 정의

터키, 중동아시아, 한국, 일본 등 실크로드 지역에서 주로 발생하는 피부점막염증질환(mucocutaneous inflammatory disease)이다. 반복적 구강궤양, 성기궤양, 피부증상 등의 주 증상 외에 관절, 눈, 장, 혈관 및 신경을 침범하는 것이 가능하다. 베흐체트병은 혈관염으로 분류되나, 다수의 환자에서 혈관염이 관찰되지 않는다.

② 진단

다른 류마티스질환과 달리 특이적인 자가항체가 없어 임상소견을 바탕으로 진단하며, International Study Group 1990 및 International criteria for Bechet's disease 2006 등의 기준에 따라 신난하나(표 5-4). 1990년의 진단기준에서는 구강궤양이 필수 조건이지만 2006 진단기준에서는 구강궤양이 없는 환자에서도 다른 베흐체트병의 특이 증상이 나타날 경우 진단 가능하다. 사람백혈구항원B51 (human leukocyte antigen-B51, HLA-B51)은 베흐체트병과 연관성이 있지만 건강인에서 흔히 발견되어 진단적 가치가 높지 않다.

표 5-4 베흐체트병 진단/분류기준

International Study Group 1990		International criteria for Bechet's disease 2006	
반복 구강궤양	필수 증상	구강궤양	2
반복 성기궤양		성기궤양	2
눈 병변		눈 병변	2
피부병변		피부병변	1
이상초과민반응		이상초과민반응	1
		혈관증상	1
		신경학적 증상	1
민감도 92%, 특이도 97%	구강궤양 외 다른 조건 2개 이상 만족 시 진단	민감도 95%, 특이도 91%	총 점수가 4 이상 시 진단

반복 구강궤양: 1년에 3회 이상 반복하는 아프타성 궤양; 성기궤양: 성기부 궤양 또는 반응; 눈병변: 포도막염, 망막혈관염; 피부병변: 결절홍반, 구진농포병변, 가성모낭염, 여드름양 결절; 이상초과민(pathergy)반응: 자극 24~28시간 후 2 mm 발적을 동반하는 구진이나 농포

③ 신경베흐체트병(Neuro-Behcet's disease)

5~10% 환자에서 뇌실질이 침범된다. 염증 범위는 다소 작지만 뇌간(brain stem)을 흔히 침범하며 증상이 심할 수 있으며 사망 위험성이 높다. 이외에도 무균수막염, 대뇌정맥동혈전증, 동맥류, 뇌동맥협착 등이 발생할 수 있다. 말초 신경계를 침범하는 경우는 매우 드물다(그림 5-5).

④ 치료 및 예후

치료에 대한 근거 자료가 부족하며, 경험적으로 고용량 스테로이드(1,000 mg/일)를 3~5일 주사 후 경구제제로 변경하여 서서히 감량한다. 면역억제제

로 azathioprine (2~3 mg/kg/일), 항TNF-α제제, cyclophosphamide, methotrexate, interferon-α 등을 병용 가능하다. 베흐체트병은 악화 및 관해를 반복하지만 안저질환(포도막염)으로 인한 시력저하/실명, 뇌실질침범, 폐 출혈 및 장 천공이 발생하지 않으면 예후가 양호하다.

3) 뇌정맥동혈전증 (cerebral venous sinus thrombosis)

시상정맥동혈전증(sagittal sinus thrombosis)같은 대뇌정맥 혈전이 발생하면 뇌압상승으로 인하여 두통, 시력 장애 등의 증상이 나타난다. 혈관벽의 염증으로 인하여 혈전이 발생하게 되며, 치료로는 항응고제 보다는 스테로이드 및 면역억제제가 더욱 효과적이다.

4) 신경정신루푸스(Neuropsychiatric lupus)

(1) 전신홍반루푸스(Systemic lupus erythematosus, SLE)

전신홍반루푸스는 유전적, 환경적 요인의 상호작용으로 다양한 자가항체가 형성되어 조직을 파괴하는 만성 자가면역질환이다. 전신홍반루푸스는 대부분 피부, 관절, 신장을 침범하며 피부발진, 관절염, 루푸스신염 및 혈액학적이상(세포감소증, 보체감소) 등이 주 증상이지만, 인체 모든 장기에 염증을 초래할 수 있어 천의 얼굴을 가진 질환이라 할 수 있다. 자가항체가 직접 장기의 자가항원을 인식 후 염증반응을 일으킬 수 있지만, 자가항원-자가항체로 형성된 면역복합체(immune complex)가 여러 장기내의 모세혈관에 침착하여 이차 염증반응을 초래하는 것이 주 병리생태 기전이다.

(2) 신경정신루푸스의 발병기전

혈전성, 염증성 혈관병증 외에도 항체매개 신경손상이 주요 원인으로 제시된다. 뇌는 면역특혜(immune-privilege) 장기로, 면역세포의 접근이 제한되어 있다. 전신홍반루푸스에서 형성되는 자가항체들 중 신경세포의 항원을 인식하는 자가항체도 형성할 수 있으나,

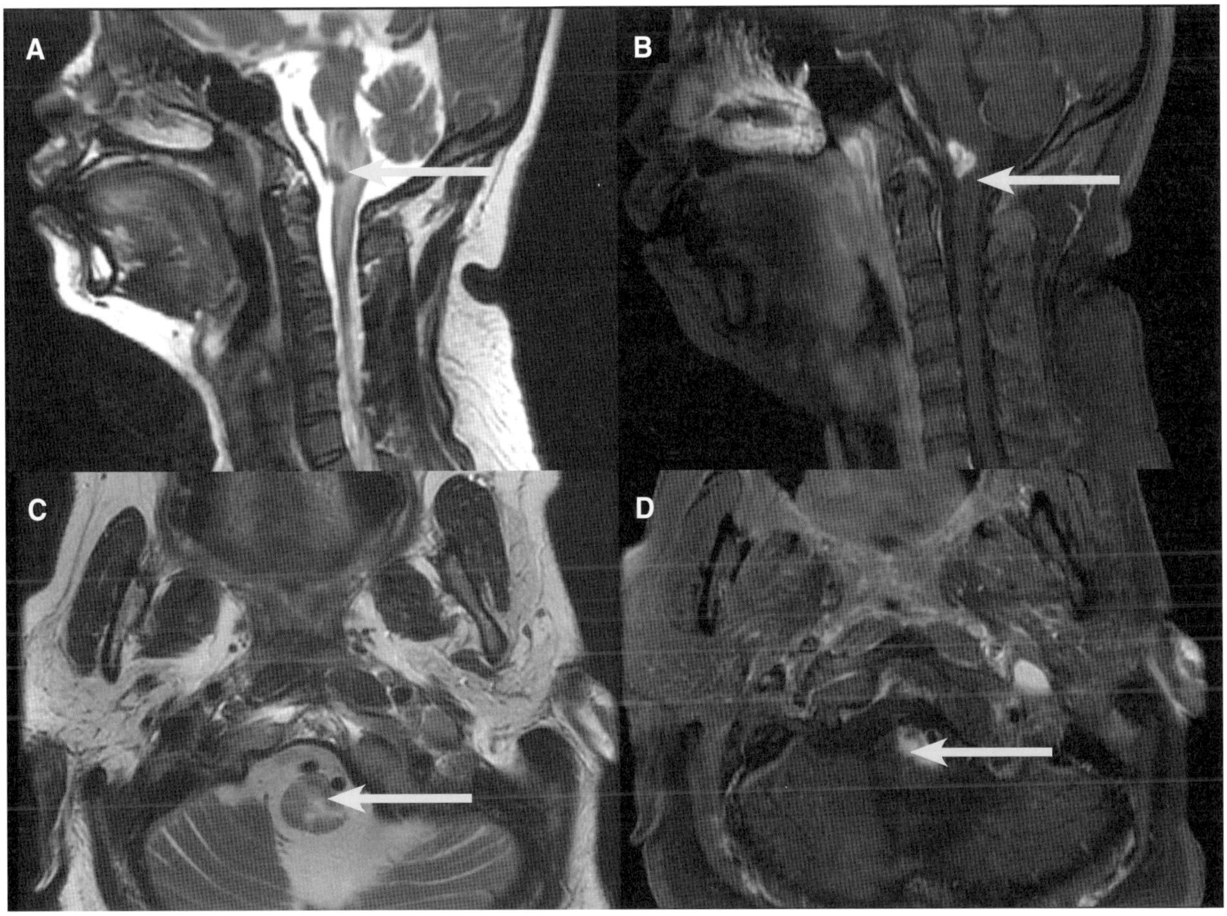

그림 5-5 신경베흐체트의 뇌 영상 소견
사지마비 및 구음장애로 내원한 37세 여자의 뇌 MRI 사진. 뇌간을 따라 광범위한 T2 신호증가가 관찰된다(A, C). 이에 비해 조영증강 병변은 좌하부 연수에 비교적 국한되어 있다(B, D).

혈액뇌장벽 때문에 뇌염을 초래하지 않는다. 하지만 뇌경색, 외상, 감염 등으로 혈액뇌장벽이 손상되면 순환하는 자가항체가 뇌실질 안으로 이동하여 뇌세포를 공격하여 신경기능저하 및 뇌염증을 유발할 수 있다. 신경정신루푸스는 전신 질병활성도가 높은 전신홍반루푸스 환자에서 발작 및 정신병 형태로 발현하는 경우가 흔하다.

(3) 신경정신루푸스의 증상

전신홍반루푸스 환자의 약 2/3가 신경정신증상을 보인다. 두통 등 비특이적 증상부터, 기분장애, 불안 등 정신과 증상, 무균수막염, 무도병(chorea), 횡단척수염(transverse myelitis) 등 다양한 임상양상을 보일 수 있

으나, 발작 및 정신병 등 명확한 신경정신증상만이 전신홍반루푸스의 진단기준에 포함되어 있다. 임상양상은 자가면역뇌염과 유사하지만 치료 반응이 좋다.

(4) 신경정신루푸스의 진단

임상양상 및 혈액검사로 전신홍반루푸스의 질병활성도를 평가하고 중추신경침범 여부를 동시에 진행한다.

① 질병활성도 평가 검사
일반혈액검사(CBC), 적혈구침강속도(ESR), 항이중쇄DNA항체 농도, C3/C4보체 농도, 소변검사

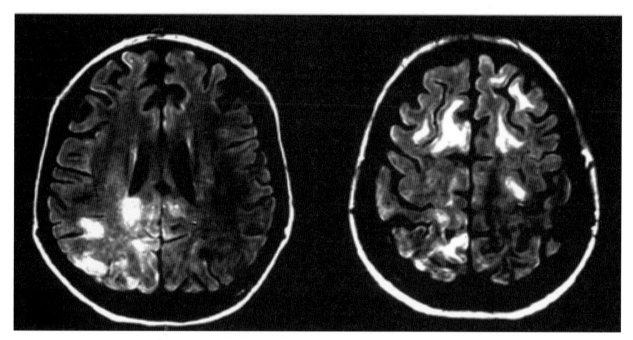

그림 5-6 신경정신루푸스의 뇌 영상 소견

전신경련으로 내원한 15세 여자의 뇌 MRI 사진. 액체감쇠역전회복영상(fluid-attenuated inversion recovery image, FLAIR)에서 양측 전두엽, 우측 두정엽에 광범위한 신호증가가 관찰된다.

② 중추신경침범 여부 검사

뇌척수액검사, MRI, 자기공명혈관촬영술, 뇌혈관조영술이 진단에 이용된다(그림 5-6).

(5) 신경정신루푸스의 치료:

질병활성도, 임상양상 및 중증도에 따라 치료한다. 금기사항이 없으면 항말라리아제제는 모든 전신홍반루푸스 환자에서 사용한다. 발병기전에 따라 염증혈관병증과 비염증혈관병증으로 분리하여 치료한다.

① 염증혈관병증

뇌실질의 염증 손상이 주 발병기전으로 의심되면 고용량의 스테로이드(예: prednisolone 1 mg/kg/day)를 4주간 유지한 후 치료 반응에 따라 서서히 감량한다. 환자 상태에 따라 고용량의 스테로이드와 함께 cyclophosphamide (500-750 mg/m²/month)를 6회 투여한다. 반응이 없을 경우에는 rituximab 1,000 mg을 2주 간격으로 2회 투약한다. 이후 azathioprine, mycophenolate mofetil, methotrexate, cyclosporine 등이 유지 요법으로 투여 가능하다.

② 비염증(허혈성)혈관병증

국소 신경질환과 전반적 인지기능 장애 등의 후유증은 비가역적이고, 치료로 호전되기 어려우므로 혈관병증의 진행을 조기에 막는 것이 중요하다. 항혈소판제, 항응고제를 사용하고, 심혈관 위험요소를 조절하는 것이 중요하다.

참고문헌

1. 대한류마티스학회. Textbook of Rheumatology 류마티스학. 2판. 서울:범문에듀케이션. 2018.

2. 서울대학교의과대학내과학교실. SNUH Manual of Medicine, 5판. 서울:고려의학. 2020.

3. Schwartz N, Stock AD, Puttermann. Neuropsychiatric lupus: new mechanistic insights and future treatment directions. Nat Rev Rheumatol. 2019;15:137-152.

4. Siddique S, Risse J, Canaud G et al. Vascular Manifestations in Antiphospholipid

Syndrome (APS): Is APS a Thrombophilia or a Vasculopathy? Curr Rheumatol Rep 2017;19:64.

5. Twilt M, Benseler SM, The spectrum of CNS vasculitis in children and adults. Nat Rev Rheumatol 2011;8:97-107

박희권

6 뇌혈관염 (Cerebral vasculitis)

1 서론

뇌혈관염은 뇌의 염증과 혈관벽의 괴사로 인해 발생하고, 혈관염(vasculitis), 동맥염(arteritis) 및 맥관염(angiitis)등으로 쓰여지며, 이들 용어 사이에는 병리학적으로 약간의 의미 차이가 있으나 실제 임상에서는 많은 경우에 혼용되어 사용된다. 뇌혈관염은 두통, 뇌병증(encephalopathy), 뇌전증, 척수증(myelopathy), 뇌신경마비 및 뇌졸중을 일으킬 수 있다. Chapel Hill Consensus Conference에 의하면, 원발전신혈관염(primary systemic vasculitis)은 침범하는 혈관의 크기에 따라 세 그룹, 즉 대혈관(large artery), 중간 크기 혈관(medium size artery), 소혈관(small artery)의 혈관염으로 분류될 수 있다(표 6-1). 또, 뇌를 포함한 전신을 침범하는 혈관염과 뇌만 침범하는 원발중추신경혈관염(primary angiitis of the central nervous system, PACNS)으로 분류하기도 한다.

진단은 주로 영상 소견과 혈액 검사에 기초하여 이루어지나 뇌척수액검사, 초음파 검사나 F-18불화디옥시포도당양전자방출단층촬영(18-fluorodeoxyglucose positron emission tomography, FDG-PET)검사가 초기 진단에 도움이 될 수 있다. 뇌혈관염의 치료는 침범 혈관의 종류와 전신적인 증상 발현 여부에 따라 달라지나 현재까지는 스테로이드와 면역억제제(예: cylophosphamide, methotrexate, azathioprine)를 통한 치료가 주가 되며, 최근 들어 rituximab 등의 새로운 약제가 연구되고 있다. 본 장은 뇌혈관염의 임상적 특징, 진단과 치료에 대하여 다루도록 하겠다.

표 6-1 원발성 혈관염의 종류

혈관의 크기	육아종성 (granulomatous)	비육아종성 (non-granulomatous)
대혈관	거대세포동맥염 다카야스동맥염	
중간 크기 혈관		결절다발동맥염 (말단사지괴사, 부종) 가와사키병 (점막피부림프절증후군)
소동맥혈관염		
ANCA 양성	베게너육아종증 (c-ANCA/PR3, MPO) Churg-Strauss증후군(p-ANCA/MPO)	현미경다발동맥염 (p-ANCA/MPO)
면역복합체 동반		한냉글로불린혈관염 베흐체트병

ANCA, anti-neutrophil cytoplasmic antibody; c-ANCA, cytoplasmic-ANCA; p-ANCA, perinuclear-ANCA; PR3, proteinase3; MPO, myeloperoxidase.

2 분류, 주요 임상 소견 및 역학

대동맥을 포함한 대혈관(large artery)을 침범하는 혈관염의 대표적인 질환으로서 거대세포동맥염(giant cell arteritis), 다카야스혈관염(Takayasu's arteritis)이 있다. 특히 대혈관을 침범하면서 조직학적으로 육아종 소견이 관찰되고, 환자의 나이가 50세 이상이면 거대세포동맥염을, 50세 미만이면 다카야스혈관염을 우선적으로 의심해 볼 수 있다. 거대세포동맥염은 측두동맥염(temporal arteritis, cranial arteritis)으로 불리기도 한다. 중간 크기 혈관염인 가와사키병(Kawasaki disease)은 점막피부림프절증후군(mucocutaneous lymph node syndrome)으로도 불리며 목, 성기, 입술, 손발바닥 등에 큰 림프절이 발생하며 고열이 나지만 뇌를 침범하는 경우는 드물다. 따라서 뇌를 침범하는 중간크기 뇌혈관염은 가와사키혈관염보다는 결절다발동맥염(polyarteritis nodosa)일 가능성이 높다. 결절다발동맥염은 신경, 장, 심장, 관절, 신장 등을 침범할 수 있으나, 림프절 확장 소견은 동반하지 않아서, 가와사키병과 구분되며, 전 연령층에서 발병한다.

이외의 대부분의 뇌혈관염은 소동맥을 침범하는데, 소동맥혈관염의 경우에는 항중성구세포질항체(anti-neutrophil cytoplasmic antibodies, ANCA)유무에 따라 다시 세분된다. ANCA항체 양성인 소동맥혈관염에는 Churg-Strauss증후군(Churg-Strauss syndrome, allergic granulomatosis)과 베게너육아종증(Wegener's granulomatosis)이 있는데, 두 질환 모두 육아종병변(granulomatosis)이 있으나 Churg-Strauss증후군에는 호산구성 육아종 및 천식(asthma)이 동반되는 반면, 베게너육아종증에서는 육아종이 상기도와 신장을 침범하나 천식은 동반하지 않는다. 현미경다발혈관염(microscopic angiitis)에는 육아종과 천식 증상이 없다. Churg-Strauss증후군, 현미경다발혈관염은 핵주위-항중성구세포질항체(perinuclear-ANCA, p-ANCA)/골수세포형과산화효소(myeloperoxidase, MPO)양성인 경우가 많고 베게너육아종증은 세포질-ANCA (c-ANCA)/단백분해효소3(proteinase3, PR3) 양성인 경우가 많다(표 6-1). 면역복합체 침착물(immune complex deposit)로 소동맥염을 구분하기도 하는데 베게너육아종증, Churg-Strauss증후군, 현미경다발혈관염에서는 면역복합체 침착물이 거의 관찰되지 않아 불충분면역전신형혈관염(pauci-immune systemic vasculitis)으로 분류된다(그림 6-1). 면역복합체 침착물이 관찰되는 질환으로는 전신홍반루푸스(systemic lupus erythematosus)와 류마티스관절염(rheumatoid arthritis), 한냉글로불린혈증혈관염(cryoglobulinemic angiitis) 등이 있다. 신경계에만 침범하는 혈관염은 아직 명확한 구분이 없으며 통상 원발중추신경계혈관염이라고 하는데 통상 중간크기 혈관이나 소동맥을 침범하며 육아종은 동반되기도 하나 없을 수도 있다.

그림 6-1 **불충분면역전신형혈관염(pauci-immune systemic vasculitis) 감별 알고리즘**
(American College of Rheumatology; Chapel Hill Consensus Conference)

cPAN, classic polyarteritis nodosa; CSS, Churg-Strauss syndrome; MPA, microscopic polyangiitis; MPO, myeloperoxidase; PR3, proteinase 3; WG, Wegener's granulomatosis

질환마다 역학이나 기타 임상 소견은 매우 다양하다. 거대세포동맥염은 뇌혈관염 중 가장 흔하며 주로 50세 이후에 호발하고 유병률이 십만 명당 15-30명으로 보고되었다. 소동맥혈관염은 유병률이 십만 명당 30명 정도이며 베게너육아종증의 유병률은 현미경다발혈관염 및 Churg-Strauss증후군의 발생률에 비하여 2-3배 높다. 뇌혈관염은 대부분 스테로이드와 cyclophosphamide치료 이후 증상이 많이 호전된다. 흥미로운 것은 고령일수록 중간 크기 혈관이나 소동맥혈관염의 발생률이 상대적으로 증가한다. 원발중추신경계혈관염 발생률은 매우 낮아 전세계적으로 700명 정도의 증례만 보고되었다.

3 | 진단 및 주요 질환

혈액검사 소견 중 적혈구침강속도(erythrocyte sedimentation rate, ESR), C-반응단백질(C-reactive protein, CRP)의 증가는 전신적인 염증반응의 증가를 의미하며 빈혈, 혈소판 증가, 간효소 수치 증가, 낮은 보체 수치가 흔히 동반된다. 특히 면역복합체와 연관된 혈관염에서 보체의 소모로 인해, 낮은 보체 수치가 동반될 확률이 높다. 원발중추신경계혈관염의 경우 대부분 혈액검사에서 정상 소견이나 뇌척수액검사에서는 백혈구, 단백질 수치 증가가 90% 이상에서 관찰된다. 혈액검사에서 혈관염 의심 이상 소견이 나오면 매독, 보렐리아증(borreliosis), B형/C형간염, 사람면역결핍바이러스(human immunodeficiency virus) 등의 감염 질환 배제를 위한 항체, 중합효소연쇄반응(polymerase chain reaction, PCR) 등의 혈액검사를 진행해야 한다.

뇌혈관 침범 여부를 확인하기 위해서는 영상검사가 주로 활용되며, 대혈관의 경우에는 고식적 혈관조영술이 사용된다. 뇌혈관염은 다양한 시기의 뇌허혈성 및 출혈성 병변이 혼재되어 있으므로 뇌병변 확인을 위하여 확산강조영상(diffusion weighted image, DWI), 절대확산계수(absolute diffusion coefficient, ADC), 관류강조영상(perfusion weighted image, PWI), 경사에코영상(gradient echo, GRE), 조영증강T1영상이 포함된 자기공명영상(magnetic resonance image, MRI)와 자기공명혈관촬영(magnetic resonance angiography, MRA) 검사를 시행한다.

이외에 경동맥 초음파(carotid Doppler) 검사를 이용하여 다카야스혈관염에서의 경동맥 혈관벽이나 거대동맥혈관염에서의 측두동맥벽의 비후를 확인할 수 있으며 고해상도 자기공명 혈관벽 영상(high resolution MR vessel wall image)을 이용하여 중대뇌동맥이나 기저동맥에서의 혈관염 소견을 직접적으로 관찰할 수도 있다. 혈관 내강에 이상이 없는 경우에도 한냉글로불린혈증이나 약물 관련 혈관염에서, FDG-PET 검사를 이용하여 혈관벽의 염증 소견 등을 민감하게 관찰할 수 있다. 혈관염을 일으킬 수 있는 약물에는 allopurinole, minocycline, penicillamine, phenytoin, carbamazepine, methotrexate, thiouracil, isotretinoine 등이 있다.

1) 거대세포동맥염(Giant cell arteritis, temporal arteritis, cranial arteritis)

거대세포동맥염은 만성적으로 대/중간 크기 혈관에 육아종성 뇌혈관염을 일으키는 질환이다. 여성에서 호발하며(여:남=4:1) 발병 시기의 중앙값은 65세이고 전방순환(anterior circulation)에 비해 후방순환(posterior circulation)에서 증상이 많이 발생한다. 사람백혈구항원(human leukocyte antigen, HLA)-DRB1과 유전성 연관성이 알려져 있다. 발병시 발열, 만성피로, 체중감소 및 류마티스다발근통증(polymyalgia rheumatica)을 동반하면서 두통, 복시, 시야 결손(예: 섬광암점(flickering scotoma), 일과성흑암시(amaurosis fugax), 실명, 턱파행(jaw claudication) 및 뇌졸중 등의 증상을 일으킬 수 있다. 사망률은 75%로 보고되어 있으며, 고혈압이나 허혈성 심장질환이 동반되면 사망률이 증가한다. 혈액 검사에서는 ESR, CRP, 인터루킨-1(interleukin-1, IL-1), IL-6 및 종양괴사인자-α (tumor necrosis factor, TNF-α) 상승 소견이 보인다 CD4+ T세포가 혈관벽 중 내탄력층(internal elastic layer)에서 주로 염증을 일으키며 따라서 전방순환의 두개 내 뇌혈관벽에는 내탄력층이 없으므로 중대뇌혈관에는 침범 빈도가 낮다. 많은 환자에서 측두동맥의 압통 동반되어 있고 초음파 검사에서 측두동맥벽 비후에 의한 'dark halo sign'을 관찰할 수 있다. 거대세포동맥염의 확진을 위해서는 측두동맥의 병리검사에서 전 혈관벽에서의 단핵염증세포 침범 또는 거대세포의 존재를 확인하면 된다(표 6-2). 특히 거대세포의 존재나 혈관내막 과증식(intimal hyperplasia) 소견이 있을 경우 실명의 가능성이 높아진다. 치료는 고용량 스테로이드 치료를 해야 하며 통상 수일 내 증상 호전을 관찰할 수 있으며 대부분의 환자들은 2년 이상 스테로이드 치료를 받게 된다. 일부 소규모 연구에서는 스테로이드에 의한 부작용을 줄이기 위하여 methotrexate, infliximab, etanercept 등을 추가로 사용하기도 한다.

2) 다카야스동맥염(Takayasu's arteritis)

다카야스동맥염은 50세 미만 환자의 대동맥 및 대동맥의 주요 분지에 육아종성 동맥염을 일으키는 질환으로 초기에는 관절염, 발열, 피로, 두통, 피부병변, 체중감소 등의 비특이적인 증상이 발현하나 이후 뇌졸중이나 사지 말초혈관에 허혈질환을 일으킬 수 있다. 검진에서 양 사지에 10 mmHg 이상의 혈압 차가 보이면 상기 질환을 의심해 볼 수 있으며, 혈액학적 검사에서 특이 소견은 없으나 ESR, CRP 상승이나 경미한 빈혈이 동반될 수 있다. 연관된 항체로는 항내막세포항체(anti-endothelial antibody)가 보고되었다. 조직학적으로는 대동맥 생검에서 혈관의 염증 소견을 확인할 수 있다 고식적 혈관조영술로 주로 진단하나, MRA, CT, FDG-PET, 초음파 등을 이용한 검사도 도움이 된다. 특히 FDG-PET 검사나 조영증강(contrast

표 6-2 주요 질환 진단기준

거대세포동맥염(5가지 중 3가지 이상)

- Age 50 years or more
- New developed headache
- Tenderness of the superficial temporal artery
- Elevated sedimentation rate, at least 50 mm/h
- Giant cell arteritis in a biopsy specimen from the temporal artery

다카야스동맥염(6가지 중 3가지 이상)

- Age at disease onset <50 years
- Claudication of extremities
- Decreased brachial artery pulse
- Systolic blood pressure difference >10 mmHg between arms
- Bruit over subclavian arteries or abdominal aorta
- Arteriographic narrowing or occlusion of the aorta, its primary branches or large arteries
  (not due to arteriosclerosis, fibromuscular dysplasia or similar causes)

결절다발동맥염(10가지 중 3가지 이상)

- Loss of weight >4 kg
- Livedo reticularis
- Testicular pain
- Myalgia
- Mononeuritis or polyneuritis
- Blood pressure elevation >90 mmHg
- Creatinine >1.5 mg/dL
- Hepatitis B or C virus antibodies
- Pathologic arteriography (aneurysm, occlusions)
- Typical histology finding

베게너육아종증 (4가지 중 2가지 이상)

- Necrotizing ulcerating inflammation of nose, sinuses, mouth, or pharynx
- Irregular lung infiltrates
- Nephritis
- Granulomatous vascular and perivascular inflammation

원발중추신경계혈관염

- Acquired neurological deficit unexplained after complete evaluation
- Diagnostic cerebral angiogram with narrowing of vessels, areas of dilation and/or beaded vessel appearance, displacement of vessels or vessel occlusions
- No evidence of systemic vasculitis or any other condition that could mimic the angiogram findings

enhanced)자기공명혈관촬영은 협착 이전 시기에 혈관 벽의 염증 소견을 확인할 수 있다. 스테로이드 치료를 주로 하나 보조 치료로 methotrexate, azathioprine, cyclophosphamide 를 사용하기도 하며 소규모 연구에서 mycophenolate mofetil 및 종양괴사인자-α억제제 등의 약물치료가 시도되었다. 또한 신장 혈관협착에 따른 안지오텐신II수용체길항제, 아스피린과 스타틴을 병용 치료한다. 중재 시술은 심한 협착에 의한 혈류학적 심각한 문제나 동맥류 파열 위험이 있을 때만 제한적으로 고려할 수 있다.

3) 결절다발동맥염(Polyarteritis nodosa, PAN)

전형적인 결절다발동맥염은 소동맥 침범 없이 중간 크기 동맥에 전신적인 괴사성 동맥염을 일으키는 질환이다. p-ANCA/MPO 연관된 현미경다발혈관염과는 분리해서 진단해야 한다(표 6-2). 결절다발동맥염은 간염바이러스와 연관성이 높으며 간염바이러스 유무에 따라 예후 및 치료 반응에 차이가 있다. 특히 간염바이러스 감염이 동반되어 있는 경우 말초 신경을 침범할 확률이 높다. 대부분 환자는 초기에 발열, 피곤, 체중 저하, 관절염, 피부병변이 동반되며, 말단사지괴사(acral necrosis)와 심한 부종이 특징적인 소견이다. 이외에 근육통, 다발성단일신경염(mononeuritis multiplex)도 자주 동반되며 근육이나 신경생검에서 괴사육아종염증(necrotizing granulomatous inflammation)이 발견되기도 한다. 대략 20% 환자에서 뇌 병변이 보이며 뇌경색, 뇌출혈, 뇌병증, 뇌전증 등이 관찰된다. 간염 보균자에서 발생한 결절다발동맥염의 경우, 스테로이드와 함께 lamivudine (B형간염바이러스 보균자)나 인터페론-α (interferon-α, IFN-α)와 ribavirine (C형간염바이러스보균자) 등을 병용하여 치료하며, 간염바이러스 비보균자인 경우, 스테로이드와 cyclophosphamide 치료를 하고 급성기에는 경우에 따라 혈장교환술(plasmapheresis)을 하기도 한다.

4) 베게너육아종증(Wegener's granulomatosis)

소동맥 혈관염 중에서 가장 흔한 질환으로 c-ANCA/PR3와 연관성이 높고 경우에 따라 MPO-ANCA

와도 연관성이 관찰된다. 남성에서 여성보다 2배 정도 흔하며 초기에 코와 부비동 부위 괴사육아종이 뇌신경마비나 요붕증(diabetes insipidus) 및 안구돌출증을 유발하기도 한다. MRI에서 비특이적 뇌막염이나 수두증이 관찰될 수 있다. 폐나 신장을 침범하기도 하는데 이러한 경우 c-ANCA/PR3 양성률이 90% 이상이다(표 6-2). c-ANCA/PR3 양성인 경우 재발률이 높아진다. 스테로이드와 cyclophosphamide 병행 치료에 효과적으로 치료되나 난소부전이나 감염, 출혈 방광염 등의 부작용 비율이 높으며 추후, 방광암이나 이차성 림프암 발생률이 올라간다 이에 cyclophosphamide 용량을 줄이기 위해 rituximab이나 methotrexate 등을 병용치료하기도 한다. 사망률은 발병 당시 나이와 신장 침범 여부에 따라 달라진다.

5) Churg-Strauss증후군(Churg-Strauss syndrome, CSS)

발병 초기에 알레르기 및 천식(asthma)을 동반하며 병리학적으로는 호산구가 많은 육아종이 특징이다. p-ANCA/MPO가 40% 환자에서 관찰되며 뇌, 신장, 폐를 침범한다. ANCA가 음성인 경우 심장을 침범할 확률이 높아진다. ANCA 양성 환자에서는 다발단신경염 패턴이 관찰되며 환자의 6-8%에서 뇌경색, 뇌출혈, 지주막하출혈 등의 뇌 병변이 보인다. 5 factor score (단백뇨 >1 g/d, 크레아티닌 >1.58 mg/dL, 위장관 침범, 심근병증, 신경계 침범)를 이용하여 예후를 예측할 수 있으며 2가지 이상 인자가 있는 경우 사망률이 상승한다. 2년내 재발률이 35%이고 5년 생존율은 60-95%로 보고되었다.

6) 베흐체트병(Behcet's disease)

베흐체트병은 다발 장기에서 주로 정맥을 침범하며 만성적으로 재발률이 높은 혈관염으로 극동, 중동 및 지중해 지역에서 흔한 질환이다. 재발성 구강궤양(oral ulceration)병력이 있으면서 재발성 성기궤양(genital ulceration), 눈 병변(예: 포도막염, 망막혈관염), 결절홍반(erythema nodosum) 또는 Pathergy 검사 중 2가지가 양성인 경우 진단할 수 있다. 확진할 수 있는 혈액 검사나 조직학적 검사는 없으나 phosphatidylserine 나 ribosomal phosphoproteins 관련 항체의 농도가 올라간다는 것이 알려져 있다. 뇌병변은 발병 5년째에 30% 환자에서 나타나지만 3%의 환자에서는 전조 증상없이 뇌병변이 첫 증상으로 발현한다. 주로 뇌간 부위에 발생하고 정맥혈전에 의한 가종양(pseudotumor) 병변이 자주 나타난다. 중추신경계, 위장관계, 주요 혈관 침범 여부에 따라 예후가 결정되며 cyclophosphamide, methotrexate, azathioprine, IFN-α, etanercept, colhichine, infliximab 등에 의한 치료 효과가 연구 중이다. 신경계를 침범한 경우에는 스테로이드와 면역억제제의 복합요법이 추천되며 정맥동혈전증(sinus thrombosis)에는 항응고제를 같이 사용하기도 한다. Cyclospoin A와 chlorambucil은 신경 독성 및 척수 독성, 발암 위험성 등으로 사용하지 않는다.

7) 원발중추신경계혈관염(Primary angiitis of the central nervous system, PACNS)

원발중추신경계혈관염은 다발성 또는 광범위한 중추신경계에, 수주에 걸쳐 재발 또는 진행하는 증상을 보이고, MRI 또는 뇌척수액검사에서 혈관염을 시사하는 소견이 보일 때, 생검이나 혈관조영술에서 혈관염에 합당한 소견이 보일 때 진단한다. 매우 드문 질환으로 두통, 뇌졸중, 뇌전증, 척수증, 및 뇌병증으로 발현하며 특히 다른 장기에 침범 소견이 배제되어야 한다. 혈액검사나 영상검사에서 확진할 수 있는 소견은 없으나 대부분의 보고에서는 뇌척수액에서 백혈구 및 단백질의 증가 소견이 동반되어 있었으며 혈청이나 뇌척수액검사 등에서 감염을 비롯한 다른 질환은 배제되어야 한다. 뇌자기공명영상에서는 다양한 시기의 허혈성/출혈성 병변이, 백색질 병변, 종양 같은 병변, 뇌막염증 소견이 혼재되어 나타날 수 있다. 보통 양측 반구에 뇌혈관에 협착이나 폐쇄 소견이 동반되어 있다. 일부 뇌막생검이나 뇌생검으로 확진된 환자인 경우, 혈관조영술에서 정상 혈관 소견이 보이는 경우도 있다. 특히 많은 경우에 편두통, 고혈압, 자간(eclampsia), 출산 후 발현되는 가역적뇌혈관수축증후군(reversible cerebral vasospasm syndrome)과 감별이 힘들 수도 있다(표 6-3). 다른 혈관염 이외에도 다른 비염

표 6-3 원발중추신경계혈관염(primary angiitis of CNS, PACNS)와 가역적뇌혈관수축증후군(reversible cerebral vasospasm syndrome, RCVS)의 감별 진단

	PACNS	RCVS
임상 소견	만성 두통	반복적 벼락 두통
뇌경색 패턴	Small, scattered	Watershed
출혈성 병변	매우 드뭄	흔함, SAH 또는 lobar hemorrhage
가역성 부종	가능	흔함
혈관조영술	불규칙한 협착 및 확장 소견	Sausage on string sign

SAH, subarachnoid hemorrhage

증성 혈관병증(예: 신경섬유종증(neurofibromatosis), 멜라스(mitochondrial encephalomyopathy, lactic acidosis, and stroke-like episodes, MELAS), 카다실(cerebral autosomal dominant arteriopathy with subcortical infarcts and leukoencephalopathy, CADASIL), 섬유근형성이상(fibromuscular dysplasia), 모야모야병, 감염증(예: 패혈색전(septic emboli), 결핵수막염, 세균수막염, 신경매독, 보렐리아증, 리케차감염, 인간면역결핍바이러스, 수두대상포진바이러스, 거대세포바이러스), Susac 증후군, 탈수초 증후군, 대사성 질환(예: 파브리병(Fabry's disease)), 기타 원발중추신경계림프종(primary CNS lymphoma), 암종수막염(carcinomatous meningitis) 등의 감별이 필요하다. 생검 소견은 육아종성 염증 소견(granulomatosis inflammation)과 섬유소모양괴사(fibrinoid necrosis)가 보이며 림프구성 세포 침습 소견이 가장 특이적인 소견이다. 재발률은 대혈관이나 중간크기 혈관을 침범한 경우가 소혈관을 침범한 경우에 비하여 높으며 대략 25% 정도 된다. 다만 치료 및 예후 관련 자료는 환자수가 적어서 불확실한 면이 많다. 통상의 경우 감염증이 감별되고 혈관조영술에 합당한 소견이 보이면 스테로이드 치료를 고려한다.

8) 기타 질환 및 감별 진단

전신홍반루푸스, 류마티스관절염, 쇼그렌증후군(Sjögren's syndrome)과 연관된 콜라겐혈관성 질환은 면

역복합체 관련 뇌혈관염을 일으킬 수 있으며 혈관염보다는 혈전에 의한 혈관병증인 경우가 많다. 특히 전신홍반루푸스의 경우 항인지질항체증후군과 연관되어 뇌졸중으로 발현하는 경우가 많다. 최근 고해상도MRI를 이용한 뇌혈관벽 영상에서 모야모야병 환자의 양측 말단 내경동맥 부위에 조영이 증가 되어 혈관염으로 오해할 수 있어 주의하여야 한다. 또한 뇌졸중과 함께 특이한 피부병변 'livedo racemosa'가 동반되는 경우, Sneddon증후군이라 하며 중소동맥의 혈전성 동맥병증(thrombotic arteriopathy)에 의하며 35%에서 항인지질 항체와 연관성이 알려져 있다. 또한 약물(예: amphetamine, metamphetamine, ephedrine, cocaine, oxymetazoline, phenoxazoline)에 의한 혈관병증은 혈관염과 혈관조영영상에서 유사한 소견을 보이며, 뇌출혈 또는 드물게 뇌경색 소견을 보일 수 있다. 특히 감염 심내막염에 병발한 패혈색전에 의한 패혈혈관염(septic angiitis)을 PACNS와 혼동하여 면역억제제를 치료하는 경우 매우 위험할 수 있으므로 주의를 요한다.

참고문헌

1. Jennette JC, Falk RF. Nosology of primary vasculitis. Curr Opin Rheumatol 2007;19:10-6.

2. Holder SM, Joy MS, Falk RJ. Cutaneous and systemic manifestations of druginduced vasculitis. Ann Pharmacother 2002;36:130-47.

3. Berlit P, Kraemer M. Cerebral vasculitis in adults: what are the steps in order to establish the diagnosis? Red flags and pitfalls. Clin Exp Immunol 2014;175:419-24.

4. Hunder G, Bloch DA, Michel BA, et al. The American College of Rheumatology 1990 criteria for the classification of giant cell arteritis. Arthritis Rheum 1990;33:1122-8.

5. Arend WP, Michel BA, Bloch DA, et al. The American College of Rheumatology criteria for the classification of Takayasu arteritis. Arthritis Rheum 1990;33:11-34.

6. Calabrese LH, Mallek JA. Primary angiitis of the CNS: report of 8 new cases, review of the literature, and proposal for diagnostic criteria. Medicine 1987;67:20-37.

INDEX

한글

영문